STURMBERGER · ADAM GRAF HERBERSTORFF

Herr Adam Graf zu Herberstorf
Osterreich ob der Enns
ob der Ennserischen Bauren

HANS STURMBERGER

Adam Graf Herberstorff

Herrschaft und Freiheit im konfessionellen Zeitalter

VERLAG FÜR GESCHICHTE UND POLITIK WIEN
1976

Gedruckt mit Unterstützung der Oberösterreichischen Landesregierung

Druck: R. Spies & Co., Wien

Umschlag und Einband: Maria E. Wessely

ISBN 3-7028-0089-1

Auch erschienen im R. Oldenbourg Verlag, München

ISBN 3-486-48151-7

INHALT

VERZEICHNIS UND NACHWEIS DER ABBILDUNGEN

Für den Schutzumschlag wurde das Bild „Der Galgenbaum“ aus dem Kupferstichwerk „Elend des Krieges“ von J. Callot verwendet (Graphische Sammlung Albertina, Wien).

DER „ALBA“ DES LANDES OB DER ENNS

In seiner Geschichte Wallensteins hat Leopold von Ranke bei Betrachtung des Verhältnisses von Persönlichkeit und Geschichte darauf hingewiesen, Plutarch habe einmal betont, daß er nicht Geschichte schreibe, sondern Biographie. Der Grieche habe damit auf eine „der vornehmsten Schwierigkeiten der allgemeinhistorischen sowohl wie der biographischen Darstellung“ hingedeutet[1]. Diese Schwierigkeit, so meint der Meister der Geschichtsschreibung des vorigen Jahrhunderts, bestehe in der Verknüpfung von Persönlichkeit und Geschichte in ihrer Wechselwirkung aufeinander: „Indem eine Persönlichkeit dargestellt werden soll, darf man die Bedingungen nicht vergessen, unter denen sie auftritt und wirksam ist. Indem man den großen Gang der welthistorischen Begebenheiten schildert, wird man immer auch der Persönlichkeiten eingedenk sein müssen, von denen sie ihren Impuls empfangen.“ Bei einer Biographie des Grafen Adam von Herberstorff wird man nun in ganz besonderem Maße die „Bedingungen“, von denen Ranke spricht, die Voraussetzungen des Auftretens und Handelns berücksichtigen müssen, weil dieser Rahmen, in dem sich Herberstorffs Wirken abspielte, in eine Epoche hineingehört, die durch die harten Gegensätze des Denkens und die Leidenschaftlichkeit der Herzen dem einzelnen zwischen den Fronten nicht viel Spielraum ließ und ihn oft zu einem einfachen Entweder-Oder, zu einem bloßen Ja oder Nein gezwungen hat. Denn das Zeitalter der „Gegenreformation“ ist eine Zeit der großen Gegensätze und eine Epoche des Kampfes, in welcher die Physiognomien der einzelnen agierenden Persönlichkeiten schärfer geprägt und die Konturen der Gesichter härter geraten sind als in einer Ära friedlicher und ruhiger Entwicklung und in einer Zeit des Verständnisses und der Achtung des anderen.

Darauf hinzuweisen ist notwendig und heilsam, weil die Berücksichtigung des Geistes der Gegenreformation Voraussetzung dafür ist, das Bild einer von dieser Epoche geformten Persönlichkeit richtig zu sehen, d. h., sie nicht in ihrer Isoliertheit zu betrachten, sondern bedingt durch die Zeit, der sie in ihrem Wesen und durch ihr Handeln Ausdruck verliehen hat. Gerade bei Persönlichkeiten, deren Format nicht hinausragt über den Rahmen der Zeit, scheint dies besonders wichtig zu sein, weil sie mehr Objekte der Zeit, mehr von ihrem Geist geprägt sind, als daß sie selbst schöpferisch den Geist ihrer Zeit geprägt haben. Hat jüngst E. W. Zeeden[2] darauf hingewiesen, daß für den Historiker der Gegenreformation die geforderte Objektivität schwieriger zu erreichen ist als für den Historiker anderer Epochen, so ist auch, um dem handelnden Menschen dieser Zeit gerecht werden zu können, von großer Bedeutung, sich des Geistes bewußt zu sein, der diese Menschen beherrschte und ihr Wirken bestimmte. Denn die Überzeugung, „zur Wahrheit gehöre die Ganzheit und die Einheit des Reiches Gottes auf Erden", machte diese Menschen so grausam in der Verfolgung ihrer Ziele, so hart gegen die Mitmenschen, daß dies den Menschen späterer Epochen geradezu unverständlich erschien. Aber wir sind aus der Zeit der Antithese gegenüber dieser Zeit der Glaubenskämpfe bereits heraus und beginnen klarer zu sehen, versuchen die Menschen dieser Zeit nicht mehr lediglich aus dem Blickwinkel des Denkens einer späteren Ära zu beurteilen, sondern sie aus den Gegebenheiten ihrer eigenen Zeit heraus zu verstehen. Denn „nicht aus Dummheit oder heuchlerischer Herrschsucht, sondern aus Hingabe an das Höchste geriet die europäische Menschheit in die Verwicklung des politisch geführten Konfessionskampfes"[3].

Adam von Herberstorff, dessen Leben sich von 1585 bis 1629 erstreckte, ist in die Geschichte eingegangen als der grausame, blutige Statthalter, als der Unterdrücker der Freiheit des Gewissens, als der Tyrann des kleinen, verpfändeten Landes ob der Enns, das dem gegenreformatorischen Bayern des Kurfürsten Maximilian I. als erste Beute des Dreißigjährigen Krieges in die Hände gefallen war. Er wäre keineswegs in die Geschichte eingegangen ohne diese Aktion des Wittelsbachers im habsburgischen Land ob der Enns, das Kaiser Ferdinand II. seinem Vetter für die Kriegskosten zum Pfand gegeben hatte, und er wäre längst aus dem geschichtlichen Bewußtsein entschwunden, hätte nicht die Nachwelt ihn als den Mann des Frankenburger Würfelspiels am Haushammerfeld und als den erbarmungslosen Henker der Bauern

Oberösterreichs gezeichnet und das Bild dieses Mannes von Generation zu Generation weitergegeben als Symbol des Schrekkens der Gegenreformation. So ist er bis heute dieses Symbol geblieben und hat seinen festen Platz in der Geschichte Oberösterreichs.

Man hat ihn gelegentlich als den „Alba“ des Landes ob der Enns bezeichnet[4]. Nun hat er zweifellos nicht das Ausmaß des spanischen Feldherrn, und auch sein Wirken kann nicht mit den großen Ereignissen im Freiheitskampf der Niederlande verglichen werden. Vielmehr ist es der Typus, den er verkörpert, der ihn für die Menschen des 19. Jahrhunderts vor allem so hassenswert machte, der Typus, der ihn in eine Reihe mit Philipps II. Heerführer stellt. Wir haben ein monumentales Bild Herberstorffs, das diesen Typus des Kriegsmannes, des bedingungslosen Exekutors der Befehle seiner Herrn, eindrucksvoll darstellt. Es ist sein Grabmal aus rotem Salzburger Marmor, das die Evangelienseite des Presbyteriums der alten Kirche des hl. Benedikt in Altmünster am Traunsee beherrschte. Die lebensgroße Relieffigur des Statthalters und späteren Landeshauptmannes von Oberösterreich zeigt ihn als Kriegsobersten, als Heerführer in der Rüstung der Zeit des Dreißigjährigen Krieges, mit kleinem, kurzem Küraß, langen Krebs-Schenkelschienen bis zu den Knien, gerüsteten Oberarmen, Stülphandschuhen und hohen Stiefeln mit angeschnallten Sporen. Die Feldbinde hat er über die rechte Schulter geschlagen, am Kettengehänge trägt er ein langes Schwert mit breitem Korb um den Griff. In der Linken hält er einen Handschuh, mit der Rechten aber stützt er sich auf einen Stock, rechts von ihm liegt der federbesetzte Burgunderhelm, links die gekreuzt liegenden eisernen und gefingerten Henzen. Seine Brust aber ziert das Kreuz des spanischen Ordens von Calatrava, jener Stadt in der Mancha, die 1147 von Alphons VII. im Kampf gegen die Ungläubigen den Mauren entrissen wurde[5]. Dieses Lilienkreuz des spanischen Ritterordens auf der Brust des Kriegsobersten Herberstorff reiht ihn ein als ein Glied in die Kette der Kämpfer gegen Häresie und Unglauben im Zeichen des gegenreformatorischen Spanien der Epigonen des größeren Sohnes Karls V. Der tief in einer mächtigen Halskrause steckende, von reichem kurzgelocktem Haupthaar besetzte Kopf Herberstorffs zeigt ein hartes, energisches Gesicht von scharfer Prägung, dessen aufgedrehter Bart und spitzer Kinnbart die Mode der Zeit widerspiegeln und den Eindruck des Kriegerischen noch verstärken. Der aus dem Untersberger Marmor gehauene steinerne Rahmen des Grabmonuments aber sagt über Adam Herberstorff aus, daß er Herr der Grafschaft Ort am Traunsee, der römisch-kaiserlichen Majestät geheimer Rat und Landeshauptmann ob der Enns gewesen ist. Nichts davon, daß er ja noch knapp ein Jahr vor seinem Tod als bayerischer Statthalter dieses Land regierte, fast in Parenthese ist nur hinzugefügt: „auch churfürstlicher Durchlaucht in Bayern gewester General Wachtmeister und Obrister zu Roß und Fueß". Auf einer Kartusche am Fuß des mächtigen Grabmals wird neben dem Todesdatum — 11. September 1629 — noch angeführt, daß er „eine große Säule und Beschützer der heyligen katholischen Kirchen gewest"[6]. So zeigt das Monument, das Herberstorffs Gestalt den kommenden Geschlechtern überliefern sollte, ihn vor allem als einen Soldaten, als einen Kriegsmann, dann als Vorkämpfer der Gegenreformation, jener gewalttätigen Schwester der inneren katholischen Erneuerung, und schließlich als Diener der Fürsten, des Kaisers und des Bayernherzogs, deren Intentionen er vertrat und deren Befehle er vollzog.

Als nach dem Einmarsch des Liga-Heeres in Oberösterreich im Sommer des Jahres 1620 Herzog Maximilian von Bayern am 20. August auf dem kaiserlichen Schloß zu Linz die Interimshuldigung der obderennsischen Landstände entgegennahm und ihnen seinen Obersten Adam von Herberstorff als Statthalter, der an seiner Stelle das „Gubernament" über das Land führen sollte, vorstellte, da ging die Tragödie des Landes ob der Enns ihrer Vollendung entgegen. Äußerlich gesehen war die Sache durchaus einfach: Im Zuge der großen ständischen Bewegung gegen Ferdinand II. hatte sich das kleine Land ob der Enns an die Seite des aufrührerischen Böhmen gestellt, auch in einer Konföderation sich mit diesem verbunden und dem Kaiser als Landesfürsten die Huldigung verweigert. Daraufhin hat Herzog Maximilian von Bayern, das Haupt der Katholischen Liga, als kaiserlicher Kommissarius in einem Feldzug das Land unterworfen und die rebellierenden Stände zur Huldigung gezwungen. Das niedergeworfene Land aber, das Nest des Unheils — wie der Kaiser Oberösterreich bezeichnete —, sollte dem Bayernherzog als Pfand für die entstehenden Kriegskosten überlassen bleiben.

In diesen lapidaren Sätzen ist das äußere Geschehen knapp und vereinfacht umrissen. Dahinter aber stand eine erregende Auseinandersetzung großen Ausmaßes zwischen dem Prinzip des aus dem Mittelalter in die neueren Jahrhunderte herüberragenden Ständestaates mit dem Landesfürstentum, das im Geiste zentralistischen und absolutistischen Denkens allein die Souveränität beanspruchte und in seinem Streben auf die alten, autonomen Gewalten stieß. Dieser Kampf für und gegen den monarchischen Staat in Österreich war gekoppelt mit dem Ringen der Konfessionen, war verbunden mit der großen Entscheidung zwischen dem Protestantismus und dem Katholizismus der Gegenreformation. Die Mehrheit der Landstände Oberösterreichs, die ihre Privilegien, ihre Libertates verteidigten, waren protestantisch. Ihnen stand in Ferdinand II. ein gläubiger, zum Kampf entschlossener, katholischer Fürst gegenüber. Als nach dem Beginn des böhmischen Aufstandes die Dinge einer Entscheidung zustrebten, da war das Land ob der Enns an der Spitze der österreichischen Bewegung gegen das fürstliche Haus. Es sollte auch das erste Opfer der wittelsbachisch-habsburgischen Koalition sein, die im Zeichen des Ringens um die Wiederherstellung des Katholizismus in den habsburgischen Ländern Kaiser und Herzog geschlossen hatten. Während die große Entscheidung über ständische Fronde und mitteleuropäischen Protestantismus erst in der Schlacht am Weißen Berg vor Prag am 8. November 1620 fallen sollte, war das Schicksal des Landes Oberösterreich bereits besiegelt, als im Juli des gleichen Jahres das Liga-Heer von Schärding am Inn aus nach Oberösterreich einbrach und bald kampflos die Hauptstadt Linz besetzt hatte. Das Schwert hatte der Auseinandersetzung der Ideen ein Ende bereitet und entschieden, was Recht und was Aufruhr war. Und wie Menschen die Träger und Verfechter der unterlegenen Ideen waren, so mußten die Menschen auch in erster Linie die Opfer der Niederlage sein. Leid und Not standen an der Seite der Unterlegenen. Das Land, in dem kühne Hoffnungen auf die Freiheit der Religion im Schutze eines oligarchischen Ständestaates lebendig gewesen waren, war nun dem Sieger auf Gnade und Ungnade ausgeliefert und mußte sich dem Willen des Herzogs von Bayern und seines Statthalters Adam von Herberstorff beugen.

Als die Stände Oberösterreichs, dem Zwang und der Not gehorchend, auf der Linzer Burg dem Bayernherzog das Gelübde ablegten, war nur ein Teil der ständischen Körperschaft erschienen. Gerade die führenden Köpfe der ständisch-protestantischen Bewegung fehlten, unter ihnen der „allgemeinde Vorsprech- und Gewalthaber" der Stände — wie die Bayern ihn nannten — Georg Erasmus von Tschernembl. So trat der calvinische Führer der österreichischen Landstände an diesem dies ater des Landes ob der Enns nicht dem neuen Statthalter Herberstorff entgegen[7]. Dennoch verkettete dieser Tag, da die Ära Herberstorff im Land Oberösterreich begann, die Schicksale der beiden Männer. Man kann nun nicht sagen, daß Herberstorff der echte Antipode Tschernembls gewesen ist. Das war in Wirklichkeit Kaiser Ferdinand II. selbst. Während der protestantische Ständeführer Tschernembl geistig und politisch Kopf der ständischen Opposition gewesen ist, war Herberstorff lediglich „Bracchium", ausführendes Organ des Bayernherzogs, in dessen Auftrag er handelte. Aber in der Tat regierte nunmehr der Gubernator mit dem Recht des Siegers dieses Land, zu dessen Nobiliores Tschernembl gehörte, das seinem Willen bis dahin weitgehend gefolgt war. Der katholische Statthalter Bayerns löste mit seiner Militärregierung das protestantisch-ständische Regiment, dessen Kopf Tschernembl gewesen war, ab. Er ist die Verkörperung des Prinzips fürstlicher Autorität, das Tschernembl in zwei Dezennien leidenschaftlich bekämpft hatte. Insofern stehen sich nun die beiden als die großen Gegner gegenüber: Der Mann der siegreichen Mächte als nunmehriger Regent des kleinen Landes an der Donau und der „Rädelsführer" der unterlegenen ständischen Opposition, der nicht mehr in seine Heimat zurückkehren sollte. Sie haben einiges gemeinsam, vieles aber trennt die beiden Männer, deren Wege sich im Schicksalsjahr 1620 knapp berührten. Beide kamen aus den innerösterreichischen Ländern; während die Herren von Tschernembl aus der Windischen Mark stammten und vor zwei Generationen in das Land ob der Enns gekommen waren, stammte Adam von Herberstorff unmittelbar aus der Oststeiermark, wo er in Kalsdorf geboren worden war. Der Statthalter und der ständische Führer gehörten in gleicher Weise der höheren Schichte des landständischen Adels an, der eine dem steirischen, der andere dem obderennsischen. Die gleichen sozialen Gegebenheiten also bildeten ihre Ausgangsbasis, das gleiche Ethos des

Adels der habsburgischen Erbländer war ihnen eigen. Auch in konfessioneller Hinsicht hatten sie die Grundlage gemeinsam, beide hatten gut lutherische Eltern und wurden auf deren Schlössern, der eine in Schwertberg in Oberösterreich, Herberstorff aber im steirischen Kalsdorf, im Geiste des Protestantismus erzogen, der mit dem adelig-humanistischen Bildungsideal des Herren- und Ritterstandes sich eng verknüpft hatte. Beiden Männern wurden die Traditionen dieses auf seine Stellung gegenüber dem Landesfürsten sehr bedachten erbländisch-habsburgischen Adels vermittelt, und beide erlebten in ihrer Kindheit und Jugend trotz des Altersunterschiedes von fast zwanzig Jahren den Kampf dieser Adelsschicht gegen den sich verstärkenden Druck der fürstlichen Zentralgewalt und gegen die um sich greifende Gegenreformation. Gerade als Tschernembl selbst zur Zeit der einsetzenden gegenreformatorischen Maßnahmen Kaiser Rudolfs II. immer mehr an die Spitze der ständisch-protestantischen Gegenbewegung in den beiden Österreich trat, ließ Ferdinand II., damals noch Landesfürst in Innerösterreich, die protestantische Kirche bei Kalsdorf, die Herberstorffs Vater hatte errichten lassen und zäh gegen die Maßnahmen des Erzherzogs Karl verteidigt hatte, zerstören. Und so wie Tschernembl in seiner Jugend an die protestantische Akademie zu Altdorf bei Nürnberg ging, um im Geiste des Protestantismus seine weitere Erziehung zu genießen, so bezog der junge steirische Adelige Herberstorff das berühmte evangelische Gymnasium Illustre zu Lauingen an der Donau im Neuburgischen und daraufhin die protestantische Straßburger Universität, um die im elterlichen Heim eingepflanzten Lehren des Evangeliums sicher zu bewahren und zu stärken für den späteren Kampf gegen die Bedrohung durch den erstarkten Katholizismus. So hatten diese beiden Männer, der Verlierer von 1620 und der Statthalter des Siegers dieses Jahres, die gleiche Erziehung und Ausbildung erfahren, getragen vom religiösen Eifer des Luthertums und seiner Frömmigkeit und dem Bildungsstreben des um seine Rechte ringenden landsässigen Adels.

Aber die Linien des Lebens, die zunächst parallel verliefen, gingen bald auseinander. Während Tschernembl nach seinen Bildungs- und Studienjahren gleich als Mitglied des oberösterreichischen Herrenstandes in seiner Heimat lebte und zum Träger der Ideen seiner Korporation wurde und immer innerhalb des autonomen Kreises seiner Standesgenossen wirkte, trat Adam von Herberstorff bald nach seiner Ausbildung in die Dienste des Herzogs von Pfalz-Neuburg. Das war schon ein großer Unterschied, und es charakterisiert diese Tatsache von Anfang an auch die Verschiedenheit der Charaktere. Tschernembls Selbstbewußtsein ließ ihn wohl Dienst leisten in der Organisation und Institution der Landstände als Herr und Diener in einem, im eigenen Bereich und gleichsam in eigener Sache, im Dienste Gleichgestellter. Herberstorff aber trat in den Fürstendienst. Dieser Dienst mußte einen Verlust an Freiheit bedeuten, eine Bindung an den Willen eines Höheren, Mächtigeren, erbrachte einen Verzicht auf eigenes Wollen und Bestimmen. Nicht, daß er ausschied aus der Schicht, der er zugehörte durch seine Geburt, er blieb der Kavalier, der den adeligen Tugenden verbunden war. Aber Tendenzen und Wollen jener Adelsschicht der Barone und Ritter waren nicht mehr unbedingt sein Wollen, es trat dies zurück hinter den Willen des Fürsten, dem er diente.

Zunächst stand Herberstorff noch im Dienste eines streng protestantischen Fürsten, des Pfalzgrafen Philipp Ludwig von Pfalz-Neuburg. Aber der große Bruch in seiner Entwicklung sollte sehr bald eintreten. Als der junge Herzog von Pfalz-Neuburg Wolf Wilhelm aus politischen Gründen wegen seiner Expektanzen auf die Jülicher Lande in München zum katholischen Glauben übergetreten war und bald darauf die Regierung im kleinen Herzogtum an der Donau angetreten hatte, da schlug auch für den Protestanten Herberstorff die Stunde. Während Tschernembl zum Calviner geworden war und in dem Elan, den ihm die Confessio des Genfer Reformators vermittelte, zum Vorkämpfer des Protestantismus in den habsburgischen Erbländern wurde, folgte Herberstorff überraschend schnell seinem Herrn im Glaubenswechsel. Und während der Herr von Schwertberg aus voller innerer Hingabe und Leidenschaftlichkeit das „Evangelium“ gegen alle Macht des Landesfürsten verteidigte, nützte der Steiermärker, der in der jungen Pfalz wirkte, die Gunst der Stunde, die ihm Aufstieg und Karriere bot. Und als der Tribun der Evangelischen Österreichs das große Spiel wagte und um „religio und libertas“, um Freiheit des Protestantismus und Bestand des altständischen Staates, den Kampf gegen das rekatholisierende Haus Österreich an der Seite Böhmens begann, da war Herberstorff, Sohn des rebellischen steirischen Protestanten Ott von Herberstorff, selbst zum Gegenreformator von Neuburg geworden. Als Statthalter des in seinen Jülischen Landen weilenden Herzogs zwang er die Bewohner von Pfalz-Neuburg zum Katholizismus. Er, der vor nicht einmal zwanzig Jahren im Städtchen Lauingen an der Donau Schüler des lutherischen Gymnasiums war, holte nun die kleine Stadt mit Waffengewalt in die alte Kirche zurück, bereits jetzt ein Mann der Gewalt, der nicht den Geist bekehrte, sondern nur äußerlich die Bekehrung erzwang. Herberstorff war ein Mann des Krieges und des Kriegsdienstes — sein Gegner Tschernembl hatte jedoch niemals militärische Ambitionen. Der Kriegsdienst war es ja auch, der den Statthalter Wolf Wilhelms von Neuburg bald in die attraktiveren Dienste des mächtigen Bayernherzogs Maximilian I. treten ließ, der als Herr der Liga wohl größere Chancen bot als der Herr der jungen Pfalz.

So kam Herberstorff als Statthalter mit dem katholischen Liga-Heer ins Land ob der Enns, als der Protestantenführer eben über Niederösterreich flüchtig nach Böhmen eilte. Und als Tschernembl im Gefolge des Winterkönigs auf der Flucht Böhmen verließ, da konnte Herberstorff im Auftrag des Bayernherzogs dem Kaiser vom siegreichen Ausgang der Schlacht am Weißen Berg berichten. Hier der im landesfürstlichen Schloß zu Linz residierende Statthalter, dort der physisch und psychisch gebrochene Calviner aus dem Lande ob der Enns, der schließlich in Genf sein Asyl fand. Eben zu der Zeit, da dieser in Not und Armut darbte, schickte sich Herberstorff an, im Land Oberösterreich Fuß zu fassen und bedeutenden Herrschaftsbesitz zu erwerben, der ihn dann hineinführte in jene Korporation der ob der ennsischen Landstände, deren Interessen Tschernembl einst so leidenschaftlich verfochten hat. Als dann das große Ereignis der Statthalterschaft Herberstorffs im Land ob der Enns, der Bauernkrieg von 1626, eingetreten war und mit Hilfe kaiserlicher und bayerischer Truppen die rebellischen Bauern, die für ihren Glauben und gegen die bayerische Verpfändung ihren Kampf führten, niedergeworfen wurden, da starb eben in Genf der von Schlagflüssen geplagte Tschernembl. Noch lebte sein Name im Bauernheer, und das Gerücht, daß er unter ihnen weile, zeigte, daß er zum Symbol für Protestantismus und Widerstand im Kampf gegen die fürstliche Herrschaft geworden war. Herberstorff hatte die Genugtuung, als Sieger in diesem Kampf gegen die Bauern hervorzugehen. Und als er nach der Wiedereinlösung des Landes ob der Enns durch den Kaiser im Jahre 1628 auch Landeshauptmann ob der Enns wurde, da hatte er den Höhepunkt seiner Laufbahn erreicht. Aber schon knapp ein Jahr nachher verstarb Herberstorff in seinem Schloß Ort im Traunsee. Er hatte nicht einmal ein Jahrzehnt das Land ob der Enns beherrscht, und dennoch blieb sein Name der Nachwelt viel vertrauter als der Tschernembls, der hier ein ganzes Mannesalter bis zum Exil gewirkt hatte.

Das hängt zweifellos zunächst damit zusammen, daß dem Erfolgreichen die Geschichte meist mehr Aufmerksamkeit als dem Mann des Mißerfolgs schenkt. Aber auch das dramatische Moment spielt eine Rolle, wenn es um den Platz in der Geschichte geht und wenn der Name weiterleben soll. Herberstorff setzte vor allem durch das Würfelspiel am Haushammerfeld, als er die Vertreter der Märkte und Pfarrgemeinden des aufständischen Gebietes um ihr Leben würfeln und die Verlierer hängen ließ, einen dramatischen Akzent in seinem Wirken. Tschernembls Ende in Genf war tragisch, doch keineswegs dramatisch. Wäre der Kaiser des Rebellen habhaft geworden und hätte dieser unter dem Schwert oder dem Beil des Henkers sein Leben beendet, so lebte er vielleicht im Bewußtsein des Volkes in Österreich im Lichte einer blutigen Zeugenschaft für die Freiheit der Gewissen. Dem Statthalter aber verbürgte seine Grausamkeit und der Hohn des Spielenlassens um den Tod das Weiterleben in der Geschichte.

Grillparzer hat von den Biographien unberühmter Menschen gesprochen und im armen Spielmann den „Berühmten“ die „Obskuren“ gegenübergestellt[8]. Herberstorff ist kein Mann von überragender Bedeutung. Tschernembl übertraf ihn in dieser Hinsicht in weitem Ausmaß. Aber er war auch keineswegs „obskur“ und „unberühmt“. Sein „Ruhm“, der ihm anhaftet, war jedoch ein durchaus negativer, und das Urteil der Geschichte über diesen Typus des Kriegers und Vollstreckers fürstlicher Befehle war stets abschlägig mit einem Hauch von Verachtung gemischt. Besonders das 19. Jahrhundert, das ja erst die Pflege der Geschichtswissenschaft zur vollen Entfaltung gebracht hat, zeichnete die Schatten an der Persönlichkeit des Statthalters mit kräftigen

Strichen. Dabei war es durchaus verständlich, daß Herberstorff dem Freiheitssinn des Liberalismus in der düstersten Farbe erschien, wenn auch die bayerische Geschichtsschreibung aus dem Aspekt der wittelsbachschen Politik manches an dem harten Bild des Statthalters zu mildern suchte und ihm in vieler Hinsicht Verständnis entgegenbrachte. Viel merkwürdiger ist, daß auch die katholische Landesgeschichtsschreibung dem Wirken des Statthalters Herberstorff durchaus ablehnend gegenüberstand und der Härte seines Vorgehens gegen die Protestanten nicht ihre Zustimmung geben konnte. Freilich mögen bei dem Begründer der neueren oberösterreichischen Landesgeschichte, Franz Kurz, noch Reste des Toleranzdenkens der Aufklärungszeit lebendig gewesen sein. Hatte er doch in seinem „Versuch einer Geschichte des Bauernkrieges in Oberösterreich“[9] geschrieben: „Verschiedene Meinungen in Glaubenssachen sollten ja ... auf die historische Wahrheit keinen Einfluß haben.“ Und doch hat dieser führende Kopf der historischen Schule von St. Florian in Herberstorff einen Mann voll Stolz und Starrsinn, der vom Geist des Jähzorns und des Argwohns erfüllt war, gesehen, einen Mann, dessen Tüchtigkeit in der Erpressung von Geld aus dem Lande bestanden habe[10]. Aber nicht nur der im Abendglanz der Aufklärung stehende geistliche Historiker Franz Kurz stand Herberstorff voll Ablehnung gegenüber, auch der vom neuen Kampfgeist erfüllte Katholizismus des 19. Jahrhunderts, den im Lande ob der Enns etwa Jodok Stülz verkörperte, fand keinen Gefallen an dem Statthalter der Gegenreformation. Stülz selbst sah in Herberstorff lediglich den strengen Zuchtmeister des Landes[11]. Auch Bischof Franz Josef Rudigier, der große Vorkämpfer dieser „zweiten Gegenreformation“ im 19. Jahrhundert, die im Anschluß an das Rundschreiben Gregors XVI. „mirari vos“ von 1832 in Bewegung kam und — wie Friedrich Heer meinte — die „Kontinuität des gegenreformatorischen Integralismus im 19. Jahrhundert monumental bestätigte“[12] —, stand dem Statthalter Herberstorff mit Reserve und in gewollter Distanz gegenüber. Was hätte es sonst zu sagen, wenn glaubhaft berichtet wird, der große Bischof von Linz, der leidenschaftliche Gegner des Liberalismus, habe, wenn er in der Kirche von Altmünster die Messe feierte, das Grabmal des Statthalters stets mit Tüchern verhüllen lassen?[13] Etwas von dem, was Stephan Fadinger, der Hauptmann der aufständischen Bauern in Oberösterreich, im Juni 1626 über den Statthalter an die Stände geschrieben hatte — daß dieser „Gottes und seines armen Häufleins im Land höchster Feind“ sei —, mag in die Tiefe des Bewußtseins auch jener eingedrungen sein, welche im Grundsätzlichen die Gegenreformation Ferdinands II. ja durchaus begrüßten.

Dieses dunkle Bild des Statthalters Herberstorff fand auch Eingang in die belletristische Literatur vor allem im 19. Jahrhundert, lebt aber noch bis in unsere Zeit fort. Freilich, in dem „Originaldrama“ in fünf Aufzügen „Stephan Fadinger“ von Weidmann, das im Jahre 1781 entstand, tritt merkwürdigerweise Herberstorff überhaupt nicht in Erscheinung. Hier ist — der historischen Wirklichkeit ganz entgegen — der Widerpart des Bauernführers Fadinger nicht Herberstorff, sondern der General Gottfried Heinrich von Pappenheim. Aber sonst hat Herberstorff in der Literatur, die vom Roman über das Epos bis zum dramatischen Gedicht reicht und sich mit den Geschehnissen des Bauernkrieges von 1626 befaßt, den ihm in der Historie zukommenden Platz inne. Hier ist er stets der Bösewicht, der Bedrücker des Landes und der Seelen, wobei man ihm seine Konversion und die Verfolgung seiner ehemaligen Glaubensgenossen stets schwer ankreidet. In Norbert Hanrieders großem Epos „Der oberösterreichische Bauernkrieg“ wird dem Statthalter als Motiv seines Übertrittes zum Katholizismus schnöde Gewinnsucht vorgeworfen[14], und in Franz Keims Verserzählung „Stephan Fadinger“ trifft den „Eisenkopf“, dem der Freimann auf seinem blutigen Zug durch das Land folgt, der Fluch seiner Opfer[15]. Überall in diesen Dichtungen ist der Statthalter das, was Achaz Wiellinger über den „Vetter Adam“ — wie die Bauern Herberstorff nannten — 1626 sagte: „der greulich Witterich und Tyrann“, „der Landsverderber“ und „Bluthund“[16]. Und wenn ein Zeitgenosse des Statthalters, der katholische ständische Syndikus Joachim Enzmilner, in seiner Interimsrelation über den Bauernkrieg 1626 meinte, der Statthalter sei ein „ehrlicher Kavalier“[17], so sucht man vergebens in der Dichtung des 19. Jahrhunderts nach einer derartigen Charakteristik des bayerischen Statthalters. Erst unter dem Einfluß der Geschichtsschreibung Felix Stieves spürt man auch in der Dichtung eine Art Entlastung für Herberstorff, eine Überwälzung aller „Schuld“ auf Habsburg[18]. Bei Hermann Heinz Ortner ist — in dessen Fadinger-Drama[19] — Herberstorff der im geheimen stets Protestant gebliebene Edelmann, der in der großen Spannung zwischen seinem Gewissen und der Pflicht steht, die ihm sein Dienst bei Kurfürst Maximilian aufzwang. Er beendet dann sein inneres Ringen durch ein offenes Bekenntnis zum evangelischen Glauben und durch den Verzicht auf das Statthalteramt. Das aber ist eine Idealisierung Herberstorffs und entspricht durchaus nicht der historischen Wirklichkeit. Ein Vorgang, der dem Dichter erlaubt ist, nicht aber dem Historiker.

So steht das negative Urteil der Geschichte über den Statthalter des Herzogs von Bayern dominierend im Vordergrund und überschattet, was an seinem Wesen und Wirken etwa an Positivem zu sehen wäre. Dennoch soll hier keineswegs die „Rettung“ Herberstorffs versucht werden. Vielmehr soll — aus den Quellen erarbeitet —, sein Bild neu gezeichnet werden; d. h., daß die Gegebenheiten jener Epoche, welcher der Statthalter zugehörte, für die Beurteilung seines Wirkens im Zeichen der Bildung des Ferdinandeischen Österreich und der Einheit der Konfession in diesem Staat erste Grundlage der Darstellung sein müssen. Nur so wird es möglich sein, die Dinge zu sehen, wie sie gewesen sind. Freilich wird der Geist unserer eigenen Zeit, dem niemand entrinnen kann, dieses Bild des Statthalters mitgestalten im Sinne jenes Vorganges einer Synthese des objektiven Geschehens und subjektiven Nachgestaltens, was Friedrich Meinecke das „schaffende Spiegeln“ des Gewesenen nannte und es als Ziel der Arbeit des Geschichtsschreibers bezeichnet.

I. Kapitel

DER KONVERTIT

1. Der steirische Edelmann

Die Astrologie benötigt, soll sie über das Leben eines Menschen und dessen Zukunft genauere Aussagen machen, präzise Angaben über Tag und Stunde der Geburt. Nur so erhält der Deuter der Gestirne die Grundlage für sein visionäres Unternehmen. Denn der stete Wandel im Reich der Sterne muß für jenen Augenblick, da ein Mensch das Licht der Erde erblickt, gleichsam fixiert werden, und die besondere Konstellation der Gestirne in diesem Moment der Geburt bildet die Basis für alle Voraussagen über diesen Menschen und hat — nach Meinung der Astrologie — auch bestimmenden Einfluß auf sein Schicksal. Dieser Tatsache und dem Wunsch des Menschen, aus den Sternen von kundigem Auge gelesen seine Zukunft zu erfahren, verdanken wir das genaue Datum der Geburt Adams von Herberstorff. Und kein Geringerer als der große Astronom Johannes Kepler, der im Jahre 1600 der steirischen Gegenreformation des Erzherzogs Ferdinand und mehr als zwanzig Jahre später der Gegenreformation im Lande ob der Enns unter dem Statthalter Herberstorff weichen mußte, hat dem Statthalter ein Horoskop erstellt. Das ist nicht erhalten, und der reizvolle Vergleich zwischen Prognose und Wirklichkeit kann daher nicht gemacht werden, aber in einem in der Sternwarte Pulkowo verwahrten Keplermanuskript[1] findet sich von Keplers eigener Hand die Horoskopfigur betreffend Adam von Herberstorff mit folgendem Vermerk: Adam von Herberstorff Herrn Otts Sohn 1585 Apr. D(ies) 15 H(ora) 6 M(in) 0. Demnach ist Adam von Herberstorff am 15. April des Jahres 1585 um 6 Uhr morgens als Sohn Ottos von Herberstorff geboren worden. Damit ist gegenüber den bisher differierenden Angaben[2] über Herberstorffs Geburt nunmehr ein verläßlicher Zeuge aufgetreten, denn Kepler hat die Angaben entweder von Herberstorff selbst, der ja ein Interesse daran haben mußte, richtige Angaben zur Erstellung seines Horoskops zur Verfügung zu stellen, oder er hat sie, falls die Horoskopfigur aus der steirischen Zeit des Astronomen stammen sollte, von Herberstorffs Eltern. Der Geburtsort Adams von Herberstorff ist das in der Oststeiermark bei Ilz gelegene, im Besitz Ottos von Herberstorff gewesene Schloß Kalsdorf[3]. Auch Herberstorffs Eltern sind nunmehr eindeutig bekannt; auch hier schwankten ja die Angaben, es gab drei Varianten. In Khevenhillers Annales Ferdinandei sind richtig Otto von Herberstorff und dessen Ehegattin Benigna von Lengheim genannt[4], aber auch Ulrich von Herberstorff wird (z. B. von Georg A. Hoheneck) als Vater Adams bezeichnet. Als Mutter des späteren Statthalters werden sowohl Marusch von Kollonitsch als auch Anna von Gleispach angegeben[5]. Nun hat nicht nur Johannes Kepler in seiner Horoskopfigur Otto von Herberstorff als Vater Adams angegeben. In einer Gültaufsendung aus dem Jahre 1614 bezeichnet Adam von Herberstorff selbst Otto und Benigna von Herberstorff als seine Eltern[6]. Otto von Herberstorff und Benigna von Lengheim, eine Tochter des David von Lengheim, hatten am 16. September 1576 in Radkersburg die Ehe geschlossen[7]. Außer Adam von Herberstorff waren dieser Ehe noch Franz von Herberstorff[8] sowie die Töchter Elisabeth und Katharina entsprossen[9].

Der Vater gehörte also einem alten steirischen Rittergeschlecht an, das mit Heinricus de Herwigesdorf, einem Diener Herrands von Wildon, 1147 erstmals urkundlich erwähnt wird und auf der Burg Herberstorff bei Wildon saß. Die Herberstorffer hatten vom Landesfürsten, von den Erzbischöfen von Salzburg, von den Wallseern, Stubenbergern und Wildoniern Güter zu Lehen. In der Wallseer Fehde waren sie eifrige Anhänger des Erzherzog Ernst gewesen[10]. Otto von Herberstorff war als Sohn des Franz von Herberstorff am 6. August 1551 geboren und ist Ende des Jahres 1601 gestorben[11]. Benigna von Herberstorff war ebenfalls aus steirischem Geschlecht, von ihr hatte der spätere Statthalter des Landes ob der Enns vermutlich seinen Namen Adam erhalten, da in der Familie der Lengheim dieser Name häufiger zu finden ist[12]. Die genaueren Lebensdaten der Mutter Benigna sind nicht näher bekannt, im Jahre 1607, als Adam 22 Jahre alt war, tritt sie zum letztenmal urkundlich in Erscheinung, als sie Schloß Schwarzeneck, das Otto kurz vor seinem Tode erworben hatte, an Andre Rindschad verkaufte[13]. Adam von

Herberstorff wuchs nun auf dem Schloß Kalsdorf auf. Es ist dies eine mächtige Burg, auf einem Höhenrücken zwischen Ilz und Feistritztal gelegen, welche in jener steten Bedrohung durch Ungarn und Türken war, die für die oststeirischen Gebiete lange Zeit hindurch gegeben war. Noch Herberstorffs Mutter hatte 1605 den Einfall der Ungarn erlebt, die wohl das Schloß Kalsdorf nicht nehmen konnten, aber unter den Untertanen der Herberstorff schweren Schaden angerichtet haben: 131 Bauern wurden ermordet, 71 Rosse und 178 Rinder wurden verschleppt. Kalsdorf war schon seit 1490 im Besitze des Geschlechtes der Herberstorff. Schon Adams Großvater Franz von Herberstorff hatte das Schloß durch Wehranlagen ausgebaut[14], aber Otto und Benigna von Herberstorff haben den Bau des Schlosses von Grund auf erneuert, wie folgende Inschrift über dem Schloßtor bezeugt: „Herr Ott von Herberstorff und Frau Benigna, Herrn Daviden von Lengheim seligen eheliche Tochter sein Hausfrau haben das Haus Kalsdorf von Grund gar ausgebaut und angefangen 1579 Jahr. Gott verleihe innen seinen Segen zum Eingang und Ausgang. Amen."[15] Zu Kalsdorf gehörte auch der Sitz Lieboch, den Otto von Herberstorff ausbaute. Im Besitz Ottos war von 1597 an auch der Sitz Moosbrunn, er erwarb weiterhin 1598 den Aframhof bei Wildon und schließlich knapp vor seinem Tod das ebenfalls in der Nähe von Wildon gelegene und bereits erwähnte Schloß Schwarzeneck[16]. Dazu kam noch ein Stadthaus in Graz in der Raubergasse, der „Rauberhof", von dem es 1596 heißt: „Herr Ott von Herberstorff erkauft und bewohnt in selbs"[17]. Die Funktion dieser Stadtpaläste des Adels in der Landeshauptstadt bestand nicht nur darin, Wohnung und Aufenthalt bei gelegentlichen Besuchen in der Stadt zu gewähren, sondern stand in engem Zusammenhang mit der Landstandschaft des Adels, welche aus Gründen der Landespolitik bei Zusammenkunft der Landstände oder des Landtages die oft längere Anwesenheit in der Hauptstadt notwendig machte. Otto von Herberstorff war ja Mitglied der steirischen Stände, auch wenn wir ihn nicht an führender Stelle etwa als Verordneter verzeichnet finden[18]. Vermutlich war er im Jahre 1600 Raitkommissär der Landschaft[19]. Im ganzen gesehen ist dieser Besitz des Vaters Adams von Herberstorff von bescheidenem Ausmaß gewesen. Wenn Otto von Herberstorff bei einer Ständesitzung am 17. September

1600, als die Türken wieder die Steiermark bedroht hatten und die Hilfe der Stände gefordert wurde, etwas unwirsch sagte: „Khan nichts wiligen. Landtknecht haben alles verwiest und verderbt", so ist die heikle Situation, in der sich der Besitz Herberstorffs — an der Türkenfront — befand, hinreichend charakterisiert[20].

Über die Kindheit Adams von Herberstorff, die er nun auf dem Schloß seiner Eltern verbrachte, sind wir so gut wie nicht unterrichtet. Vielleicht war jener protestantische Schulmeister, Johann Richter, der 1590 auch als Marktschreiber in Ilz genannt wird, Lehrer auch im Hause Ottos von Herberstorff und damit einer der frühen Erzieher Adams[21]. Jedenfalls war Adams Kindheit und frühe Jugend bestimmt durch jene leidenschaftserfüllte Atmosphäre des konfessionell-politischen Kampfes, der in der Steiermark unter Erzherzog Karl II. und unter dessen Sohn Erzherzog Ferdinand, dem späteren Kaiser, im Gange war. Adam von Herberstorff hat selbst später einmal, als er die Bürger der Stadt Linz an der Donau aufforderte, katholisch zu werden, unter Bezug auf seine Jugend gesagt, er glaube nicht, „daß jemand in der lutherischen Religion verbissener und verhärteter habe seyn können, oder dem katholischen Glauben feinder gewesen und in der Pfaffen, sonderlich der Jesuiten, Blut lieber seine Hände gewaschen hätte" als er selbst[22]. Diese Leidenschaftlichkeit und Härte, dieser Haß und diese Unduldsamkeit, die dann den Statthalter ja auch im Kampf gegen seine früheren Glaubensgenossen beseelte, mögen damals auf Kalsdorf in ihm eingewurzelt sein, als er — noch ein Knabe — früher Zeuge des steirischen Religionskampfes war und als Kind erlebte, wie sein Vater als ein Vorkämpfer des evangelischen Glaubens an der vorderen Front der Auseinandersetzungen stand und selbst von den harten Maßnahmen der katholischen Regierung der steirischen Erzherzoge betroffen wurde.

Durch die Sonderstellung der innerösterreichischen Länder, welche seit dem Tode Kaiser Ferdinands I. unter einem eigenen Landesfürsten standen, trug die konfessionelle Entwicklung in der Steiermark andere Züge als in den österreichischen Ländern im eigentlichen Sinn, in Nieder- und Oberösterreich, wo sich unter dem toleranteren Regime Maximilians II. der Protestantismus, der weite Kreise in allen Schichten der Bevölkerung erfaßt hatte, nicht nur etablieren, sondern legalisiert durch die Religionskonzession von 1568 seinen Besitzstand de facto wesentlich erweitern konnte. In der Steiermark hatte freilich der Adel ebenfalls Zugeständnisse des Erzherzogs Karl auf dem Brucker Landtag von 1578 erreicht, aber dennoch setzte hier die Gegenreformation viel früher ein als an der Donau, und sie war unter dem Einfluß der wittelsbachischen Gattin des Erzherzogs, der Erzherzogin Maria, und deren Verwandtschaft härter und konsequenter im Erstreben des Endzieles: der Ausrottung des Protestantismus und der Wiederherstellung der katholischen Kirche in den Ländern der steirischen Linie des Hauses Österreich. Was Karl II. begann, hat dann sein Sohn Ferdinand (II.) vollendet. Auch in der Steiermark hatte sich die konfessionelle Auseinandersetzung mit den politischen Tendenzen der Zeit innig verknüpft. Auch dort lief parallel zum Kampf zwischen dem Protestantismus und dem sich wieder erhebenden Katholizismus der politische Kampf zwischen dem Ständetum und dem Landesfürstentum. Die Stände waren nicht nur die Verfechter der Lehren des Evangeliums, sondern sie rangen auch um ihre politische Position im Sinne des alten Rechtes, das sie als Partner des Fürsten sah, als die lokalen Gewalten mit verbrieften Rechten und Freiheiten, die es zu bewahren galt. Der Landesfürst aber war nicht nur der Vorkämpfer für den katholischen Glauben, pochend auf die Klausel des Augsburger Religionsfriedens von 1555, wonach er das konfessionelle Bekenntnis seiner Untertanen bestimmen konnte. Die steirischen Landstände allerdings waren keine Reichsstände, sondern eben bloße Landstände, für welche das Religionsbestimmungsrecht des Landesfürsten zweifellos zutraf. Dieser steirische Landesfürst kämpfte aber auch um seine fürstliche „Hoheit“, um seine Souveränität im Lande, die er mit keinem teilen wollte. Karl II. wollte kein „gemalter“, kein „papierener“ Fürst sein, und noch viel weniger sein Sohn Ferdinand, der spätere Kaiser Ferdinand II. So verknüpften sich konfessioneller und politischer Kampf fast unlösbar und steigerten sich im Fortschreiten[23]. Aber dieses Ringen zwischen katholischem Landesfürst und protestantischen Landständen spielte sich nicht nur im Landtag ab und auf der Burg des Fürsten, sondern auf den Sitzen des Adels und in den Städten, es war ein Kleinkrieg, der den ganzen Alltag erfaßte, ein Krieg um Kirchen und Friedhöfe, um Predigt und Schule.

In diesem jahrzehntelangen, spannungsreichen und zähen Sich-Bekriegen war der „Fall“ des Otto von Herberstorff auf Kalsdorf wohl einer unter vielen, aber doch ein sehr signifikanter Fall, der die Gemüter beschäftigte und die Erzherzogin Maria bewog, darüber ausführlich nach Bayern zu berichten. Eigentlich war es eine Kette von Affären, welche Herberstorffs Auseinandersetzung mit dem Landesfürsten und seinen Widerstand gegen die Maßnahmen des Erzherzogs kennzeichnen. Es ging in allen drei bekannten Fällen immer um eine protestantische Kirche: um die St.-Ulrichs-Kirche zu Lieboch bei Altenmarkt, um die Kirche in Ilz und schließlich um die Kirche in Kalsdorf selbst. Stets blieb die Angelegenheit keine reine Privatsache des streitbaren und widerborstigen Kalsdorfer Schloßherrn, sondern wurde eine Angelegenheit der Stände aus grundsätzlichen Erwägungen rechtlicher Art, und weil es irgendwie Präzedenzfälle waren im Zuge der Entmachtung des protestantischen Adels. Der Streit des Vaters Herberstorff als Vogt und Lehensherr der St.-Ulrichs-Kirche mit dem katholischen Pfarrer Andreas Hagen von Altenmarkt wurde voll Leidenschaft geführt und zog sich acht Jahre (1580—1588) hin. Es ging dabei um das Verfügungsrecht des Herberstorffers über die St.-Ulrichs-Kirche, wo er evangelischen Gottesdienst halten ließ. Herberstorff sollte die Kirche dem katholischen Pfarrer öffnen, die Kleinodien und Ornate ausliefern und „entzogenen Zehent“ dem Pfarrer restituieren[24]. Otto von Herberstorff aber weigerte sich, den Befehlen Erzherzog Karls nachzukommen. Zehn erzherzogliche Befehle, welche mit Drohungen verbunden waren, mißachtete er[25]. Auch eine Geldstrafe von 4000 Golddukaten konnte ihn nicht zum Nachgeben bewegen. So ließ ihn der Erzherzog nach Graz zitieren und in Haft nehmen. Die Sache beschäftigte wiederholt den steirischen Landtag[26], der sich Herberstorffs annahm, nicht nur aus konfessionellen Erwägungen, sondern weil gerade die Inhaftierung Herberstorffs die Landesfreiheiten verletzte. Vor den „Land- und Hofrechten“ erklärte sich nun Herberstorff zum teilweisen Nachgeben bereit, beharrte aber grundsätzlich auf seinem Recht über die Kirche. Die in „Land- und Hofrechten“ Versammelten befreiten Herberstorff von der hohen Geldstrafe. Wie sehr aber Otto von Herberstorff den Landesfürsten verärgerte, ist nicht nur aus der Gefangensetzung zu ersehen, sondern auch aus der Resolution Erzherzog Karls vom 7. März 1580: „... wie ungehorsamb und widerspennig sich er von Herberstorff auch seinem selbs erbieten zuwider verhalten, also daß I. F. D. billig dasjenige gegen ime lengst hetten thuen und fürnemen sollen ...“[27] Noch während der Streit um die St.-Ulrichs-Kirche im Gange war, kam es zu ähnlichen Auseinandersetzungen Herberstorffs mit dem katholischen Pfarrer von Riegersburg über die Kirche in Ilz. Auch dieser Konflikt zog sich von 1585 bis 1589 hin. 32 Jahre hatte in der Ilzer Kirche ein protestantischer Pfarrer gewirkt, an dessen Stelle nun der Lehensherr — der Pfarrer von Riegersburg — gegen den Willen Herberstorffs als Vogt der Kirche einen Katholiken setzen sollte. Auch jetzt wich Herberstorff den Wünschen der Katholiken vier Jahre lang nicht. Selbst seinen Glaubensgenossen, den ständischen Verordneten, drohte er mit Steuerverweigerung, wenn sie ihm nicht bei der Erlangung seines Rechtes Beistand leisteten. Aber nicht alle unter den Herren und Rittern des Landes Steiermark mochten so viel Eisen im Blut haben wie der harte Ott von Herberstorff. Sie hatten unter dem Einfluß der Tübinger Theologen, vor allem Jakob Andreäs, sich für den „leidenden Gehorsam“ entschlossen und leisteten der Obrigkeit, auch wenn sie in ihren Augen schlecht war, keinen Widerstand. So wie die Sprecher des steirischen Adels — unter denen auch Ottos Bruder Karl von Herberstorff, ebenfalls ein Protestant, gewesen ist — am 31. Dezember 1580 vor dem Erzherzog sagten: „Daß sie uns auch für aufruerer ausriefen, so bezeugen wir vor gott und unserm cristlichen Gewissen, dass uns in dem öffentlich und wissentlich Gewalt und Unrecht beschiecht, dann wir der waren A. C. ... zuegethan sein ..., daraus wir dann auch uns zu erlernen haben, dass wir aller und jeder auch bösen fürgesetzten Obrigkeit geschweigendt unsern cristlichen frommen Herrn und Landsfürsten in allem zeitlichen bis in den tot getreu, gewärtig und gehorsamb sein sollen und es gern thuen wöllen.“[28] Aus diesem Geist heraus konnte der beginnenden Rekatholisierungspolitik der Habsburger auf die Dauer kein erfolgreicher Widerstand geleistet werden. Ott von Herberstorff fand bei den Ständen wenig Hilfe und mußte auch in der Ilzer Frage schließlich dem Stärkeren weichen. Im Jahre 1589 erschien eine landesfürstliche Kommission in Kalsdorf. Otto von Herberstorff war nicht zu Hause. Und so trat hier Benigna von Herberstorff als entschlossene Protestantin und Frau des Hauses auf und wies die Kommissäre ab. Es ist dies einer der wenigen Fälle, wo ihr In-Erscheinung-Treten greifbar wird. Am 29. Juni 1589 kamen die Kommissäre der Regierung neuerdings, hatten den Regierungsprofos bei sich, der die verschlossene Ilzer Kirche mit Gewalt erbrach und die Türschlösser zerstörte. Im Namen des Erzherzogs wurde trotz Protest des Otto von Herberstorff in Ilz mit Gewalt nunmehr ein katholischer Pfarrer eingesetzt[29].

Viel größeres Aufsehen — nicht nur in der Oststeiermark — erregte der Kampf Otto von Herberstorffs um seine beim Schloß Kalsdorf neu erbaute Kirche. Schon seit 1586 baute der Herr von Kalsdorf an dieser Kirche, die nun 1589 vollendet war. Es war dies „eine schöne neue Kirch samt einem hohen mit Blech bedeckten starken Turm“, wie der Propst von Stainz, Jakob Rosolenz, in seinem „Gründlichen Gegenbericht“[30] der Nachwelt mitteilt. Die Motive zur Erbauung dieser Kirche in Kalsdorf hat Adam von Herberstorffs Vater selbst geoffenbart: „Weil dann ich mir zu Gemüth geführt, daß man uns nicht das liebe Erdreich vergunnen thut, hab ich, weiß Gott aus gedrungener Not mir ein Begräbnis für mich und die meinen zugerichtet.“[31] Nun mochte Otto von Herberstorff wohl hoffen, daß die neue Kirche eher toleriert würde, wenn man sie als Herberstorffsche Begräbnisstätte deklarierte. Aber in Wirklichkeit war es natürlich eine protestantische Kirche auf eigenem Grund des Schloßherrn von Kalsdorf. Es war ein Zurückweichen in die engste Sphäre des Hauses, der eigenen Burg, wo man — allerdings irrtümlich — sicher zu sein glaubte vor dem Umsichgreifen der Gegenreformation. Im Sommer des Jahres 1589 traf nun der Befehl des Erzherzogs Karl ein, die neuerbaute Kirche niederzureißen, weil dort die evangelische Lehre gepredigt und das „arme einfältige Volk“ von dem wahren Glauben „abpraktiziert“ und verführt würde. Otto von Herberstorff dachte wie immer, dem Befehl Erzherzog Karls keine Folge zu leisten.

Ottos Bruder Andreas von Herberstorff, einer der wenigen Katholiken im steirischen Adel zu dieser Zeit, hatte ihm einen Brief geschrieben, in dem es heißt: „Ich hab dich gewarnt, das Gebäude zu bauen. Die fürstliche Durchlaucht hat schwere Ungnade gegen dich gefaßt. Durch dein Vorhaben fügst du dir und deinem Stamm Schimpf und Schande zu. Und wenn du auch Recht zu haben vermeinst: eine ehrsame Landschaft wird der fürstlichen

Durchlaucht weichen müssen. Was willst denn du, ein einzelner Landmann, dich gegen deinen von Gott gesetzten Herrn und Landesfürsten widerwertig erweisen und dir selbst schwere Ungnade zufügen? Wenn du den Bau nicht selbst einstellst, wird er dir mit Gewalt abgetan werden."[32] Otto Herberstorff richtete zunächst ein Gesuch an den Landesfürsten um Rücknahme des Zerstörungsbefehles, wandte sich an den Landschaftssekretär Stephan Speidel um Betreiben seiner Angelegenheit bei den ständischen Verordneten. Das Jahr 1589 verlief zunächst ohne eine Aktion gegen Kalsdorf. Aber am 17. April 1590 erging der Befehl des Erzherzogs, die Herberstorffsche Kirche zu zerstören. Die Nachricht eilte dem Ereignis voraus, und von allen Seiten erfuhr Herberstorff, daß der Profos mit 40 Soldaten im Anmarsch nach Kalsdorf sei. Da die Grazer Regierung die benachbarten Grundobrigkeiten Herberstorffs aufgefordert hatte, das erzherzogliche Kommando zu unterstützen, rüstete Otto von Herberstorff sich zum offenen Widerstand. Er war entschlossen, der Gewalt mit Gewalt entgegenzutreten und die Zerstörung seiner Kirche zu verhindern. Er ließ durch seine Untertanen einen starken Eichenzaun um die bedrohte Kirche errichten und bot seine Leute auf zum Schutz dieser Kirche und zu bewaffnetem Widerstand gegen die Soldaten des Erzherzogs. Den Bürgern der benachbarten Stadt Fürstenfeld aber drohte er für den Fall, daß sie die Aktion gegen ihn unterstützen würden, „kann Euch nit pergen, daß ich gegen euch ebnermaßen bedacht bin, solches mit gleicher Münz auszubezahlen"[33]. In gleicher Weise schrieb er an den Komtur des Deutschen Ordens in Fürstenfeld, Bartholomäus Wagn, er solle seine Leute warnen, sich in dieser Sache gegen ihn gebrauchen zu lassen. In diesem Falle sollen diese wissen, „daß ich sy alsbald will im grundt ausprennen lassen"[34]. Die ganze Entschlossenheit des protestantischen Schloßherrn von Kalsdorf ist aus diesen Briefen und aus den in ihnen enthaltenen Drohungen zu ersehen. Als nun tatsächlich das Kommando aus Graz in Kalsdorf eintraf, stand es einer mächtigen Abwehr gegenüber. Der Profos und seine Begleitung fürchteten „tumult und pluetvergießen" und mußten unverrichteter Dinge wieder abziehen.

Erzherzogin Maria hat einen detaillierten Bericht über die ganze Kalsdorfer Affäre nach München geschickt, und sie bedauert darin, daß die von Otto von Herberstorff „geiebte Rebellion" noch unbestraft sei[35]. Aber die Zerstörung der Kirche war nur aufgeschoben, und Otto von Herberstorffs Kampf um sein Recht war ein aussichtsloses Beginnen. Auch ein sich anbahnender nachbarlicher Bund oststeirischer Herren und Ritter zu gemeinsamer Abwehr eines etwaigen neuen Vorgehens gegen Herberstorff konnte die Situation nicht ändern[36]. Freilich, die Erbitterung gegen die Grazer Regierung muß außerordentlich groß gewesen sein. Das sieht man auch aus gelegentlich gemachten Bemerkungen, die man Otto von Herberstorff sehr anlastete. Wenn er meinte, unter den gegebenen Umständen wäre es besser, unter Ungläubigen zu wohnen[37], so war das freilich nicht ein wirklicher Wunsch, unter der religiösen Toleranz der Türken zu leben, sondern eben Ausdruck des ungeheuren Mißmutes und auch der Hilflosigkeit. In gleicher Weise ist die Äußerung jener Gruppe oststeirischer Adeliger, die entschlossen waren zur tätigen Hilfe für Herberstorff: „Sie hätten mehr von den ihrigen als vom Erbfeind zu fürchten"[38], zu werten. Auch dies ist im Grunde nur als großer Vorwurf gegen die fürstliche Regierung anzusehen, die sie im Angesicht des türkischen Erbfeindes derart bedrücke. Aber zunächst ging der Kelch an Otto von Herberstorff vorüber. Erzherzog Karl starb am 15. Juli 1590.

So konnte Herberstorff aufatmen, und er mochte hoffen, seine Kirche gerettet zu haben. Er ließ in der Kalsdorfer Kirche nun auch wieder evangelischen Gottesdienst halten. Der neue Gubernator der innerösterreichischen Länder, Erzherzog Ernst, dem wegen der Minderjährigkeit Ferdinands zunächst die Regierung in Graz anvertraut war, tröstete die Erzherzogin-Witwe Maria wegen ihres Drängens hinsichtlich des „Herberstorffschen Handels": „Weiß ich mich gar wohl zu erinndern, was Euer Liebden Gemahel seeliger im Sinn gehabt und mir selber gesagt hat, wie Ichs dann gewiß nit vergiß."[39] Otto von Herberstorff konnte nicht ahnen, daß kaum einen Monat nach dem Tod des Erzherzogs Karl Rudolf von Hasslang und Johann Geilhofer in einem Gutachten an Herzog Wilhelm von Bayern über die Kalsdorfer Affäre den Vorschlag machten, Otto von Herberstorff, wenn er zur Huldigung nach Graz komme, gefangenzusetzen „und dann bedacht zu sein, wie solcher Trotz zu strafen". Vermeide er es, zur Huldigung zu kommen, solle er zitiert, die Kalsdorfer Kirche niedergerissen „und ein solcher Ernst gezeigt werden, daß andere sich spiegeln würden“[40]. Noch einmal tauchten im Jahre 1591 Gerüchte über eine akute Gefahr für Herberstorffs Kirche auf, aber der Schloßherr von Kalsdorf, Otto von Herberstorff, hatte noch zehn Jahre Frist. Erst als Erzherzog Ferdinand seine Reformationskommissionen in die Oststeiermark schickte, da hatte auch die Stunde für Ottos Kirche in Kalsdorf geschlagen. Mehr als 800 Bewaffnete wurden aufgeboten, um zu verhindern, was 1590 geschehen war, und um jede Gegenwehr gegen die Zerstörung der Kirche zu ersticken. Am 9. und 10. Juni des Jahres 1600 wurde die Kirche Herberstorffs in die Luft gesprengt, so daß „die Prädikautzen daselbst forthin nicht viel krähen werden“, wie man es voll Haß und Spott formulierte[41].

Adam von Herberstorff war ein fünfjähriger Knabe, als man das erstemal versucht hatte, die Kirche zu sprengen, und er war ein 15jähriger junger Mann, als seinen Vater das große Unglück der Zerstörung seiner Kirche getroffen hat. Der junge Herberstorff mußte so den Zusammenbruch des ganzen großen Kampfes seines Vaters um den evangelischen Glauben und um die Freiheit des Adels erleben. Man kann sich vorstellen, wie sehr dieses Erlebnis des Ringens seines Vaters an der Formung der Persönlichkeit Adam von Herberstorffs mitwirkte. Diese Eindrücke und Erlebnisse der frühen Kindheit sind ja zweifellos von größtem Gewicht für die Entwicklung eines Menschen. So mochte der Vater für Adam von Herberstorff zunächst ein Vorbild sein, mit dem er innerlich miterlebte, was dieser zu erringen und zu bewahren suchte. Es mag nicht ohne Eindruck auf ihn gewesen sein, was sich an Entschlossenheit, Bekennermut, aber auch Sorge und Angst in der Familie Herberstorff zu Kalsdorf manifestierte[42]. Das konfessionelle Moment, das weitgehend das ganze Leben der Familie bestimmte, wurde in die Mitte des ganzen Jugenderlebnisses Adam von Herberstorffs gerückt.

Dieser Vater Otto war nicht bloß ein rauher, rechthaberischer Adeliger, der sich dem Landesfürsten nicht beugen wollte. Otto hat vielmehr in der steirischen Gegenreformation seinen ganz besonderen Platz, weil bei ihm als einem der wenigen Mitglieder des steirischen Adels der Widerstandsgedanke lebendig war, ohne daß — wie etwa in Oberösterreich — ein calvinischer Einfluß festzustellen wäre. Otto von Herberstorff war ein tiefgläubiger Protestant, der für das Bekenntnis des Evangeliums viele Nachteile in

Kauf nahm und trotz seiner Mißerfolge unbeugsam an der lutherischen Lehre und ihrer Pflege festhielt. Auch im Rahmen der Landstände war er ein Rufer für den protestantischen Glauben, noch 1598 — also schon unter der Regierung des Erzherzogs Ferdinand — gehörte er dem von den Ständen eingesetzten Deputiertenausschuß zur Wahrung der Religionsfreiheiten an[43]. Herberstorff war ein Mann, dem die religiösen Anliegen innerstes Gut waren, sein Kampf um die in seinem Herrschaftsbereich liegenden Kirchen ist nicht bloß ein Kampf ums Recht, sondern ein Ringen aus tiefer religiöser Überzeugung. Tag und Nacht — so schrieb er 1590 — plagte ihn die Sorge um seine Kirche, so daß er die Feldarbeit versäumte und großen Schaden erlitt[44]. Am 1. März 1601 hatte Erzherzog Ferdinand die Haltung von Prädikanten strikte verboten — Otto von Herberstorff behielt seinen Prediger und nahm dafür schwere Strafen in Kauf[45]. Johannes Kepler, der seit 1594 in Graz an der protestantischen Stiftsschule wirkte, hat die Atmosphäre, welche die Steiermark im Jahre 1598, als Ferdinand eben seine Italienreise absolvierte, erfüllt hat, mit den wenigen Worten treffend geschildert: „Alles zittert vor der Rückkehr des Fürsten."[46] Wir besitzen nun einen Brief Keplers aus dem Jahre 1601 von Prag aus, als die Ferdinandeische Gegenreformation in vollem Gange war, an den kaiserlichen Bibliothekar Hugo Blotius in Wien. In diesem Brief teilte Kepler Blotius mit, er habe vor seiner Abreise aus Graz im August des Jahres 1600 ein Pack Bücher, von denen er glaubte, daß sie dem Scheiterhaufen der Reformationskommission zum Opfer fallen würden, bei Otto von Herberstorff auf dessen Burg Kalsdorf in Sicherheit gebracht. Herberstorff aber habe ihm versprochen, diese zu Blotius nach Wien bringen zu lassen[47]. Es hat also ein Kontakt zwischen Otto von Herberstorff und dem Lehrer an der ständischen Stiftsschule bestanden. Aber es dürfte sich hier keineswegs um engere Beziehungen wissenschaftlicher oder literarischer Art gehandelt haben, die auf ein besonderes Interesse Herberstorffs an der Wissenschaft schließen ließen. Vielmehr galt eben der oststeirische Adelige als ein Vorkämpfer des Protestantismus, der auch den Mut besaß, das Risiko, welches mit einer solchen Übernahme ketzerischer Bücher verbunden war, auf sich zu nehmen.

Nun war für den jungen Adam von Herberstorff der Vater und

sein konfessioneller Kampf zweifellos von größtem Einfluß. Adam von Herberstorffs späte Äußerung über sein leidenschaftliches Bekenntnis zum evangelischen Glauben in seiner Jugend zeigt dies mit aller Deutlichkeit. Vielleicht ist aber auch jener Bruder Ottos, Andreas von Herberstorff, für die spätere Entwicklung Adams nicht ohne Gewicht gewesen. Denn dieser Andreas Herberstorff, mit dem Adams Vater schon früh Auseinandersetzungen um das Erbe hatte[48], mit dem dieser noch 1599 Prozeß führte und Beschwerde erhob, daß er gegen ihn kein Recht erhalte[49], war Katholik[50], war Erzieher des jungen Kaiser Ferdinand gewesen[51], war Mitglied einer der Reformationskommissionen[52], war schließlich Geheimer Rat des Erzherzogs[53]. Er mußte für Adam von Herberstorff irgendwie zum Gegenbild des Vaters werden. Das bedeutete für später nicht unbedingt, daß dieses Gegenbild nicht schließlich zum Vorbild werden konnte. Denn dem jungen Herberstorff trat kontrastreich vor Augen: Hier der um sein Recht ringende Vater, der fest und treu, aber auch starr und ohne Anpassung an seinem Standpunkt festhielt, der sich gegen die andersgläubige Obrigkeit stellte und hiedurch nichts erreichte als Ärger, Mißerfolg und schließlich selbst in der engen Sphäre seines Hauses nicht mehr seinen Glauben praktizieren konnte, dort aber der am Hof wirkende Onkel, streitbar für die Sache des Fürsten, auch in konfessioneller Hinsicht — vielleicht sogar selbst Konvertit —, der in der Gunst seines Landesfürsten sich sonnte, weltliche Würden errang und frei von der zermürbenden Verfolgung war, die Adams Vater traf, ein Mann des Erfolges und der Karriere, der den Herberstorffern ja auch die Freiherrnwürde einbrachte[54]. Ein verlockendes Bild, das vielleicht in die Tiefe des Bewußtseins des jungen Adam von Herberstorff Eingang gefunden hat.

Über die weitere Entwicklung, die Herberstorff in seiner Jugend genommen hat, sind wir nun außerordentlich wenig unterrichtet.

Eine sehr wichtige Nachricht erhalten wir von Franz Christoph Khevenhiller. Dieser hat eine Vorstudie zu seiner in den Annales Ferdinandei gedruckten biographischen Skizze Herberstorffs hinterlassen, die manches berichtet, was er in die offizielle Biographie nicht aufgenommen hat. Und hier findet sich nun über Herberstorffs Erziehung in seiner frühesten Jugend folgende höchst bemerkenswerte Notiz: „Sein Herr Vatter see. hat Ine Herrn und seinen Bruerder see. durch einen gelehrten Präzepter gar frue in der Jugend mit Studieren, und allen guetten Sithen aufziechen lassen, alle Jahre hat er Herrn Doctor Oberndorffer und Herrn Khepler see. Examinieren lassen, waß Sye gelehrnet haben . . .“[55] Das heißt also, daß Herberstorff einen Hauslehrer hatte und daß der Erfolg seines Unterrichtes jeweils von keinem Geringeren als von Johannes Kepler überprüft wurde. Es besteht auch — abgesehen von der bereits erwähnten Beziehung Ottos von Herberstorff zum großen Astronomen — kein Zweifel, daß es sich hier tatsächlich um den ständischen Mathematikus Johannes Kepler handelt. Denn der noch erwähnte „Oberndorffer“ ist der Freund Johannes Keplers, Dr. Johannes Oberndorffer, ein Arzt, der Inspektor der ständischen Stiftsschule in Graz war und für den Astronomen als Brautwerber bei Jobst Müller aufgetreten ist. Auch später noch ist er unter den Taufpaten der Kinder Keplers zu finden[56]. Man kann also den großen Astronomen zu den Erziehern Herberstorffs in dessen früher Jugendzeit zählen, eine Tatsache, die für das spätere Wirken Keplers in Oberösterreich, als Herberstorff dort Statthalter war, zweifellos von Bedeutung ist. Die ständische Stiftsschule in Graz dürfte Herberstorff vermutlich nicht besucht haben. Denn die ständische Schule, welche sich infolge der Konkurrenzierung durch die von Erzherzog Karl gegründete Jesuitenuniversität in Graz und unter dem Druck der gegenreformatorischen Maßnahmen des Grazer Hofes in einer krisenhaften Situation befand, wurde schließlich auf Befehl des Erzherzogs Ferdinand im Jahre 1598 (3. Oktober) aufgelöst[57]. Dem protestantischen Adel, der seine Söhne an evangelischen Schulen erziehen und unterrichten lassen wollte, blieb nun keine andere Wahl, als diese an Gymnasien und Universitäten außerhalb des Landes zu schicken. Es war dies an sich nichts Ungewöhnliches, denn trotz aller landesfürstlichen Verbote, seine Kinder an protestantische Schulen außer Landes zu senden, ist dies in mehr oder weniger großem Ausmaß immer geschehen. Auch in der Steiermark war das durchaus üblich[58]. Noch im Jahre 1587 hatte Erzherzog Karl nicht nur das Verbot, die Kinder an andere Gymnasien oder Universitäten zu schicken, deklariert, sondern auch die Rückholung solcher Schüler und deren Transferierung an die Grazer Universität gefordert[59].

Was nun mit Adam von Herberstorff weiter geschah, wissen wir aus einer kurzen Notiz Khevenhillers in seinem Konterfet-Kupferstich, wo er über Adam von Herberstorff bemerkte, daß er im „15.ten Jahr seines Lebens zum Studium nach Lauingen, dann nach Straßburg geschickt" worden sei[60]. Das heißt also, daß Otto von Herberstorff trotz des landesfürstlichen Verbotes seinen Sohn zunächst an ein protestantisches Gymnasium im Reich sandte, um ihn im Geiste des Evangeliums erziehen zu lassen. Das Gymnasium in Lauingen an der Donau — im Herzogtum Neuburg gelegen — war im Jahre 1561 von Herzog Wolfgang von Pfalz-Neuburg gegründet worden und von der Stadt Lauingen im ehemaligen St.-Agnes-Kloster untergebracht worden. Johannes Sturm, der große Schulmann des 16. Jahrhunderts, Rektor und Professor zu Straßburg, hatte, wie für viele andere Schulen dieser Zeit, auch für Lauingen den Organisationsplan geliefert. Dieses Gymnasium[61] — „Musarum commoda sedes" — in der Geburtsstadt des Albertus Magnus[62] war ein Gymnasium academicum, dessen Absolvierung es ermöglichte, unmittelbar ohne Besuch einer Universität in das geistliche oder in das Schulamt einzutreten. Das Lauinger Gymnasium, das im Jahre 1606 mit 13 Publici, 234 Gymnasiasten und 58 Lateinschülern seinen Höhepunkt erreichte, galt als eine Zierde des neuburgischen Herzogtums und wurde als Gymnasium illustre bezeichnet[63]. Adam von Herberstorff weilte in Lauingen gemeinsam mit seinem jüngeren Bruder Franz und mit seinem Vetter Walkun von Herberstorff[64]. Sie wurden von ihrem Lehrer Georg Eginger begleitet. Ihnen und ihrem „doctissimus preceptor" hatte der Lauinger Theologieprofessor Georg Zäemann den zweiten Band seines 1604 erschienenen Werkes über das Regensburger Religionsgespräch von 1601[65], „De librorum canonicorum numero", vermutlich als Abschiedsgeschenk gewidmet[66]. Dr. Zäemann ist erst im Jahre 1603 von Pfalzgraf Philipp Ludwig an das Lauinger Gymnasium berufen worden. Aus der Widmung des Buches kann geschlossen werden, daß der damals erst 24jährige Theologe Zeämann, der selbst früher in Lauingen als fürstlicher Alumne das Gymnasium und seit 1598 die Universität Wittenberg besucht hat, zu den Herberstorffschen Brüdern, als seinen Schülern — er bezeichnet sie als „seduli auditores" —, engeren Kontakt hatte und sie irgendwie geschätzt haben muß[67]. Vielleicht hatte der große Jesuitengegner Zeämann, dessen erwähntes Buch gegen die Patres societatis Jesu gerichtet war, der auch später noch oft die Klinge mit den Jesuiten von Ingolstadt und Dillingen kreuzen sollte, die steirischen Adeligen, weil sie unter dem Druck der von den Vätern der Gesellschaft Jesu inspirierten steirischen Gegenreformation gleichsam als Exules nach Lauingen gekommen waren, besonders ins Herz geschlossen. Über den Hofmeister der Brüder Herberstorff in Lauingen Georg Eginger ist nichts Näheres bekannt. Jedenfalls stammte er aus Waldmünchen[68]. Vielleicht war er ein Verwandter jenes Prädikanten Salomon Eginger an der Stiftsschule in Graz, dem auf Befehl Erzherzog Ferdinands im Jahre 1597 die steirischen Verordneten „von Stundt an" das Predigen und alle „anderen Exercitia" untersagen mußten[69].

Die Brüder Herberstorff wohnten, wie dies üblich war, in der Stadt bei Privaten, während die Convictores neben den Alumnen im Collegium wohnten. Eine in Neuburg vorhandene Schülerliste des Lauinger Gymnasiums vom Jahre 1602 führt Adam von Herberstorff sowie Bruder und Vetter als „Secundani", also als Schüler der vorletzten Klasse des eigentlichen Gymnasiums, an[70]. Unterkunft hatten sie bei Jakob Cellarius[71], der durch Jahrzehnte hindurch Professor an der Lauinger Schule gewesen ist und Ethik und Rhetorik lehrte[72]. Dieser Magister Cellarius, der aus Augsburg stammte, war ein gelehrter Humanist, der von etwa 1580 an als Professor publicus für die „Publici", d. h. am „akademischen Oberbau" des Gymnasiums lehrte. Er verfaßte auch philologische Schriften, wie etwa „Phrases linguae latinae", er gab eine Neuausgabe des Thesaurus Ciceronianus des M. Nizolius heraus, welche er Reichhart Streins von Schwarzenau Sohn Wolf Heinrich, der 1582 in Lauingen studierte, widmete. Magister Jakob Keller versuchte sich gelegentlich auch als Dichter und wurde als gelehrter Mann Lauingens selbst in Gedichten gefeiert, wie in jenem, das mit den Worten anhebt „Lauingen rühmt sich deiner, Licht der Wissenschaft, sowie sich Augsburg sonnt im Rufe seines Sohns". Es ist dies alles für uns von Interesse, weil es zeigt, welchem Manne Adam von Herberstorff außerhalb der Schule zur Betreuung anvertraut war. Magister Cellarius hielt offenbar aus finanziellen Gründen solche Kostgänger. Im Jahre 1602 hatte er insgesamt acht Zöglinge in seinem Hause. Außer den drei Freiherrn Herberstorff wohnte dort noch deren Präzeptor Georg

Eginger, ihr Famulus Christophorus Maendel „Styrus", der also wohl aus der Steiermark mit den Herberstorff mitgekommen war, der aber ebenfalls die gleiche Gymnasialklasse besuchte wie seine Herrn. Weiters waren in Kost bei Magister Cellarius Johannes Fabianus von Schirrnding, Nikolaus Peccatel von Lüttichenfeilen und Johannes Cellarius Posoniensis, also aus Preßburg stammend. Das waren also die jungen Menschen, mit denen Adam von Herberstorff unter dem Schutz und der Fürsorge Magister Jakob Kellers zusammenlebte. Für das leibliche Wohl sorgte Kellers Gattin Frau Barbara. Eine Notiz Kellers läßt uns etwas von dem Alltag im Hause Kellers nacherleben. Vor allem sehen wir, was den jungen Gymnasiasten an Speise und Trank geboten wurde: „Jede Malzeit (außer des Freitags zu Mittag) Suppen, Fleisch gesotten, oder gebraten, oder eingemacht, vnd noch ain Richt darzu als Zu Mittag Rüeb mit schweinerm oder rinderm flaisch, Saurkraut deßgleichen Süeskraut, Grinnkraut, mancherlay Mues: oder ain Voreßen von aim Kalb oder Lamm, Magen, Kuttelfleck oder fües von aim Ochsen oder Rind. Zu Nacht Salat, Äpfel, Birn, Schnitz, Zwetschgen, Gersten, Airgersten, Linsen. Altera nach glegenheit der Zeit. Am freytag Zu Mittag fisch."

Die Freiherrn tranken Wein und Bier, die übrigen ein halbe Maß Bier. Was Herberstorff an Keller zu zahlen hatte, wissen wir: für Speise und Trank wöchentlich 14 Batzen, im Jahr 48 Gulden 32 Kreuzer, für das Quartier 2 Gulden, für „Repetition" und „Disziplin" 4 Gulden[73]. In der Secunda des Jahres 1602 waren einschließlich der Herberstorff insgesamt 46 Schüler. Sieht man die Liste[74] durch, so fällt auf, daß vom österreichischen Adel nur Georg Sigmund von Egg diese Klasse besuchte, der größte Teil der Schüler war bürgerlicher Abkunft und stammte vor allem von den größeren und kleineren Städten Schwabens. Aus Österreich ist außer dem Famulus der Herberstorff, dem Steirer Christophorus Maendel, noch der Tiroler Wolfgang Dietrich Mornaur und der aus Linz an der Donau stammende Johannes Caementarius, sicherlich ein Sohn des Linzer Landhauspredigers Magister Johannes Caementarius, eines Württembergers, der von 1583 bis an den Beginn der Rudolfinischen Gegenreformation in Linz wirkte und dann in Blaubeuren Superintendent[75] war. Adam von Herberstorff war also einer der sieben Barone, die mit 22 Nobiles und zwei Patricii im Jahre 1602 am Gymnasium illustre gezählt wurden[76]. Es ist dabei sehr aufschlußreich, daß alle diese sieben erwähnten Freiherrn aus Innerösterreich stammten. Es waren dies außer den drei Herberstorffern noch Georg Siegmund von Egg, Sigismund von Dietrichstein, Georg Wolfgang und Bartholomäus Khevenhiller. Das zeigt, daß das Lauinger Gymnasium gleichsam als eine Art „Auslauf" für den protestantischen Adel Innerösterreichs diente[77].

Der Unterricht in Lauingen legte wie überall in der damaligen Zeit den Hauptakzent auf die Beherrschung der lateinischen Sprache; es wurde in Lauingen Cicero, Caesar, Vergil, Oden des Horaz und einige Tragödien des Seneca gelesen: auf das Lateinreden wurde größter Wert gelegt, dessen Vernachlässigung sogar mit körperlicher Züchtigung bestraft wurde. Dazu kam die Pflege des Griechischen und Hebräischen, etwas Mathematik, Geschichte wurde nur den Publicis vorgetragen, für die deutsche Sprache, für Naturgeschichte und Geographie waren keine Unterrichtsstunden angesetzt. In allen Klassen wurde Musik unterrichtet, Religion wurde nach Luthers Katechismus gelehrt und damit die Erklärung der Evangelien verbunden[78]. Gerade der streng protestantisch-lutherische Geist, der an dieser Schule herrschte, war nun für die Erziehung des aus einem betont lutherischen Haus stammenden Adam von Herberstorff von großer Wichtigkeit. Vermutlich weilte Herberstorff seit dem Jahre 1600 am Lauinger Gymnasium. Da er 1604 als Hörer des Theologen Zeämann genannt ist, darf angenommen werden, daß er in diesem Jahre akademische Vorlesungen als „Publicus" besuchte. Für diese höheren Studien wurde unter anderem auch Theologie und Jurisprudenz gelehrt. Auch trägt er sich noch im Jahre 1604 in Lauingen in das Stammbuch des Franz Christoph Freiherrn von Teuffenbach mit dem Motto „Vertrau Gott all, den Menschen wenig, den Weibern nichts" und der Widmung „Haec in perpetuam sui memoriam scripsit pingique curavit Lauingae, die 2 ... Adamus liber Baro ab et in Herberstorff, St. Ulrich und Prauneck" ein[79]. Er muß also wenigstens einen Teil des Jahres 1604 noch in der Donaustadt Lauingen verbracht haben. In diese Lauinger Zeit des jungen Herberstorff fällt auch der Tod seines Vaters Otto Ende des Jahres 1601. Wann nun Herberstorff die Donaustadt verließ und an die Straßburger Akademie kam, steht keineswegs fest. Es ist möglich, daß er dort längere Zeit den Studien oblag, es ist aber wahrscheinlich, daß es sich nur um einen kurzen Aufenthalt in der berühmten und damals sehr beliebten Universitätsstadt handelt, wo man ja gut Französisch lernen konnte. Daß Herberstorff in Straßburg war, ist außer durch die Angaben Khevenhillers, der allerdings ein Zeitgenosse Herberstorffs war und sich — wie z. B. die Angabe über Herberstorffs Eltern beweist — als durchaus gut unterrichtet und verläßlich erweist, durch nichts zu belegen, da die Matriken der alten Straßburger Akademie nicht mehr erhalten sind[80]. Warum Herberstorff im Anschluß an Lauingen die Straßburger Akademie besuchte, ist durchaus verständlich. Sowohl die Lauinger Schule hatte alte Beziehungen zu Straßburg als auch und vor allem die steirischen Landstände. Diese engen Kontakte der steirischen Landschaft zur Straßburger Akademie hatte schon David Chyträus angebahnt, als er den Steirern den Sohn des Straßburger Superintendenten Dr. Johann Marbach für die Grazer evangelische Stiftsschule empfahl. Dieser Philipp Marbach nun war bereits 1574 Prorektor, 1577 Rektor der Grazer Stiftsschule, war dann von 1579 bis 1585 Professor in Heidelberg, anschließend 1585 bis 1592 Rektor der ständischen Schule in Klagenfurt. Nach seinem Weggang von Klagenfurt wurde er Professor und schließlich Rektor der Straßburger Akademie. Noch 1597 sandte er den steirischen Verordneten seinen Genesis-Kommentar für die Stiftsschule in Graz. Seine alte Verbundenheit zu Innerösterreich bewies er unter anderem auch dadurch, daß er 1598 nach der Einnahme der Festung Raab eine Siegesfeier veranstaltete, bei der ein Angehöriger eines aus Innerösterreich stammenden Geschlechtes, Andreas Ungnad, als Festredner auftrat. Aber auch der bedeutende Ruf der Straßburger Akademie zog Steirer an, steirische Emigranten schickten ihre Söhne nach Straßburg, steirische Adelige, wie Otto Heinrich von Herberstein, besuchten die Stadt auf ihrer Kavalierstour[81]. So war es durchaus natürlich, daß Adam von Herberstorff von Lauingen aus seinen Weg nach Straßburg nahm, das sich ja auch rein bildungsmäßig und als Vorort des süddeutschen Protestantismus für den Aufenthalt eines jungen evangelischen Adeligen empfahl. Vielleicht hörte Herberstorff damals den berühmten Laurenzius Tuppius, einen Schüler Melanchthons, und den beliebten Lehrer der Rechte Georg Obrecht. Zur Zeit als Herberstorff in Straßburg weilte, begann dort eben

Matthias Bernegger, Sohn eines evangelischen Hallstätter Bürgers aus Oberösterreich und späterer Freund Johannes Keplers, seine Laufbahn eben als Privatlehrer adeliger junger Herren, die dort die Akademie besuchten[82].

Für die an den Aufenthalt in Lauingen und Straßburg anschließenden Jahre sind wir wieder nur auf Khevenhillers spärlichen Bericht angewiesen: „Und als er etlich Jahr dort [gemeint ist in Lauingen und Straßburg] studirt, ist er ans Pfalzgraffen Philipp Ludwigen Hertzog zu Newburg Hof kommen und dort drey Jahr bei Ihr Fürstl. Gnaden Herrn Söhnen allerley tugendsame Studia und Exercitia geübt."[83] Hier in Neuburg sollte er also das Hofleben an einem protestantischen Fürstenhof des Reiches kennenlernen, sollte sich zum adeligen Kavalier bilden, geistig und körperlich durch Studien und Übungen, wie sie jungen Herren von Adel im Sinne des Denkens der Zeit eben zustanden. Wir haben von einem anderen steirischen Edelmann, Georg Raimund von Gera, der ebenfalls als Jüngling am Neuburger Hof Herzog Philipp Ludwigs „als bedienter würklicher Edelknab" wirkte und später unter Herberstorff in Oberösterreich als Leutnant diente, einen kurzen Bericht, aus dem ersichtlich ist, daß er mit dem jungen Herzog Wolf Wilhelm von Neuburg Reisen nach Spanien, Frankreich und in die Niederlande mitmachte „und die Adeligen Exercitien, sonderlichen die Khriegs-Kunst der Püchsenmaisterei" erlernt habe[84]. Solcherart also muß man sich auch die Exercitia Herberstorffs vorstellen. Auch hier mag die Kriegskunst eine größere Rolle gespielt haben. Wir sind über diese Zeit, welche Herberstorff — nunmehr zwanzigjährig — an dem kleinen Neuburger Hof zubrachte, nur knapp unterrichtet. Khevenhiller spricht von „schennen Exercicien und Ritterspill zw dennen Er Herr von Jugent auf freidt und Lust gehabt, vnd Ihmerwehrender Khurzweillen, auch begebendter Raißen, so die drey Jungen fiersten Imerdar geiebt und vorgehabt haben . . ." Wohin Herberstorff diese Reisen mit dem jungen Pfalzgrafen führten, ist unbekannt. Wegen des großen, acht Jahre betragenden Altersunterschiedes zu Pfalzgraf Wolfgang Wilhelm dürfte Herberstorff diese Reisen in erster Linie mit den jüngeren Söhnen des Herzogs Philipp Ludwig, mit den Pfalzgrafen August und Johann Friedrich, gemacht haben[85]. Eine spätere Bemerkung Herberstorffs „Ich bin auch meiner Tage manches Land ausgezogen, ich finde aber nirgends

Österreich" ließe sich allenfalls mit diesen Reisen in seiner Jugend in Zusammenhang bringen[86].

Jedenfalls war es für Herberstorffs Schicksal ganz entscheidend, daß ihn sein Vater dem lutherischen Gymnasium in Lauingen an der Donau anvertraut hatte. Denn offenbar fühlte er sich in dem kleinen wittelsbachischen protestantischen Fürstentum an der Donau wohl und hat nach dem kurzen Straßburger Aufenthalt und den Kavaliersjahren am Neuburger Hof beschlossen, in Pfalz-Neuburg zu bleiben. Dazu mag natürlich sehr wesentlich beigetragen haben, daß die heimatliche Steiermark seit 1598 unter dem Zwange der Ferdinandeischen Gegenreformation einen strengen Lutheraner, wie es Adam von Herberstorff war, keineswegs mehr locken konnte. In Neuburg, einem unter Herzog Philipp Ludwig streng lutherischen Fürstentum, sah sich der junge Herr aus der Steiermark frei von den Sorgen, welche Glaubensverfolgung und Gewissensbedrängnis den Betroffenen bereiten konnte, hier stand einer — wenn auch wohl bescheidenen — Karriere kein konfessionelles Hindernis im Wege. So kehrte Herberstorff nicht mehr in seine Heimat zurück. Es war eine Art freiwilliges Exil, ein Ausweichen vor der Konfrontation mit den stärkeren Kräften des katholischen Landesfürsten. Denn noch waren dem protestantischen Adel fast drei Jahrzehnte im Lande Ferdinands II. gegönnt. Herberstorffs Bruder Franz, der später Kalsdorf innehatte, ist erst im Jahre 1629 als Protestant mit seiner Frau Anna Maria, geborene von Teuffenbach, ins Reich emigriert[87].

2. Aufstieg in Pfalz-Neuburg

Das Herzogtum Neuburg oder die junge Pfalz war ein künstliches Gebilde, das zur Zeit, als Herberstorff dort Fuß faßte, erst etwa hundert Jahre alt gewesen ist. Dieses wittelsbachische Fürstentum, das an der Donau seine Hauptstadt hatte, verdankte sein Entstehen dem bayerisch-pfälzischen Erbfolgekrieg, dessen Ausgang Kaiser Maximilian I. im Jahre 1505 durch seine Schlichtung wesentlich bestimmte. Dem Kölner Spruch von 1505 zufolge wurde aus der Hinterlassenschaft Herzog Georgs des Reichen von Niederbayern ein neues Territorium für dessen Enkel Ott Heinrich und Philipp geschaffen mit einem Jahresertrag von 24.000 Gulden. Dieses neugeschaffene Territorium war das Herzogtum Pfalz-

Neuburg. Es war ein heterogenes Gebilde, dessen einzelne Teile nicht zusammenhingen, und es erstreckte sich von den westlichen, an das Stadtgebiet von Ulm heranreichenden Grenzen bis in die Oberpfalz, wo mehrere Ämter pfalz-neuburgisch waren[88]. Zur Zeit, als Herberstorff an den pfalz-neuburgischen Hof in Neuburg an der Donau kam, regierte dort Herzog Philipp Ludwig (1569 bis 1614), der Sohn jenes bedeutenden Neuburger Herzogs Wolfgang, der einst auch das Lauinger Gymnasium begründet hatte. Philipp Ludwig war keine überragende Persönlichkeit, sondern stellte, wie gesagt wurde, den biederen praktischen Typ des Hausvaters unter den deutschen Fürsten dar, eines Fürsten, der für seine Untertanen nach bestem Wissen und Gewissen sorgte. „Ehrbar und bedächtig, den Welthändeln im ganzen abgeneigt", hat ihn Ricarda Huch charakterisiert[89].

So ist die Regierung Philipp Ludwigs in dem kleinen Fürstenhaus an der oberen Donau durch eine kluge fürsorgliche Wirtschaftspolitik, gute „Polizey", durch Sparsamkeit, durch gutes Einvernehmen mit seinen Landständen, durch kleinere Gebietserwerbungen im Umkreis seines Fürstentums gekennzeichnet. Außerdem ist sein Wirken in Neuburg stark durch das religiöse Element bestimmt, und man hat mit Recht gesagt, er sei ein „gutes Beispiel dafür, daß die konfessionelle Einstellung deutscher Fürsten im 16. und 17. Jahrhundert doch vielfach auf dem Glauben an die alle verpflichtende Wahrheit beruhte"[90]. Der fromme Wittelsbacher, dessen Bildnis — gestochen von der Hand Wolfgang Kilians — das Motto „Christus meum asylum" aufweist, hat 1580 die Konkordienformel, welche das lutherische Kirchenwesen scharf vom Calvinismus schied, angenommen, er hatte die Religionsgespräche von Neuburg und von Regensburg mit Vertretern des Katholizismus veranstaltet und dafür gesorgt, daß in Pfalz-Neuburg ein streng lutherischer Geist herrschte. Für die ganze politische Stellung des wittelsbachischen Hauses Neuburg und für den Schritt in die große Politik, den das kleine Staatsgebilde der Neuburger machte, war von größter Bedeutung der Heiratsvertrag, den Philipp Ludwig mit dem Hause der Herzöge von Jülich, Kleve und Berg schloß. Im Jahre 1574 heiratete er Anna, die zweitälteste Tochter Herzog Wilhelms V. des Reichen von Jülich. Dadurch gewann er die Anwartschaft auf das Erbe am Niederrhein, die noch zu Lebzeiten Philipp Ludwigs aktuell wurde, als der letzte Jülicher Herzog im Frühjahr 1609 starb. Dieses Bestreben, das Jülicher Erbe anzutreten, bestimmte weithin die neuburgische Politik auch im Innern des Landes. Sie wurde noch zu Lebzeiten Philipp Ludwigs von dessen Sohn Wolf Wilhelm zielbewußt in diesem Sinne stark beeinflußt[91]. Diese Dinge sind hier nur angedeutet, sind aber wichtig, um Herberstorffs Entwicklung und seine Stellung in Neuburg richtig verstehen zu können. Denn auch sein Lebensgang in diesen Jahren ist weitgehend bestimmt durch die Politik der neuburgischen Herzöge und damit im Zusammenhang durch die jülichsche Frage.

Da uns nicht bekannt ist, wann Herberstorff nach seinem Straßburger Aufenthalt an den Neuburger Hof kam, läßt sich auch nicht sagen, wann die von Khevenhiller angeführten drei Jahre, da er bei Ludwig Philipps Söhnen seine Studien und Exercitia betrieb, zu Ende gingen. Jedenfalls trat Herberstorff ganz auffallend früh in den Stand der Ehe. Er heiratete im Jahre 1607 erst 22jährig Maria Salome, die Witwe des Veit, Erbmarschall von Pappenheim, eine geborene Preysing zu Kopfsburg. Schon am 4. März 1607 hatte Maria Salome von Pappenheim an ihre Vettern und Gevattern Veit Hippolyt und Wolf Christoph von Pappenheim, an Wolf Friedrich von Klosen zu Haidenburg und Christoph Sebastian von Jaxheim von ihrer bevorstehenden Heirat geschrieben und die Genannten gebeten, damit vor ihrer Verheiratung die Administrationsrechnung gelegt werde und der Vergleich erfolge, am 19. April (alten Stiles) nach Treuchtlingen zu kommen, um diese Angelegenheiten zu regeln[92]. Die Hochzeit Herberstorffs muß also unmittelbar nach dieser Konferenz in Treuchtlingen stattgefunden haben. Maria Salome von Herberstorff war eine Tochter des Heinrich von Preysing zu Kopfsburg, der Pfleger zu Reichenhall gewesen ist. Durch sie wurde Herberstorff nun mit einem altbayerischen Geschlecht verwandt, das in der Geschichte Bayerns eine bedeutende Rolle spielte. Es ist wie ein Spiel des Schicksals, daß Maria Salome durch ihre Großmutter mütterlicherseits, Rosina Jörger, eine Tochter des Bernhard Jörger (gest. 1544), auf Neydharting Reuth und Scharnstein, mit einem oberösterreichischen Geschlecht verwandt war, das dann gerade zur Zeit, als Herberstorff Statthalter im Land ob der Enns war, fast seinen gesamten Besitz verlor, und daß Herberstorff selbst sich um diesen bemühte. Maria Salome war seit 1600

Witwe. Sie muß beträchtlich älter gewesen sein als Herberstorff. Denn bereits 1592[93] oder 1593[94] schloß sie ihre erste Ehe mit dem damals verwitweten Veit von Pappenheim, also zu einer Zeit, da Herberstorff erst sieben oder acht Jahre alt gewesen ist. Man kann annehmen, daß sie um etwa zehn Jahre älter war als Adam von Herberstorff. Schon am 29. Mai 1594 hatte sie dem später berühmten Feldmarschall Gottfried Heinrich von Pappenheim auf Schloß Treuchtlingen das Leben geschenkt. Außer Gottfried Heinrich hatte sie ihrem ersten Mann noch einen Sohn, Philipp Ludwig (25. April 1598), sowie drei Töchter, Maria Magdalena (1. Juni 1597), Anna Benigna (16. Juli 1596) und Maria Gertrud (5. Juni 1599), geboren. Diese fünf Kinder brachte also Maria Salome von Pappenheim in die Ehe mit Herberstorff ein, und dieser wurde damit — kaum zwanzigjährig — Stief- und Pflegevater von fünf Kindern. Die Heirat ist sowohl wegen des Altersunterschiedes als auch deswegen bemerkenswert, weil feststeht, daß Maria Salome, die aus einem katholischen Geschlecht Bayerns stammte, katholisch war. Nach dem Tode Veits von Pappenheim, als sich Herzog Maximilian von Bayern bemühte, daß dessen Kinder katholisch erzogen werden, fuhr Maria Salomes Vater, Heinrich von Preysing, um sich zu informieren, nach Treuchtlingen. Er berichtete am 12. August 1600, daß Veit von Pappenheim in seinem Testament bestimmte, die Kinder müßten in der Augsburgischen Konfession erzogen werden. Bezüglich seiner Tochter Maria Salome aber schrieb er dem Herzog: „Und sollen E. f. D. sicherlich glauben, daß mein Tochter auf dato bei dem Katollischen alleinseligmachenden Glauben bestenndtiglich verharrt unnd bis inn Ir gruben noch bestandthafft dabei bleiben . . . wird."[95] Veit von Pappenheim war allerdings evangelisch und ließ auch seine Kinder evangelisch taufen und erziehen. Aber er hatte so viele Kontakte zum Katholizismus, daß er die Andersgläubigkeit seiner Gattin toleriert haben mag. Er war in seiner Jugend viel mit katholischen Höfen in Beziehung gekommen, weilte eine Zeitlang am Hof von Benevent, kam auf Befürwortung der Erzbischöfe von Mainz und Trier an den Hof Philipps II. nach Spanien, wo er — wie es heißt — die „Lands-Art"[96] an sich nahm und vier Jahre verweilte, kam später aber für drei Jahre an den Hof Herzog Albrechts von Bayern und leistete auch dem Kaiser seine Dienste. So mag er Verständnis gehabt haben für den Katholizismus seiner Frau[97]. Daß nun die katholische Gattin Herberstorffs, die seit 15 Jahren in evangelischer Umgebung war und mit einem evangelischen Ehegatten immerhin acht Jahre zusammenlebte, auf den jüngeren Herberstorff in konfessioneller Hinsicht einen größeren Einfluß ausübte, ist jedoch zu bezweifeln. Man würde ihre Möglichkeiten überschätzen, würde man ihrer katholischen Haltung etwa die spätere Konversion Herberstorffs zuschreiben wollen.

Die Frage, warum Herberstorff die wesentlich ältere, mit einem so reichen Kindersegen beglückte Witwe heiratete, läßt sich nicht beantworten. Er muß irgendwelche Vorteile für sich gesehen haben, die zunächst wohl bezüglich seiner Neuburger Position zu suchen sind. Vielleicht war es auch nur der Kontakt, den er durch seine Ehe zu einem alten reichsfreien Geschlecht gewann, was ihn zur Heirat bewog. Waren doch die Pappenheimer im Besitze nicht nur des kleinen, dem Fürstentum Neuburg unmittelbar benachbarten Reichsterritoriums, sondern auch Inhaber des alten Reichsamtes des Erbmarschalls des Reichs. Durch die Ehe und die Pflegevaterschaft über die Kinder Veits von Pappenheim konnte der junge steirische Adelige nicht nur an Ansehen gewinnen, sondern auch in seiner neuen Wahlheimat festen Boden fassen. Die Pappenheimer waren überdies auch mit dem neuburgischen Herzogspaar in besten Beziehungen, wie z. B. die Patenschaft Herzog Ludwig Philipps und der Herzogin Anna von Pfalz-Neuburg für den Täufling Philipp Ludwig von Pappenheim, der ja des Herzogs Namen erhielt, eindeutig zeigt[98]. Oder war die Ehe sogar auf Wunsch des Neuburger Hofes erfolgt? Auch das kann nur vermutet werden. Jedenfalls dürften für Herberstorff sehr reale Überlegungen bei dieser Heirat mitgespielt haben. Vermutlich hatte er zunächst auch seinen Wohnsitz in Pappenheim oder Treuchtlingen und hatte damit eine Basis gewonnen, von der aus er seine Stellung in Neuburg und im herzoglichen Dienst auf- und ausbauen konnte. Daß aus dieser Ehe Herberstorffs mit Maria Salome ein Sohn entsproß, „welcher aber eines unglückseligen Tots ... abgestorben", ist lediglich vom oberösterreichischen Genealogen Georg Adam von Hoheneck in dessen Werk „Die löblichen Herren Stände in dem Erzherzogtum Österreich ob der Enns" überliefert und sonst in keiner Weise belegbar[99]. Aber auch mit den Pflegekindern mochte es Sorgen geben. Der zweite Sohn Maria Salomes, Philipp Ludwig Herr von Pappenheim, befand sich auf seiner Kavalierstour in Italien. Als er „eine Leibskur" auf Anraten der Ärzte machte, starb dort der von Natur aus etwas schwache 17jährige Pappenheim. Herberstorff hat an Philipp Ludwigs Vormünder, unter anderem an Veit Hippolyt und Wolf Christoph von Pappenheim, am 29. Dezember 1615 die ihm zugekommene Nachricht vom Tode seines Stiefsohnes weitergegeben. Da Herberstorffs Vetter Walkun ebenfalls zu dieser Zeit in Italien weilte, sollte dieser sich um den Toten kümmern, den man dann nach Deutschland überführte und in Treuchtlingen Ende Januar 1616 bestattete[100].

Ob Herberstorff nach seiner Verehelichung sich der Verwaltung der Pappenheimschen Güter seiner Stiefkinder widmete oder ob er bereits seit 1607 im Dienste des Herzogs von Pfalz-Neuburg stand, läßt sich nicht sicher feststellen. Nur verhältnismäßig mühsam kann man aus einzelnen spärlichen Notizen seine beginnende Laufbahn rekonstruieren. Erstmals taucht er im landesfürstlichen Dienst der Neuburger Herzöge im Jahre 1610 als Pfleger von Beratshausen auf, als welcher er auch noch im Jahre 1611 Kirchenrechnungen der Herrschaft Ehrenfels abrechnete[101].

Im Jahre darauf soll er bereits Landrichter in Sulzbach in der Oberpfalz gewesen sein und dieses Amt bis 1615 innegehabt haben[102]. Sein Bruder Franz bezeichnete Adam von Herberstorff als dessen Bevollmächtigter in einer Güterangelegenheit am 10. September 1613 als „für. pfalzgräflicher Rat und Landrichter zu Sulzbach"[103]. Der Geschichtsschreiber des Herzogtums Sulzbach, eines Amtes der Pfalz-Neuburger, berichtet eine an sich nicht belegbare Szene von Herberstorffs Wirken in diesem oberpfälzischen Landgericht, die für sein hochfahrendes, unbeherrschtes Wesen zweifellos charakteristisch ist. In einem Streit mit dem Rate von Sulzbach sei Herberstorff, „der ein üppiges Wohlleben führte", mit bloßem Degen in das Ratszimmer eingedrungen und daraufhin vom Rate verklagt worden[104]. Bereits im August des Jahres 1614 bezeichnet sich Herberstorff selbst als Pfleger zu Reichertshofen. Da Reichertshofen weitab von Sulzbach — östlich von Neuburg — liegt, ist anzunehmen, daß Herberstorff bereits im Jahre 1614 das Landrichteramt oder — wie Philipp Hainhöfer[105] es bezeichnete — das Statthalteramt in Sulzbach mit dem Amt des Pflegers von Reichertshofen vertauschte oder — falls die lediglich in Gacks Geschichte des Herzogtums Sulzbach vorfindliche Angabe stimmt, daß er bis 1615 in Sulzbach war — daß er die Pflegschaft von Reichertshofen zusätzlich als Einnahmequelle erhielt. In dieser Zeit seines Landrichteramtes in Sulzbach hat Herberstorff in der Oberpfalz auch Besitz erworben, und zwar Schloß und Hofmark Teublitz, die er offenbar im Jahre 1613 von Quirin Österreicher kaufte. Vielleicht hängt damit zusammen, daß er im gleichen Jahr gemeinsam mit seinem Bruder Franz den Besitz Moosbrunn in der Steiermark an Erhart Wilhelm von Klaffenau verkaufte[106]. Dieser Sitz Teublitz ist bei Burglengenfeld zwischen Regensburg und Schwandorf gelegen und gehörte zum Herzogtum Neuburg[107]. Herberstorff hat Teublitz nachweisbar noch im Jahre 1621[108], vielleicht sogar bis 1627 besessen[109]. Diese Erwerbung war insofern für Herberstorffs Stellung von Wichtigkeit, weil er hiedurch die Landstandschaft im Herzogtum Neuburg gewinnen konnte und damit Landsasse mit den damit verbundenen Rechten geworden ist. Von sonstigem Besitz Herberstorffs in Neuburg wird lediglich der Hof Hesselohe, den später (1621) die Jesuiten erhielten, erwähnt[110].

Für Herberstorffs Laufbahn war aber letztlich seine Beziehung zu Pfalzgraf Wolf Wilhelm von Neuburg, dem ältesten Sohn Philipp Ludwigs, entscheidend. Man hat diesen sympathischen, stattlichen Neuburger als einen „der tätigsten Fürsten des 17. Jahrhunderts" bezeichnet[111]. Man hat ihm eine große Zähigkeit, eine jeder Zurückhaltung bare Zudringlichkeit in der Verfolgung seiner fürstlichen Interessen zugeschrieben, rühmte seine Hartnäckigkeit und Zielbewußtheit, seine Gewandtheit in Geschäften[112], seine Beredsamkeit und sein „verhaltenes Selbstbewußtsein, das seine Erscheinung königlich umgab"[113]. Auf nichts hat dieser Fürst mehr Energien verwendet, als darauf, für sein Haus das jülich-clevesche Erbe am Niederrhein zu erwerben. Lange noch bevor der letzte Herzog von Jülich im Jahre 1609 verstorben war, entfaltete Wolfgang Wilhelm von Pfalz-Neuburg noch zu Lebzeiten seines Vaters eine rastlose Tätigkeit, dieses Ziel seines Lebens zu erreichen. Ludwig Philipp ließ ihm hiebei weitgehende Freiheit, so daß man sagen konnte, Wolf Wilhelm habe die Jülicher Angelegenheit „beinahe selbständig" geführt[114]. Nun war dieses Erbe der mächtigen Herzöge von Jülich ein begehrtes Objekt zahlreicher Höfe, das ganze wurde zu einem immer mehr verwickelten, kaum durchschaubaren Komplex von Rechten und Ansprüchen, in dem politische und konfessionelle Momente mitspielten. Neuburgs stärkster Rivale in der Jülicher Angelegenheit war Brandenburg[115]. Es ist daher verständlich, daß das wesentlich schwächere Neuburg sich um Bundesgenossen umsah und umsehen mußte. So entfaltete Wolfgang Wilhelm im ersten Jahrzehnt des 17. Jahrhunderts eine ungemein lebhafte diplomatische Tätigkeit, die ihn an zahlreiche Höfe führte, um Unterstützung für Neuburgs Erbansprüche zu finden. Dieses Werben hatte auch kein Ende, als nach dem Tode des Herzogs von Jülich die beiden Hauptanwärter auf das Erbe Neuburg und Brandenburg in den Herzogtümern am Niederrhein Fuß faßten, die tatsächliche Herrschaft antraten und auf Grund des Dortmunder Vertrages von 1609 die niederrheinischen Lande gemeinsam regierten. Denn der niederrheinische Besitz war für Neuburg keineswegs sicher, der Jülicher Erbfolgekrieg, der durch das Eingreifen des Kaisers ausgelöst wurde, die stete Unterstützung Brandenburgs durch die Generalstaaten der Niederlande waren eine schwere Belastung für Neuburg und seine Kräfte. Die Jülicher Angelegenheit hat schließlich die ganze Politik des Herzogtums Neuburg bestimmt und sogar das in jener Zeit so gewichtige konfessionelle Moment gelegentlich zurückgedrängt. Es ist dies in dem Schwanken Neuburgs zwischen den sich bildenden Machtblöcken der Protestantischen Union und der Katholischen Liga zu sehen, weil schließlich alles unter dem Gesichtswinkel des Nutzens für die Jülicher Ziele Neuburgs gesehen wurde.

War Philipp Ludwig hier noch ängstlicher und enger, so sah Wolf Wilhelm bald, daß der Großteil der protestantischen Staaten Brandenburg zuneigte und daß Neuburg nur Aussicht hatte, seine niederrheinischen Gebiete zu erhalten, wenn es die Unterstützung der katholischen Mächte Österreich und Spanien und der katholisch-bayerischen Wittelsbacher erringen konnte. Fürstliche Heiraten waren stets ein bewährtes Mittel der Politik. So hatte Wolfgang Wilhelm daran gedacht, durch die Heirat der Tochter des Kurfürsten Johann Sigismund von Brandenburg die Ansprüche der Hohenzollern auf Jülich-Cleve gleichsam zu paralysieren und die Herrschaft am Niederrhein allein innezuhaben. Da dies mißlang, lag es nahe, durch die Heirat der 24jährigen Magdalena, Schwester des Bayernherzogs Maximilian, die mächtige Hilfe der katholischen Wittelsbacher zu erhalten, die

Schloß Kalsdorf

Lauingen an der Donau

auch als Inhaber des Kölner Kurstaates unmittelbare Nachbarn am Niederrhein waren. Der Preis für die Zustimmung zu dieser Ehe von seiten Herzog Maximilians von Bayern war Wolf Wilhelms Konversion zum Katholizismus. Nach schwerem inneren Ringen entschloß sich Wolf Wilhelm dazu. Am 19. Juli 1613 trat er in München in tiefstem Geheimnis zum katholischen Glauben über[116]. Herzog Philipp Ludwig wurde schwer getäuscht und nahm ahnungslos, daß sein Sohn dem lutherischen Glauben untreu geworden war, an der am 10. November 1613 in München stattfindenden Hochzeit teil. Erst am 25. Mai 1614 hat Wolf Wilhelm in der Düsseldorfer Kollegiatskirche das katholische Glaubensbekenntnis öffentlich wiederholt. Durch Wolf Wilhelms Konversion hat sich nicht nur die internationale Lage hinsichtlich des Jülicher Erbfolgestreites zugunsten Neuburgs geändert, der schließlich durch den Xantener Vergleich von 1614 noch einmal gütlich beigelegt wurde, auch für das Herzogtum Neuburg bedeutete der Glaubenswechsel Wolf Wilhelms eine große Wende, um so mehr, als Herzog Philipp Ludwig, seelisch gebrochen durch das Spiel seines älteren Sohnes, schon am 22. August 1614 starb. Damit war Wolf Wilhelm regierender Herzog von Neuburg[117].

Es ist nun durchaus wahrscheinlich, daß Herberstorff schon vor Wolfgang Wilhelms Regierungsantritt zu dessen Kreis gehörte. Als Wolf Wilhelm im Spätsommer und Herbst des Jahres 1613 beim Regensburger Reichstag weilte, um dort in der Jülicher Sache Neuburgs Interessen zu vertreten[118], hat ihn vermutlich Herberstorff begleitet. Jedenfalls traf ihn dort Philipp Hainhofer, der bekannte Augsburger, der zahlreichen deutschen Fürsten als Berichterstatter diente und auch als Kunstsammler und Kunstkenner einen Namen hatte[119]. In der Beschreibung seiner zum Reichstag in Regensburg im Jahre 1613 „verrichteten Rays“ berichtet Hainhofer unter anderem: „Und hab ich in des Kaisers Antekamera, bis ihre Majestät die Lehenceremonias fürgenommen, darseider mit H. Adamen von Herberstorff fürstlich pfälzischer Statthalter zu Sulzbach vil guter Konversation gehalten ...“[120] Hainhofer hat im November 1613 auch einen ausführlichen Bericht über die in München stattgefundene Hochzeit des Pfalzgrafen mit Magdalena von Bayern für den Herzog von Pommern verfaßt[121]. Es ist in dieser sehr eingehenden und detaillierten Schilderung der pfälzisch-bayerischen Hochzeit Herberstorff nicht namentlich erwähnt.

Aber da die Begleitung des Neuburger Pfalzgrafen „in die fünfhundert“ waren, so kann Herberstorff auch mit dabei gewesen sein[122]. Diese Vermutung wird noch bestärkt, wenn wir erfahren, daß er zu dieser Zeit nicht in Sulzbach weilte, sondern an den Nachfeiern der fürstlichen Hochzeit in Neuburg teilgenommen hat. Wir besitzen eine „Relation wegen der Heimbführung“, die uns über die Reise der fürstlichen Gesellschaft von München nach Neuburg und über die im dortigen Schloß veranstalteten Festlichkeiten berichtet. Am 20. November hätte demnach nach einer Predigt des neuburgischen Predigers Ludwig Heilbrunner ein „Ringelrennen“ und nach dem Mittagessen ein „Carifellarennen“ abgehalten werden sollen. Ein auftretendes Unwetter hat dies jedoch verhindert. Daraufhin veranstaltete Wolf Wilhelm ein Fußturnier, welches „uf dem großen Saal“ gehalten wurde. Eine der beiden Parteien führte Herzog Albrecht von Bayern, die andere Wolf Wilhelm von Neuburg. Hier wird nun in der Partei des Hochzeiters neben Herzog Johann Friedrich und den beiden Grafen von Solms noch Adam von Herberstorff genannt[123]. Er zeigt sich also hier bei diesen Neuburger Festlichkeiten als der engeren Umgebung Wolf Wilhelms zugehörig. Ein weiterer Hinweis in diese Richtung findet sich in einem Schreiben Herberstorffs, in welchem er sich am 28. August 1614 als „der fürstl. Durcht. Pfalzgraven Wolfgang Wilhelms Rat, Cammerherr ...“ bezeichnet[124]. Es ist also irgendwie verständlich, daß Herberstorff nach Wolf Wilhelms Übernahme der Regierung gleichsam im Strome des jungen Pfalzgrafen schwamm und daß er bei dem Revirement, das am Hofe nach dem Regierungswechsel vor sich ging, Aussicht auf schnelle Karriere hatte. Hier ist auch der große Bruch im Leben Herberstorffs aufgetreten, der dem Beispiel seines Herrn folgte und ebenfalls katholisch wurde.

Die Situation in Neuburg nach dem Bekanntwerden von Wolf Wilhelms Religionswechsel ist zunächst gekennzeichnet durch Überraschung und Angst. Nicht nur, daß die pfalzgräfliche Familie voll Schmerz Wolf Wilhelms eigenwilligen Akt hinnehmen mußte und der alte Herzog Philipp Ludwig im ganzen Herzogtum für die protestantische Kirche des Landes beten ließ, er bestimmte auch noch in einem Nachtrag zu seinem Testament, daß Wolf Wilhelm enterbt sei, wenn er Änderungen an der lutherischen Landeskirche vornehmen werde. Philipp Ludwig wollte auf einen für den

28. August ausgeschriebenen Landtag die aufgetretenen konfessionellen Probleme besprechen. Sein Tod entschied weitgehend für den Weg Wolf Wilhelms. Zielbewußt wie immer hat der junge Herzog die Schwierigkeiten, die er beim Antritt der Regierung vorfand, überwunden. Er hatte eine starke Opposition gegen sich: seine Mutter, die alte Herzogin Anna, seine Brüder August und Johann Friedrich blieben evangelisch, ein Ausschuß der Neuburger Landstände beschloß die Huldigung zu verweigern, wenn der neue Landesfürst nicht die Landesfreiheiten einschließlich der Reverse über die Beibehaltung der evangelischen Religion bestätigen würde. Wolf Wilhelm wirkte zunächst beruhigend und ging klug und sachte vor. Mit den Brüdern verglich er sich: August erhielt zum Unterhalt und als Residenz Sulzbach, Johann Friedrich bekam Hilpoltstein, die landesfürstliche Hoheit blieb auch in diesen und anderen zum Unterhalt der Brüder bestimmten Gebieten Wolf Wilhelm vorbehalten.

Herzogin Anna zog sich nach Höchstädt an der Donau zurück. Am 7. März 1615 huldigte Neuburg dem Herzog. Er gab dabei die Erklärung ab, daß er die Stände und Untertanen bei ihren Freiheiten schützen werde, gab bekannt, daß er sich zur alleinseligmachenden Kirche bekenne und täglich bete, daß auch sie sich bekehren möchten. Er wolle aber keinen Zwang ausüben und jedem seinen Glauben lassen. Durch Drohungen und gütliches Zureden, durch Wein und Konfekt waren die Stände weichgemacht worden. Am 25. Dezember 1615 wurde den Katholischen die Religionsfreiheit zugesprochen, d. h., es wurde zunächst eine Gleichstellung der beiden Konfessionen, das sogenannte Simultaneum, festgelegt. Schon anläßlich der Huldigung und vorher wurden bisher führende Männer, die gegen Wolf Wilhelms neuen Kurs opponierten, ihrer Funktionen enthoben, wie der Landmarschall Wolf Lorenz Walrab von Hauzendorf und der Landschaftskommissär Ludwig Andreas Lemblein[125]. Herberstorff war unter denen, die offenbar bedingungslos den Weg Wolf Wilhelms gingen. Khevenhiller berichtet, daß Herberstorff nach dem Antritt der Regierung des neuen Landesherrn zum Statthalter von Neuburg ernannt wurde. Schon am 3. März 1615 hatte ein mit den Verhältnissen am Neuburger Hof sehr gut Vertrauter zu berichten gewußt, daß Wolf Wilhelm nicht lange in Neuburg bleiben, sondern einen Statthalter einsetzen werde[126]. Als Landschaftskommissär hat er den gestürzten Lemblein ersetzt, wenn er nicht schon früher diese Stelle innehatte. Denn schon am 28. August 1614, also knapp eine Woche nach Philipp Ludwigs Tod, wird Herberstorff in einer steirischen Urkunde bereits als „Landschaftskommisar" bezeichnet, und am 27. Januar 1615 schrieb Herberstorffs ehemaliger Lehrer am Lauinger Gymnasium, Georg Zeämann, an den Superintendenten in Ulm über die Veränderungen in Neuburg und erwähnte dabei bereits, daß Herberstorff „novus provinciae Commisarius" sei[127]. Die Rekatholisierung des Neuburger Hofes war nur mehr eine Frage der Zeit. Wenn es stimmt, so soll Herberstorff, „der erste Edelmann" am Hofe in Neuburg, auch der erste gewesen sein, der Katholik geworden ist[128]. Aus der ganzen Situation heraus, welche nunmehr gegeben war, ist ersichtlich, daß Herberstorffs Konversion in der Religionsänderung seines Herrn ihren Hauptgrund hatte. Herberstorff hat sich später über seinen Glaubenswechsel geäußert. Als er im Zuge der Gegenreformation in Oberösterreich den Linzer Bürgern den Religionswechsel empfahl, wies er auf sein eigenes Exempel hin: „Ich bin zwar kein Pfaff, und ist mein Intent nicht, mit euch zu kontroversiren, in Religionssachen zu tractiren, oder etwas zu ventiliren. Mir fallen aber anjezo ein die Worte so ich gelesen, weiß jetzt nicht wo, im heiligen Paulus: Unus dominus, una fides, unum Baptisma, daß nämlich nur ein Gott, ein Glaube, eine Tauffe sei." Herberstorff betonte damals den Fanatismus, der ihn als gläubigen Lutheraner beseelt habe. Alle, die ihn kennen, wüßten, daß er „weder um zeitlicher Ehre noch Gut" die lutherische Kirche verlassen habe, „sondern eben die Worte St. Pauli ... daß nur ein Gott und nur ein Glauben sey, haben mich anfänglich und am meisten zum Nachdenken bewegt". Er wollte, was seine Seligkeit betreffe, einen „rechten Grund haben", es schien ihm unglaubwürdig, daß alle seine katholischen Voreltern „dem Teufel zugefahren, und erst von 90 Jahren her der Weg zum Himmel durch den Luther geoffenbart worden seyn solle". Er schildert weiter, daß er angefangen habe, sich über den Unterschied der lutherischen und der katholischen Religion zu informieren, „katholische und ketzerische Bücher zu lesen, die katholischen Predigten vielmals zwar erstlich mehrers aus Fürwiz, angehöret und mich in Disputationen eingelassen, all da ich dann nicht allein selbsten gehöret und gesehen, daß die Predicanten die Päbstischen ohne

Ration und wider die Wahrheit vieler Sachen beschuldigen, sondern hingegen mir die Ungleichheit und Widerwärtigkeit der lutherischen und anderer Lehrer, das ärgerliche Leben und Schriften des Luthers aus meinen eigenen Büchern, und entgegen die Concordanz und Einigkeit in Glauben der Katholischen durch die ganze Welt und von Anfang des Christenthums her so klar gezeignet worden, daß ich mich endlich darüber aufs höchste verwundert, da ich es doch zu oft gesehen und gelesen, warum ichs nicht längst selber hätte greifen sollen"[129]. Nun erfahren wir hier gleichsam aus erster Hand die Gründe der überraschenden Konversion des Sohnes eines Ott von Herberstorff. Demnach war es eine echte Bekehrung, ein Überzeugungswandel aus religiöser Gesinnung ohne irgendwelche materiellen Gründe. Freilich ist hiebei die Quelle mit der gebotenen Kritik zu benützen. Es besteht kein Grund, nicht zu glauben, daß Herberstorff seiner Konversion eine intensive Information über die Lehren der christlichen Kirchen vorausgehen ließ, daß er das Für und Wider reichlich abwog. Aber selbst in seiner eigenen Darstellung findet sich nicht, daß es ihm schwer geworden sei, diesen sich bietenden Gründen der Vernunft zu folgen. Nichts von der Last, die seine Seele hätte drücken müssen bei diesem großen Schritt. Ohne die Konversion seines Herrn wäre auch das „Alpha procerum", der Stern unter den Adeligen Neuburgs, wie der Jesuit Franz Xaver Kropf Adam von Herberstorff bezeichnet, nicht zu jenem Überlegen und Vergleichen der christlichen Lehren gekommen, die nach Herberstorffs Aussage allein seine Bekehrung bewirkt hatten. Der Schritt des Höflings Herberstorff muß wie eine Bombe auf die Evangelischen gewirkt haben: „Res attonitos habuit Lutheranos omnes."[130] Nur Menschen, die Herberstorff persönlich besser kannten, mochten dies befürchtet haben. So hat Professor Georg Zeämann schon im Januar 1615 an Superintendent Dietrich in Ulm geschrieben, daß viele die „Constantia" des neuen Landschaftskommissärs bezweifeln[131]. Aber noch zur Zeit des Regensburger Reichstages im Herbst des Jahres 1613, als Herzog Wolfgang Wilhelm bereits heimlich in München katholisch geworden war, erwies sich Herberstorff als gläubiger Lutheraner, als ihm damals Philipp Hainhofer „den Isaac Delzer, des zu Tonawerth gewesenen diaconi son zu ainem Schreiber und seines jungen herrlins zu Pappenhaimb und der jungen fräulein präceptorem verdinget"[132].

Denn der Diakon Delzer gehörte zu den leidenschaftlichsten Eiferern seines Glaubens[133]. Vielleicht hat bei diesem Engagement des jungen Delzer durch Herberstorff auch mitgespielt, daß der streitbare Vater des jungen Präzeptors der Pappenheim-Kinder, welcher 1607 Donauwörth verlassen mußte, einst in der Heimat Herberstorffs, in der Steiermark, lebte, sieben Jahre in seiner Jugend in Graz zubrachte, schließlich von 1587 bis 1597 in Aussee als Diakon und dann bis zu seiner Vertreibung im Jahre 1599 dort als Pfarrer gewirkt hatte[134]. Herberstorffs Glaubenswechsel dürfte im Jahre 1616 erfolgt sein. Sechzig Personen hatten sich in diesem Jahr zum katholischen Glauben bekehrt, weiß der Geschichtsschreiber der oberdeutschen Jesuitenprovinz zu berichten: „Eius numeri princeps fuit illustris vir, Adamus Herberstorffius . . .“ Der vertrauliche protestantische Briefschreiber vom Neuburger Hof sieht dies alles freilich in etwas anderem Licht. Am 17. Mai 1616 weiß er zu berichten, daß Herberstorff sich zur „Pabstischen Religion zwar nicht publiciert, jedoch allbereit bekannt und wirdt die Confirmation oder das Hayl. Röm. Sacramanet der Firmung nicht lang mehr ausbleiben, wüßt sonsten nicht, daß einer alhier umbgesattelt hatte, alß ein liederlicher leichtfertiger Tropf, ein Procurator und etlich wenig leuth ex sordibus populi“[135].

Die Bekehrungsgeschichte des Jesuiten klingt etwas legendenhaft. Herberstorff — bereits innerlich auf dem Wege zum rechten Glauben — habe noch immer gezweifelt und schließlich von Gott ein Zeichen erbeten. Er wollte von den Büchern, die er zu Hause verwahrte, irgendeines hernehmen und aufschlagen, Gott möge es so lenken, daß er jene Stelle aufschlage, aus der er „sine ambiquitate intellegeret“, also das Richtige erkenne. Es fiel ihm nun das Buch des Petrus Canisius, das ihm von einem katholischen Freund geschenkt worden war und das er bis auf diesen Tag nicht einmal angesehen hatte, in die Hand, und er schlug eine Stelle auf, aus der er ersah, er werde ermahnt, durch sein Bekenntnis die Sünden seines ganzen Lebens auszutilgen. Daraufhin sei der Statthalter von einem heiligen Schauer erfüllt worden und in Tränen ausgebrochen. Er habe nun nicht mehr gezaudert und am Fronleichnamsfest[136] öffentlich dem Luthertum abgeschworen und vermutlich von der Hand eines Priesters der Gesellschaft Jesu[137] den Leib des Herrn empfangen. Er habe sogleich die feierliche Prozession durch die Stadt begleitet, wo er vor seinem Hause einen prachtvoll geschmückten Altar hatte aufstellen lassen. Der wahre Kern der Bekehrungslegende dürfte darin zu suchen sein, daß Herberstorff der Katechismus des Petrus Canisius als Lektüre und als Führer zum Glaubenswechsel diente. Auch seinem Herrn, Pfalzgraf Wolfgang Wilhelm, hatte Herzog Maximilian von Bayern empfohlen, sich in den großen Katechismus des Canisius zu vertiefen[138]. Vielleicht war es im Falle Herberstorff der Pfalzgraf selbst, der ihm den Weg gewiesen hat. Denn Herberstorffs Konversion wird vom Hofprediger und Beichtvater Wolfgang Wilhelms dem Jesuiten Jakob Reihing zugeschrieben, den man als die vielleicht markanteste Persönlichkeit der Neuburger Gegenreformation bezeichnet hat[139]. Reihing war 1613 mit Wolf Wilhelms Gattin Magdalena nach Neuburg gekommen und bis zu seiner späteren Flucht aus dem Herzogtum und seinem Übertritt zum Luthertum die Seele der Bekehrung in Neuburg gewesen[140]. Wolf Wilhelm dürfte besonders Wert auf die Bekehrung seines Statthalters auch aus außenpolitischen Gründen gelegt haben. Denn als der kaiserliche Hof noch immer auf die Belehnung Wolf Wilhelms mit Jülich warten ließ, da begab sich der Herzog im Spätsommer 1616 nach Prag. Er wollte auch bereits mit Erfolgen seiner Konfessionspolitik aufweisen können. Herberstorff diente damals gleichsam als Paradestück[141]. Denn gerade die Bekehrung dieses steirischen Adeligen, dessen Herkunft aus einer der kampfesfreudigsten lutherischen Familien der Steiermark ja bekannt war, mußte auf Wolf Wilhelms neuen Kurs das grellste Licht werfen und auf Bischof Klesel, dem mächtigen Minister Kaiser Matthias', vorteilhaft einwirken. Herberstorffs Stiefsohn Gottfried Heinrich von Pappenheim begleitete damals den Pfalzgrafen nach Prag, und Wolf Wilhelm schrieb von Pilsen aus an Herberstorff[142], daß Pappenheim „der chatholischen Religion halber guete demonstrationes von sich gegeben habe, in deme er nit allein dem chatholischen Gottsdienste neben unß beygewohnet, sondern auch mit Niederkniehung undt in andere weegen dem chatholischen Weesen sehr wohl accomodiret hat". Die Katholisierung der engeren Familie Herberstorffs war also bereits im Gange, und Wolf Wilhelm war mit Pappenheims Fortschritt zufrieden. Aus dem Brief des Pfalzgrafen ist auch zu ersehen, daß Herberstorffs Stieftöchter noch immer evangelisch waren. Wolf Wilhelm berichtet Herberstorff im strengsten Vertrauen — auch seiner Frau Maria Salome dürfe er es nur sub fide silentii mitteilen —, Pappenheim habe ihm eröffnet, daß er von seinen Freunden sehr bedrängt werde, daß seine Schwestern Herberstorff weggenommen werden sollen. Im Testament ihres Vaters sei nämlich festgelegt, daß sie an keinem katholischen Ort erzogen werden und wohnen dürften. Wolf Wilhelm meint nun, man könnte das umgehen, da in Neuburg ja beide Konfessionen in Gebrauch seien und daher Herberstorffs Stieftöchter das „Exercitium Augsburgischer Konfession nit abgeschnitten" sei. Der Pfalzgraf hoffte im übrigen, daß Herberstorff noch bessere Argumente einfallen könnten, um zu verhindern, daß die Pappenheim-Töchter diesem — und damit wohl der Rekatholisierung — entzogen würden[143].

Es ist nicht richtig, daß Herberstorffs Stieftöchter im Jahre 1617, als eine größere Anzahl von vornehmen Neuburgern, wie der Kanzler Dr. Johann Zöschlin und der Obersthofmeister Johann Georg Altmann, zum Katholizismus übertraten, ebenfalls katholisch wurden. Noch im Spätherbst des Jahres 1618 (11. September) waren sie evangelisch. Allerdings standen sie bereits unter starkem Druck. Wolf Wilhelm wandte alle Mittel, Güte und Versprechungen an, um Herberstorffs Stieftöchter katholisch zu machen, er behandelte sie mit ausgesuchter „Cortesia" und widmete ihnen größte Aufmerksamkeit. Die beiden jungen Pappenheim-Töchter mußten am Neuburger Hof wohnen, während die älteste in Treuchtlingen bei Gottfried Heinrich von Pappenheim lebte. Die beiden Jesuiten P. Reihing und P. Welser suchten Herberstorffs Stieftöchter täglich bei Hof auf und lasen ihnen aus katholischen Büchern vor. Auch die „Fürstin", Wolf Wilhelms Gattin Herzogin Magdalena, tat dies. Auf diese Weise hat man begonnen, diesen Luthers Lehre zu „verleiden". Selbst theologische Streitgespräche mußten sich die pappenheimschen Fräulein anhören, und Wolf Wilhelm veranlaßte sogar, daß Johann Heilbrunner, Superintendent zu Sulzbach und bisheriger Beichtvater von Herberstorffs Stieftöchtern, nach Neuburg zitiert wurde, um vor den Mädchen mit den Jesuiten zu disputieren[144].

Aus der Titulatur, die Herzog Wolfgang Wilhelm Herberstorff in dem oben erwähnten Brief gab, ist eindeutig zu ersehen, was nun Adam von Herberstorff in Neuburg inzwischen alles geworden war: Geheimer Rat, Statthalter zu Neuburg, Kammerer, Geheimer- und Hofratspräsident, Pfleger zu Reichertshofen, der neuburgischen

Landschaft Commissarius. Eine stattliche Reihe von Würden, die zeigen, daß Adam von Herberstorff die Sprossen der Leiter fürstlichen Dienstes erstaunlich schnell emporgestiegen war. Der gesprächige Briefschreiber vom Neuburger Hof kannte diese Titulatur Herberstorffs, die allen Kanzleien bekanntgegeben wurde, schon am 12. Juli 1616 und deutet ohne Umschweife die Ursache dieser Karriere an, wenn er dazu sagt: „Unser Herr vonn Herberstorff hat bey uns seines umbsattelns halb große ehre erlanget." Auch am Neuburger Hof hat man also damals im „Umsatteln", d. h. in der Konversion den Grund für Herberstorffs rapiden Aufstieg gesehen[145].

Eine der ersten Aufgaben des neuburgischen Statthalters Herberstorff war es, Pfalzgraf August, einen der beiden jüngeren Brüder Wolf Wilhelms, in Sulzbach, das ihm im brüderlichen Vergleich zum Unterhalt und als Residenz zugewiesen worden war, einzuführen. Im August 1615 kam er mit Gosswin von Spiring[146] und begleitet von dem Rate Gaukler nach Sulzbach, um im Auftrage des regierenden Herzogs Wolfgang Wilhelm den protestantisch gebliebenen Pfalzgrafen August in Sulzbach einzusetzen, dort die Erbhuldigung entgegenzunehmen und dem Neuburger Herzog die volle Souveränität vorzubehalten. Allerdings gab es bezüglich der Huldigung gewisse Schwierigkeiten, da die Sulzbacher Sicherung der vollen Freiheit ihres Glaubens vor der Huldigung verlangten. Aber Herberstorff und sein Mitkommissär Spiring forderten bedingungslose Huldigung unter Androhung schwerer Strafen. So huldigten nach längeren Verhandlungen und nach dem Versprechen des Pfalzgrafen August, er werde die Freiheiten seiner Untertanen schützen, die Sulzbacher den neuburgischen Kommissären[147]. Mit den Sulzbacher Ständen gab es im Zusammenhang mit den ständigen Spannungen zwischen den fürstlichen Brüdern auch später noch Schwierigkeiten, und die Sulzbacher nahmen Ende 1618 nicht am Neuburger Landtag teil. Auch damals kam Herberstorff in seiner Eigenschaft als Landschaftskommissär mit einer Ständeabordnung nach Sulzbach, um an der Beseitigung der Differenzen mitzuwirken[148].

Die eigentliche Mission Herberstorffs während seiner Statthalterschaft aber war die Durchführung der gegenreformatorischen Maßnahmen des Herzogs Wolfgang Wilhelm, zunächst in dem gemäßigten Rahmen des Simultaneums, welches offiziell beiden Konfessionen Wirkungsmöglichkeiten ließ, dann aber ab 1617 im Sinne einer gewaltsamen Bekehrung des lutherischen Fürstentums zum Katholizismus. Man hat Wolf Wilhelm nachgesagt, er habe von sich aus nicht die Gegenreformation forciert, vielmehr seien seine Maßnahmen gegen die Protestanten immer nur dann gesteigert worden, wenn er hiedurch eine politische Aktion unterstützen wollte. Und die Jülicher Angelegenheiten boten immer wieder Gelegenheit zu solchen Eskalationen der Gegenreformation, dem kaiserlichen Hof — der lange mit der Belehnung Wolf Wilhelms mit Jülich zögerte — sollte die Linientreue des Neuburgers ad oculos geführt werden. So wurde 1617 das Simultaneum aufgehoben, und Herberstorff war zum Exekutor der herzoglichen Befehle geworden. Der einst lutherische Freiherr aus der Steiermark zog — von Militär begleitet — durch das Herzogtum und bekehrte vor allem die Ämter an der Donau[149]. Schon 1616 hatte Herzog Wolfgang Wilhelm die evangelischen Professoren des Neuburger Gymnasiums entfernt, vergeblich war die Aktion der Abgedankten, die dem Statthalter Herberstorff eine Gegenvorstellung einreichten. Es mag einer der Höhepunkte der Gegenreformation in Neuburg gewesen sein, als am 29. Juni 1617 im Hause des „Kirchenpräsidenten" Adam von Herberstorff dem Neuburger Stadtpfarrer Ludwig Heilbrunner und seinem Diakon Magister Johann Agricola die Entlassung überreicht wurde[150]. Den Städten nützte ihr zäher Widerstand gegen die Katholisierung wenig und brachte lediglich eine Verzögerung des unvermeidbar Beschlossenen. Selbst die große Beschützerin der Evangelischen, die Herzogin Anna, Wolf Wilhelms Mutter, die seit 1615 auf ihrem Wittumssitz Hochstädt an der Donau lebte, konnte wohl von dieser Stadt im wesentlichen die Gegenreformation fernhalten bis zu ihrem 1632 erfolgten Tod[151], es gelang ihr aber nicht, anderen Städten wirksame Hilfe zu gewähren. So konnte sie auch die Stadt Gundolfingen, die sich an sie um Hilfe gewandt hatte, nicht vor den Maßnahmen Herberstorffs bewahren, obwohl sie ihn in einem Schreiben Anfang des Jahres 1618 ersuchte[152], mit seinem Befehl zur Abschaffung der Prädikanten in Gundolfingen so lange innezuhalten, bis eine endgültige Resolution des am Niederrhein weilenden Herzogs vorliege, bei dem sie — aber erfolglos — interveniert hatte. Trotz sehr dringender Vorstellungen der Herzogin, die Pfarrkirche in Lauingen, wo ihr Gatte Philipp Ludwig und andere Mitglieder des herzoglichen Hauses ihre letzte Ruhestätte hatten, nicht an die Katholiken zu übergeben, war Wolf Wilhelm nicht davon abzuhalten[153]. Die Bekehrung der Stadt Lauingen, die Wolf Wilhelm selbst als seine Lieblingsstadt bezeichnete, entbehrte nicht dramatischer Akzente. Und es ist von einer gewissen Tragik, daß in diesem Drama der gewaltsamen Katholisierung dieser bis in die Tiefen der Seele protestantischen Stadt Adam von Herberstorff, ein Schüler des Lauinger Gymnasiums, die Hauptrolle spielte. Schon anläßlich der Festlegung des Simultaneums mußten der Bürgermeister von Lauingen, Anton Weyhmayer, der Syndikus und drei Räte in Neuburg vor dem Statthalter Herberstorff erscheinen[154].

Die Tragödie aber erreichte ihren Höhepunkt, als im Jahre 1618 das Simultaneum in Lauingen beendet werden sollte. Wolf Wilhelm wollte zunächst selbst in die Stadt an der Donau kommen. Er zog es aber schließlich vor, im benachbarten Kloster Medingen die Ereignisse abzuwarten. Anstelle des Herzogs zog am 20. Juni 1618 um 9 Uhr vormittags in einer von sechs Schimmeln gezogenen Kutsche mit vorreitendem Trompeter und zwei Nachreitern der Statthalter Herberstorff in die ihm wohlvertraute Stadt ein. Der Rat der Stadt wurde vorgeladen, desgleichen die Prädikanten. Als diese nur zögernd dem Befehl Folge leisteten und mit Gewalt ins Schloß gebracht werden sollten, hatten sich die Lauinger zusammengerottet und eine bedrohliche Haltung angenommen. Herberstorff ließ daraufhin das Schloß sperren und Pulver und Blei aus dem Pulverturm herbeiholen. Dabei kam es zu Tätlichkeiten, der Hofjunker Herberstorffs, von Steinling, wurde verwundet, andere fürstliche Diener von Bürgern ergriffen und unter Mißhandlungen in die Stadt geschleppt. Die Kommission, der außer Herberstorff noch der Kanzler Dr. Johann Zöschlin und der Freiherr Jörg von Leonrod, Pfleger von Lauingen, angehörten, hatte inzwischen den Prädikanten befohlen, sich jeder kirchlichen Tätigkeit zu enthalten. Wegen des Aufruhrs in der Stadt ließ Herberstorff den Rat wieder zu sich berufen und die Hälfte seiner Mitglieder die Nacht über im Schloß einsperren. Er selbst begab sich zum Herzog nach Medingen und erstattete diesem über die Vorgänge in Lauingen Bericht. Um 11 Uhr nachts kehrte er zurück. Um 3 Uhr früh folgten ihm dreihundert Musketiere aus Dillingen, später Munition und fünfzig Reiter. Die widerspenstige Stadt war nun in der Hand des Statthalters. Die Bürgerschaft wurde am folgenden Tage aufgefordert, vor dem Schlosse zu erscheinen. Der Statthalter bestand darauf, daß Bürgermeister, Rat und Bürgerschaft dem Herzog den Eid des Gehorsams leisten, da sie durch den Aufruhr Verdacht erweckt hatten. Einer Deputation der Lauinger, die sich nach Medingen begeben hatte, versprach Wolf Wilhelm, die Garnison wieder abzuziehen, für die Prädikanten aber war nichts zu erreichen. Vielmehr ermahnte der Herzog die Bewohner der Stadt Lauingen, daß sie der katholischen Predigt und dem katholischen Gottesdienst fleißig beiwohnen sollten. Am Sonntag, 22. Juli, schickte der Herzog Wolfgang Wilhelm seinen Hofprediger Pater Jakob Reihing nach Lauingen, der in der Stadt predigte. Den evangelischen Prädikanten aber war befohlen worden, binnen drei Tagen die Stadt zu verlassen. Wer in Lauingen nicht katholisch werden wollte, durfte auswandern. Alle Versuche des Rates, diese Befehle rückgängig zu machen, scheiterten. Der Rat aber mußte nach langem Sträuben dem Statthalter einen Gehorsamrevers ausstellen. Darauf kam kurz Herzog Wolfgang Wilhelm selbst in die Stadt und ermahnte die beiden Bürgermeister, fleißig zur Kirche zu gehen, ihr Beispiel sei mächtig[155]. Herberstorff aber dekretierte am 26. Juli, „ein ehrbar Bürgermeisteramt und Rath solle die Verordnung tun, daß die in Haft genommenen Bürger jeder mit einer Ketten am Fuß wohl verwahrt alsbald in das fürstliche Schloß geführt werden“[156]. Der Rat von Lauingen gehorchte. Die vier Gefangenen wurden — eskortiert von hundert Soldaten — auf ein Schiff gebracht und auf der Donau nach Neuburg geführt. Herberstorff hatte Lauingen katholisch gemacht. Zu den Opfern seiner Aktion gehörte auch sein ehemaliger Lehrer Dr. Georg Zeämann. 14 Jahre hatte dieser in Lauingen gewirkt. Schon im Juli 1616 hatte er kurzfristig seine Wohnung im Pfarrhause räumen müssen[157]. Nun mußte er die Stadt verlassen und der Gegenreformation weichen, die ihn einem harten Schicksal entgegenführte[158]. Die Diskrepanz zwischen Herberstorffs eigener Vergangenheit und der nunmehrigen Bedrückung der Gewissen, die er exerzierte, wird man besonders empfinden, wenn man jene Aussagen der einfachen Leute liest, die anläßlich ihrer Bekehrung verhört wurden, und dabei auf die Aussage des Schusters Paul Figler stößt, der bekannte, er sei um seines Glaubens willen schon aus der Steiermark ausgewandert und wolle, wenn er auch die katholische Kirche besuche, doch bei seinem Glauben bleiben[159]. Auch ein anderer Exulant aus Innerösterreich wurde damals das Opfer von Herberstorffs Gegenreformation: Urban Paumgartner, der von 1588 bis 1600 Präzeptor an der Landschaftsschule in Klagenfurt gewesen war, von dort als Glaubensflüchtling an das Lauinger Gymnasium kam, mußte bereits 1617 Lauingen verlassen und war in das Land ob der Enns emigriert, wo ihn die Landstände als „Exulant aus Pfalz-Neuburg" aufnahmen und beschenkten. Er war dann von 1622 bis 1624 Korrektor an der Landschaftsschule in Linz[160]. Gerade die Durchführung der Gegenreformation in Pfalz-Neuburg, wo das Luthertum so fest verwurzelt war, wo Pfalzgraf Philipp Ludwig noch 1614 jeweils am Montag das Gebet um Erhaltung der evangelischen Lehre im Fürstentum beten ließ[161], wo man auch bei äußerlichem Zurückweichen innerlich an der lutherischen Lehre festhielt, war ein enormer Vertrauensbeweis des Pfalzgrafen für seinen Statthalter, der sich auch als getreuer und willfähriger Fürstendiener erwies. Aber Wolf Wilhelms Vertrauen für Herberstorff beschränkte sich nicht nur auf dessen Bekehrungszüge durch das Land des Pfalzgrafen. Das nunmehr katholische Bekenntnis Wolf Wilhelms und seines eifrigen Statthalters hinderte beide keineswegs an einer Aktion gegen das Reichsstift Kaisheim, eine Zisterzienserabtei bei Donauwörth, die häufig rechtliche Auseinandersetzungen mit den Neuburgern hatte. An einem Tag der letzten Augustwoche des Jahres 1619 ging Herberstorff im Auftrage des Herzogs militärisch gegen die widerspenstige nachbarliche Abtei vor. Des Nachts rückte er mit Soldaten, bei denen sich auch Herberstorffs Vetter Walkun befand, nach Kaisheim und überrumpelte das überraschte Kloster, umzingelte es und erzwang sich den Eintritt. Die Zisterzienser von Kaisheim aber meinten, bei dem alten Herzog Philipp Ludwig wäre ihnen solches nicht widerfahren, obwohl dieser Protestant war, Wolf Wilhelm aber katholisch sei[162].

Wolf Wilhelm verwandte Herberstorff auch zu diplomatischen Missionen. Denn die Krönungsfeierlichkeiten für den als König von Böhmen angenommenen Erzherzog Ferdinand waren für den Neuburger keine bloße Angelegenheit der Repräsentation und des In-Erscheinung-Tretens. Gab sich doch in der böhmischen Hauptstadt wieder einmal die gute und erwünschte Gelegenheit, die

Katholizität der jungen Pfalz zu demonstrieren. Wer hätte dies nun besser tun können als der Statthalter Herberstorff, gleichsam die Verkörperung dieser Konversion des Fürstentums an der Donau, jener Mann, dessen Glaubenswechsel dem Herrn der innerösterreichischen Länder, der nun König von Böhmen geworden war, ganz besonders willkommen sein mußte. So hat Herberstorff in Prag an jenem Peter- und Paultag des Jahres 1617, als Ferdinand (II.) im Prager Veitsdom in Anwesenheit des Kaisers Matthias durch den Prager Erzbischof Johann Lohelius mit der Krone des heiligen Wenzel gekrönt wurde, als Vertreter Pfalz-Neuburgs an den Feierlichkeiten teilgenommen. Er saß auf der großen Bühne, die in der Domkirche auf dem Hradschin für die Festgäste errichtet worden war, an jener mit Teppichen geschmückten Stelle „vor fürnehme Abgesandte auß frembden Ländern, und die damals gegenwärtig gewesen, deß Königs in Dännemarck und des Pfaltzgraffen von Newburg[163]. Wir wüßten nicht, daß dieser pfalz-neuburgische Krönungsgesandte Adam von Herberstorff gewesen ist, hätte nicht am Vortage der Prager Krönung der Agent H. Drach aus Prag an den Abt des Stiftes Göttweig, Georg Falb, einen Bericht über die Geschehnisse in der Moldaustadt geschrieben und darin unter anderem mitgeteilt, daß der Pfalzgraf von Neuburg den Herrn von Herberstorff nach Prag geschickt habe, um der Krönung beizuwohnen und die Glückwünsche zu überbringen[164]. Es mag für Herberstorff eine Freude gewesen sein, daß bei der Krönung Ferdinands im Prager Dom sein Stiefsohn Gottfried Heinrich von Pappenheim „des H. Röm. Reichs Vice-Marschalk, Röm. Kayserl. May. Reichs Hoff-Rath . . . den guldnen Apffel, darbey man auch ein mit Silber gestücktes Bolster mit eingewürkten guldenen Blumen, darauff die kayserl. Cron im Abtun gesetzt wurde“ getragen hat[165]. Diese Prager Mission Herberstorffs zeigt, daß seine Neuburger Tätigkeit durchaus nicht auf die „Interna“ des Fürstentums beschränkt war. Herberstorff war ein echter „Rat“ des Pfalzgrafen, der tatsächlich in wichtigen Fragen des Fürstentums sein Gutachten zu erstatten hatte. Daß dies auch für Angelegenheiten des Reichs galt, sehen wir z. B. Ende des Jahres 1617. Damals, im November dieses Jahres, plante Wolf Wilhelm — geschäftig wie er war —, in der Nachfolgefrage des Kaisers Matthias bei den Reichsfürsten einen Vorstoß zu unternehmen. Matthias war krank, und Wolf Wilhelm hätte es begrüßt, wenn noch zu Lebzeiten des Kaisers ein Römischer König gewählt worden wäre. Er dachte an die Wahl Ferdinands, des nunmehrigen Königs von Böhmen. Aber die Angelegenheit — eine Prärogative der Kurfürsten — war für den Pfalz-Neuburger eine etwas heikle Sache, die wohl erwogen und gut überlegt werden mußte. So holte er damals von dreien seiner Räte Gutachten ein: vom Obersten Fuchs, vom Kanzler Dr. Zöschlin und vom Statthalter Adam von Herberstorff[166]. Auch bei rein repräsentativen Aufgaben hatte natürlich Herberstorff den Herzog von Neuburg zu vertreten. So hat er in Vertretung Wolf Wilhelms an den Leichenfeierlichkeiten für den verstorbenen Markgrafen Carl von Burgau, den Sohn Erzherzog Ferdinands und der Philippine Welser, am 15. April 1619 in Günzburg teilgenommen[167].

Bei der Stellung, welche Herberstorff am Neuburger Hof einnahm, ist es nun nicht ganz erklärlich, wieso er schließlich trachtete, den Dienst des Pfalzgrafen zu verlassen. Man hat gemeint, daß er durch sein leidenschaftliches Temperament und seine gewisse Unbeherrschtheit, die er schon als Landrichter von Sulzbach gezeigt hat[168], auch in Neuburg Schwierigkeiten hatte, die schließlich zu seinem Entschluß führten, dem Herzog von Bayern seine Dienste anzubieten. Das scheint aber nicht der Fall gewesen zu sein. Der Kontakt Neuburgs zu Bayern war freilich seit Wolf Wilhelms Heirat und Religionswechsel sehr eng, und Herberstorff hat gewiß auch selbst Fäden zum Münchner Hof gehabt, die ihm eine Fühlungnahme erleichterten. Vielleicht aber hat den ehrgeizigen jungen Mann der Dienst des mächtigen Bayernherzogs gelockt, vielleicht erwartete er sich eine größere Karriere, als Pfalz-Neuburg sie ihm je bieten konnte. Vor allem aber dürfte es die Lust und Freude am Abenteuer und die Neigung zum Kriegsdienst gewesen sein, was ihn veranlaßte, Schritte zu unternehmen, die schließlich sein Ausscheiden aus dem Dienste Pfalz-Neuburgs zur Folge hatten. Khevenhiller sagt, im Jahre 1619 habe Herberstorff „jederzeit Lust zu dem Kriegswesen gehabt“[169]. Aus einem bisher unbekannten Brief Herberstorffs vom 3. Februar 1619, welchen er an den Hofvizekanzler König Ferdinands, an Leonhard von Gez, schrieb, der damals weitgehend die Geschäfte König Ferdinands führte[170], wissen wir, daß Herberstorff schon damals von Neuburg weg wollte. Zu dieser Zeit, eben am Anfang des Jahres 1619, hatte er den Wunsch, in die Dienste König Ferdinands bzw. des Hauses Österreich zu treten. Wie er sich das vorstellte, hat er Ferdinands Berater Gez klar geschildert. Er beklagte sich bei ihm sehr — wie er selbst schreibt —, „daß mir mein Desegno, so ich vorgehabt, um mein trei devotion gegen unserm gnädigsten König und dem löblichen Haus von Österreich in etwa zu erweisen, fählt, in dem ich vorgehabt, ein Compania von dreihundert Pferd zusammen zu bringen, unsere Dienst der kais. undt königl. Maist. uf unser Costen als aventuriro (?) zu präsentieren". Dieses Vorhaben — ganz ähnlich, wie es dann bei seinem Eintreten in bayerische Dienste verwirklicht wurde — scheiterte daran, wie Herberstorff selbst sagt, „weil ich die erlassung von meinem gnedigsten Herrn nit erlangen khan". Wolf Wilhelm war es also, der damals Herberstorffs Übertritt in habsburgische Dienste verhinderte, obwohl Herberstorff nicht nur einmal, sondern sehr oft — seiner eigenen Angabe zufolge — darum angehalten hatte. Wie sehr es ihm darum ging, bei Ferdinand ins Spiel zu kommen, sieht man auch daraus, daß er damals an den Reichsvizekanzler Ulm eine Denkschrift („etliche Gedankhen") übermittelte[171]. Neun Monate nach diesem Versuch, in kaiserliche Dienste zu treten — am 22. November 1619 —, verpflichtete er sich durch Revers dem Herzog Maximilian von Bayern als Rittmeister von zweihundert guten Kürassier-Reitern deutscher Nation, welche er werben und dem Herzog zuführen wollte. In diesem Bestallungsrevers heißt es noch: „Ich Adam von Herberstorff, fürstlich Neuburgischer Rat und Statthalter zu Neuburg . . ."[172] Denn dieses Engagement Herberstorffs bei den Werbungen des Bayernherzogs bedeutete ja nicht unmittelbar eine Quittierung des neuburgischen Dienstes, führte aber in den folgenden Monaten dazu. Zunächst — noch Anfang November 1619 — dachte Herberstorff ja daran, im Auftrag Wolf Wilhelms von Neuburg fünfhundert Reiter für die „Liga" zu werben. Man hatte diesbezüglich bereits in die Niederlande an „etliche Capitäne" geschrieben. Offenbar wurde aber daraus nichts. Bereits am 9. November ritt er „mit Promotion schreiben" — zweifelsohne von Wolfgang Wilhelm — nach München zu Herzog Maximilian, um sich diesem anzubieten, fünfhundert Pferde und allenfalls Fußvolk auf Kosten der „Liga" zu werben. Er kehrte nach erfolgreichen Verhandlungen wieder nach Neuburg zurück und hoffte auf große Unterstützung durch den Pfalzgrafen. In Neuburg nahm

Herzog Wolf Wilhelm von Neuburg

Kurfürst Maximilian I. von Bayern

man an, Herzog Wolfgang Wilhelm werde seinem Statthalter Herberstorff „vornehme Befehlshaber“, die er in den „Düsseldorfer Landen“ habe, „zedieren“. Am 19. November begab sich Herberstorff neuerdings, nunmehr „per posta“, nach München, um alles „richtig“ zu machen und die nötigen Patente zu erhalten. Der Gewährsmann am Neuburger Hof weiß zu berichten, daß Herberstorff am 25. November wieder nach Neuburg zurückkehrte und daß seine Abmachungen mit dem Herzog von Bayern dahingehend lauteten, Herberstorff werde dem Herzog ehestens fünfhundert Reiter in den Niederlanden oder sonstwo werben; sollte er diese Zahl nicht erreichen, so wollte er zweihundert Kürassiere anwerben und diese in den Niederlanden „liefern“. Er wollte bestrebt sein, das geworbene Volk „herauf“ zu führen, verpflichtete sich aber nicht dazu. Am 25. November wird vom Neuburger Hof berichtet, der Statthalter werde innerhalb weniger Tage „sambt 2 oder 3 Capitan per posta auf Brissel verraisen und der Werbung ain Anfang machen“. Während der ganzen Zeit der Werbungen in den spanischen Niederlanden war Herberstorff immer noch nominell Statthalter in Neuburg und wird auch als solcher bezeichnet, bis er dann im späten Frühjahr oder im Sommer 1620 seine Truppen in das Neuburger Gebiet brachte[173]. Im selben Jahr 1619 war Herberstorffs Stiefsohn Gottfried Heinrich von Pappenheim in bayerischen Kriegsdienst getreten[174]. Es hängt all dies mit den im ganzen Reich in Gang gekommenen großen Werbungen angesichts der immer mehr um sich greifenden Kriegsgefahr seit dem Beginn des böhmischen Aufstandes zusammen. Nun war ja Bayern durch die Wiedererrichtung der Liga das militärische Haupt der katholischen Partei geworden, und alles, was an Krieg und Kriegsdienst dachte, eilte zu den Fahnen der Liga, d. h. des Herzogs Maximilian von Bayern. So eben auch Herberstorff. Herzog Wolfgang Wilhelm, der selbst für sich an eine führende Stellung im Liga-Heer gedacht hatte, mußte wohl oder übel seinen Statthalter für den Krieg freigeben[175]. Daß bei Herberstorffs Eintritt in das Kriegsgeschehen auch materielle Dinge eine größere Rolle spielten, sieht man aus seinem späteren Verhalten in Oberösterreich. So kann man sich denken, daß bei seinem Überwechseln von Neuburg zur Hauptmacht der Liga, zu Bayern, auch der Gedanke mitspielte, der Krieg biete eine günstige Gelegenheit zur Erwerbung von Besitz — der Krieg als die Quelle der Bereicherung und des Aufstiegs. Der kursächsische Agent Lebzelter hat später von Herberstorff — als er im Liga-Heer bei Tilly im Westen diente — ähnliche Tendenzen berichtet[176]. Auch 1619 schon mögen bei Herberstorff derartige Erwägungen eine Rolle gespielt haben. Der große Schritt des Statthalters von Neuburg, den er tat, als er sich entschloß, für die Liga zu werben und am beginnenden Feldzug mitzuwirken, bedeutete de facto das Ende seiner Neuburger Zeit.

Fast zwanzig Jahre hatte nun Herberstorff im Fürstentum Neuburg zugebracht, er war dort vom Kind zum Mann geworden, vom fanatischen Lutheraner zum katholischen Eiferer, vom Bekenner der lutherischen Lehre zu ihrem Verfolger, vom unbekannten Fremdling zum Statthalter des Herzogtums. Nun, da er im Kriegsdienst der Liga tätig wurde, führte ihn fast unmittelbar sein Weg von Neuburg in das Land ob der Enns.

3. Von Neuburg ins Land ob der Enns

Die moderne Welt sei durch die Aufklärung des 18. Jahrhunderts und durch die soziale Revolution des 19. Jahrhunderts „fixsternweit" vom 16. Jahrhundert entfernt, meint Hermann Heimpel[177]. Nun ist dies zweifellos richtig, denn eine ganze Welt hat sich in den mehr als vier Jahrhunderten, die seit der Reformation vergangen sind, zwischen uns und das Denken des Zeitalters der Reformation geschoben. Aber dennoch haben die Menschen noch nie eine so große Möglichkeit besserer Einsicht und größeren, tieferen Verständnisses für die Probleme des Zeitalters der Glaubensspaltung gehabt als die Menschen des späten 20. Jahrhunderts. Dazu befähigt sie nicht nur die große Distanz, welche eine leidenschaftslose Sicht ermöglicht, nicht nur das Erlebnis von Jahrzehnten ideologischer Auseinandersetzungen voll Härte, die an die Kämpfe des konfessionellen Zeitalters erinnern, nicht nur das Miterleben des modernen cäsaristischen Machtstaates, der an den werdenden absolutistischen Staat des 16. und 17. Jahrhunderts gemahnt — all dies läßt uns wohl eine gewisse Affinität zum 16. Jahrhundert empfinden, läßt uns toleranter, verständnisvoller im Urteil und bereitwilliger und disponierter zum richtigen Erkennen des Wesens dieser Zeit sein. Aber noch viel mehr vermittelt uns — mitten in unserer stark von atheistischen Tendenzen gekennzeichneten Epoche — die spezifische Bewegung innerhalb der katholischen Kirche das Gefühl, in einer zur Reformationszeit irgendwie parallel laufenden, nur zeitlich verschobenen Epoche zu leben. Nie konnte man so lebhaft das Sich-Entwickeln solcher Geschehnisse, solcher Strömungen und das Sich-Wehren der Gegenkräfte nachempfinden, nie konnte man so überzeugend erleben, daß das Geschehen niemals punktuell vor sich geht, wie es sich dem späteren Betrachter als bloße Hilfe des Erfassens und Festhaltens oft darbietet. Die Zeit, der Hauptfaktor des geschichtlichen Geschehens, wird hier in besonderem Maße transparent als Triebkraft und zugleich als Rahmen historischer Ereignisse. Die Zeit treibt das Geschehen voran, und sie hemmt dieses zugleich durch ihre Erstreckung. Sie *ist* — und sie dauert an. In ihr geht vor sich, was geschieht. Diesen Prozeß erleben wir natürlich stets. Für den Historiker besteht die Schwierigkeit allerdings in der richtigen, den anderen Verhältnissen adäquaten Rückprojizierung dieses Prozesses, den er selbst erlebt und in den er selbst eingespannt ist — in die Vergangenheit in ihrer Einzigartigkeit und Unwiederkehrbarkeit. Unsere Gegenwart vermittelt uns unmittelbar die Aspekte eines reformatorischen Zeitalters, und es erleichtert hiedurch das Erkennen und Verstehen der Epoche des Reformationszeitalters. So mögen wir einem richtigen und besseren Verstehen von Reformation und Gegenreformation näher sein, als vor wenigen Jahrzehnten, ja vor wenigen Jahren. Dies gilt wie im Großen auch für die Geschichte des konfessionellen Zeitalters im Lande ob der Enns. Hier hat freilich Karl Eder, ein offener Geist voll Toleranz und Einfühlungsvermögen, in seinen reformationsgeschichtlichen Studien[178] bereits längst die Ära überwunden, welche die Geschichte Oberösterreichs im 16. Jahrhundert voll Leidenschaftlichkeit und in enger Parteinahme darzustellen pflegte. Schon bevor Josef Lortz die große Wende in der katholischen Betrachtung der Reformation herbeiführte[179], hat Karl Eder in irenischem Denken und echtem ökumenischem Geist die konfessionelle Geschichte Oberösterreichs im 16. Jahrhundert darzustellen versucht und die Grundlage für jede spätere Betrachtung gelegt. So kann man heute wahrhaft sine ira et studio und mit größerem Einfühlungsvermögen die Geschichte des konfessionellen Zeitalters in Oberösterreich sehen. Ohne Kenntnis dieses Jahrhunderts wäre unverständlich, was 1620, als Herberstorff ins Land kam, geschehen ist.

Auch das Land ob der Enns, jener Teil des Herzogtums Österreich, das zwischen Böhmerwald und Dachstein einerseits, zwischen Hausruckwald und dem Ennsfluß andererseits sich erstreckte, hörte früh den Ruf der Reformation. Auch hier war die Basis die tiefe Frömmigkeit des späten Mittelalters in ihrer barocken Übersteigerung, die noch bis an die Schwelle der Reformation wirksam war. Es ist diese Zeit von einer lebhaften Freude an Stiftungen erfüllt gewesen und hat noch die herrlichsten Werke später Gotik an der Schwelle der Neuzeit entstehen lassen, wie den Altar von Kefermarkt und Michael Pachers Flügelaltar in der Kirche von St. Wolfgang am Abersee. Hier, in dem kleinen habsburgischen Land, das mehr als Anhängsel des größeren Österreich unter der Enns galt und im Range den übrigen österreichischen Ländern nachstand, war eben der Geist des Humanismus eingezogen und bildete Gegensatz und Grund für das Wirken des neuen Glaubens. Wenn gesagt wurde, „mitten in das drängende Knospen und Blühen dieses unendlich hoffnungsvollen Geistesfrühlings, der nun auch Deutschland zu ergreifen begonnen hatte, schlägt das unbarmherzige Hagelwetter der Reformation“[180], so gilt dies für das Land ob der Enns mit der Einschränkung, daß hier erst eine dünne humanistische Schicht wie ein Hauch über dem Spätmittelalter lag. Das entspricht durchaus dem stets zu beobachtenden Verzug, der leichten Verspätung, welche das Eindringen neuer Ideen und Strömungen des Geistes, die mächtig vordringen vom Westen her, im Lande kennzeichnet. Um so erstaunlicher ist, wie fast unmittelbar die Signa des reformatorischen Denkens auftreten, mit welcher Schnelligkeit der Geist von Wittenberg im Land Fuß faßte. Es war von entscheidender Bedeutung, daß der Adel, die politische und sozial tragende Schicht des Landes, sich frühzeitig dem Evangelium zuwandte. Am wichtigsten ist hier zunächst das Geschlecht der Jörger zu Tollet. Am 17. Februar 1522 hatte Wolfgang Jörger — von 1513 bis 1521 Hauptmann ob der Enns — an Kurfürst Friedrich den Weisen von Sachsen geschrieben: „Genedigster Her, Ich hab ainen Sun bey zwanzigkh Jaren alt, den ich knabenweis in Hochburgundi gehabt. Denselben Ich bei Khainem lieber, als bey und an E. f. gn. Hoffe wissen und haben wollte ...“[181] Dieser junge Christoph Jörger, Wolfgang Jörgers Sohn, zog nun an den kursächsischen Hof zu Torgau in Meißen[182] und kehrte trotz des vorbeugenden Schwures, beim alten Glauben zu verharren, schließlich als Protestant nach Oberösterreich zurück. Die Umgebung am sächsischen Hof und ein Besuch bei Luther in Wittenberg waren stärker als der Wille des jungen Edelmannes. Christophs Mutter, Dorothea Jörger, korrespondierte mit Martin Luther. Mit tiefer Innerlichkeit nahm das Land die neue Lehre auf. Luther schrieb an die Jörgerin: „Bei euch ist Hunger und Durst nach dem Evangelium." Im Jahre 1525 schickte der Reformator auf Bitten der Jörger den ersten Prädikanten in das Land, Michael Stiefel. „Es ist ein fromm, gelehrt, sittig und fleißiger Mensch", hatte Martin Luther ins Land ob der Enns geschrieben[183]. Bald erfaßten die Lehren des Luthertums den Adel auf dem Lande und die Bürger in den Städten. Bartholomäus Starhemberg empfing einen Trostbrief Luthers[184]. Er war es, der dann mit anderen Adeligen den protestantischen Vikar von Waizenkirchen, Leonhard Käser (Kaiser), vor dem Feuertod retten wollte. Käser — 1527 in Schärding durch den Administrator von Passau verbrannt — war der erste Blutzeuge der neuen Lehre im Lande. Sein Tod trug wesentlich zur Propagierung des neuen Glaubens in Oberösterreich bei. Luther veröffentlichte selbst Käsers Bekenntnis zur neuen Lehre, in welchem der Kern der evangelischen Lehre, die Rechtfertigung aus dem Glauben, gleich am Beginn in Erscheinung tritt. Zu den führenden evangelischen Geschlechtern des Landes zählten außer den Jörgern und Starhembergern die Zelkinger, die Schärffenberger, die Perkheimer, die Polheimer, später die Tschernembl, die Geumann, die Hohenfelder, die Ungnad von Sonneck und andere mehr. In Linz findet sich das erste schriftliche Zeugnis des evangelischen Denkens. Im Jahre 1524 hatte der Schulmeister Leonhard Eleutherobius eine Schrift Johannes Bugenhagens herausgegeben und dabei in der Vorrede heftige Angriffe gegen die katholische Marienverehrung gerichtet. In Wels fand unter den ersten Städten des Landes Luthers Lehre durch den Pfarrer Doktor Wolfgang Mosenauer, einen Mann voll humanistischer Bildung und früheren Rektor der Wiener Universität, Eingang, so daß 1527 die neue Lehre bereits als „eingewurzelt" galt[185]. Gmunden war schon 1523 als ein Herd des Protestantismus bekannt, und in Steyr predigte der Mönch Calixtus im Sinne des „Evangeliums". Schließlich erfaßte die protestantische Lehre auch das

Bauerntum und die Zentren des katholischen Lebens im Lande, die alten Abteien und Klöster, die im Laufe der folgenden Jahrzehnte bis in die Tiefe erschüttert wurden, verfielen und häufig leer und verlassen standen. Nun darf man sich den ganzen Vorgang der geistigen Besitzergreifung durch den Protestantismus nicht so vorstellen, als wäre diese oder jene Stadt an diesem oder jenem Tage lutherisch geworden. Das war ein allmählicher Prozeß, der in vielen Varianten ablief, der örtlich und auch graduell in der Differenzierung zum Katholizismus verschieden war. Denn zunächst ging es ja um Reformen der *einen* Kirche, zu der sich ja auch die Evangelischen noch immer zählten, und erst allmählich bildete sich — wie Hermann Heimpel es formulierte[186] — „das Gegenteil dessen", was die Reformatoren gewollt hatten, nämlich „Konfessionen". Darum gab es bis ans Ende des Jahrhunderts auch in Oberösterreich Mischformen des Kultes. Der Geist Michael Stiefels, der ohne Bruch mit der Kirche das Evangelium neu predigen wollte, wirkte lang im Lande nach[187]. Der protestantische Pfarrer Hoffmändel in Freistadt — seit 1555 — las noch immer die Messe, aber er leugnete, daß sie ein Opfer war[188], und der Pfarrer Hadergassner in St. Georgen benutzte noch immer den Chorrock[189], in Steyr gab es seit 1554 deutsche Taufen und die Kommunion in zwei Gestalten, und erst seit 1556 unterblieb die Elevation bei der Messe[190]. In den Ratsprotokollen von Freistadt aber erscheint erst 1571 erstmals der Terminus „Augsburgische Konfession"[191].

Immer mehr aber verknüpften sich religiöses und politisches Geschehen im Lande, dem Dualismus Landesfürst—Landstände war der Gegensatz Katholizismus und Protestantismus als Parallele zur Seite getreten. Denn der habsburgische Landesfürst blieb katholisch und trat als Wahrer des alten Glaubens den vorwiegend evangelisch denkenden Ständen gegenüber. So entsteht hier ein zweites großes Spannungsverhältnis, das nicht auf das rein Rechtlich-politische beschränkt war, sondern aus der Tiefe des Religiösen erwuchs[192]. Es verbanden sich gelegentlich beide Komponenten. Wie die Stände ihre politischen Rechte und ihre alten Freiheiten zu wahren suchten, so rangen sie auch um ihr evangelisches Bekenntnis. Der Landesfürst aber vertrat gegen die ständischen Freiheiten seine Hoheit über das Land und er trat gegen den neuen Glauben in die Schranken. Politik und Religion kamen in eine kaum aus dieser Verflechtung zu lösende Wechselwirkung. Der oberösterreichische Protestantismus aber hatte bis an sein Ende stets eine stark politische Note, die ihm ein ganz besonderes Gepräge gab.

Die Stände hatten gegen den Landesfürsten ein wichtiges Instrument in der Hand. Der Fürst war stets auf die Steuer- und Geldbewilligung der Stände angewiesen. Denn diese waren es, welche die Steuern von den Untertanen erhoben. Die stete Türkengefahr aber zwang die Landesfürsten öfter und mehr als sonst, die finanzielle Hilfe der Stände in Anspruch zu nehmen. Hiedurch hatten die Landstände die Möglichkeit, ihren Forderungen in konfessioneller Hinsicht stets Nachdruck zu verleihen. Schon während des ersten Bauernkrieges, der wie in anderen Ländern des Reiches auch im Land ob der Enns im Jahre 1525 ausgebrochen war, hatten die oberösterreichischen Stände gezeigt, daß sie der Geist Luthers ganz erfüllte. Damals baten sie Erzherzog Ferdinand, wie es in ihrem Gutachten vom 7. Juni 1525 heißt, um die „lautere Predigt des Evangeliums ohne Zusatz". Von diesem Zeitpunkt an hatte der katholische, aus Spanien gekommene habsburgische Landesfürst mit einer protestantischen Ständepolitik im Land ob der Enns zu rechnen. Und so oft dann die türkische Bedrängnis die Stände auf dem Landtag zusammenführte, stellten sie dem Begehren des Fürsten nach der Türkenhilfe ihr Begehren nach dem freien Evangelium entgegen, später sogar als Bedingung für die Bewilligung der Steuer[193]. Die Türkenkriege hatten schließlich eine die Existenz der Erbländer bedrohende Form angenommen und durch die Schlacht bei Mohács und den Untergang der ungarischen Königsdynastie und durch die habsburgische Nachfolge im Donauraum eine weltgeschichtliche Machtverschiebung zur Folge. Das bedeutete für die deutschen Habsburger nicht nur den Gewinn neuer Länder — Böhmen und Teile Ungarns —, sondern auch beträchtliche Lasten, welche den Ländern auferlegt wurden. Auch wurde das Land ob der Enns nunmehr viel unmittelbarer von den Türken bedroht — türkische Scharen drangen 1532 bis über die Enns vor und demonstrierten den Ständen dieses kleinen Landes, wie akut die Gefahr war, die nunmehr von den fernen Ebenen Pannoniens bis an die eigene Landesgrenze herangerückt war. Die finanziellen Lasten für das Land waren groß, und außer den normalen Steuern gab es Sondersteuern, 1529 und 1531 mußte das Kirchensilber abgeliefert werden, 1523 hatte Papst Hadrian VI. den österreichischen Landesfürsten ein Drittel von den Jahreseinkünften des Ordens- und Weltklerus zugesprochen, und 1529, dem Jahr der Türkenbelagerung Wiens, hat Ferdinand I. den Klöstern eine Besitzabgabe, die Quart, auferlegt. Jedes Kloster mußte ein Viertel seines Besitzes — auch von Grund und Boden — verkaufen und den Erlös dem Staat zur Verfügung stellen — ein schwerer wirtschaftlicher Aderlaß für die großen Abteien des Landes. Für die konfessionelle Entwicklung bildete auch im Land ob der Enns der Augsburger Religionsfrieden von 1555 einen Markstein. Damals wurde das Augsburger Bekenntnis im Reich zugelassen. Aber der diesem Religionsfrieden zugrunde liegende Gedanke „cuius regio eius religio" brachte lediglich für die Reichsstände eine konfessionelle Entscheidungsfreiheit, keineswegs aber für die Landstände. Der österreichische Landesfürst war deutscher Reichsstand und hatte daher das Recht, die Konfession seiner Untertanen zu bestimmen. Die oberösterreichischen Landstände waren durch diesen Augsburger Religionsfrieden nicht zur Ausübung des lutherischen Bekenntnisses berechtigt, sondern mußten ihre Konfession nach dem Willen des Landesfürsten richten. Das ist eine grundlegende Tatsache, von der aus erst die ganze folgende politische und konfessionelle Entwicklung im Lande verstanden werden kann. So sehr der Augsburger Religionsfriede allgemein für den Protestantismus im Reich eine Errungenschaft war, so sehr legte er das Schicksal des österreichischen Protestantismus in die Hände des katholischen Habsburgers. Achaz von Hohenfeld, einer der führenden Köpfe des oberösterreichischen Luthertums — „der Lutherischen Papst" —, hat später einmal darauf hingewiesen, daß diese große Errungenschaft des Luthertums, der Augsburger Religionsfriede, für den österreichischen Protestantismus das Verderben bedeuten konnte: Für die Kirche in Deutschland ein „hoher Schatz . . . und daß wir Österreicher dessen nichts in praxi genießen können"[194]. Wollten also die evangelischen Landstände Oberösterreichs gegen den Willen des Landesfürsten ihr protestantisches Bekenntnis wahren, so konnten sie dies nur in zäher Auseinandersetzung mit ihm erreichen. Schon ein Jahr nach dem Augsburger Frieden erklärten die oberösterreichischen Stände dem König Ferdinand voll Trotz, „daß sie von ihrer getanen Konfession und dem Bekenntnis nicht stehen oder weichen, sondern dabei zu bleiben und zu verharren gänzlich gedacht sind"[195]. Das war ein Programm für die nächsten Jahrzehnte.

Als nach dem Tode Kaiser Ferdinands I. und der Teilung der habsburgischen Erblande Kaiser Maximilian II. Landesfürst wurde, da hegten die Stände des Landes ob der Enns wegen der protestantischen Neigungen dieses Habsburgers große Hoffnungen. Aber Maximilian II., den man den „rätselhaften Kaiser" genannt hat, war wohl innerlich dem evangelischen Glauben aufgeschlossen, die ragione di stato aber veranlaßte ihn, entscheidende Schritte in diese Richtung zu vermeiden. Als im Dezember 1565 der Kaiser persönlich zur Entgegennahme der Huldigung nach Linz kam, da stellten die Stände im Landtag ganz offen an ihn die Forderung um Freistellung der Religion und erbaten den Genuß des Augsburger Religionsfriedens für sich. Und hier erlebten sie nun die große Enttäuschung. Hatten sie erwartet, der dem Protestantismus wohlgesinnte Fürst würde ihrer Bitte willfahren, so mußten sie nun unwillige Ablehnung ihrer Forderung durch den Kaiser hinnehmen, der ihnen erklärte, ihre Äußerung in der AC „zu genesen und zu sterben" sei im deutschen Reiche „unerhört" und dem Religionsfrieden zuwider. Er lehnte jede Diskussion in der Religionsfrage ab und betonte, daß er die Religionspolitik seines Vaters fortsetzen werde. Das mußte auf die Stände zunächst deprimierend wirken. Aber so wenig verheißungsvoll für sie das Regime Maximilians begonnen hatte, so erreichten sie doch in den nächsten Jahren ganz entscheidende Zugeständnisse. Auch hier spielten die Türkenkriege eine große Rolle. Der große Feldzug gegen Sultan Soliman verschlang ungeheure Summen, und der Kaiser sah sich gezwungen, die österreichischen Stände um riesige Geldbeträge anzugehen. Der niederösterreichische Adel erhielt nun für eine große Geldbewilligung die Erlaubnis zur Übung der lutherischen Religion.

Als der Kaiser an die Oberösterreicher um 1,200.000 Gulden herantrat, da war die große Chance für das Land ob der Enns gegeben. Auch die oberösterreichischen Herren und Ritter erhielten nun — am 17. Dezember 1568 — die „Religionskonzession"[196]. Sie gestattete den zwei oberen politischen Ständen, den Herren und Rittern, die Ausübung des lutherischen Bekenntnisses auf ihren Schlössern, in ihren Dörfern, Städten und allen Kirchen, deren Patronat sie innehatten. Die landesfürstlichen Städte waren jedoch ausgeschlossen. Die Religionskonzession, die wohl an einige Bedingungen geknüpft war, wirkte sich im ganzen Lande am stärksten aus, wenn sie auch oft nur einen bereits bestehenden Zustand legalisierte. Pius V. aber sprach vom Verkauf des Blutes Christi. Der Kaiser hatte an den Papst geschrieben, daß er die Religionskonzession nur als ein Provisorium bis zu einer „concordia in religione“ betrachte und daß er es für besser halte, das, was „ohnehin toleriert werden muß und nicht mehr zu ändern ist, mit der Bindung an eine bestimmte Ordnung zu dulden, als in der alten Konfusion zu Grunde zu gehen“[197]. Der mächtige Strom des Protestantismus aber überspülte den Damm, welcher die Konzession zugleich sein sollte, und die Protestanten genossen die Freiheiten, die ihnen gegeben waren, ohne immer auf die Einschränkungen, die ihnen auferlegt wurden, Rücksicht zu nehmen. Freilich bedeutete die Religionskonzession für die Stände auch die Verpflichtung, die Sekten wirklich abzuschaffen[198], und sie mußten daher, um der Konzession nicht verlustig zu gehen, trachten, ihre Überschreitung in maßvollen Grenzen zu halten. Die Angst, die Religionsfreiheit wieder zu verlieren, quälte den evangelischen Adel des Landes, und die Frage, den immer mehr einsetzenden Restringierungen der Konzession zu gehorchen oder dem Gewissen zu folgen und wie Hohenfeld es ausdrückte „dem Dürfftigen die hilf ... abschlagen“, brannte in ihren Seelen. Den anderen, nicht lutherischen protestantischen Bekenntnissen aber wehrten die Stände eben ihrer auf das Luthertum beschränkten Konzession halber. So bekämpften sie die Flaccianer, die in Eferding hervortraten[199] und eine Gefahr für den oberösterreichischen Protestantismus bedeuteten. Sie gewährten aber einzelnen gerne Toleranz, duldeten den aus Graz vertriebenen Kaspar Hirsch, dem der Eferdinger Stadtpfarrer wegen seines Huberianismus (propter tuam doctrinam) das Abendmahl verweigerte[200]. Ähnlich ist es beim Calvinismus. Schon Christoph Jörger hatte seinen Prädikanten Martin Moseder veranlaßt, in seinem Büchlein „Bekenntnis des Glaubens und der Lehre“ das Luthertum vor den Sekten zu schützen durch Fixierung der Lehre und hatte sich schon gegen den Calvinismus gewandt. Der Calvinismus war zahlenmäßig nie stark in Oberösterreich und existierte offiziell nicht. Aber sein Geist drang auch hier ein und verlieh dem Protestantismus im Lande Elan und Aktivität. Die calvinischen Bücher fanden sich in den Bibliotheken des Adels und der Bürger. Georg Erasmus Tschernembl ist der erste und prominenteste Calviner im Lande. Er hatte unter anderem die Genfer Universität besucht. Die Matrik der Genfer Universität zeigt, daß auch nach Tschernembl zahlreiche oberösterreichische Adelige in der Stadt Calvins den Studien oblagen und so etwas vom Geist des Genfer Reformators in das Land trugen. Von 1594 bis 1635 finden wir insgesamt 28 Oberösterreicher in Genf, darunter fünf von Landau, vier Starhemberger, vier Jörger, drei Zelkinger, drei Polheimer, zwei Schifer von Freiling, zwei Tschernembl, zwei Aschpan, einen Schallenberger und einen Losensteiner. Auch die hugenottische Akademie Philipp Duplessis Mornays in Saumur wurde später von oberösterreichischen Adeligen aufgesucht[201]. So drang trotz Religionskonzession der Calvinismus in das Land ein, eine Tatsache, die namentlich für die spätere Entwicklung — auch der politischen Situation — von größter Bedeutung werden sollte. Im übrigen kennzeichnet den oberösterreichischen Protestantismus des späteren 16. Jahrhunderts und des früheren 17. Jahrhunderts ein starker württembergischer Einfluß, namentlich von Tübingen her. Zahlreiche führende Prädikanten, vor allem am Linzer Landhaus, kamen aus Württemberg, so daß später einmal Johannes Kepler von einer Colonia Württembergica in Linz sprechen konnte[202].

Dieses Jahr 1568, das Jahr der Religionskonzession, ist ein Knotenpunkt der oberösterreichischen Landesgeschichte. Die Stände erreichten damals den Höhepunkt ihrer Bedeutung, die auch in untrennbarem Zusammenhang mit der gleichzeitigen Entfaltung ihrer auf der Grundherrschaft basierenden, wachsenden Wirtschaftsmacht steht[203]. Die Erlangung der Religionsfreiheit im Sinne der Religionskonzession bedeutete nur die konfessionspolitische Krönung dieses Aufstieges. Oberösterreich hatte immer unter dem Manko zu leiden, daß es nur mit Niederösterreich zusammen ein Herzogtum bildete, daß es nur ein Landl, gleichsam ein Annex zu Niederösterreich war. Daher war die Hauptstadt Linz kein Fürstensitz. Das hatte große kulturelle Nachteile. Aber dieser Nachteil wirkte sich auf die Stände günstig aus. Sie errangen eine unabhängigere Stellung, und in vielen, auch kulturellen Belangen vertraten sie sozusagen den fehlenden Fürsten. Aus dieser ständischen Autonomie heraus ist auch die besondere Stärke des oberösterreichischen Protestantismus zu erklären. Sichtbarer und künstlerischer Ausdruck dieser überragenden Stellung der Stände in unserem Lande wurde das damals neu erbaute Landhaus, das als die Burg der Stände dominierend neben dem damals verfallenen kaiserlichen Schloß stand. Die Stände hatten das alte Minoritenkloster erworben, und in den Jahren 1564 bis etwa 1571 wurde dort unmittelbar an der alten Stadtmauer das Landhaus erbaut. War das Landhaus künstlerischer Ausdruck der politischen Machtentfaltung der evangelischen Stände, so schufen sich diese in der Linzer Landschaftsschule ein Zentrum jener späthumanistischen Geistigkeit, die mit dem evangelischen Christentum und der Adelskultur dieser Zeit eine so enge Bindung eingegangen war. Das Testament der Brüder Perkheim hatte die finanzielle Grundlage geschaffen für diese Adelsschule. Sie scheint schon Anfang der vierziger Jahre in bescheidenem Ausmaß bei den Schallenbergern in Luftenberg, dann in Enns bestanden zu haben und kam nach der Erbauung des Landhauses nach Linz. Es sind klingende Namen unter den Lehrern dieser Schule, der bedeutendste von weltweitem Gewicht war zweifellos Johannes Kepler, der fast eineinhalb Jahrzehnte in Linz im Dienste der Stände wirkte.

So stand das Land ob der Enns als ein blühendes, kraftvolles Wesen beim Tode Kaiser Maximilians II. da, selbstbewußt und auf seine Privilegien bedacht, ängstlich besorgt um die Bewahrung der erst kürzlich erworbenen religiösen Rechte. Die Religionskonzession hatte es erst erhalten, als in Europa der Katholizismus bereits zum Gegenangriff überging. Im Tridentinum hatte sich die Kirche verjüngt, in der Gesellschaft Jesu war dem Protestantismus ein mächtiger Gegner erwachsen, und Bayern und Spanien hatten bereits gegen diese österreichische Religionskonzession protestiert. Die Stände selbst empfanden diese Bedingtheit der Zusagen Kaiser Maximilians II., als nach seinem Tod sein Sohn Rudolf II. die Religionskonzession nicht in die Reihe der zu bestätigenden Privilegien der Stände aufnahm. Dieser älteste Sohn Maximilians II., der 1576 die Regierung antrat, hatte mit seinem Bruder Ernst seine Erziehung am Hofe Philipps II. in Spanien genossen und war von streng katholischer Gesinnung. Er brachte nicht nur die spanische Grandezza seines Wesens, sondern auch den Geist der Gegenreformation nach den österreichischen Ländern. Rudolf war wohl der Eigenartigste und Sonderbarste unter den habsburgischen Fürsten. Doppelt, vom Vater und von der Mutter her, lastete auf ihm das Erbe Johannas von Kastilien. Er war ein Mann der Ruhe und des schweren Gemütes, melancholisch, von Angst und Mißtrauen gequält, ein Mann, der Entschluß und Tat scheute, der die Einsamkeit suchte, aber auch ein Mensch höchsten Kunstverständnisses, der im Prager Schloß alle Kostbarkeiten der zeitgenössischen Kunst sammelte, der von der Würde und der alten Größe des kaiserlichen Amtes und der Tradition seines Hauses zutiefst erfüllt war. Dieser Kaiser war ein Menschenalter Fürst des Landes ob der Enns.

Die evangelischen Stände Oberösterreichs — an das lockere Regiment Maximilians II. gewöhnt — wußten, daß sie mit Rudolf bald in konfessionellen Belangen Schwierigkeiten haben würden. Daher ihr fast überfallsartig anmutender Versuch, den jungen Kaiser, der in Wilhering der vorläufigen Beisetzung seines Vaters beiwohnte, zu Zusagen bezüglich ihrer Religionsprivilegien zu bewegen. Daher auch ihr zähes, aber vergebliches Ringen bei der Erbhuldigung um ihre konfessionelle Freiheit. Rudolfs Regierungsantritt bedeutete für Oberösterreich tatsächlich einen Umschwung. Die Zähigkeit und Beharrlichkeit seiner Natur scheute keineswegs eine Jahrzehnte hindurch währende Opposition der evangelischen Stände. In den Rahmen dieser großen Auseinandersetzungen zwischen Ständen und Landesfürstentum fällt der große oberösterreichische Bauernkrieg von 1595 bis 1597, der aus wirtschaftlichen und konfessionellen Motiven ausgebrochen war. Die Stände begünstigten vorerst diese Bewegung, als aber neben den religiösen Beweggründen auch die sozialen stärker hervortraten und die Herren für sich selbst fürchteten, da traten sie für gewaltsame Niederschlagung dieser Rebellion ein. Das schuf eine Kluft zwischen dem evangelischen Adel und seinen ebenfalls protestantischen Untertanen. Der Aufstand wurde gestillt. Das sogenannte Interimale legte für Jahrhunderte (bis Josef II.) das Verhältnis zwischen Bauern und Herren in Oberösterreich fest (1597). Im Anschluß an diese Bauernerhebung schritt Kaiser Rudolf zur Durchführung der sogenannten Religionsreformation, also zur Rekatholisierung des Landes[204]. Es besteht wohl kaum ein Zweifel, daß der Protestantismus in Oberösterreich in den neunziger Jahren des 16. Jahrhunderts seinen Höhepunkt erreichte[205] und daß der Großteil der Bevölkerung des Landes evangelisch gewesen ist. Man hat geschätzt, daß von 71 Landleuten sicher sechzig und mehr als drei Viertel der städtischen Bevölkerung lutherisch waren[206]. 1596 berührte der Kardinal Heinrich Gaetano auf seiner Reise nach Polen Linz, er quartierte sich im nahen Kloster Wilhering ein und mied die Stadt, die „voll Ketzer" war, wo der Pfarrer nur 15 bis 20 Personen die Kommunion spendete. Noch im Jahre 1602 nannte Erzherzog Leopold Linz eine „civitas haeretica"[207].

Kaiser Rudolf selbst war freilich weit weg vom Lande, aber das von ihm bevorzugte System der Statthalter in den österreichischen Ländern — zuerst war es Erzherzog Ernst, dann Erzherzog Matthias — ermöglichte eine bessere Durchführung der kaiserlichen Patente und Verordnungen. In Hans Jakob Löbl zu Greinburg hatte der Kaiser überdies einen streng katholischen Landeshauptmann, eine energische Persönlichkeit, zur Verfügung, der beamtenhaft und unbekümmert um seine Standesgenossen vorging und auf strenge Beachtung der kaiserlichen Befehle drang. Er war der zielbewußten Politik der evangelischen Stände durchaus ebenbürtig. Wir wissen, daß die Landstände ihre Opposition systematisch und geistig wohlfundiert betrieben. Damals begann allmählich Georg Erasmus von Tschernembl[208], Herr auf Schwertberg, die Führung im Ständekampf an sich zu ziehen. Er hatte in Altdorf bei Nürnberg seine Studien begonnen, dann eine weite Kavaliersreise durch Frankreich, England, die Schweiz und Italien gemacht. Er gehörte dem calvinischen Bekenntnis an, hatte selbst von Francois Hotmann die Lehre vom ständischen Widerstand übernommen und stand später mit dem französischen Hugenottenführer Duplessis Mornay und mit dem Kopf der calvinisch-pfälzischen Partei im Reich, dem Fürsten Christian von Anhalt, in enger Verbindung. Er, der die ganze Bildung seiner Zeit in sich aufgenommen hatte, ein Mann von größter Belesenheit, einer hinreißenden Beredsamkeit und einer großen Leidenschaft, gab dem Kampf die nötige geistige Fundierung und den elementaren Schwung, der den lutherischen Ständen an sich nicht gegeben war. Die Widerstandslehre der französischen Hugenotten und das Beispiel der gegen Spanien rebellierenden Niederlande wirkten auf den Geist der oberösterreichischen Ständepolitik.

Schloß und Landhaus in Linz — Symbole zweier Gewalten — standen sich in heftigster Gegnerschaft gegenüber. Die Stände hatten Rudolfs System des Zögerns und Zauderns, die Mißwirtschaft am Prager Hof bald durchschaut. Sie paßten sich Rudolfs System an, und ihre ganze Methode des Widerstandes baute auf des Kaisers Persönlichkeit: harte, energische Opposition gegen Löbl, elastisches Verhandeln in Prag und Hinauszögern von Entscheidungen mit Hilfe von Suppliken, Rekursen und Gesandtschaften. Sie erregten, wo sie nur konnten, das Mißtrauen des Kaisers gegen seine Beamten, verdächtigten den Landeshauptmann und suchten den Bischof von Passau, Urban von Trenbach, einen der großen Gegner des oberösterreichischen Protestantismus, in Rudolfs Augen herabzusetzen. Mit seiner Hauptresolution vom Jahre 1598 verordnete Rudolf die Durchführung der Gegenreformation, die im wesentlichen eine Zurückführung des Protestantismus auf die schmale Rechtsbasis der Konzession von 1568 war, welche in der Tat bei weitem — der Protestantismus in den landesfürstlichen Städten allein zeigt dies — überschritten worden war. Der Kampf zwischen dem Kaiser und den Ständen eilte seinem Höhepunkt zu. Löbl zwang die Stände nieder. Sie mußten die Landschaftsschule und den evangelischen Gottesdienst im Landhaus sperren. Als sie versuchten, durch eine Überrumpelung das evangelische Bekenntnis wieder im Landhaus zu propagieren, wurden Tschernembl und seine Mitstände in Wien festgehalten, bis sie sich zur Einhaltung der kaiserlichen Befehle verpflichteten. So brachte Rudolfs Regiment den oberösterreichischen Ständen zunächst einen gewaltigen Rückschlag. Aber die immer mehr sich offenbarende Regierungsunfähigkeit des Kaisers bildete zugleich den Auftakt zu einem neuen großen Aufschwung des evangelischen Ständewesens in Oberösterreich. Im sogenannten Bruderzwist in Habsburg stellten sich die Oberösterreicher unter Tschernembls Führung an die Seite des Erzherzogs Matthias. Vom Preßburger Landtag im Januar 1608 nahm diese Bewegung gegen den Kaiser ihren Ausgang. Eine große evangelisch-ständische Konföderation stand um den Bruder des Kaisers. Als der Erzherzog mit den ständischen Truppen langsam in Mähren vorrückte, suchte der Kaiser einzulenken und Oberösterreich zu gewinnen. Aber in Linz arretierte man seinen Landeshauptmann und seine Kommissäre. Ungehindert drang das Heer des Erzherzogs Matthias gegen Prag vor, und im Vertrag von Lieben, am 25. Juni 1608, mußte der Kaiser seinem Bruder Mähren, Ungarn und auch die beiden Österreich abtreten. So hatte nun auch das Land ob der Enns einen neuen Landesfürsten. Im Kampf gegen Rudolf war der Bruder des Kaisers ein Instrument der Stände gewesen, so wie andererseits auch der Erzherzog diese für seine Pläne benutzt hat. Nun aber, da Matthias selbst Landesfürst war, sollte die Quittung eingelöst werden. Jetzt begann die Auseinandersetzung der evangelischen Stände mit dem neuen Landesfürsten. Sie verweigerten zunächst die Huldigung. Vorerst sollte er die Privilegien und Freiheiten, darunter auch die religiösen Freiheiten der Stände, bestätigen und erweitern. Es war ein spannungsreicher Kampf. Im Horner Bündnis von 1608 schlossen sich die Stände zusammen, um nötigenfalls mit Gewalt ihre Ziele zu erreichen. Tschernembl entwarf damals fast ein ganzes System des ständischen Staatsrechtes. Der Fürst erschien nur als primus inter pares, während des Interregnums treten die Stände an seine Stelle. Vor der Huldigung sollte Matthias ihre Religionsvorrechte bestätigen und zugleich auf die Städte ausdehnen. Ein Vergleich im Jahre 1609 schloß nun vorläufig das Ringen der Stände mit Matthias. Die sogenannte Religionskapitulation vom März 1609 bedeutet einen Sieg des evangelischen Ständetums. Der Protestantismus im Lande war voll restituiert, und auch die landesfürstlichen Städte hatten schließlich an der Religionsfreiheit ihren Anteil.

Der Protestantismus erreicht nach seiner schweren Krise nunmehr durch die Religionskapitulation von 1609 einen neuen Höhepunkt und eine neue Blüte. Dennoch darf man nicht verkennen, daß trotz des eigentlichen Scheiterns der Rudolfinischen Religionsreformation durch die inzwischen einsetzende innere katholische Erneuerung eine Änderung der Situation eingetreten war. Der Passauer Bischof Urban von Trenbach war nicht nur ein Motor des landesfürstlichen Reformationswerkes, sondern auch des Wiedererstehens der katholischen Kirche von innen her. Von zentraler Bedeutung war aber doch das Wirken der Jesuiten. Man kann sich heute kaum vorstellen, welchen Horror man bei den Protestanten damals vor den Patres der Gesellschaft Jesu hatte. Schon 1574 hatte Hans von Tschernembl, des Georg Erasmus Vater, diese Angst geäußert, wenn er über die Wiener Jesuiten schrieb: „Geb Gott, daß sie es nicht lange treiben ...“[209] Im April des Jahres 1600 trafen die Patres societatis Jesu, darunter der Tiroler Pater Georg Scherer[210], in Linz ein und begannen ihr Wirken, das in zäher und mühevoller Arbeit Früchte trug. Die Kommunionen, im Jahre 1600 dreihundert, im Jahre 1605 bereits achthundert, lassen dieses Bekehrungswerk, das eine ganz andere Wirkung hatte, als die nur äußerlich erzwungenen Konversionen durch Löbls Reformationszüge durch die Städte, deutlich in Erscheinung treten[211].

Die Absetzung Kaiser Rudolfs in den Erbländern hatte ihn aber zutiefst verletzt. Er versuchte noch einmal einen großen Schlag gegen seinen Bruder Matthias. Sein Neffe, Erzherzog Leopold, welcher Bischof von Passau war, sammelte im Zusammenhang mit dem jülichschen Erbfolgestreit in Passau ein Heer. Im Jahre 1610 brach es in Oberösterreich ein, rückte zunächst bis zum Pyhrn vor, machte dann kehrt und marschierte gegen Böhmen, wo es von der Katastrophe ereilt wurde. Im April 1610, als die Passauer noch innerhalb des Bistums lagerten, wandte sich Rudolf an die Oberösterreicher, forderte das Land auf, zu ihm zurückzukehren, versprach ihnen einen Majestätsbrief, wie den Böhmen, mit Zusicherung freier Religionsübung für die drei weltlichen Stände und sagte einen Generalpardon für alles, was geschehen war, zu. Aber die Stände hatten in ihrem Kampf gegen Matthias den Kaiser nur benützt als eine ständige Drohung für den Erzherzog, jetzt zögerten sie keinen Augenblick, sondern blieben bei Matthias. Für Rudolf kam das bittere Ende. Der zweite Zug des Königs Matthias nach Prag brachte Rudolfs gänzliche Depossedierung. Lediglich der Kaisertitel blieb ihm. Der Tod im Januar 1612 ersparte ihm die Demütigung, Matthias' Kaiserwahl zu erleben. Seit 1608 war aber nun Matthias der Landesfürst des Landes ob der Enns. Mit ihm und seinem Namen verknüpft sich bereits die beginnende große Katastrophe des Dreißigjährigen Krieges, der wohl in Böhmen seinen Ausgang nahm, an dessen Beginn aber das Land ob der Enns durch Konföderation mit dem aufständischen Böhmen und durch die Gegnerschaft gegen das katholische und rekatholisierende Haus Österreich unmittelbar und maßgeblich beteiligt war.

Der Ausgleich, den das Landesfürstentum in den Jahren des habsburgischen Bruderzwistes unter dem Druck der Machtverhältnisse mit den Landständen schloß, trug in sich bereits den Keim der großen aufbrechenden Krise, welche unmittelbar vor dem Ende des zweiten Jahrzehnts des 17. Jahrhunderts die große Erschütterung des Dreißigjährigen Krieges einleitete. Und es ist bezeichnend, daß sie nun gerade in Böhmen zum Ausbruch kam, wo die Landstände im Jahre 1608 sich nicht der großen ständischen Bewegung angeschlossen hatten und dem Bund der Länder ferngeblieben waren, wo sie jedoch gerade von dieser Bewegung wesentlich für ihre politische und konfessionelle Position profitierten. Daß aber die nunmehr in Böhmen entstandene Bewegung einen revolutionären Charakter annahm und das labile Gleichgewicht der Mitte des Kontinents ins Wanken brachte, hängt mit der Leidenschaftlichkeit des tschechischen Charakters zusammen und hat auch in der geopolitisch so bedeutsamen und wirkungsvollen Lage Böhmens seinen Grund. Als daher aus grundsätzlichen Streitigkeiten um die Auslegung des von Kaiser Rudolf im Jahre 1609 den Böhmen gewährten Majestätsbriefes die böhmischen Stände sich zum Prager Fenstersturz vom 23. Mai 1618 hinreißen ließen und damit das Signal zum Kampf des böhmischen protestantischen Ständetums gaben, da hörte man auch im Land ob der Enns diesen Ruf. Damit begann auch für Oberösterreich eine dramatische und tragische Epoche seiner Geschichte. Es war von großer Bedeutung, daß seit dem Jahre 1617 der geistige Führer des oberösterreichischen Protestantismus und der Verkünder des Widerstandsrechtes gegen den Landesfürsten Georg Erasmus Tschernembl, Verordneter des Herrenstandes in Oberösterreich, war. Diese Institution der Verordneten war schon im vergangenen Jahrhundert geschaffen worden, weil die stets an Ausmaß zunehmende ständische Verwaltung die dauernde Anwesenheit von bevollmächtigten Mitgliedern der Landstände erforderte. Es handelte sich also um eine Art Landesregierung für den Bereich der ständischen Verwaltung, die aus je zwei Vertretern der vier Stände sich zusammensetzte. Durch Tschernembl als Verordneten des Herrenstandes wurde nun in einem sehr weiten Ausmaß, in einer der entscheidungsvollsten Zeiten der Geschichte des Landes, dessen Politik bestimmt. Alles trägt den Stempel seines Wesens, seines Kampfes um die Freiheit der evangelischen Religion und der ständischen Libertät. Durch ihn kam das Land in das große Spiel der internationalen Politik, und mit Leidenschaftlichkeit und entschlossenem Willen führte er das Land in diesem beginnenden Ringen. Es war die Tragik seines Lebens, daß er, der die Freiheit des Protestantismus und die Idee der ständisch-aristokratischen Gestaltung Österreichs vertrat, schließlich den Weg zum Untergang führte.

Die böhmischen Direktoren suchten bald nach dem Prager Fenstersturz Kontakt mit den gesinnungsverwandten protestantischen Ständen Oberösterreichs. Dieses Bemühen hatte sichtlich den tieferen Grund, etwaige Aktionen der Wiener Regierung gegen das rebellierende Böhmen vom Lande ob der Enns aus zu verhindern. Die Böhmen erhofften sich sogar von den Oberösterreichern im Falle, daß sie in Not und Bedrängnis geraten würden, Assistenz und Hilfe. Die Oberösterreicher stellten sofort ihre Politik auf diese Tendenz der böhmischen Adelsfronde ein[212]. Das Ersuchen des Kaisers Matthias um Unterstützung gegen die böhmischen Aufrührer lehnten sie ab, sie wehrten die geplante Verlegung eines Truppenmusterplatzes in das Land ob der Enns ebenso ab, wie sie den beabsichtigten Durchzug kaiserlichen Kriegsvolkes aus Friaul nach Böhmen hintertrieben. Sie deklarierten sich keineswegs offen als Freunde des böhmischen Aufruhrs, dazu waren sie diplomatisch zu gewandt, aber ihr ganzes Bemühen ging dahin, Kaiser Matthias zu einer friedlichen Lösung des böhmischen Konfliktes zu bewegen, d. h. ihn zu einer weitgehenden Erfüllung konfessioneller und ständischer Forderungen und Wünsche zu überreden. Tschernembl selbst begann eine propagandistische Aktion für die Böhmen, und in einer seiner Flugschriften versuchte er den Kaiser zu überzeugen, daß ein Versuch, Böhmen mit Waffengewalt niederzuwerfen, für das Haus Österreich, für die Sukzession in Böhmen und für die Bewahrung der römischen Kaiserkrone gefährlich sein und daß bei der Unsicherheit des Kriegsglückes ein Ausgleich günstiger sein werde. Gleichzeitig trafen auch die Oberösterreicher selbst militärische Maßnahmen, welche sie zwar als reine Verteidigungsmaßnahmen bezeichneten, und sie beschlossen die „Landesdefension“, sie setzten also den ganzen Apparat des ständischen Kriegswesens in Gang.

In Wien hatte man bereits argen Verdacht gegen das kleine Oberösterreich, das ein gefährliches Spiel begann. Als Karl Jörger namens der oberösterreichischen Stände in Wien verhandelte, da gab ihm Melchior Klesel, Kaiser Matthias' führender Staatsmann, deutlich zu erkennen, daß alle Handlungen des Landes „suspekt“ seien. Die evangelisch-ständische Solidarität zog Oberösterreich in erster Linie zu Böhmen hin, aber auch die eigene Unzufriedenheit mit der Wiener Regierung spielte dabei wesentlich mit. Der Wiener Hof hatte nie etwas getan, um die jahrelang zugesagten

Abstellungen der Landesgravamina, der Beschwerden des Landes, ins Werk zu setzen. Die allgemeine politische Entwicklung, und damit auch das Schicksal des Landes Oberösterreich, wurde jedoch weiterhin vor allem durch zwei Ereignisse maßgeblich bestimmt: Am 20. Juli 1618 wurde auf Veranlassung der Erzherzöge Ferdinand und Maximilian Kardinal Klesel wegen seiner Tendenzen zu einem friedlichen Ausgleich mit Böhmen verhaftet und nach Tirol gebracht. Damit hatte die Kriegspartei am Wiener Hof unter der Führung des Erzherzogs Ferdinand, des späteren Kaisers, die Oberhand gewonnen. Die ganze böhmisch-österreichische Frage aber kam in Bewegung, als Kaiser Matthias am 20. März 1619 starb. Es war hiedurch die Frage der Nachfolge akut und im Zusammenhang mit den revolutionären Ereignissen zur Debatte gestellt. Die alten Probleme von 1608, die Frage der Huldigung, die Frage einer Landesverwesung durch die Stände, waren nun neuerdings aktuell. Es war der große Präzedenzfall für die ständische oberösterreichische Politik gekommen, und die Stände Oberösterreichs mußten jetzt offen Farbe bekennen und sich entscheiden. Die Entscheidung fiel sehr bald.

Nach dem geltenden habsburgischen Erbrecht wäre auf Matthias als österreichischer Landesfürst dessen in den Niederlanden lebender Bruder Erzherzog Albrecht gefolgt. In Böhmen und Ungarn war aber Erzherzog Ferdinand bereits zu Lebzeiten Kaiser Matthias' als König angenommen und gekrönt worden. Die Tendenz Ferdinands aber mußte dahin gehen, die Länder beisammenzuhalten, gerade in der kritischen Phase, in welcher sich das Haus Österreich damals befand. Albrecht stellte zunächst für Ferdinand eine Vollmacht aus, welche ihn ermächtigte, im Namen Albrechts von den Ländern Österreichs (ob und unter der Enns) Besitz zu ergreifen, die Huldigung entgegenzunehmen und die Verwaltung in seinem Namen zu führen. Das war freilich für König Ferdinand zunächst eine schmale Basis. Die Stände aber wehrten sich gegen Ferdinand[213], der ihnen als der entschlossene Vorkämpfer der Gegenreformation von der Steiermark her bekannt war, sie wehrten sich gegen den Schüler der Ingolstädter Jesuiten, gegen den steirischen Landesfürsten, der dort mit harter Hand wieder den Katholizismus restauriert hatte. Dem Herrn von Tschernembl erschien der streng katholische Habsburger als der Typus des Tyrannen, der die Länder verdirbt. Er galt den Protestanten des Landes ob der Enns als der gefährlichste Gegner, als der Feind des evangelischen Glaubens und der ständischen Freiheiten. Darum taten die oberösterreichischen Stände alles, um eine Besitznahme des Landes durch Ferdinand zu verhindern. Das aufständische Böhmen konnte ihnen in diesem Bestreben Hilfe und Stütze sein.

Zunächst übernahmen die oberösterreichischen Stände nach Tschernembls Lehre, daß im Interregnum die Stände zur Landesverwaltung befugt seien, die Landesverwesung einschließlich der Verwaltung des landesfürstlichen Kammergutes. Das kaiserliche Schloß in Linz wurde von ihnen besetzt, Tschernembl selbst hat das Tor geöffnet. Das war der erste Akt einer Rebellion, die in den Augen der Stände freilich nur eine Wahrung alter ständischer Rechte gewesen ist. Die Oberösterreicher wollten Ferdinand nicht, und aus formalen Gründen sprachen sie auch der Vollmacht des Erzherzogs Albrecht die Gültigkeit ab. Aus ihrer Mitte ernannten sie Sigmund Ludwig von Polheim zum ständischen Landeshauptmann. In einem Memorandum, an dessen Abfassung Tschernembl wesentlich beteiligt war, vertraten sie ihre Gedanken und verbreiteten sie durch den Druck. Sie verfochten, gestützt auf zahlreiche Belege aus der Geschichte, die ständische Auffassung, daß nach dem Tode des Landesfürsten die Administration des Landes den Ständen gebührt. Es wurde ein förmlicher publizistischer Krieg mit der Wiener Regierung entfacht, welche die Thesen der Oberösterreicher zu widerlegen suchte. In einer dieser Wiener Gegenschriften war im Anhang, als eine deutliche Drohung, das Wiener Neustädter Bluturteil von 1522 abgedruckt, demzufolge die Führer der damaligen Ständeerhebung den Henkertod sterben mußten.

Die drohende Auseinandersetzung mit König Ferdinand trieb nun die Oberösterreicher dazu, ein Bündnis mit den aufständischen Böhmen zu schließen. Tschernembl selbst reiste damals im Juli 1619 nach Prag. Diese sogenannte böhmische Konföderation, in welcher sich Oberösterreich mit Böhmen verband, zerrte das Land ob der Enns mit hinein in die große böhmische Katastrophe. Die Böhmen schritten im Anschluß an die Konföderation zur Absetzung König Ferdinands und wählten den calvinischen Kurfürsten Friedrich V. von der Pfalz zum König von Böhmen. Ferdinand war unmittelbar nach diesen Ereignissen in Böhmen in Frankfurt zum römisch-deutschen Kaiser gewählt worden. Dies bedeutete eine wesentliche Stärkung seiner Stellung. Als nun Erzherzog Albrecht das Land ob der Enns an den Kaiser abtrat, da weigerten sich auch jetzt die Stände, diese Zession an Ferdinand anzuerkennen, da sie ohne ihre Mitwirkung erfolgt war. Kaiser Ferdinand aber forderte unermüdlich das widerspenstige Land ob der Enns — allerdings vergeblich — zur Huldigung auf. Im November war nun die militärische Lage des Kaisers ungünstig: Ein böhmisches Heer des Grafen Thurn und ungarische Truppen Bethlen Gabors bedrohten Wien. Im Zuge dieser militärischen Aktionen der rebellierenden Länder stießen auch oberösterreichische ständische Truppen unter Führung Gotthard Starhembergs nach Niederösterreich vor, eroberten Ybbs, Pöchlarn und drangen bis Melk vor. Aber die Krise ging am Kaiser vorbei. Wien blieb in seiner Hand.

Mehr als ein Jahr war seit dem Tode Kaiser Matthias' vergangen, als Ferdinand II. das Land ob der Enns neuerdings zur Leistung der Erbhuldigung am 9. Juni 1620 aufforderte. Die Oberösterreicher aber publizierten nicht einmal das kaiserliche Patent. Sie konnten nicht ahnen, daß ihr Schicksal bereits weitgehend besiegelt war und daß es nur mehr eine Frage der Zeit war, wann ihr Widerstand mit militärischer Gewalt gebrochen würde. König Ferdinand hatte für den Fall, daß die Böhmen Hilfe von der Protestantischen Union bekämen, versucht, vom Herzog von Bayern Unterstützung zu erhalten. Als die Situation in Wien namentlich durch die Bedrohung von seiten Ungarns kritisch geworden war, haben sich die katholischen Häuser Habsburg und Wittelsbach zu einem gemeinsamen Gegenschlag gegen Böhmen und die rebellierenden österreichischen Stände geeinigt. Auf der Rückreise von der Kaiserwahl in Frankfurt, als üble Nachrichten aus Wien den Kaiser erreichten, kam Ferdinand II. selbst nach München, wo die Verhandlungen über eine habsburgisch-wittelsbachische Koalition zu einem erfolgreichen Ende geführt wurden.

Der Münchner Vertrag vom 8. Oktober 1619 ist die Basis der späteren großen militärischen Aktion gegen das frondierende Ständetum und gegen den Protestantismus in den habsburgischen Königreichen und Ländern. Man hat nicht mit Unrecht gesagt, dieser Münchner Vertrag nehme sich aus wie ein Diktat, und er sei dies auch. Maximilian von Bayern nützte offenkundig die Notlage des Kaisers aus, „um die Neuerrichtung der Liga unter seiner ausschließlichen Führung zu erzwingen und die günstigsten Bedingungen für seine Hilfeleistung herauszuschlagen"[214]. Im Vertrag von München sicherte sich Herzog Maximilian von Bayern die alleinige Führung der Liga. Der Herzog erklärte sich bereit, ein Liga-Heer von etwa 24.000 Mann aufzustellen. Er war aber erst bereit zu handeln, wenn die nötigen Vorbereitungen wirklich abgeschlossen sein würden. Allein er wollte bestimmen, wie diese Hilfe dem Kaiser geleistet werden sollte. Der Kaiser verpflichtete sich, alle Kriegsauslagen des Herzogs, soweit sie über die Liga-Umlagen und die eigene Landesverteidigung hinausgingen, zu erstatten und setzte seine Besitzungen hiefür als Pfand. Sollte der Herzog etwas von seinem Territorium verlieren, werde der Kaiser sich bemühen, ihm das Verlorene wieder zu beschaffen oder dem Herzog den Verlust aus den österreichischen Ländern zu ersetzen. Alles, was der Bayernherzog im Krieg in den österreichischen Erbländern erobere, gehöre ihm so lange als Pfandbesitz, bis der Kaiser es durch Ersatz der Kriegskosten auslöse. Das sind die wichtigsten Bestimmungen dieses katholischen Bündnisses von München zwischen den Häuptern der Häuser Wittelsbach und Habsburg, das der Kaiser in seiner Not abschloß, das ihm aber dafür wirkliche, d. h. in diesem Falle militärische Hilfe verschaffte[215]. Maximilian von Bayern, Ferdinands Vetter, war wie dieser ein strenger, eifriger Katholik, hatte gleichzeitig mit dem Kaiser in seiner Jugend die Jesuitenuniversität in Ingolstadt besucht; auch er war ein Verehrer der Gesellschaft Jesu, stark an Äußerlichkeiten des religiösen Lebens haftend wie der Habsburger. Aber er war eine härtere und wohl selbständigere Natur als der Kaiser, realpolitischer und nüchterner in seinem Handeln, ein Mann, der Zucht in der Verwaltung hielt und auch in finanziellen Dingen eine geschicktere Hand hatte als Ferdinand, dem das Geld in der Hand gleichsam zerrann. Ein schweigsamer, strenger Mann der Pflicht und Arbeit, ohne die habsburgische Leutseligkeit und Gutmütigkeit. Bei all den religiösen Motiven, die zweifellos bei seinem Eintreten für die katholische Sache mitspielten, war er doch ein Mann der Macht, der dabei Bayerns Interessen und das Vermehren des bayerischen Besitzstandes durchaus im Auge hatte.

Nun, da der Herzog sich selbst weitgehend durch den Oktobervertrag von München abgesichert hatte, geht er zielbewußt ans

Werk, um eine schlagkräftige Armee auf die Beine zu bringen. Während Kaiser Ferdinand stets zur Aktion gegen die Rebellen drängte, faßte sich der Wittelsbacher in Geduld, bis er voll gerüstet war. Schon am 6. Dezember 1619 hatte Kaiser Ferdinand den Einmarsch des Liga-Heeres in Oberösterreich angeregt, aber Maximilian erklärte ihm umständlich alles, was zur Zeit dagegen sprach[216]. So ging es weiter bis in den Sommer 1620 — das Drängen und Fordern des Habsburgers einerseits[217], in das „rechte Nest und Quell alles Unheils", in das Land ob der Enns einzumarschieren, und andererseits Maximilians realpolitisches Zuwarten, bis die Schwierigkeiten auf ein Minimum beseitigt waren. Diese Beseitigung der Schwierigkeiten geschah vor allem auch durch den ungehinderten Marsch der Liga-Truppen aus dem Westen des Reiches zu den Sammelplätzen des Liga-Heeres[218] und schließlich durch den Ulmer Vertrag vom 3. Juli 1620, in dem sich Liga und Union gegenseitig für ihre Besitzungen den Frieden zusicherten. So hatte Herzog Maximilian den Rücken frei zum Marsch gegen Böhmen[219]. Die katholische Koalition Habsburg-Wittelsbach, die auch Spanien mit einschloß, welcher der Papst Subsidien gewährte, konnte nun zum Schlag ausholen. Am 30. Juni 1620 hatte der Kaiser in einem Patent den Herzog von Bayern als kaiserlichen Kommissär mit der Niederwerfung des Aufstandes im Land ob der Enns betraut[220]. Nun konnte mit dem „nidus infidelitatis et rebellionis"[221] — wie Ferdinand sein widerspenstiges Land ob der Enns nannte — das geschehen, „welliches sie schon längst verdienet"[222]. Am 5. Juli 1620 hatte Herzog Maximilian an den Kaiser aus Dillingen geschrieben: „Verhoffe in 14 Tagen, da eß Gottes Will den Fuß in Österreich zu setzen."[223] Bereits fünf Tage später konnte er dem Kaiser vom Aufbruch des Heeres, das an der oberen Donau um Lauingen konzentriert war, berichten: „. . . das mein Volckh nunmehr auf underschidtlichen Straßen, zu Wasser und Landt im völligen marchieren gegen Oesterreich, und bin Ich vermittelst göttlicher genaden willens, eingehendten Montags den 13. diß, von hier aufzubrechen, auf der Thonaw hinab bis gehn Vilzhoven inner 4 tagen zu fahren, unnd mich volgendts zu Landt dem Volckh welches auf solche Zeit zum theil schon ankhommen sein unnd das ander strackhs darauf volgen wirdt, zu nähern, und dem werckh seinen lauff zu machen."[224] Das Liga-Heer stellte eine stattliche Kriegsmacht dar; es bestand aus

24.500 Mann Infanterie und 5500 Reitern[225]. An seiner Spitze stand der Generalleutnant Johann Tserclaes Tilly, ein Brabanter, der schon seit 1609 im Dienste des Bayernherzogs stand, ein Kriegsmann aus der spanisch-niederländischen hohen Schule des Kriegshandwerks, der dem politischen Haupt, dem Herzog Maximilian, im militärischen Bereich ein kongenialer Partner gewesen ist. Bereits am 17. Juli 1620 traf Maximilian in Schärding am Inn ein[226]. Ein großer Teil des Hofstaates hatte den Herzog begleitet, insgesamt 281 Personen mit 211 Pferden, zwei lothringische Prinzen, ein Herzog von Teschen, der junge Herzog Virginio Orsini waren in der Umgebung des bayerischen Herzogs, dazu kamen die Geistlichen, die der Herzog mit sich führte, unter ihnen der berühmte aragonesische Karmeliter Dominicus a Jesu Maria, der das herzogliche Banner, welches das Bild Mariens trug, weihte. Auch der französische Philosoph René Descartes gehörte als Soldat dem gegen Österreich marschierenden Heer an[227].

Die oberösterreichischen Landstände hatten zwar ihre militärischen Maßnahmen verstärkt, hatten am 1. Juli die Bereitschaftshaltung zu Roß und Fuß befohlen und am 4. Juli die Generalmusterung in den sieben landesfürstlichen Städten angeordnet[228]. Aber noch immer wollte man nicht recht glauben, daß es ernst werden würde. Als nun der Herzog von Bayern in Schärding war und das Liga-Heer drohend an der Grenze des Landes lag, versuchten sie die alte und bewährte Taktik des Verhandelns und Hinhaltens anzuwenden. Maximilian selbst berichtet an den Kaiser, wie der ständische Gesandte, Hans Niclas Sigmar von Schlüsselberg, nach Schärding kam und im Namen der Stände die freundschaftlichen Beziehungen zu Bayern betonte und um den Abzug der Truppen bat. Aber der Herzog ließ sich in keinen Disput mit dem Oberösterreicher ein, sondern schickte seinerseits am 20. Juli Lorenz von Wensin, den Herrn von Preysing, genannt Kranwinkel, und Hauptmann Hans Heinrich von Reinach als Gesandte nach Linz, welche den Ständen den Auftrag, den der Herzog durchzuführen hatte, mitteilten und ihnen das kaiserliche Mandat übergaben[229]. In diesem kaiserlichen Mandat aber werden die Vergehen der Stände aufgezählt, es wird ihnen mitgeteilt, daß der Herzog von Bayern nunmehr die Strafe zu vollziehen habe — mit Nachsicht für diejenigen, welche sich unterwerfen. Dem Herzog von Bayern sollten die Stände an des Kaisers Statt die Huldigung leisten, die

Konföderation mit Böhmen sei hiemit aufgelöst, und die Urkunde soll vernichtet werden[230]. Den Ständen wurde ein Termin von fünf Tagen gesetzt, eine Gesandtschaft an den Herzog zu senden „mit runder erdklärung, ob sie E. May. billichem begeren in allen Puncten parieren wellen...". Der Herzog aber wußte um die Verzögerungstaktik der oberösterreichischen Stände, daher schrieb er an den Kaiser: „Damit sie die Ständt den Vortheil nit in die Händt bringen, den ernst sehen, und dardurch zue dem Gehorsamb umb so viel mehr bewegt werden, bin ich bedacht, die awanguardia von 6.000 man zu Fueß und 1.500 Reuter dem 23. diß ins Land ob der Ennß würkhlich rucken zue lassen und ich will mit dem andern Exercitu, welches dieser Tage auch ganz ankhumbt, hinach volgen."[231] Am gleichen Tage noch schrieb der Herzog an Kaiser Ferdinand — am 21. Juli —: „Die Zeit so ich den Oberennsern präfigiert ist khurz, accomodieren sie sich nit, so gee ich den geraden Weg..."[232] Alle Versuche der Stände durch Memoranden, in denen sie alle Vorwürfe des kaiserlichen Mandates bestritten, durch Gesandtschaften den Herzog auf eine allgemeine Ständeversammlung zu vertrösten, ließen Maximilian unberührt[233]. Wenn die Oberösterreicher, wie der Herzog dem Kaiser mitteilte, auch dem bayerischen Abgesandten gleich mündlich ihre Bereitwilligkeit, die Kommission anzunehmen, erklärten, „wie sie es vor Gott und der Welt zu verantworten"[234], so suchten sie doch vor allem die Abschwörung der Konföderation zu vermeiden. Aber Maximilian meinte, „sie werden aber auch dise nuß peißen miessen"[235]. Als der Herzog hörte, daß die oberösterreichischen Stände bei den Böhmen und Ungarn um Hilfe ersuchten, ließ er am 24. Juli den Obersten Haßlang mit 6000 Mann Infanterie und 2000 Reitern ins Land einrücken. Am 25. Juli ist Tilly mit zwei Regimentern und 1000 Reitern nachgerückt. Am 28. Juli lief die Frist — sie war inzwischen verlängert worden —, welche der Herzog den Oberösterreichern gestellt hatte, ab: „So bin ich entschlossen", berichtet der Herzog an den Kaiser, „auf Ausgang des Termins den 28. diß von hier aufzubrechen und mich mit eben der gleichen Hauffen dem erstbemelten vorgezogenen Exercitu zu nähern und den übrigen Rest des Volckhs hernach ziehen zu lassen."[236]

Der Einmarsch des mächtigen Liga-Heeres war nun in vollem Gange, das ständische Heer — 4100 Mann Fußvolk und 424

Pferde[237] — kam gar nicht zum Einsatz. Bei Haag am Hausruck und Aistersheim kam es zu Kämpfen mit Bauern. Maximilian berichtete an den Kurfürsten von Mainz, es seien ihrer 3000 gewesen. Durch diese Kämpfe — das Schloß Aistersheim wurde gestürmt und geplündert — sei, wie der Herzog sagt, „das Kriegsvolk irritiert worden, daß es angefangen, etwas übel zu hausen"[238]. Schon vorher hatte der Wiener Hof dem Herzog eine Liste der Güter katholischer Besitzer und solcher Protestanten übermittelt, die als kaiserlich gesinnt galten. Diese sollten vom Heer geschont werden[239]. Die ersten Gehorsamserklärungen trafen schon vor dem Einrücken des Herzogs bei diesem ein: Sprinzenstein, Dietrichstein, Hohenfeld, Ehinger, der polheimische Pfleger zu Parz, der Pfleger zu Erlach und der Aufschlagseinnehmer zu Neumarkt erhielten darauf vom Herzog „unfürgreifliche Salva guardia"[240]. Noch während des bayerischen Einmarsches suchten die Stände durch Absendungen der Prälaten von Kremsmünster und St. Florian und etlicher Adeliger in Haag und Grieskirchen beim Herzog zu retten, was ihnen möglich war. Aber der Bayernherzog erklärte ihnen, in Linz wolle er mit den Ständen „das Recht handhaben"[241]. Schon von Schärding aus, als das Land ob der Enns — von seinen protestantischen Freunden im Stich gelassen — als willkommene Beute dem Wittelsbacher zu Füßen lag, hatte dieser den Kaiser an die Münchner Abmachungen erinnert, denen zufolge das Land, wenn es nun von ihm besetzt werde, ihm verpfändet sei. „Dieweil auch dieses alles nur durch mitl der Waffen geschieht, auch das Landt ob der Ennß, es ergebe sich nun guetwillig oder per forza anders nit als mit meiner Kriegsmacht auß Ew. May. hechster feindt hennden reißen thue und derowegen dasselb vermöge, getroffener Abred, mir bis zu erstattung deß uncostens mit allen rechten und gerechtigkeiten gewissermaßen inhendig bleiben soll ..."[242] Da der Herzog wußte, daß die Stände bei der Huldigung sofort das „liberum exercitium religionis und andere ... der catholischen Religion präjudizierliche Puncta urgiern, prätendieren" werden, so war er entschlossen, von den Ständen nur die Interimspflicht „impliciter und ohne alle Condition aufzunehmen", sonst aber werde er die Stände mit ihren Wünschen an den Kaiser verweisen. Zugleich aber warnte er Kaiser Ferdinand vor etwaigen Konzessionen an die oberösterreichischen Rebellen, da das Land ob der Enns fast „an allem unheil schuldig" sei[243]. Von Schärding hatte nun den Herzog sein Weg über St. Martin und Ried nach Schloß Starhemberg bei Haag und nach Grieskirchen geführt. Am 1. August wurde Maximilian in Wels von der Bürgerschaft empfangen, wo auch Tilly zunächst sein Quartier aufgeschlagen hatte. Schon hier in Wels wurde festgelegt, was beim Eintreffen des Herzogs in Linz geschehen sollte. Die Stände hatten dem Herzog nach Wels eine Gesandtschaft, bestehend aus dem Abt von Kremsmünster, dem ständischen Syndikus Christoph Puechner und Ferdinand Khulmer, entgegengeschickt. Ihnen gegenüber brachte der Wittelsbacher den Wunsch zum Ausdruck, daß die oberösterreichischen Landstände ihn im Schloß zu Linz empfangen. Er wünschte aber nicht, daß die Linzer Bürgerschaft oder ständisches Kriegsvolk beim Einzug in die Stadt „in der Wehr steht". Vielmehr sollten die Bürger bei seinem Einzug in Linz in den Häusern und Wirtschaften bleiben. Das ständische Militär aber sollte abseits, jedoch nicht „zu viele beisammen" einquartiert werden, damit es keine Ungelegenheiten mit den bayerischen Truppen geben könne. Damals verlangte man bereits von bayerischer Seite, daß der ständische Landeshauptmann nicht mehr im Schloß bleiben dürfe. Eine Gegenvorstellung des Abtes von Kremsmünster beim Hofmeister des Herzogs hatte zunächst insoweit Erfolg, als der Landeshauptmann vorläufig bis zu des Herzogs endgültiger Resolution im Linzer Schloß bleiben dürfe[244]. Mit 12.000 Mann zog nun Tilly gegen Linz und lagerte zwischen Ebelsberg und der Stadt, ein Teil des Liga-Heeres rückte über Eferding gegen die Hauptstadt des Landes ob der Enns vor. Kein Finger hatte sich für das unglückliche Land gerührt, das auf Hilfe aus dem nahen Böhmen gehofft hatte, wo Mansfeld untätig der Tragödie Oberösterreichs zusah[245].

Am 4. August 1620 aber war es soweit: Um 6 Uhr abends ritt Herzog Maximilian „mit etlich Corneten", da die Truppen bereits einquartiert waren, in die Stadt und begab sich in das kaiserliche Schloß, wo er von den Ständen erwartet und „solemniter" empfangen wurde. Der ständische Landeshauptmann Sigmund Ludwig von Polheim begrüßte den Herzog, der den Ständen bald eine Audienz gewährte, seiner Freude über den Empfang Ausdruck gab und versprach, sich beim Kaiser für das Land einzusetzen. Auch der Landeshauptmann sprach einige Worte und begrüßte den

Herzog als des Kaisers Kommissarius, wünschte langes Leben und friedfertige Regierung, sprach von der Bitte zu Gott, daß die Königreiche und Länder nun zu Frieden und Ruhe kommen mögen[246]. Es war ein Versuch, durch banale Worte die Tragik des Augenblicks zu überdecken und so zu tun, als wäre nicht das ganze Werk der ständischen Fronde eben zusammengebrochen. Ein Unbekannter aber berichtete aus Linz über diese Ereignisse und meinte: „Mit Schriften wexeln wolten wiers noch wohl 10 Jahr getrieben haben, und weren benebens Patroni des Landts verblieben. Wan aber solche federn ins Land komen und dergleichen Streupulver, das 30 oder 40 Roß an einer ziehen [Geschütze], daß macht eylend und kurze resolutiones, Gott verleihe sein genad, daß alles zu seiner Ehre, Ihrer kays. Mt. hochhait und des geliebten Vatterlandts wohlstand hinausgehe."[247]

Herberstorff ist mit dem Liga-Heer als Oberst von vierhundert Reitern in das Land eingerückt. Auch sein Stiefsohn Gottfried Heinrich von Pappenheim nahm mit zweihundert Reitern an der Besetzung des Landes ob der Enns teil[248]. Wie wir wissen, hatte sich Herberstorff Ende November oder Anfang Dezember des Jahres 1619 nach Brüssel in die Niederlande begeben, um dort für Herzog Maximilian Reiter zu werben. Schon Ende Dezember wußte man am Neuburger Hof, daß die Werbungen gut vonstatten gingen, und am 21. Januar 1620 war bekannt, der Statthalter werde am 8. Februar 1620 mit vierhundert Archebusierpferden in den Niederlanden aufbrechen. Ende Januar war auch Walkun von Herberstorff von Neuburg zu seinem Vetter in die Niederlande gereist, da ihn dieser als Rittmeister an die Spitze von hundert Kürassieren stellen wollte. Herberstorffs eigene Kompanie hatte nur schwarze Pferde und sie sollte den Namen „die Schwarzen Reiter" bekommen. Am 24. März 1620 traf ein Trompeter des Kurfürsten von Köln in Neuburg ein und berichtete, er sei vor 14 Tagen bei der Musterung der vierhundert Pferde gewesen, welche Herberstorff abhielt. Nach drei Tagen habe der Statthalter den Marsch über Köln in Richtung Lothringen angetreten[249]. Wir haben einige Lebenszeichen von diesem Marsch der Herberstorffschen Söldner. Vom 22. März 1620 besitzen wir einen Quartierbefehl des Grafen Johann Jakob Anholt, des Obersten des rheinischen Truppenkontingents der Liga, in welchem Herberstorff und seinen Reitern Quartier zu Schönen (?) zugewiesen wird. Zwei Tage später berichtete Walkun Herberstorff seinem Vetter aus dem ihm zugewiesenen Quartier Rohr von Auseinandersetzungen mit den Bauern, welche seine Soldaten nicht logieren lassen wollten. Nach gutem Zureden sei man in das Dorf eingedrungen, wo jedoch aus einem Haus seine Kompanie beschossen wurde. Da die Soldaten Feuer an das Dorf legen wollten, zog Walkun ab. Adam von Herberstorff hat Walkun umgehend den Befehl zukommen lassen, bei Leibstrafe das Legen von Feuer zu verbieten. Offenbar hatte das Ganze aber ein unliebsames Nachspiel. Denn Herberstorff erwähnt in einem Bericht vom 24. März aus Flamersheim (vermutlich Rheinland) die Affäre mit den Bauern, spricht vom Unwillen Herzog Wolf Wilhelms von Neuburg und bittet den Obersthofmeister des Herzogs von Bayern, Graf Johann von Zollern, sein „Patron", sein Schützer zu sein, wenn falsche Informationen über diese Angelegenheit nach München dringen sollten. Er verteidigt sich hiebei, er sei zu seinen Maßnahmen gezwungen gewesen, hätte keinen anderen Ausweg gehabt, er wolle seine schöne Reiterei, die ihm viel mehr Geld gekostet habe, als er Anrittgeld bekam, nicht ruinieren lassen. Offenbar hatte Herberstorff, seiner ganzen schroffen Art entsprechend, drastische Maßnahmen gegen die Bauern, welche Walkun Widerstand leisteten, ergriffen, und die Kunde von diesen Greueltaten war vielleicht bis Neuburg gedrungen. Herberstorff hat dies am 20. Mai 1620 von Isenheim aus an Zollern geschrieben. Er klagt über Krankheiten, die bei seiner Reiterei um sich griffen, und sprach die Hoffnung aus, daß man endlich bald abmarschiere[250].

Sein Weg sollte ihn dann mit dem anderen Kriegsvolk im Westen von Lothringen, über Elsaß und den Breisgau an die obere Donau führen, wo seine Truppen in Rennertshofen und Burgheim Quartier finden sollten[251]. Herberstorff kam also vermutlich mit dem sogenannten „Lothringischen Kriegsvolk", dessen ungehindertes Passieren durch protestantische Gebiete mit den Anlaß gegeben hatte für den Herzog von Bayern, die Aktion gegen das Land ob der Enns in Gang zu setzen. Demnach hatte dieses Kriegsvolk — insgesamt fast 8000 Mann — am 8. Juni 1620 Breisach passiert[252]. So mag Herberstorff sich kaum noch längere Zeit in Neuburg aufgehalten haben, da ja nach dem Eintreffen der Truppen aus dem Westen der Marsch gegen Österreich fast unmittelbar angetreten wurde. Als Oberst an der Spitze des von ihm geworbenen Kürassierregiments machte dann Herberstorff, dessen „Schwarze Reiter“ das höchste Wohlgefallen des Herzogs von Bayern gefunden hatten, den Einmarsch des katholischen Heeres in das Land ob der Enns mit[253]. Zunächst trat Herberstorff aber keineswegs in Erscheinung. Alle Dekrete, die der Herzog nach der Einnahme des Landes erließ, zeichnete er selbst, gegengezeichnet sind sie vom bayerischen Rat Dr. Johann Maendel. Das wichtigste Anliegen des Herzogs war es, das ständische Kriegsvolk — wie er an den Kaiser schrieb — in seine Dienste zu nehmen, „denn ehe man mit dem Kriegsvolckh zu einer entlichen Richtigkeit khombt, ist umb sovil desto schwerer mit dem übrigen Werk vortzukhommen“[254]. Er war schließlich froh, daß es ihm gelang, seine Pläne zu verwirklichen und die ständischen Truppen in die Dienste der Liga zu führen. Denn diese Truppen waren „sogar frisch, gut und wohlgeputzt“, daß sie für das Liga-Heer einen echten Gewinn darstellten. Zudem konnte das Heer auf diese Weise den Ausfall der 5400 Mann Infanterie und von fünfhundert Pferden wettmachen, welche Maximilian als Garnison im Land ob der Enns ließ[255]. Maximilian ging in Oberösterreich sehr vorsichtig zu Werke. Als der Kaiser, dem die Gegenreformation sehr am Herzen lag, wünschte, der Herzog möge sich das Religionsunwesen im Land besonders angelegen sein lassen, „damit die Pfeifer abgeschafft und der Tanz eingestellt werde“, er möge mit Schärfe gegen die Rädelsführer durch Exekutionen vorgehen, da meinte der Herzog, das könne nur den Zug nach Böhmen verzögern und allenfalls die unterdrückte Gährung in Oberösterreich von neuem anfachen[256]. Der Kaiser stimmte schließlich den Wünschen des Herzogs zu und überließ dies alles seinem Gutdünken. Der Herzog drang nun bei den Ständen auf die Leistung der Interimshuldigung. Die Stände konnten sich aber hiezu außerordentlich schwer entschließen. Erst Maximilians Versicherung, daß die Interimshuldigung ihre Rechte nicht beeinträchtige[257] — eine List —, da ja der Kaiser „offene Hand“ hatte, „sobald sich bessere Occasion präsentiert“[258], und ein Ultimatum des Herzogs bewogen die Stände, sich zur vorläufigen Huldigung bereitzuerklären.

Am 20. August war der Augenblick gekommen. Um 11 Uhr vormittags fanden sich die Landstände in der Tafelstube des Linzer Schlosses ein, wo an einem auf der Bühne stehenden, mit „einem roten sammeten Töpich überzogenen“ langen Tisch Herzog Maximilian mit seinen Räten Platz genommen hatte. Nach manchem Disput über die Form der Huldigung leistete zuerst der Präsident der Landstände Hans Jörger, nach ihm die Prälaten sowie die Mitglieder des Herren- und Ritterstandes und die Vertreter der landesfürstlichen Städte die Interimshuldigung. Diese begriff zugleich die Renuntiation der böhmischen Konföderation in sich[259]. Es war nur ein Bruchteil der Stände anwesend, vor allem fehlten die führenden Männer des ständischen Widerstandes, wie Georg Erasmus von Tschernembl, Andreas Ungnad und Hans Ortolf Geumann. Die Zeremonie in der Tafelstube des Linzer Schlosses war zugleich die große Stunde Adams von Herberstorff. Unmittelbar nach dem Huldigungseid der Stände trat der Kanzler des Herzogs von Bayern vor und erklärte, die Kommission Herzog Maximilians sehe zwar vor, daß der Herzog selbst bis zur Erbhuldigung an den Kaiser das Land administriere, der Herzog könne sich jedoch nicht länger hier aufhalten und habe daher „hier zwischen den wohlgeborenen Herrn Hans Adam von Herberstorff das Gubernament aufgetragen, des Versehens, die Stännd werden demjenigen, was er im Namen Ierer Kay. May. und fürstl. Dlt. als Commissari in einem und anderen derselben auftragen werdet, würklich nachkommen, dagegen wird er sich also gegen den Stenden erzeigen, daß sie sich widder Ine zu beschweren nit Ursach haben sollen". Nach diesen Worten des bayerischen Kanzlers ergriff Herberstorff selbst das Wort, dankte zunächst dem Herzog für dessen Vertrauen und erklärte, daß er die ihm aufgetragene Verwaltung so führen werde, wie er es gegen Gott und den Herzog verantworten könne. Zugleich drückte er die Hoffnung aus, „die Ständt werden sich gegen Ime auch also accomodieren, daß er sich widder dieselben bei Ihr fürstlichen Durchlaucht zu beklagen nit Ursach habe"[260].

Damit war die Installation des neuen Statthalters abgeschlossen. Nichts deutet darauf hin, daß man mit Wien diesbezüglich irgendwelche Vereinbarungen oder Absprachen getroffen hat. Vielmehr hat man den Eindruck, daß diese Installierung eines Statthalters nur provisorischen Charakter tragen sollte, was ja auch die Worte des Hofkanzlers andeuteten. Am Tage darauf teilte Herzog Maximilian dem Kaiser mit, daß er Herberstorff an die Spitze der Zwischenregierung gestellt habe, und wir sehen aus dieser Mitteilung des Herzogs auch, daß dem Statthalter der Geheime Rat Dr. Wilhelm Jocher an die Seite gegeben wurde, „bis man die Sachen allerwegen in Gang bringt“[261]. Auch ein Schreiben Ferdinands an den Herzog vom 11. August, in welchem der Kaiser die Situation in Oberösterreich und die Aufgaben der bayerischen Behörden bespricht — unter anderem, daß die Stände die Kosten des hinterlassenen Kriegsvolks tragen müßten, daß Maximilians Plan eines Aufschubs aller scharfen Exekutionen zugestimmt wird, daß man einer Pardonierung der Untertanen und Bauern zustimmt, auch daß das Kammerwesen (Salzkammergut) im derzeitigen Stand belassen werden möge —, macht den Eindruck, daß man damit rechnete, es könne sich nur um eine kurze, vorübergehende Pfandnahme des Landes durch Bayern handeln. Denn der Kaiser spricht davon, daß das Salzwesen unangetastet bleiben solle, bis nach Abschluß der böhmischen Expedition, dem Münchner Vertrag entsprechend die Unkosten, die dem Herzog wiedererstattet werden müssen, „spezifiziert und liquidiert“ sein werden. Man dachte also weder auf bayerischer noch auf österreichischer Seite daran, mit der Installation Herberstorffs eine bayerische Ära Oberösterreichs einzuleiten. Nur deswegen, weil der Herzog von Bayern den Marsch gegen Prag nicht unnötig verzögern wollte und weil ein Termin für die Erbhuldigung des Landes ob der Enns gegenüber seinem Landesfürsten, dem Kaiser, noch nicht feststand, wurde zunächst als Provisorium ein Statthalter vom Herzog eingesetzt. Niemand dachte damals daran, daß Herberstorff fast ein Jahrzehnt der Gubernator des niedergeworfenen rebellischen Landes sein sollte. Daß Maximilians Wahl auf Adam von Herberstorff fiel, ist durchaus einleuchtend. Der Situation entsprechend konnte es sich zunächst nur um eine Art Militärregierung handeln, an deren Spitze ein höherer Offizier stehen sollte. Für Herberstorffs Bestellung sprach natürlich auch, daß er durch seine Tätigkeit als Statthalter in Neuburg die nötige Erfahrung in der Verwaltung eines Territoriums besaß und nicht zuletzt auch, daß er aus den habsburgischen Erbländern stammte. Es mochte hiedurch in dreifacher Hinsicht ein günstiger Aspekt dieser Bestellung des steirischen Konvertiten Herberstorff erzielt werden. Es war zunächst ein Akt besonderer Rücksichtnahme auf den Kaiser, der es zweifellos begrüßen mußte, daß man sein Land ob der Enns nicht einem Fremden, einem Bayern unterstellte, sondern einem echten Untertan des

Kaisers aus seinem eigenen Stammland, der Steiermark, der zudem katholisch geworden war. Für den Herzog und seine eigenen Interessen war es wichtig, an die Spitze der provisorischen Landesverwaltung einen Mann zu stellen, der eben durch seine Herkunft eine bessere Zusammenarbeit mit den Ständen des Landes und eine reibungslose Tätigkeit der bayerischen Militärverwaltung erwarten ließ. Und drittens war es zugleich ein Versuch, die Landstände Oberösterreichs nicht durch einen „bayerischen" Statthalter zu schockieren, sondern sie vielmehr zu gewinnen, indem man ihnen einen, wenn schon nicht „österreichischen" im alten Sinne, so doch einen steirischen Standesgenossen präsentierte, der bei der engen verwandtschaftlichen Verflechtung des Adels der Erbländer in gewissem Sinne doch einer der ihrigen war. Die Ernennung Adams von Herberstorff zum Statthalter Oberösterreichs hatte also keineswegs den Zweck, dem Lande einen Tyrannen an die Spitze zu geben und ein Regime des Rachenehmens und brutaler Unterdrückung zu errichten, vielmehr paßte die Ernennung des „Österreichers" Herberstorff als Statthalter des Herzogs von Bayern ganz in dessen Politik des Beruhigens und der Entschärfung der Lage. Dies alles sollte dem Liga-Heer für den Kriegszug nach Böhmen hier im Lande ob der Enns den Rücken freihalten. Darum hatte der Herzog ja durch die Interimshuldigung alle Probleme zunächst offengelassen und den Ständen auch das Wort gegeben, daß sie durch diese in keiner Weise präjudiziert sein sollten. Die endgültige Regelung des Verhältnisses zwischen Ständen und Kaiser sollte dann erst die „völlige Erbhuldigung" bringen[262]. Aber zunächst wollte der Herzog — soweit es eben die Umstände zuließen — dem Lande durchaus entgegenkommen. Herberstorffs Bestellung ist ein Teil dieser Taktik des Wittelsbachers. Ein Symbol für die neue Herrschaft über das Land war es, daß Herberstorff Wohnung nahm im kaiserlichen Schloß zu Linz, nachdem Dekrete des Kaisers und des Herzogs noch am Tage der Huldigung, am 20. August, den ständischen Landeshauptmann Sigmund Ludwig von Polheim veranlaßten, das Schloß zu verlassen und dem Statthalter Herberstorff „zu weichen"[263].

II. Kapitel

DES HERZOGS VON BAYERN STATTHALTER

1. Auf der Burg zu Linz

Die Linzer Burg war zur Zeit, da Herberstorff als Statthalter des Herzogs von Bayern in sie Einzug hielt, ein moderner Bau, den knapp vorher Kaiser Rudolf II. hatte errichten lassen. Von der alten Burg waren lediglich die Grundfesten und Ummauerungen übriggeblieben. Sie war ein altes, baufälliges Gemäuer gewesen, in der einst Kaiser Friedrich III. eine Fluchtresidenz gefunden hatte, als er vor den in Niederösterreich eingedrungenen Ungarn 1489 sich nach Westen zurückziehen mußte. Auch Kaiser Maximilian hatte oft in der Linzer Burg geweilt, und Ferdinand I., dessen Hochzeit mit Anna von Ungarn im Jahre 1521 in Linz stattfand, war ebenfalls häufig in der Linzer Burg[1], die hoch über der Stadt und dem Donaufluß sich erhob. Anna von Ungarn lebte mit ihren Kindern, die teilweise hier geboren wurden, im Linzer Schloß, ebenso wie die habsburgische Witwe des letzten jagellonischen Ungarnkönigs Ludwig, der bei Mohács gegen die Türken gefallen war, Königin Maria von Ungarn in der Linzer Burg ihren Witwensitz aufschlug. Später lebte hier die unglückliche Königin Katharina von Polen, Gattin Sigismunds II. von Polen und Schwester des Kaisers Maximilian II., und am Ende des 16. Jahrhunderts hatte Erzherzog Matthias, der Bruder und spätere Rivale Kaiser Rudolfs II., in der Linzer Burg seine Residenz aufgeschlagen. Da der Verfall der alten Burg trotz ständiger Baumaßnahmen nicht aufzuhalten war, hatte Rudolf II. beschlossen, einen Neubau zu errichten, der 1599 schon begonnen wurde[2]. Die Burg des Landesfürsten beherbergte stets die landesfürstlichen Behörden mit ihren Kanzleien. Auch der Landeshauptmann hatte in der Burg, deren „Pflege" ihm anvertraut war, seinen Amtssitz sowie seine Wohnräume. Daher amtierte Herberstorff als Statthalter im Schloß und hatte seine Wohnung in diesem späten Renaissancebau über der Donau. Nun hatte dieses neue, mächtige

Gebäude wohl weite, helle Räume, aber Herberstorff fühlte sich offenbar in den „großen, ungemütlichen Zimmern" — wie er an den Herzog von Bayern einmal schrieb — nicht recht wohl[3]. Später, als er das herrliche Schloß Ort im Traunsee erworben hatte, konnte er zeitweilig der Linzer Burg entfliehen, aber zunächst war das Linzer Schloß sein ausschließliches Domizil im Lande ob der Enns.

Schon am ersten Tage nach der Interimshuldigung an den Bayernherzog stellten die Stände an Maximilian die sehr wichtige und zweifellos der Klärung bedürftige Frage, was es denn mit diesem „Statthalter", den Maximilian ihnen nach der Huldigung vorgestellt hatte, eigentlich für eine Bewandtnis habe. Das war eine verfassungsrechtliche Frage, denn einen Statthalter gab es nach dem geltenden Recht im Land ob der Enns nicht. Daher baten die Landstände um Aufklärung, was es mit dem neuen Statthalter „seines Amts Namen und Verrichtung für ein Verstandt und Beschaffenheit haben solle, weil hievor in diesem Land jederzeit allein ein Landshauptmann im Namen des regierenden Landtsfürsten die höchste und obriste Jurisdiktion gehabt, dem menniglich im Land (so nit mediate den Ständen in erster Instanz untergehörig) parrieren und vor ihme Recht geben und nehmen muessen". Darum wollten die Stände wissen, ob das Ganze bedeute, daß Herberstorff die Landeshauptmannsstelle interim bis zur Erbhuldigung innehabe. Auch wollten sie wissen, wo sie gegebenenfalls Beschwerden gegen Herberstorffs Person oder seine Handlungen vorbringen könnten. Weiters schien es für die Landstände von Interesse zu sein, ob der Oberst Mortaigne, der als Chef der Besatzungstruppen im Lande blieb, „mit Respekt und Ordinanz" auf Herberstorff gewiesen sei und ob daher die Stände die Möglichkeit hätten, sich bei Schwierigkeiten mit dem Obersten Mortaigne an den Statthalter zu wenden. Im übrigen konnten die Landstände — gewohnt, energisch ihre Privilegien und Rechte gegenüber dem Landesfürsten wahrzunehmen — auch jetzt unmittelbar nach dem Augenblick ihrer großen Demütigung nicht darauf verzichten, die Hoffnung auszusprechen, daß im Lande alles den Landesfreiheiten entsprechend gehandelt werde und daß alle Entscheidungen, die das Land betreffen, auch im Lande getroffen werden. Sie drückten auch den Wunsch aus, daß die Landeshauptmannsstelle, die Landräte und andere hohe Ämter dem

Rechtsbrauch entsprechend mit „Landleuten", d. h. mit den Ständen zugehörigen, im Besitze eines landtäflichen Gutes befindlichen Persönlichkeiten besetzt werden, daß der Appellationsweg wie bisher vom Landeshauptmann an die niederösterreichische Regierung und zum Kaiser offen bleibe. Zugleich aber bemerkten die Stände in ihrem Schreiben an den Bayernherzog, daß sie — weil es sich ja nur um ein Interim handle — gegen Herberstorff „als einem bekannten und teils unnder uns mit Blutsfreundschaft Verwandten" keinerlei Bedenken hätten[4]. Der Herzog nahm ebenso schnell zu den ständischen Fragen Stellung, wie ihm diese zugekommen waren. Und er bestätigte eigentlich die Meinung der Stände über das Provisorische der Bestellung Herberstorffs und umschrieb die Stellung des Statthalters, indem er sagte, daß dieser die „Jurisdiktion Gewalt und Verrichtung haben und also eben dasjenige tun und verrichten [solle], was vor diesem einem Landshauptmann gebührt und derselb getan und verricht"[5]. Da heißt also, daß der Statthalter die Funktionen eines Landeshauptmanns ausüben sollte. Wenn Herzog Maximilian später einmal sagte, es sei in Oberösterreich alles beim alten geblieben, „allein das der Lanndshaubtmann itzt Statthalter genent wirt", so hat er ja die Situation wohl etwas vereinfacht dargestellt, aber immerhin die Machtbefugnisse Herberstorffs damit ziemlich klar umrissen. Freilich, die Appellationen sollten nun nicht mehr nach Wien, sondern zum Herzog nach München gehen, es solle aber alles im Land verhandelt und entschieden und niemand außer Landes „gezogen" werden[6]. Also nicht nur in der Amtsbezeichnung Herberstorffs als Statthalter, sondern auch im Appellationszug zeigte sich die vollkommen geänderte Lage des Landes, die eben durchaus als eine Ausnahmesituation gekennzeichnet war.

Herzog Maximilian hielt sich nicht lange in Linz auf. Am 23. August verließ er die Hauptstadt des Landes ob der Enns, zog über Gallneukirchen und Freistadt, wo er drei Tage verweilte, nach Niederösterreich, um sich dann mit dem kaiserlichen Feldherrn Bouquoy zu vereinigen. Das gemeinsame Ziel war Böhmen. Herberstorff war nun der neue Herr im Lande. Dr. Wilhelm Jocher, den ihm Maximilian beigegeben hatte, erkrankte und verließ bald das Land, an seiner Stelle erwartete man in Linz den bayerischen Rat Dr. Johann Peringer, der im September im Lande eintraf[7]. Herberstorff hielt zunächst Verteidigungsmaßnahmen im Lande für nötig, die jedoch der Herzog, der ja erfolgreich durch Niederösterreich in das Herz des Aufstandes nach Böhmen vorgestoßen war, für überflüssig erklärte, da er von den Oberösterreichern in ihrer prekären Situation und auch von den Niederösterreichern keinerlei Gefahr kommen sah[8]. Schon am 23. August hatte Kur-Köln dem Herzog von Bayern mitgeteilt, daß eine englische Gesandtschaft auf dem Wege zu ihm sei. Aber der Herzog wollte die Engländer — „des Churfürsten von Heidelberg große Freindt", wie Graf Khevenhiller sie bezeichnet und den Herzog vor ihnen gewarnt hatte — nicht im Lager empfangen und hatte in Linz Befehl hinterlassen, daß Herberstorff diese Boten Jakobs von England, der ja der Schwiegervater des Winterkönigs war, in Linz abfertigen sollte[9]. Wir wissen aus einem Schreiben des englischen Gesandten Henry Wotton, daß er tatsächlich kurz in Linz gewesen ist[10]. Herberstorff und seine Räte werden ihn, der unmittelbar darnach zum Kaiserhof nach Wien reiste, wo er am 2. September vom Kaiser auch in Audienz empfangen wurde, wohl mit unverbindlichen Worten vertröstet haben. Der Besuch Wottons in Linz ist vor allem deswegen von Interesse, weil er hier — wie er in einem Brief an Francis Bacon schrieb, „blandiente fortuna" — Johannes Kepler fand, „a man famous in the sciences as your Lordship knowes", und weil er damals Kepler, der wohl durch die neue politische Situation seine Stellung gefährdet sehen mußte, einlud, nach England zu übersiedeln. Schon am 29. August hat Kepler voll Freude über diesen Besuch Wottons an Matthias Bernegger in Straßburg berichtet, die „Humanitas" des Briten gegen ihn gerühmt und schließlich gemeint, daß er sein „zweites Vaterland", eben das Land ob der Enns, wohl nicht verlassen könne[11]. Außer diesem Empfang der Gesandtschaft des Königs von England in Linz war Herberstorff im Herbst 1620 noch eine andere Aufgabe mehr repräsentativer Art zugefallen, die allerdings bedeutsamer und erfreulicher war als die Vertröstung der Gesandten Jakobs I. Am 8. November hatte das ligistisch-kaiserliche Heer auf dem Weißen Berg vor Prag die Truppen der ständischen Konföderation vernichtend geschlagen, und am Tage darauf hatte Herzog Maximilian in Prag seinen siegreichen Einzug gehalten. Die große Entscheidung zwischen Katholizismus und Protestantismus, zwischen absolutistischem Landesfürstentum und ständischer Fronde in Mitteleuropa war gefallen. Durch eine besondere Verkettung der Umstände kam Herberstorff, der ja wohl in Linz saß und an dem Kriegsgeschehen keinen unmittelbaren Anteil hatte, in die Lage, der Überbringer der Siegesnachricht beim Kaiser zu sein. Mehrere Briefe des Bayernherzogs aus dem Feldlager hatten Ferdinand II. nicht erreicht. Der Herzog sandte also nach der siegreichen Schlacht vor Prag seinen Kämmerer Johann Ferdinand Vöhlin zur ausführlichen Berichterstattung an den Kaiser nach Wien. In Linz aber erkrankte Vöhlin, und da mußte nun Herberstorff an dessen Statt die Reise nach Wien unternehmen. So war er es, der Ferdinand II. über diese für die Zukunft Mitteleuropas so entscheidende Schlacht zunächst informierte[12]. Wenn der Kaiser in seinem Schreiben an Herzog Maximilian, in dem er für die durch Herberstorff überbrachte Siegesbotschaft dankte, meinte, die „tapfere Taten und ansehnliche Victori“ müßten „zu ihrem ewigen Lob in die Historien mit mehrern Umständen gebracht werden und darinnen unvergeßlich verbleiben“, so hat er zweifellos die Bedeutung der Schlacht schon damals richtig eingeschätzt[13]. Dieser freudige Augenblick, da der bayerische Statthalter dem habsburgischen Kaiser die Siegesbotschaft über die Schlacht am Weißen Berg, für welche Ferdinand II. eine riesige Kerze für die Wallfahrtskirche zu St. Wolfgang stiftete, überbringen durfte, schwand schnell dahin. Es mag sich für einen Moment das Grau des Alltags erhellt haben, das nunmehr schon längst im Lande ob der Enns beherrschend geworden war.

Herberstorff hatte als Statthalter keinen leichten Stand im Lande. Gewiß war auf seiner Seite die militärische Macht, und er hatte die Möglichkeit, seine Wünsche jeweils unter Hinweis auf diese auch durchzusetzen, denn das „vae victis“ hat, wie zu allen Zeiten, auch damals gegolten. Aber es ging den Bayern darum, ihre Aufgabe möglichst reibungslos erfüllen zu können, die Bewohner des besetzten Landes und deren Repräsentanz zu einer für beide Teile tragbaren Zusammenarbeit zu gewinnen und den Zwang auf das unumgängliche Maß zu beschränken. So war es für Herberstorff und für seinen Erfolg als Gubernator des Landes von ganz entscheidender Bedeutung, inwieweit es ihm gelang, die Landstände zur Zusammenarbeit mit der bayerischen Besatzung zu bewegen. Und hier zeigte sich sehr bald, daß die anfängliche Hoffnung, es werde dies gelingen, doch getrogen hat. Wenn die

Stände erklärt hatten, sie hätten gegen Herberstorffs Person nichts einzuwenden, so mochten sie im stillen auf ein gewisses Verständnis des Statthalters — als eines adeligen steirischen Landmannes — für ihre Situation und zugleich auf eine nur kurze Besatzungszeit gehofft haben. In beiden haben sie sich getäuscht. Aber auch der Statthalter hatte die immer noch vorhandene Widerstandskraft dieser Landstände des Landes ob der Enns durchaus unterschätzt, die zunächst ja noch auf eine für sie günstige Entscheidung in Böhmen ihre Hoffnung stützen konnten, aber auch nach der Schlacht am Weißen Berg eine erstaunliche Zähigkeit erwiesen und nur Stück um Stück nach hartem Widerstand Positionen aufgaben. So ergibt die Zeit der Statthalterschaft Herberstorffs das Bild eines steten Ringens zwischen dem Statthalter und den Ständen; harte Auseinandersetzungen, welche durch die herrische, oft brutale Art Herberstorffs gefördert wurden, ein oft endlos scheinendes Tauziehen der im Hinhalten und Verzögern versierten Ständevertreter mit dem Statthalter, das oft aber nur durch einen Gewaltakt Herberstorffs entschieden wurde. Daß die Landstände für das Land und für ihre Korporation retten wollten, was nur zu retten war, ist verständlich, wie man auch verstehen wird, daß Herberstorff, der ja nur ein Vollstrecker der Befehle seines Herrn gewesen ist, ein „dependierender Pflichtendiener" — wie er sich selbst einmal bezeichnete[14] —, die Stände einfach zwingen mußte, den Willen der Besatzungsmacht zu erfüllen. Der Herzog selbst war weit weg, sein Statthalter aber stand den Ständen unmittelbar gegenüber; die Reibungen ergaben sich also stets zwischen Herberstorff und den ständischen Verordneten, dem ständigen Vollzugsorgan der Landstände. Die Front der Stände stand dem Statthalter geschlossen gegenüber. Auch die Prälaten waren Gegner der Bayern. Das Landesbewußtsein war hier stärker als der konfessionelle Gegensatz, der ja zwischen den drei evangelischen politischen Ständen und dem katholischen Prälatenstand vorhanden war. Die Prälaten hatten sich zwar von der Rechtfertigungsschrift der Landstände, in der diese ihr Verhalten im böhmischen Aufstand zu erklären und zu entschuldigen suchten, distanziert, weil sie keinen Anteil an den aufständischen Maßnahmen der oberösterreichischen Stände hatten[15], sie standen aber in allen politischen Belangen an der Seite der weltlichen Stände. Abt Anton Wolfradt von Kremsmünster hat die Unzufriedenheit der Prälaten mit den bayerischen Maßnahmen, mit dem Vorgehen gegen den Adel und mit der Entwaffnung der Stände in einem Brief an den Abt von Wilhering sehr deutlich zum Ausdruck gebracht: „Das man mit unsern Patrioten so ybel content, trag ich ein herzlich mitlayden, weil wir doch alles thuen, was wir thuen muessen, und ist zu erbarmen, das man uns sogar nit trauen will, sondern das Mißtrauen je länger je tieffer einreißt, und man nunmehr nit allein das lanthaus aller Stuck und Munition entbloßt, sondern auch die Burgerschaft ohne einige Contradition desarmirt hat ...“[16] Diese Spannung, dieses gegenseitige Mißtrauen, das in der ersten Zeit der Herberstorffschen Statthalterschaft über der Stimmung lagerte, als die Bayern eben nach den Rädelsführern der Ständebewegung suchten, weil sie überzeugt waren, daß nur drei oder vier im Land „beim Ruder gesessen“[17], ist eigentlich während der ganzen Dauer der Herberstorffschen Verwaltung nicht gewichen. Es ist dieses Verhältnis am besten charakterisiert worden von Georg Christoph von Schallenberg, der später — 1627 — aussagte, „daß zwischen den Ständen und Herrn Statthalter ein greiliche Antipatia“ bestand[18].

Nun war zunächst im Herbst 1620 noch vieles offen und der Zukunft anheimgestellt. Von größter Bedeutung war die Frage, wie lange dieses Provisorium der bayerischen Besatzung dauern sollte. Und gerade dieses Problem, mit dem ja alles andere zusammenhing, war vollkommen ungeklärt. Die oberösterreichischen Stände hatten schon Anfang September des Jahres 1620 an den Kaiser die Bitte gerichtet[19], ehestens im Lande die Erbhuldigung zu empfangen, und der Kaiser hatte ihnen die baldige Erbhuldigung auch tatsächlich in Aussicht gestellt[20]. Nach der Niederwerfung Böhmens wollte er dann mit Maximilian von Bayern in Linz zusammentreffen, wo er dann auch die Erbhuldigung entgegennehmen wollte[21]. Aber die Realitäten waren stärker als der Wunsch des Kaisers und der Wille der Stände, die sich nun nach der Herrschaft des Hauses Österreich zu sehnen begannen. Maximilian lehnte den Wunsch des Kaisers, welchen ihm wegen der Forderung Ferdinands nach der Erbhuldigung in Linz Hans Georg von Zollern nicht einmal recht vorzutragen wagte, ab und meinte, daß Ferdinands Erscheinen in Böhmen viel wichtiger sei, da das „periculum im Land ob der Enns nit so groß“, weil dort die Regierung bereits bestellt sei[22]. So stand die Erbhuldigung und die Übernahme des Landes in österreichische Verwaltung als eine offene Frage am Anfang der Ära Herberstorff.

Es waren vor allem drei Probleme, an denen sich das Verhältnis Herberstorffs zu den Ständen des Landes erhitzte. Das erste war die Frage der Bezahlung der Kosten, welche den Bayern durch die im Land stationierten Besatzungstruppen — 4500 Mann Fußvolk und fünfhundert Reiter[23] — erwuchsen. Das zweite, für die Erregung der Gemüter nicht weniger wirksame Problem war die dem Herkommen entsprechende Freiheit der Stände, ihre Zusammenkünfte ihrem Willen gemäß abhalten zu dürfen, und drittens war ein stetiger Anlaß zu Streitigkeiten das alte ständische Exekutionsrecht, das den Ständen die Priorität bei der Exekution des Vermögens jener Landleute zugestand, welche mit der Zahlung von Landesanlagen im Rückstand waren. Es war diese Frage innig verbunden mit der Beschlagnahme der Güter von flüchtigen Rebellen durch den Statthalter. Bezüglich der Garnisonkosten hatte Maximilian ursprünglich vor, diese von den landesfürstlichen Gefällen zu bezahlen. Das verweigerte jedoch der Kaiser. So trug Maximilian den Ständen auf, die Besatzungskosten zu tragen, welche von Anfang an erklärten, hiezu nicht in der Lage zu sein. Der Kaiser stimmte Maximilians Befehl an die Stände zur Bezahlung der Garnisonkosten zu und meinte, daß die oberösterreichischen Stände ja auch gegen ihn, ihren Landesfürsten und Erbherrn, Truppen unterhalten hätten und dies auch noch länger hätten tun müssen, wenn der Herzog sie nicht bezwungen hätte. In diesem Falle würden sie von keiner Unmöglichkeit gesprochen haben, das notwendige Geld aufzubringen. So waren von Anfang an die Stände von Kaiser und Herzog zur Zahlung der Garnisonkosten verhalten. Herberstorff hatte nur den Willen seines Herrn auszuführen. Ähnlich war die Sachlage hinsichtlich der Freiheit der ständischen Zusammenkünfte. Während die Landtage ja jeweils vom Landesfürsten ausgeschrieben wurden, stand es den Landständen frei, Ständeversammlungen ihrem Wunsch entsprechend abzuhalten. Aber in der Situation, wie sie im Herbst 1620, noch vor der Niederlage der Böhmen, gegeben war, schien es dem Herzog von Bayern nötig, eine Kontrolle über die ständischen Maßnahmen und Beratungen zu haben: „Wann die Ständ ohne vorwissen und nach Gefallen conventus ausschreiben und Sachen traktiren künnen, so euer Majestät oder diser

Zeit mir unbekannt, so ist es halt das rechte mittel zu allerhand practic und ausspinnung ungleicher Dingen, wie wir bisher im Werk erfahren." Auch hier stimmte der Kaiser zu und meinte, das Verbot unangemeldeter Ausschreibung ständischer Zusammenkünfte und der Befehl, die Verhandlungspunkte der Beratungen dem Statthalter vorher bekanntzugeben, sei „hochvernünftig und heilsam, darob e. L. [Euer Liebden] steifhalten und solche conventus aus dero erheblichen angedeuten wahrhaften ursachen nochmals alles ernsts einstellen und verbieten mögen"[24]. Was nun die Rebellengüter betrifft, so hatte der Herzog wohl gemeint, daß der Kaiser ohne Zweifel befugt sei, sich daran „als vil möglich zu ergötzen", er hatte aber doch dem Kaiser auch in Erinnerung gerufen, daß er selbst natürlich kraft seiner Kommission zur Unterwerfung des Landes an den verwirkten Herrschaften und Gütern „nit wenig interessiert" sei, ja, daß er durch den Münchner Vertrag auf solche Rebellengüter „undterpfändlich angewisen worden". Unter diesen Voraussetzungen konnte Herberstorff natürlich das von den Ständen in Anspruch genommene Exekutionsrecht nicht anerkennen, zielten die bedrohten Prioritätsrechte der Stände im Grunde ja dahin, ihren kompromittierten Mitgliedern hiedurch Vermögen zu retten[25].

Schon Anfang September 1620 sandten die Stände Oberösterreichs an den Herzog von Bayern, der noch im Lager Greillenstein in Niederösterreich weilte, eine Gesandtschaft, an deren Spitze Georg Achaz von Polheim stand, welche die Situation im Lande schilderte und in einem Memorial dem Bayernherzog glaubhaft machen wollte, daß es dem Lande tatsächlich unmöglich sei, die Garnisonkosten zu tragen[26]. Die Gesandtschaft hatte keinen Erfolg. Es war dies aber der Anfang der ständischen Resistenz, die sie monatelang zunächst erfolgreich leisteten. Auch als den Verordneten der Statthalter durch Dekret noch am 31. August 1620 den Befehl des Herzogs übermittelte, sie müßten vor Ausschreibung ihrer Zusammenkünfte diese Tatsache und auch die Tagesordnung ihm mitteilen, protestierten sie heftig, wiesen darauf hin, daß sie dadurch in ihren Freiheiten beeinträchtigt würden, die ihnen der Herzog bei der Interimshuldigung bestätigt habe[27]. Herberstorff versuchte die Landstände von der Notwendigkeit dieser Maßnahme zu überzeugen. Dem Herzog liege es fern, die Freiheiten der Stände zu schmälern. Aber die unruhige Zeit und die

Vernunft selbst erforderten eine Harmonie und gute Zusammenarbeit zwischen Fürst und Ständen. Sie sollten sich seinem Wunsch nicht entgegenstellen und so zu „ungleichen Gedanken Anlaß geben“[28]. Als die Stände den Gehorsam verweigerten und bei ihren Zusammenkünften nicht die Zustimmung des Statthalters einholten, da drohte er ihnen zunächst mit scharfen Maßnahmen, und die Verordneten erhielten schließlich Hausarrest[29]. Viel entscheidender war es aber, daß die Stände auch hinsichtlich der Garnisongelder den Gehorsam versagten und einfach nicht zahlten. Sie brachten Herberstorff hiedurch in nicht geringe Verlegenheit. Alle Drohungen des Statthalters nützten nichts, er arretierte je drei Mitglieder jeden Standes in Linz, stellte ihnen Ultimaten, verhieß ihnen die Ungnade des Kaisers und des Herzogs, verlangte eine bedingungslose Gehorsamserklärung — es war alles umsonst; im Dezember 1620 hatten die Stände noch keinen Groschen für die Besatzungstruppen bezahlt. Aber nun stand der Winter vor der Tür, es kam zu Plünderungen durch die unbezahlten Soldaten — es mußte etwas Entscheidendes geschehen. Herberstorff betonte wiederholt, daß er ungern gegen die Stände die scharfen Maßnahmen ergreife. Schon im Oktober versicherte er ihnen, daß er „mit Gott bezeugt, daß er auf diese Manier zu verfahren ungern fürgenomben, hoff auch die löblichen Ständ werden ihme nit verdenken, weil er dessen gemessen befelch von Ir kayserlichen Majestät und fürstlichen Durchlaucht habe und in Sorgen stehe, daß ime der lange Verzug in Ungnaden vermerkt werde“[30].

Diese Sorge um die eigene Position und um sein Ansehen beim Herzog kam noch dazu zu dem tatsächlich dringenden Geldbedürfnis und bestärkte ihn zu sich immer noch mehr steigendem Druck gegen die Landstände. Er hatte auch innerlich nicht sehr viel Verständnis für die Widerspenstigkeit der oberösterreichischen Stände, denn er erweist sich gelegentlich als ein Verfechter der Souveränitätslehre Jean Bodins, wenn er z. B. einmal spezifisch im Hinblick auf das von den Ständen verfochtene Exekutionsrecht sagte: „Daß ein Landtsfürst aller Superiorität, auch obrigkeithalben unnd was desselben anhängig wider alle seine Landts und Fürstentums Stenndten und Unnderthannen von Rechten wegen intentionem fundatam hat, also daß keinem deren erlaubt, sich der Obrigkheit und dero dependentien anzumaßen.“[31] Ein Mann, der diese Lehre einer fürstlichen Souveränität im Sinne eines absolutistischen Staatsdenkens vertrat, konnte die ständige Weigerung der Landstände, seinen als Statthalter des Fürsten gegebenen Befehlen Folge zu leisten, nicht hinnehmen. Gegen Ende des Jahres 1620 wollte er die Stände zur Zahlung der Garnisonkosten zwingen, waren doch nach seiner eigenen Angabe vom 4. August an den Herzog mehr als 210.000 Gulden an Besatzungskosten aufgelaufen[32]. So verlangte er nun am 9. Dezember, als bayerische Soldaten offene Läden plünderten und Personen auszurauben versuchten, daß die Stände wenigstens ad interim 15.000 Gulden erlegen sollten, damit man diese an die Soldaten verteilen könne[33]. Die Landstände waren an sich bereit, einen finanziellen Beitrag zu leisten, aber für sie war das Ganze eine prinzipielle Angelegenheit: Sie waren — auch wenn sie etwas zahlten — nicht bereit, eine Zahlungspflicht ihrerseits anzuerkennen. Sie erklärten am 11. Dezember ihre Bereitschaft, 16.000 als Abschlag von 40.000 Gulden, welche sie dem Herzog schuldig waren, zu zahlen und darüber hinaus 80.000 Gulden als „Zeichen ihrer Treue und Willfährigkeit, als eine freie Bewilligung, allerdings mit den herkömmlichen Reservatis“, d. h. gegen Aushändigung von Schadlosbriefen, durch welche ihnen versichert wird, daß sie sich durch diese Bewilligung in keiner Weise präjudizieren. Die Zahlung sollte dann am 1. März 1621 beginnen und in mehreren Quartalen geleistet werden[34]; Herberstorff nahm die Bereitschaft zur Zahlung der 16.000 Gulden zur Kenntnis, war aber erbost über die neuerliche Weigerung, Garnisongeld zu zahlen. Er wollte die 16.000 Gulden als Abschlag für die Garnisonen[35]. Die Stände hielten an ihrem Angebot fest. Aber der Statthalter erklärte, die 80.000 mit all den Bedingungen und Terminen nicht annehmen zu können, sondern verlangte, die Stände müßten sich „indefinite und ohne Außnamb underwerffen“[36]. Ein Ultimatum auf 14 Tage und die Erneuerung des Arrests für die Stände sollte diese weichmachen. Aber schon zwei Tage später hat er die in Linz anwesenden Ständevertreter ins Schloß beordert. Es kam zu dramatischen Szenen. Dr. Peringer hat in Anwesenheit des Statthalters, des Obersten Mortaigne und des Kriegsrates Eisenreich den adeligen Herren erklärt, die Stände hätten noch immer keinen definitiven Beschluß gefaßt, das Garnisongeld zu zahlen. Der Winter dulde aber keine unbezahlten und unbekleideten Soldaten, da „periculum in mora“, lasse sich die Sache nicht mehr durch Schriftenwechsel aufschieben. Der Statthalter habe sie nun hieher befohlen und begehre, „sie sollten sich auf dem Fueß, und in angesicht cathegorice und expresse erkleren", ob sie nun die 16.000 Gulden gegen Quittung zum Unterhalt der Garnison auszahlen. Die Stände spürten, daß Herberstorff zum Äußersten entschlossen war. Hans Wilhelm von Zelking erklärte in ihrem Namen, sie könnten von sich aus den Beschluß der Landstände nicht ändern, es gebe die beiden Möglichkeiten, die 16.000 Gulden als Abzahlung der schuldigen 40.000 oder der versprochenen 80.000 zu zahlen. Er betonte auch, der Herzog habe ihnen zugesagt, daß sie sich an ihn wenden könnten, wenn sie sich beschwert fühlten. Von diesem Angebot des Herzogs würden sie nun Gebrauch machen und eine Gesandtschaft nach München schikken. Herberstorff und die Räte zogen sich kurz zurück, dann verkündete der Statthalter den Ständevertretern, er habe sie oft gewarnt, die Zahlung der Soldaten leide keinen Verzug mehr, es gebühre ihm nicht, von der Resolution des Herzogs abzuweichen, und er müsse nun „auf die gradus executionis" gehen. Darauf ließ Herberstorff im Namen des Kaisers und des Herzogs die ständischen Verordneten in Verhaft nehmen, und sie sollten so lange im Schloß in Arrest bleiben, bis die Stände die 16.000 Gulden bezahlten für die Garnison. Der verhängte Arrest sollte allerdings nur einige Minuten dauern. Die Stände wichen zurück — aber keineswegs im Grundsätzlichen. Sie erklärten, daß sie mit Leib und Gut in des Kaisers und des Herzogs Händen seien, da sie aber die Quittung über die Bezahlung des Geldes für die Garnison nicht annehmen könnten, gäben sie die 16.000 Gulden lieber ohne jede Quittung her. Sie baten, die Verordneten, die nur Diener der Stände seien und sich an ihre Instruktionen halten müssen, nicht mehr mit Arrest zu beschweren. Herberstorff hob daraufhin, weil die Erlegung der 16.000 Gulden erreicht war, den Arrest auf und war schon am folgenden Tag im Besitz des Geldes. Dem Ständepräsidenten Weikhart von Polheim aber erklärte der Statthalter, der Arrest sei der erste Grad der Exekution gewesen. Er hoffe, die Verordneten würden nun ihre consilia so einrichten, daß die Stände „besser disponiert und zu Ihr Majestät und fürstlichen Durchlaucht Devotion gebracht" werden[37].

Der Statthalter hatte nach dieser erregenden Szene im Linzer

Schloß einen bescheidenen ersten Erfolg errungen, er hatte nach einem halben Jahr die ersten Gulden aus der ständischen Kasse für die bayerische Besatzung in den Händen. Aber zu einer Anerkennung ihrer Verpflichtung, die Besatzungskosten zahlen zu müssen, hatte er die Stände noch immer nicht zu bewegen vermocht. Wenn man bedenkt, daß in dieser aussichtslosen Situation, einen Monat nach der Prager Schlacht, die oberösterreichischen Stände dem Statthalter im wesentlichen noch immer die Stirne boten, ist dieser entschlossene, passive Widerstand zweifellos bemerkenswert. Erst im Frühjahr 1621 erreichte der Statthalter schließlich sein Ziel. Dazwischen lag die Absendung einer ständischen Abordnung unter Sigmund Adam von Traun an den Kaiserhof und des Erasmus von Starhemberg nach München[38]. Sowohl in München als auch in Wien betonten die Stände ihr Unvermögen, die Besatzungskosten zu zahlen. Sie führten Beschwerde gegen Herberstorff, der ihre Freiheiten verletzte, der sie mit „unerhörten Arrestationen und verkleinerlichen scharpfen Prozessen" bedrohe. Sie klagten über den Statthalter, der behaupte, ihre Zusammenkünfte ohne fürstlichen Konsens widersprächen den „Regalien", der ihrem Exekutionsrecht die landesfürstliche Autorität entgegenstelle. Sie baten auch um Abführung der durchaus unnötigen Garnisonen aus dem Lande und um Abstellung ihrer Beschwerden. Sie erhielten vom Herzog eine ziemlich scharfe Abfuhr und erreichten nichts[39]. Im Januar holte Herberstorff zu einem entscheidenden Schlag aus, der die Stände schließlich zum Nachgeben in der Garnisongeldfrage veranlaßte. Am 19. Januar verfügte er, daß die Verordneten die Landesgefälle in der ständischen Kasse „unverruckt" lassen, d. h., daß sie darüber nicht mehr verfügen konnten, und er machte die Verordneten persönlich verantwortlich. Sollten sie diesem Befehl zuwiderhandeln, werde „man sich alsdann der Erstattung bei ihnen selbst auch ihrer Hab und Gueter erholen"[40]. Gleichzeitig befahl er, daß der Kredit, den die Stände zu ihren Kriegsvorbereitungen aufgenommen hatten, nicht zurückgezahlt werden dürfe. Die folgenden Verhandlungen über das Garnisongeld standen unter dem Druck der Sperre der ständischen Kassen. Die Stände bangten um ihren Kredit. Diese Sorge bewog sie endlich am 4. März 1621, in die Zahlung des Garnisongeldes einzuwilligen[41]. Im März 1621 waren sie bereit, 26.000 Gulden monatlich an Garnisongeld zu zahlen. Diese

26.000 Gulden sollten die drei politischen Stände zahlen (davon die Stände selbst 6000 Gulden, den Rest die Untertanen), was allenfalls darüber war, die gesamten Stände, wozu sich die Prälaten, die von den Garnisongeldzahlungen frei waren, bereit erklärten[42].

Damit hat das große Ringen um die Bezahlung der Besatzungskosten zunächst ein Ende gefunden. Das heißt aber keineswegs, daß damit alle Differenzen zwischen dem Statthalter und den Ständen auch nur in dieser Frage beseitigt waren. Trotz der grundsätzlichen Übernahme der Verpflichtung durch die Stände, die Garnisonen zu erhalten, hatte der Statthalter auch weiterhin Schwierigkeiten, das Geld zeitgerecht aufzutreiben; immer wieder gibt es Drohungen und scharfe Maßnahmen, um die säumigen Stände zu rechtzeitiger Zahlung zu veranlassen. Am 20. Oktober 1621 etwa hat der Statthalter an den Herzog geschrieben, das Garnisongeld sei nur mit großer Mühe einzubringen; er könne dem Kriegsvolk den Sold nicht zahlen, der Ausstand betrug 50.000 Gulden, so daß er den Herzog um einen Vorschuß ersuchen mußte[43]. Im Dezember 1621 mußte er dann neuerdings mit Arretierungen gegen die Stände vorgehen, um sie zur Zahlung zu veranlassen, da sie arg im Rückstand waren[44]. Der Druck, den Herberstorff auf die Stände ausübte, war gelegentlich so stark, daß die Verordneten, die ja stets unmittelbar Herberstorffs Unwillen, seiner harten Art und seinem Jähzorn ausgesetzt waren, einmal erklärten, sie wollten unter solchen Umständen resignieren[45]. Am Ende des Jahres 1621 gelang es dann den Ständen, eine Reduzierung des Garnisongeldes auf 21.000 Gulden monatlich zu erreichen. Sie bewirkten auch, daß die 296.337 Gulden, die vom August 1620 bis 4. März 1621 aufgelaufen waren, schließlich auf vier Jahre verteilt wurden[46]. Die Stände waren nun Herberstorff für seine Hilfe bei dieser Lösung so dankbar, daß sie dem Statthalter, „umb daß er bei erfolgter fürstlicher Resolution befürderlich gewesen, auch den Ständen und dem Land auf begebende Fürfallenheit nützliche und ersprießliche Dienste erzaigen kan“, 1000 Taler verehrten[47]. Aber das Garnisongeld spielte auch in den folgenden Jahren im Verhältnis zwischen Herberstorff und den Ständen immer noch eine wichtige Rolle, es gehörte zu den konstanten Beschwerdepunkten der Stände in ihren diplomatischen Bemühungen an den Höfen in München und Wien, wobei immer mehr sich zu zeigen beginnt, daß der Kaiser zunehmend Verständnis für die Stände und die schwere Last, die sie mit ihren Kontributionen an die Bayern zu tragen hatten, aufbringt und mitunter zu ihren Gunsten eingreift, es zeigt sich aber auch, daß dieses Garnisongeld, wie wir später sehen werden, indem es eine beträchtliche Höhe erreichte, für die wirtschaftliche Not des Landes einen entscheidenden Faktor bildete und hiedurch auch für die Atmosphäre der politischen Stimmung im Lande von großer Bedeutung war.

Nun war inzwischen allerdings manches geschehen, was es den Ständen ratsam erscheinen ließ, etwas behutsam vorzugehen. So wie Erasmus Starhemberg nach der großen Affäre um das Garnisongeld nach München gegangen war, so hatte sich Sigmund Adam von Traun — wie bereits erwähnt — noch vor Weihnachten 1620 an den kaiserlichen Hof nach Wien begeben. Da geschah es nun, daß er — erst nach seiner Audienz beim Kaiser am 26. Januar 1621 — in einem Gespräch mit dem Kanzler Werdenberg den Grund der Verzögerung in der Behandlung der Schrift der Landstände erfuhr, in der sie sich unter anderem über Herberstorff, über das Garnisongeld, über die Meldepflicht für ihre Versammlungen usw. beschwerten. Eine bayerische Gesandtschaft war in Wien eingetroffen, und Sigmund Adam von Traun berichtete nun seinen Auftraggebern in Linz, er habe gehört, daß der Herzog von Bayern „völliges Gubernament des Lanndts bis sie des Kriegs unkosten bezahlt werden, begehre“[48]. Er hat zugleich aber in Wien gehört, daß beim Kaiser und bei den Räten Verwunderung über die „hoche Prätensiones“ der Bayern herrsche und daß die Geheimen Räte große Bedenken hätten, so daß es eine „schwere Traktation“ abgeben werde. Der Gesandte der Oberösterreicher fürchtet für sein Land und meint: „Der Allerhöchste gebe sein gnad, daß es ersprieß und wier unnder dem Schutz des Hochlöblichen Hauß Österreich, samt unserer Posteritet, leben und verbleiben khünen.“[49] Zugleich alarmierte er die Landstände, sie sollten doch in Wien ihre Bedenken anmelden gegen eine Versetzung des Landes, und sie sollten auch an Hans Ulrich von Eggenberg und andere einflußreiche Männer am Hof sich wenden[50]. Die Stände traf diese Nachricht wie ein Blitz, der unerwartet die Lage erhellte, und sie hofften, durch Schreiben an die führenden Männer am kaiserlichen Hof, wie Johann Helffried von Meggau,

Karl von Harrach, Hans Ulrich von Eggenberg und den Grafen Trauttmansdorff[51] und andere, diese „Alienation diß Lanndts an andere Herrschaft“ zu verhindern und durch Bitten an den Kaiser um baldige Erbhuldigung die von ihnen befürchtete Transferierung des Landes für eine längere Zeit an Bayern doch zu vereiteln. Aber sie überschätzten auch in dieser Lage noch ihre Bedeutung. Denn die Verpfändung des Landes hing keineswegs von ihren Wünschen und Vorstellungen ab. Freilich war man in Wien grundsätzlich bestrebt, der provisorischen Pfandschaft des Landes nunmehr ein Ende zu bereiten. Aber Wien allein konnte diese Angelegenheit nicht mehr entscheiden. Die bayerische Gesandtschaft, deren Erscheinen in Wien die oberösterreichischen Stände so schockiert hatte, stand unter Führung von Lorenz von Wensin und Georg Pfliegl; sie war am 29. Januar 1621 in Wien eingelangt und hatte bereits am 30. Januar Audienz bei Kaiser Ferdinand II.[52] Liest man die Instruktion[53], die Maximilian seinen beiden Gesandten erteilte, so sieht man, daß die oberösterreichischen Stände mit Recht um ihre Zugehörigkeit zum „hochlöblichen Haus Österreich alß unnserm geliebten Vaterlandt“[54] fürchteten. Die Basis der bayerischen Forderungen war der Münchner Vertrag von 1619. Die unmittelbare Ursache der Absendung war die Absicht des Kaisers, sich in Linz nunmehr huldigen zu lassen. Da wollten die Bayern vorher unbedingt Klarheit haben, Oberösterreich sollte nicht so ohne weiteres wieder ihren Händen entgleiten[55]. Das Grundprinzip des Münchner Vertrages von 1619 war die Schadloshaltung Maximilians für sein militärisches Eingreifen zugunsten des Kaisers. Der Kaiser setzte als Pfand für die Maximilian erwachsenden Kosten alle seine Besitzungen ohne Ausnahme[56]. Eine wichtige Bestimmung war auch, daß alles, was der Herzog bei einer militärischen Expedition in die österreichischen Länder aus den Händen der Feinde mit Gewalt entreiße und in seine Macht bringe, „jure pignoris“ in der Potestas des Herzogs bleiben solle und daß er nicht veranlaßt werden könnte, von dort zu weichen und die Truppen abzuführen, bis ihm seine Kosten ersetzt sind[57]. Ausgenommen hievon waren die fürstlichen Kammergüter: das Salzwesen, die Bergwerke und die Mauten, außer, wenn die anderen Güter zur Erstattung der Unkosten nicht ausreichen sollten.

Auf dieser vertraglichen Grundlage operierte nun die Gesandtschaft Wensin-Pfliegl in Wien. Die Instruktion wies auf die Verpflichtung des Kaisers, den Herzog schadlos zu halten, hin, ebenso, daß dem Herzog die Rebellengüter „und die durch Gewalt eroberte Landt“ pfandweise gehören sollten. Die Güter der Rädelsführer werfen aber wenig ab und sind fast alle verschuldet, die Erträgnisse anderer kaiserlicher Landesgefälle — außer den „spezifizierten Kammergütern“ — sind so gering, daß sie in keinem Verhältnis zu den Unkosten stehen. Der Herzog fordert daher nun auch das Salzwesen, die Bergwerke und die Mauten bis zur endgültigen Abschlußrechnung, außer der Kaiser zahle mit barem Geld. In der dem Kaiser vorzutragenden Generalproposition sollten Pfliegl und Wensin auch darauf hinweisen, daß der Kaiser die Erbhuldigung im Land nicht aufnehmen könne, bevor nicht die Pfandschaft zu einer richtigen Gewißheit gebracht werde. Ebenso wiesen die Bayern auf ihre ungünstige Stellung im Lande hin, auf die „unruehige verschmützte Stend“, die sich dem Gehorsam gegen den Herzog zu entziehen suchen, die in allen Kleinigkeiten sich immer an den Kaiser wenden, daß insgesamt die Pfandschaft des Landes „ohne allen Gehorsam, volg, autoritet und Frucht sein, auch wir nichts anderes als despect, confusion, schaden und nachteil zu gewarten hetten“. Der Herzog hoffe also, daß die Pfandschaft „mit allen iren Zugehörungen und Cammergefellen dem Vergleich gemeß uns verbleiben, auch wir desselben bis zur Ablösung völlig genüeßen, das Regiment wie bisher verhoffentlich ohne Clag, und der alten Ordnung — ausser des bloßen Namen eines Statthalters — allerdings gemeß bestellen sollen und können“[58]. Weil der Herzog aber wußte, daß man in Wien versuchen werde, einer Totalverpfändung des Landes zu entgehen, daß den routinierten Räten am kaiserlichen Hof genug Mittel zur Verfügung stünden, durch geschicktes Taktieren und Verzögern das bayerische Ziel einer schnellen Entscheidung zu verhindern, ließ er dem Kaiser nicht nur seine zweifellos großen Verdienste für die Sache des Hauses Österreich vor Augen halten, sondern er gab spezielle Verhaltensanweisungen für die beiden Gesandten. Bezüglich einer von den Wiener Verhandlungspartnern allenfalls geforderten Kostenaufstellung sollten die Abgesandten darauf verweisen, daß es noch nicht möglich gewesen war, eine solche Aufstellung zu machen, schätzungsweise sollten sie drei Millionen Gulden angeben. Maximilian war nicht bereit, irgendwie nachzugeben, die Gesandten mußten vielmehr auf ihren Forderungen beharren, sollten auch andeuten, falls die Wünsche der Bayern nicht erfüllt würden, könnte die Sache des Kaisers übel ausgehen, zudem sollten sie bei Gelegenheit einflechten, es sei seltsam, wenn man den Bayern verweigere, was man Kursachsen freiwillig gebe. Sie spielten damit auf die beiden Lausitzen an, die Kaiser Ferdinand dem Kurfürsten von Sachsen überließ. Wichtig war auch, daß die Gesandten angewiesen wurden, bei etwaiger Bereitschaft des kaiserlichen Hofes, dem Herzog die Unkosten nun zu ersetzen, zu erklären, daß dies nicht ratenweise, sondern „uf einmal" geschehen müsse. Damit versperrten sie von vornherein dem Kaiser den einzig möglichen Weg, das Land wieder dem Herzog abzunehmen. Auch für den Fall, daß Ferdinand anstelle des Landes ob der Enns den Herzog auf die Markgrafschaft Burgau, die Landgrafschaft Nellenburg, die Grafschaft Hohenberg und auf tirolische Herrschaften verweisen sollte, müßten dies die Gesandten ablehnen. Man sieht also, daß Maximilian zunächst unbedingt das Land mit allen seinen Einnahmen behalten wollte.

Noch am 5. Februar 1621 hatten sich die Geheimen Räte in Wien in einem Gutachten über das Problem betreffend die „Einräumung deß ganzen Landts ob der Enns samt den drei reservierten Cammergeföllen alß das Salzwesen Pergwerkh und Maut" an Bayern geäußert und aus Gründen der — wie sie sagten — „ragion di stato" dem Kaiser davon abgeraten, „daß Land ob der Enns hypothecario jure" dem Bayernherzog zu überlassen. Sie versäumten dabei nicht darauf hinzuweisen, daß das Land ob der Enns in der Geschichte wiederholt von den Wittelsbachern beansprucht worden war und daß man also dieses Land „ain Paß in Underösterreich Steyr und Beheim nicht aus den Händen lassen dürfe". Vielmehr traten sie dafür ein, die dem Herzog erwachsenen Kriegskosten nach Spezifizierung zu ersetzen und das Land wieder freizumachen[59]. Die kaiserlichen Räte wollten auch noch Juristen zur Interpretation des Münchner Vertrages beiziehen, und sie waren der Meinung, daß aus dem Vertragstext nicht unbedingt hervorgehe, daß das ganze Land ob der Enns dem Herzog verpfändet werden müsse, schon gar nicht bevor der Herzog seine Ausgaben spezifizieren könne. Und wenn schon außer den Rebellengütern auch die landesfürstlichen Besitzungen dem Herzog pfandweise überlassen werden, so sei aus dem Kontrakt nicht zu ersehen, daß vom Kaiser die oberösterreichischen Stände „praecise und simplicier" an den Herzog gewiesen werden sollen. Dem Kaiser sei ja die landesfürstliche Hoheit und was von ihr direkt dependiert vorbehalten worden. Auch meinen die Räte Ferdinands II., daß er auch die drei Gefälle Salz, Bergwerk und Mauten noch nicht zu verpfänden obligiert sei, weil diese nur für den Fall verpfändet seien, wenn das übrige nicht ausreiche. Das könne aber vor der Abrechnung nicht festgestellt werden[60]. Aber alle diese Erwägungen und vielen Versuche der Verzögerung blieben schließlich nutzlos. Zahlen — und zwar „uf einmal" — konnte man nicht, und der Hilfe des Bayernherzogs bedurfte der Kaiser noch immer dringend. So blieb nichts anderes übrig, als nachzugeben und die bayerischen Forderungen zu erfüllen.

Im Pfandschaftsrezeß vom 15. Februar 1621[61] erklärte der Kaiser, Oberösterreich pfandweise Maximilian zu überlassen und verpflichtete sich, den Ständen Oberösterreichs diese Zession und die Pfandschaft zugleich bekanntzugeben und die Beamten an Maximilian zu verweisen. Am gleichen Tage aber ahnte Kepler, der damals gerade nicht in Oberösterreich weilte, die Gefahr, die seinem „zweiten Vaterland" — wie er das Land ob der Enns nannte — drohte: es schwebe mit dem Strick einer bitteren Knechtschaft um den Hals in großer Gefahr. Wenn der Knoten sich zusammenziehe, so fürchte er, in das Land ob der Enns, dem er seine Treue auch in der Not halten wollte, nicht zurückkehren zu können. Auch sah er das Ende der Stände im Zusammenhang mit der Verpfändung an Bayern gekommen. Damals erinnerte er sich kurz der Einladung nach England, welche ein Jahr zuvor Henry Wotton ausgesprochen hatte[62].

Auch das Salzwesen im Lande kam damals in bayerische Hände. Für den 30. Juni wurden die Beamten des Salzwesens nach Linz zitiert, wo sie dem Statthalter Herberstorff den Eid leisten sollten. Es geschah dies aber erst, als die Hofkammer ihnen im Juli einen Gehorsamsbrief sandte mit der Weisung, an den Herzog von Bayern in Liebe und Respekt sich zu halten. Herberstorff und Pfliegl visitierten im Januar 1622 das Kammergut, und es wurde offenbar, daß auch dort ein neuer Wind wehte[63]. Im „Gehorsambrief" vom 6. März 1621 wurde das Land in Kenntnis gesetzt von der Pfandschaft und von der Übergabe der Regierung an Bayern und zu Respekt und Gehorsam auf den Herzog Maximilian verpflichtet[64]. Mit diesem Pfandschaftsrezeß wurde die Statthalterschaft Herberstorffs gleichsam zementiert. Was ein Provisorium für die Zeit der Kriegsexpedition gewesen ist, war nun fixiert auf unbestimmte Dauer. Die Stellung Herberstorffs war seit dem März des Jahres 1621 wesentlich gestärkt.

Dieser Überantwortung des Landes an Bayern folgte gleichsam unmittelbar ein harter Schlag Herberstorffs. Am 20. März 1621 ließ der Statthalter die Tore der Stadt Linz bis 8 Uhr früh geschlossen halten. Eine Verhaftungswelle richtete sich am frühen Morgen dieses Tages gegen die Stände und höhere ständische Beamte, welche durch die Adelsbewegung von 1618/20 kompromittiert waren. Die Verhafteten waren Wolf und Erasmus von Gera, Gundaker und Heinrich Wilhelm von Starhemberg, Gotthard von Schärffenberg, Kommandant einer ständischen Kompanie[65], Simon Engel von Wagrain, der Oberst Hager, der Stadtrichter von Steyr, und der Bürger Götz von Gmunden. Sie wurden von Musketieren in das Linzer Schloß gebracht und eingekerkert. Der ständische Hauptmann Felix Rauschart war schon seit 1620 im Schloß in Haft[66]. Später kamen noch dazu: Erasmus d. Ä. von Starhemberg, der Anfang des Jahres 1621 die Gesandtschaft bei Herzog Maximilian geführt hatte, der ständische Landeshauptmann von 1619/20 Sigmund Ludwig von Polheim, der Verfasser der oberösterreichischen Landtafel, der pfalz-neuburgische Jurist Dr. Abraham Schwarz, der Syndikus der sieben landesfürstlichen Städte Oberösterreichs Christoph Puechner und der Verordnete der Städte und Linzer Bürger Ludwig Hebenstreit. Im Juni des gleichen Jahres wurde in Wien Helmhard Jörger in Haft genommen und nach Linz transportiert, wo er ebenfalls im Schloß eingekerkert wurde. Am 1. Juli wurde auch der ständische Oberprediger Magister Daniel Hitzler in Linz verhaftet und im Schloß eingekerkert[67]. Das waren nun Arretierungen anderer Art als jene, die Herberstorff gegen die zahlungsunwilligen Stände bisher durchgeführt hatte, welche mehr oder weniger doch nur in einer Art Verreisungsverbot von Linz bestanden. Hier handelt es sich um Maßnahmen der anlaufenden Vergeltungsaktion gegen die Aufrührer von 1619, parallel zu den Aktionen in Böhmen, die mit dem Prager Blutgericht vom 21. Juni 1621 endeten. Die Inhaftierten in Linz mochten die Vorgänge in Böhmen mit großer Sorge um ihr eigenes Schicksal vernommen haben. In Linz hat man allerdings die

Nachricht über die Exekution in Prag zunächst nicht recht glauben wollen. Dennoch ging die Rede, man werde „allhier an etlichen ein Exempel statuieren". Aber im Land ob der Enns war die „Mildigkeit" des Hauses Österreich mehr zu spüren als in Böhmen, es gab am Ende hier keine Hinrichtungen. Die Häftlinge im Linzer Schloß wurden strenge bewacht, jedem waren zwei Musketiere beigegeben, die Fenster, welche zur Donau wiesen, wurden innen vermauert, und bei den Fenstern im Schloßhof wurden Gitter angebracht. Nur Helmhard Jörger „kan auf die Tonau schauen"[68]. Gleichzeitig mit der Inhaftierung wurden die Güter der Verhafteten beschlagnahmt und inventarisiert.

Die Stände waren durch die Verhaftungen ihrer Mitglieder und Beamten schwer betroffen. Sie wandten sich am 5. April an den Kaiser selbst, berichteten von Herberstorffs Maßnahmen, wiesen darauf hin, daß alle ihre verhafteten Mitglieder die Interimshuldigung geleistet hätten und bereit seien, sich zu verantworten. Sie baten den Kaiser um Freilassung der Arretierten[69]. Diese Bitte gehört von nun an durch lange Zeit zu dem ständigen Repertoire der Gesandtschaften der Stände nach Wien und München. Zunächst aber hatten sie kein Glück mit ihren Forderungen um Freilassung. Am 24. Juni boten sie dem Statthalter Herberstorff eine Kaution für die Freilassung an. Schon am 26. Juni lehnte er aber ihre Bitte mit der Begründung ab, daß der Prozeß gegen die Verhafteten bereits im Gange sei[70]. Im August teilte der Statthalter den Ständen im Namen des Herzogs mit, eine Freilassung sei nicht möglich, er werde aber trachten, daß die Angelegenheit bald erledigt werde, die Stände möchten etwas Geduld haben[71]. Mochten die Stände anfangs der Meinung sein, die Verhaftungen seien eine Maßnahme, die der Statthalter von sich aus hatte vornehmen lassen, so mußten sie schließlich erfahren, daß dies alles auf Befehl des Kaisers geschehen sei. Der bayerische Rat Dr. Wilhelm Jocher hatte einer ständischen Gesandtschaft in München direkt gesagt, alles sei „auf ihr kaiserlichen Majestät gemessene Verordnung geschehen"[72]. Daß die Verhafteten auch vom Statthalter persönlich über ihre Rolle in den Jahren 1619 und 1620 verhört wurden, sieht man aus dem eingehenden Bericht des Erasmus von Starhemberg[73]. Die Schicksale der Verhafteten waren sehr verschieden. Bald freigelassen wurde vermutlich Heinrich Wilhelm Starhemberg, desgleichen auch Dr. Abraham

Schwarz, der beim Statthalter eine Kaution erlegen mußte. Auch der Linzer Ratsbürger Ludwig Hebenstreit dürfte bald seine Haftentlassung erreicht haben[74]. Der Magister Daniel Hitzler, der Prediger der Landstände, wurde aber trotz Intervention des Herzogs von Württemberg sowohl beim Herzog von Bayern als auch am Wiener Hof erst nach dreißig Wochen Haft wieder in Freiheit gesetzt[75]. Erasmus von Starhemberg war jedenfalls bis 1625 im Schloß Linz in Haft[76]. Helmhard Jörger gehörte zwar zu den schwer Kompromittierten, man kann aber von Anfang an bei ihm eine gewisse Toleranz Herberstorffs feststellen. Er bekam nicht nur ein besseres Zimmer im Schloß zugewiesen, sondern er erhielt auch Tinte und Schreibzeug und durfte gelegentlich Besuche empfangen. Freilich ließ ihn der Statthalter, als ihm Jörgers Schreibereien zuviel wurden, die Schreibmaterialien entziehen. Die Sonderbehandlung Jörgers hängt damit zusammen, daß dieser eine Schwester des katholischen, bei Kaiser und Herzog einflußreichen Grafen Franz Christoph Khevenhiller, des kaiserlichen Botschafters in Madrid, zur Frau hatte. Khevenhiller hielt auch Kontakt zu Statthalter Herberstorff. Als im Januar 1621 — also lange vor der Verhaftung Helmhard Jörgers — Khevenhillers Hofmeister Theodor Hartmann im Auftrag seines Herrn aus Madrid nach Wien reiste, da sollte er in Linz Station machen, dort dem „vielgeliebten Schwager" Khevenhillers, Helmhard Jörger, einen Besuch machen und sowohl dem Abt von Kremsmünster als auch Herberstorff Brief und Präsent überreichen. Im Sommer 1621 reiste Franz Christoph Khevenhiller selbst nach Wien. Nach einem Treffen mit Herzog Maximilian von Bayern in Straubing kam er am 21. Juli in Linz zu seiner Schwester, der Gattin Jörgers, die er „wegen Gefangenschaft ihres Gemahls in tiefe Trauer versenkt" antraf. Schon am folgenden Tag ist Khevenhiller in Wien. Nicht nur er selbst wirkte beim Kaiser für die Freilassung von Helmhard Jörger, am 8. November überreichte er Ferdinand II. sogar ein Interventionsschreiben des Herzogs für den arrestierten Schwager. Am 4. Januar 1622 war Khevenhiller selbst in Linz, wo er mit Herberstorffs Bewilligung Helmhard Jörger zweimal im Gefängnis besuchte[77]. Als Ferdinand II. Ende Januar 1622 auf seiner Reise nach Innsbruck durch Ebelsberg kam, hatte er auf inständiges Bitten der Anna Maria Jörgerin, Helmhards Gattin, gestattet, daß Jörger aus dem Arrest im Schloß entlassen und in seinem Linzer Haus Zwangsaufenthalt nehmen durfte[78]. Von dem ebenfalls in Haft befindlichen Landeshauptmann Sigmund Ludwig von Polheim, der am 16. Februar 1622 starb, ist nicht bekannt, ob er noch vor seinem Tod in Freiheit gesetzt wurde[79]. Wann die Brüder Gera aus der Haft entlassen wurden, ist ebenfalls nicht festzustellen. Jedenfalls wurde der Rebell Erasmus von Gera am 7. Januar 1624 der Schwiegersohn des bayerischen Statthalters Herberstorff. Denn an diesem Tag fand zu Linz die Hochzeit des Erasmus von Gera mit Anna Benigna von Pappenheim, der Stieftochter Herberstorffs, statt. Er war zu diesem Zeitpunkt unter anderem auch „Kurfürstlichen Durchlaucht in Bayern bestellter obrister Leutenant", und zwar im Herberstorffschen Regiment[80]. Auch die Zeit der Haftentlassung des Gotthart von Schärffenberg ist nicht bekannt. 1626 war er Truppenführer in der kaiserlichen Armada des Oberst Löbl gegen die aufständischen Bauern. Aus all dem ist eigentlich zu sehen, daß die ganze zunächst aufsehenerregende Aktion Herberstorffs mehr oder weniger im Sande verlief. Man verzichtete auf die Aburteilung einzelner, ihr Schicksal sollte bestimmt werden durch den allgemeinen Prozeß, den man den Ständen machen wollte. Bis zum kaiserlichen Pardon schwebte daher noch immer die Entscheidung des Kaisers wie das Schwert des Damokles so wie über allen Teilnehmern der Bewegung von 1619/20 auch über den von Herberstorff Arrestierten; wurden sie an Leib und Leben schließlich geschont, so traf doch die Schärfe des Urteils ihre Besitzungen, die vielfach der Konfiskation verfielen.

Diese Güterkonfiskation traf von allem Anfang an alle sogenannten flüchtigen Rebellen, die vor dem Einmarsch der Bayern das Land verlassen und zur Huldigung an den Herzog nicht erschienen waren. Deren Güter waren zunächst ja das erste Pfandobjekt an den Herzog. Sie sollen hier kurz erwähnt werden, weil deren Inventuraufnahme und kommissarische Verwaltung eine der wichtigsten Verwaltungsaufgaben Herberstorffs in diesen ersten Jahren der Besatzungszeit gewesen ist. Bei diesen flüchtigen Rebellen handelt es sich in erster Linie um Georg Erasmus Tschernembl mit den Herrschaften Schwertberg, Windegg und Hart, um Erasmus von Landau mit den Herrschaften Freistadt und Haus, um Andre Ungnad mit der Herrschaft Ennsegg, um Hans Ortolf Geuman mit der Herrschaft Frein. Ein Sonderfall war Karl Jörger, dem die Herrschaften Pernstein, Scharnstein, Pürnstein mit Liebenstein und Blumau, die Herrschaft Aschach mit der dortigen Maut und die Herrschaft Stauff gehörten. Karl Jörger war nach Italien geflüchtet und wurde auf der Rückreise aus Padua auf Verlangen des Statthalters Herberstorff Ende 1620 von der tirolischen Regierung verhaftet. Da er sich auf die Zitation Herberstorffs nicht einfand, ließ der Statthalter alle seine Güter, auch die Fideikommißherrschaften, beschlagnahmen und vom Statthalteramt mit Verwaltern besetzen. Karl Jörger starb 1623 auf der Feste Oberhaus in Passau[81]. Die meist schwer verschuldeten sogenannten Rebellengüter warfen unter der Verwaltung Herberstorffs, der sie jeweils durch Interimspfleger verwalten ließ, wenig an Erträgnissen ab. Bis Ende 1624 waren es insgesamt nur 50.260 Gulden[82].

Es begann nun ein Rennen auf diese Herrschaften und um ihren Besitz, an dem auch Herberstorff selbst — wie wir später eingehend sehen werden — teilnahm. Obwohl Herzog Maximilian noch 1620 Herberstorff angewiesen hatte, im Lande ob der Enns „kein Verenderung der Gueter noch in andere Weeg zu verstatten" und er im Oktober dieses Jahres dem Kaiser eine Anleihe von 600.000 Gulden auf die Güter der Rebellen ablehnte, so begann dennoch ein Ausverkauf dieser konfiszierten Güter, zu dem später auch noch Besitz von im Land verbliebenen Adeligen kam, denen ihr Eigentum beschlagnahmt wurde[83]. Die Besitzungen Landaus und Tschernembls erwarb 1621 und 1622 der Obersthofmeister des Kaisers Graf Leonhard Helfried von Meggau, die Karl Jörgerischen Güter in Aschach und im Mühlviertel erwarben Karl von Harrach bzw. Passau, die Herrschaft Frein gelangte an Franz Christoph von Khevenhiller, Scharnstein erhielt das Stift Kremsmünster unter Abt Anton Wolfradt, Ennsegg Otto Joseph von Kirchberg, der ja dem Amt des Statthalters angehörte, und Pernstein schließlich der Statthalter selbst. Der Besitz wurde also zu einem Hauptteil an Mitglieder des Adels, die am Hofe des Kaisers wirkten, an den Hofkammerpräsidenten Ferdinands II., den Abt Wolfradt von Kremsmünster, an den Statthalter selbst und einen seiner Mitarbeiter verkauft. Wie schwer es im allgemeinen der Adel damals hatte und wie schwierig es ihm wurde, in diesen Zeiten seine Güter zu erhalten, möge aus der Eintragung des Georg Christoph von Schallenberg in seine Familienchronik ersehen werden: „Wie kleber es umb alle Schallenbergische Güter ca. anno 1620 gestanden, ist nit zu sagen; mit was für gfahr, Mühe, Sorg und ungelegenheit ich solche hergehalten, an dem Nammen bracht und erhalten, ist nit zu glauben."[84]

Man wird es Herberstorff, als dem Exekutionsorgan der Habsburger und Wittelsbacher, nicht anlasten, daß er Versuchen der Familienangehörigen von „Rebellen", den Besitz zu retten, kein Gehör schenkte, so etwa, wenn Tschernembls Gattin Susanne sich zunächst weigerte, Schwertberg inventieren zu lassen und ihr Glück beim Statthalter versuchte, wenn Tschernembls Sohn die väterlichen Güter wieder kaufen wollte, wenn man gegen die Schleuderpreise protestierte, mit denen die Güter der Kompromittierten verkauft wurden, wenn die Jörger versuchten, wegen des Fideikommißcharakters mancher Besitzungen diese der Konfiskation zu entziehen[85]. All dies lag, wenn er überhaupt mildernd hätte eingreifen wollen, nicht in seiner Macht. Das Beispiel der Benigna von Landau, der im Land verbliebenen Gattin des Erasmus von Landau, zeigt, daß Herberstorff gelegentlich bereit war, ein Auge zuzudrücken.

Benigna von Landau, welche zu ihrem geflohenen Gatten ziehen wollte, erhielt von Herberstorff einen Paß zur Ausreise und Patente, die sie schützen sollten. Am 18. Februar 1621 schrieb Herzog Maximilian an Herberstorff, er habe erfahren, daß die Frau von Landau vor kurzem mit sechs verpetschierten und neun anderen Reisetruhen und mit zwei Wagen Regensburg passiert habe. Ihm komme das „fremd" vor, schreibt er unwillig seinem Statthalter und gebietet diesem, darauf zu achten, daß nichts von den Rebellengütern außer Landes geschleppt werde ohne seine — des Herzogs — Zustimmung. Es dürfe derartiges nicht mehr geschehen. Wenn nun Herberstorff in seiner Entschuldigung an den Herzog mitteilt, er habe Benigna von Landau nur für ihre Person und für persönliche Sachen, wie „Frauenzier", einen Paß gegeben, er habe dies auch kontrollieren lassen, wenn er weiter schreibt, daß er sich in Hinkunft auf den Befehl des Herzogs berufen werde und auch bei Frauen und deren Besitz eine Auswanderung nur mit Zustimmung Maximilians genehmigen werde[86], so zeigt dies, daß nicht immer der böse Statthalter der strenge und harte Mann gewesen ist, daß er vielmehr oft zu Härte und Intoleranz angehalten wurde. Ähnlich war es mit Anna Jörger, der Witwe Karl Jörgers, die so gut wie nichts — nicht einmal die Fahrnis —

aus dem Besitz ihres Gatten für sich retten konnte. Aber eine Truhe mit ihrem Schmuck, die sie zur Zeit des bayerischen Einmarsches nach Nürnberg geflüchtet hatte, durfte sie nun 1624 mit Erlaubnis Herberstorffs wieder zurückbringen lassen. Außerdem erwirkte der Statthalter eine Gnadengabe für sie, wodurch er vermutlich erreichen wollte, daß Karl Jörgers Gattin mit ihren augenblicklich in Tübingen studierenden Söhnen im Lande bleibe. Vielleicht hat er sich dadurch eine Beruhigung der Stimmung im Lande versprochen[87]. Dem Erzherzog Leopold, der auch Bischof von Passau gewesen ist, trachtete Herberstorff die geforderten 20.000 Gulden Ersatz für die Kosten der Haft Karl Jörgers ehest zu beschaffen. Hier war er bemüht, den Abt von Kremsmünster, selbst unter Androhung der Exekution, zur Zahlung aus dem Jörgerschen Nachlaß zu veranlassen[88]. Man wird es dem Statthalter und der bayerischen Regierung auch nicht übelnehmen können, wenn er bezüglich der Besitzungen des Erasmus Starhemberg und des Helmhard Jörger, über deren Schicksal der Kaiser zunächst ja noch keine Entscheidung getroffen hatte, den persönlichen Verbrauch etwas einschränken wollte. Schlug er doch dem Herzog vor, den beiden ein Fixum von jährlich 3000 Gulden auszusetzen, da noch ein großer Aufwand auf den Gütern Jörgers und Starhembergs getrieben werde. Man könne nun zu diesem Beitrag noch gerne einige Hirsche und ein Stück Wild genehmigen. Dabei spielte, wie zu ersehen ist, auch der Gedanke mit, daß Jörger und Starhemberg gewiß nicht wenig an das kaiserliche Hoflager spendierten, daß also dem Herzog zugunsten des Kaisers etwas verlorengehe, ein Gedanke, der stets in der Zeit der bayerischen Besatzung im Verhältnis des Statthalters zum Wiener Hof eine gewisse Rolle spielte[89]. Auch der Witwe des Gotthart von Starhemberg, des ehemaligen Landsoberst der oberösterreichischen Landstände, der in kaiserlicher Haft gestorben war, die nun in Armut und Not lebte und das ihrem Mann gewährte Deputat wenigstens für kurze Zeit behalten wollte, schlug Herberstorff die Bitte ab — obwohl sie, wie seine Frau, eine geborene Preysing war[90]. Das hing damit zusammen, daß er der Meinung war, daß die Starhemberger für ihre Verwandte aufkommen sollten, was eben wieder den Unwillen des bayerischen Statthalters ausdrückte, daß die Güter der Starhemberger noch nicht verfallen waren und so der Besatzungsmacht ein guter Bissen entgangen war.

Wie sehr die Stände immer mehr der Kontrolle der bayerischen Besatzung unterworfen waren, sieht man aus einer Nachricht vom 20. Juli 1621, in der berichtet wird, daß die Bayern die ganzen ständischen Protokolle beschlagnahmen ließen und in das Ungnadsche Haus in Linz zum bayerischen Rat Dr. Faber bringen ließen[91]. Herberstorff wachte ja auch eifersüchtig darüber, daß seine durch den Pfandschaftsrezeß von 1621 etwas geänderte Stellung von den Ständen nicht irgendwie tangiert wurde. Besonders zeigte sich dies bei Gelegenheit der Reise Kaiser Ferdinands II., welche dieser im Januar 1622 zur Hochzeit mit Eleonore von Mantua nach Innsbruck unternahm. Da er auf diesem Weg nach Tirol das Land ob der Enns berührte, tauchten Probleme auf, welche in der neuen rechtlichen Lage des Landes ihre Wurzeln hatten. Die Landstände und der Statthalter traten hiebei in eine gewisse Konkurrenz und mußten bei diesem Anlaß in eine neue Konfliktsituation geraten. Die Verordneten hatten von Ferdinands bevorstehender Reise durch Oberösterreich erfahren. Da sie über ihre Mitglieder Wolf Sigmund von Losenstein und Gundaker von Polheim, die Ferdinands Hof angehörten, noch immer gute Kontakte nach Wien hatten, meldete ihnen Losenstein den genauen Reiseplan des Kaisers; außerdem teilte ihnen Wolf Sigmund von Losenstein mit, daß es dem Kaiser nicht zuwider sein werde, wenn die Stände oder ein ständischer Ausschuß sich ihm zu Enns präsentiere. Man war in Wien vorsichtig und meinte, die Stände sollten überlegen, wie alles den gegebenen Umständen entsprechend am besten geschehe. Hatten wegen der „betrübten Zeiten" die Oberösterreicher keine Festlichkeiten anläßlich des Empfanges des Kaisers vor, so wollten sie doch den Kaiser an der Landesgrenze empfangen mit „erzeigung ihrer Person" und anschließend bei ihrem Landesfürsten Audienz nehmen. Noch nach der Abreise des Kaisers aus Wien informierte Losenstein die Stände Oberösterreichs vertraulich, daß Herberstorff geschrieben habe, er habe die Absicht, den Kaiser an der Grenze zu empfangen und sich ihm zu „präsentieren". Ferdinand II. war über Herberstorffs Absicht unwillig, er wollte „gewisser erheblicher Ursachen willen" keine Solemnitäten, es sollten nur die Stände in Enns erscheinen, wo ihnen der Kaiser Audienz gewähren werde. Inzwischen hatte in Linz aber Herberstorff die Initiative ergriffen und dem ständischen Sekretär seine Meinung gesagt: Er war strikte gegen einen Empfang des Kaisers durch die Stände an der Landesgrenze. Weil der Herzog von Bayern Pfandinhaber des Landes sei „und die Sach nun in anderen Terminis stundten", müsse er, der Statthalter, den Kaiser im Namen des Herzogs und des Landes empfangen. Gegen eine Audienz der Stände beim Kaiser habe er nichts. Er fühlte sich also nicht nur als Repräsentant des Pfandinhabers, sondern auch der Stände, und er machte hiedurch den Landständen ihr altes Recht streitig, den Landesfürsten offiziell im Namen des Landes an der Landesgrenze zu empfangen. Die Stände wollten dieses Verlangen bzw. dieses Verbot des Statthalters von diesem schriftlich haben, was Herberstorff ihnen aber verweigerte. Am 21. Januar, einen Tag vor der Ankunft des Kaisers in Enns, warnte Herberstorff die Stände, gegen seinen Willen den Empfang an der Grenze durchzuführen, er verband es mit der Drohung, dies zu verhindern. Er wolle sehen, „ob sie so vil Herz haben und daß jenige effectuirn werden, unnd da schon Ihr Majestät sich disorts darauf resolvirn wurden, wolle Er doch solches sovil immer müglich verhindern und den Herren Stendten starkh genueg sein". Er war allerdings zu einem Kompromiß bereit, er wollte zu „Erhaltung beiderseits mehrers Glimpfen" den Kaiser nicht im Namen des Herzogs, sondern nur im Namen der Stände empfangen. Man sieht daraus, daß es ihm in erster Linie darum ging, als der derzeitige Verwalter des Landes in Erscheinung zu treten, so daß er gar nicht erkannte, wie eben sein Kompromißvorschlag, er wolle nur die Stände vertreten, doch diesen auf alle Fälle zuwider sein mußte. Denn gerade was sie nicht wollten, nämlich, daß der Statthalter im Namen der Stände bzw. des Landes in Erscheinung trete, schlug er als akzeptable Lösung vor. Die Stände konnten sich natürlich auf keine Machtprobe mit dem viel stärkeren Statthalter einlassen. „Ist unnser gehorsambiste Insention gar nicht, zwischen beden Potentaten oder aber der Landtgränitz halber einig disputat zu erwecken", meinten sie, sondern sie wollten dem Kaiser nur ihre Devotion erweisen und altem Brauch gemäß sich ihm vorstellen. Sie beschlossen, daß nur ein ständischer Ausschuß vor den Kaiser treten, daß kein Empfang stattfinden solle, sie wollten lediglich Audienz[92].

War nun im ganzen Programm immer von der geplanten Audienz in Enns die Rede, so fand der ganze Akt der Begrüßung des Kaisers jedoch vor Ebelsberg statt, wo Herberstorff den Kaiser mit seiner Reiterei empfing und die Stände Audienz erhielten[93]. Sie überbrachten ihre Hochzeitswünsche nebst einem Geschenk. Der Statthalter hatte also seinen Willen gegen die Stände durchgesetzt. Er war als der eigentliche Repräsentant des Landes aufgetreten und hat dadurch bewußt der augenblicklichen Lage des Landes einen drastischen Ausdruck verliehen. Die Stände empfanden das Regiment des Statthalters als eine schwere Last, nicht nur wegen der drückenden finanziellen Forderungen — hätte doch das Land bzw. die Stände für das Jahr 1621 einschließlich der vom August 1620 anfälligen Garnisongelder mehr als 500.000 Gulden zu zahlen gehabt —, sondern sie trugen auch schwer an der Art, wie der Statthalter mit ihnen umging, wie er sie stets mit Arrest bedrohte, wie er ihnen durch tatsächliche Arretierung und Festhaltung in Linz zusätzliche hohe Kosten verursachte, wie er sie alle, einschließlich der am Aufstand von 1619 nicht Beteiligten, de facto als Rebellen behandelte. Sie empfanden auch die tatsächliche Not des Landes, das unter der bayerischen Soldateska litt, das einer geregelten Justiz ermangelte, da das Landrecht nicht besetzt war. Alle diese Dinge, welche die Stände neben anderen vielfältigen Sorgen bedrückten, suchten sie durch eine Gesandtschaft nach München im Januar des Jahres 1622 beim Herzog vorzubringen und um Abstellung aller ihrer Beschwerden zu bitten.

Es dürfte kein Zufall gewesen sein, daß an der Spitze dieser Gesandtschaft der Abt Georg Grüll von Wilhering stand. Durch die Übertragung der Führung dieser Gesandtschaft an ein angesehenes Mitglied des Prälatenstandes mochten die Stände ihre innere Solidarität in allen Landesangelegenheiten betonen. Sie hofften wohl außerdem, ihren Standpunkt besser vertreten zu können, wenn ein Abt, also einer der durch den Aufstand nicht kompromittierten Stände, ihre Interessen vertrat. Daß dabei auch die Beschwerden über das grobe Verhalten des Statthalters eine nicht geringe Rolle spielten, ist anzunehmen[94]. Wenn er selbst den Ständen schrieb, er wolle es ihnen gerne gönnen, daß sie mit ihrer Gesandtschaft Erfolg haben, so dachte er wohl nicht an die Klagen, welche die Gesandtschaft über ihn selbst vorbringen werde[95]. Daß die Stände mit einer Fortdauer ihrer Abhängigkeit von München rechneten und sich auf kontinuierliche diplomatische Kontakte mit dem Münchner Hof einstellten, zeigt die Tatsache, daß sie auf Anraten Dr. Peringers sich dort einen ständigen Agenten, den Münchner Hofgerichtsadvokaten und Lizenziaten Dr. Sebastian Bauer, hielten. Der Abt von Wilhering hat ebenfalls — ob in einer eigenen Gesandtschaft oder aus Anlaß der Januar-Gesandtschaft der Gesamtstände — im Namen des oberösterreichischen Prälatenstandes Beschwerden über die Verwaltung des Landes durch den Statthalter vorgebracht und dürfte auch den Herzog besonders über das Verhalten Herberstorffs gegen die Prälaten informiert haben[96]. Abt Georg von Wilhering gehörte ja keineswegs zu den Freunden des Statthalters, und wir wissen aus einer Äußerung des späteren Vizedoms Pfliegl, daß Herberstorff und der Abt von Wilhering sich durchaus nicht vertrugen. Pfliegl hatte dem Hofrichter von Wilhering gegenüber in bezug auf den Statthalter und den Abt gesagt: „Zwei hitzige Köpfe tun selten gut."[97] So mochte die Fülle der Beschwerden, die aus dem Land ob der Enns nach München kam, den Herzog schließlich veranlassen, die gegen den Statthalter erhobenen Beschuldigungen untersuchen zu lassen. Vielleicht hat den eigentlichen Anstoß hiezu erst eine Unstimmigkeit im Statthalteramt selbst gegeben. Denn von seiten des Rates Dr. Hieronymus Faber erhobene Anschuldigungen gegen Herberstorff waren ebenfalls nach München gedrungen. Dr. Faber, der vermutlich durch Herberstorff irgendwie beleidigt worden war, warf dem Statthalter unter anderem vor, daß er dem Landschreiber mehr vertraue als den bestellten Räten, daß er große Geschenke annehme und „viele Sachen liegenlassen"[98]. Daß der Herzog eine eigene Kommission nach Linz sandte zur Untersuchung, weil diese Dinge seine, wie er sich äußerte, „fürstliche Reputation als auch des Landts ob der Enns wolstandt betreffen thuet", zeigt, daß er diese Klagen gegen Herberstorff und seine Verwaltung durchaus ernstgenommen hat. Dieser Untersuchungskommission, welche nach Oberösterreich geschickt wurde, gehörten Maximilians Kammerrat Konstantin Fugger und die beiden Doktoren der Rechte, Johann Scheifele und Peter Deyring, beide Regimentsräte zu Straubing, an. Die Kommission wirkte vom November 1622 bis Januar 1623. Dr. Scheifele blieb dann noch bis zum Herbst in Linz[99]. Schon vorher hatte der Herzog eine Liste mit verschiedenen Fragen an die Äbte von Wilhering und Kremsmünster gesandt, in denen unter anderem auch der Passus enthalten ist, „ob die Justicia fürderlich und recht beim Statthalter administriert werde“, „ob ... der Statthalter seinem Ambt ein genüegen tut“, und viele andere die Sauberkeit und Rechtlichkeit der bayerischen Verwaltung betreffende Fragen zu finden sind. Über das Ergebnis der Untersuchung sind wir nicht informiert. Aus dem Fehlen jeder größeren Konsequenz aber kann man schließen, daß dem Statthalter nichts Nachteiliges, außer seiner rauhen Art und seiner Härte, nachgewiesen werden konnte[100].

Diese Hinweise auf die bayerische Verwaltung geben nun Anlaß, kurz den Apparat, der Herberstorff bei seiner Tätigkeit als Statthalter zur Verfügung stand, zu skizzieren. Die Situation hatte schon im Januar des Jahres 1621 die bayerische Kanzlei in einem Schreiben an den Kaiser festgehalten: daß das Regiment „allbereit in den Stand ist, wie es alles gewest ..., allein daß der Landshauptmann itzt Statthalter genennt wird. Aber der Anwalt, Landschreiber etc. sein eben die vorigen ...“[101]. Das heißt also, daß erstens die Grundstruktur der österreichischen landesfürstlichen Verwaltung beibehalten wurde und daß außer dem Statthalter Herberstorff die wichtigen Ämter des Landesanwalts, des Landschreibers und — das kann man hinzufügen — auch das Amt des Vizedoms von den alten kaiserlichen Beamten besetzt waren. So fungierte zunächst als Vizedom Hans Adam Gienger zu Wolfsegg, als Landesanwalt Johann Baptist Spindler von und zu Hofegg, und Landschreiber war schon seit 1610 der ehemalige Hofrichter von Kremsmünster Georg Müllner[102].

Das Statthalteramt setzte sich aus nur wenigen Personen zusammen. Wir haben aus den Jahren 1623 und 1624 Besoldungsabrechnungen, die Einblick in die Personalverhältnisse des Statthalteramtes gewähren. Im Jahre 1624 gehörten dem Statthalteramt an: der Hofkammerdirektor und Vizedom in Österreich ob der Enns Georg Pfliegl, der Hofkammerrat und Kriegskommissär Sigmund von Thumberg, der Hofrat Dr. Hieronymus Faber (bis 6. Juni 1624) bzw. dessen Nachfolger Dr. Melchior Sturm, der Hofkammerrat Hans Ludwig Riemhofer, der Hofkammersekretär Amandus Gartner, als Kammerregistrator Johann Neurattinger, die Kammerkanzlisten Melchior Reinprecht und Leonhard Hofriedt, der Kriegsauszahler Paul Reichmair sowie der Hofkammerknecht Wolf Geizkover und der Hofratknecht Hans Hirschmann sowie der Zeugwart Ludwig Gäa. Dazu kam naturgemäß anderes Personal, wie z. B. zahlreiche Boten, die man allein zur Beförderung der Post dringend benötigte. Bis zum Jahre 1623 — von 1620 an — ist auch immer erwähnt der Statthalteramtssekretarius Johann Gautinger[103]. War bis 1621 noch aus der österreichischen Ära Hans Adam Gienger von Wolfsegg Vizedom ob der Enns — er hatte das Amt von seinem Vater gleichsam geerbt —, so hatte man nun eine Änderung in dieser neben dem Statthalteramt so wichtigen Position vor. Beworben hatte sich um dieses Amt der Rat des Herzogs Maximilian, Ott Joseph von Kirchberg, der damals als Statthalteramtsrat und Kriegskommissär in Linz wirkte. Herberstorff meinte, daß Kirchberg ohne „Versaumbung seiner jetzigen Verrichtung" den Dienst eines Vizedoms ausüben könne, da auch der bisherige Vizedom sehr selten in Linz gewesen sei. Der Statthalter trat auch deswegen für Kirchberg ein, weil er — wie er dies an den Herzog schrieb — befürchtete, es könnte der Kaiser jemanden als Vizedom vorschlagen[104]. Nun mochte der alte Vizedom Gienger wohl sein Amt — wie aus Herberstorffs Bemerkungen hervorgeht — als eine Art Sinekure betrachtet haben. Es war aber nun für die Bayern durchaus wichtig, daß man einen bayerischen Beamten an die Spitze des Vizedomamtes stellte. Denn dieser konnte oder sollte dann das ganze Finanzwesen — auch soweit es über die engere vizedomische Verwaltung hinausging, das Salzwesen und das Garnisongeld etwa — betreuen. So konnte dieses Amt wohl nicht, wie Herberstorff es mit Kirchberg vorhatte, als eine Nebenfunktion bloß mitbetreut werden. Das dürfte unter anderem der Grund gewesen sein, der den Herzog bewog, am 14. Februar 1622 Georg Pfliegl zum neuen Vizedom des Landes ob der Enns zu bestellen. Voraussetzung war gewesen, daß Pfliegl 13.000 Gulden, die Gienger auf dem Vizedomamt als Hypothek hatte, diesem bar erlegte. Daraufhin legte Gienger sein Amt nieder und machte den Platz für den Nachfolger frei[105]. Gienger erhielt — das alles dürfte eine Bedingung seiner Amtsniederlegung gewesen sein — zweihundert Gulden jährliche Provision vom Kaiser und von Herzog Maximilian 5000 Gulden gnadenweise als Abfertigung[106]. Herberstorff erhielt nach der Bestellung Pfliegls vom Herzog den Auftrag, den neuen Vizedom in seinem Amt zu installieren[107].

Es paßt durchaus in die Politik Maximilians, daß er nun neben dem Statthalter auch einen Vizedom bestellte, der österreichischer Abkunft war. Denn Georg Pfliegl zu Goldenstein entstammte einem kärntnerischen Geschlecht und war erst später in bayerische Dienste getreten. Er war ja auch, wie wir wissen, Mitglied der bayerischen Gesandtschaft in Wien gewesen, welche den Pfandschaftsrezeß vom Februar 1621 bewirkte. Aber so wenig Herzog Maximilian mit der Bestellung eines Steirers als Statthalter des besetzten Landes Erfolg hatte und das Ziel einer guten Zusammenarbeit und eines besseren Verständnisses mit den Ständen erreichte, so wenig gelang ihm dies mit dem aus Kärnten stammenden Vizedom. Denn Pfliegl wurde neben Herberstorff nicht nur die profilierteste Erscheinung der bayerischen Besatzungszeit Oberösterreichs, er war neben dem Statthalter wohl auch der meist gehaßte Mann im Lande. Pfliegl hat dann Hans Adam Giengers — seines Vorgängers im Vizedomamt — Tochter Ursula geheiratet und wurde so Herr zu Wolfsegg und damit Besitzer eines im Lande Oberösterreich liegenden landtäflichen Gutes[108]. Pfliegl blieb während der ganzen Besatzungszeit Vizedom in Österreich ob der Enns. Anders war dies bei den Räten zu Linz, bei denen ein stärkerer Wechsel zu sehen ist[109]. Daß Herberstorff gelegentlich versuchte, eigene Leute bei der Statthalterei unterzubringen, ist für ihn zweifellos charakteristisch. Als der Statthalteramtsregistrator Hans Neurattinger, der seit 1622 in Linz wirkte, im Jahre 1625 die Stelle eines Stadtschreibers in Freistadt annahm, da erreichte es der Statthalter, daß der Herzog den Hans Neundlinger zum neuen Registrator annahm. Dieser erhielt auch auf Herberstorffs Betreiben um hundert Gulden mehr Besoldung als sein Vorgänger bekommen hatte und außerdem den Sekretärstitel. Herberstorff hat Neundlinger schon von seiner Pfalz-Neuburger Zeit her gekannt; er war dort in Diensten des Pfalzgrafen und schließlich auch Pflegsverwalter von Reichertshofen, dessen Pflegerstelle ja Herberstorff selbst innehatte[110]. In Oberösterreich war dieser Schützling des Statthalters bereits bei der Inventierung der Jörgerschen und Starhembergischen Güter tätig gewesen.

Herzog Maximilian hatte, als er von Linz nach Böhmen zog, ein Memorial hinterlassen, das Richtlinien für die Geschäftsführung Herberstorffs und der ihm beigegebenen Räte enthielt. Es war naturgemäß ein Provisorium, das vor allem auf der Instruktion für den Landeshauptmann aufbaute. Den Bayern bzw. Herberstorff lag die Instruktion des Königs Matthias für den Landeshauptmann Wolf Wilhelm von Volkenstorf aus dem Jahre 1610 vor[111]. Daneben wurden in diesem Memorial natürlich auch die besonderen Umstände berücksichtigt. Hätte man diese Richtlinien eingehalten, so heißt es in einer späteren Instruktion für die Linzer Regierung Herberstorffs, wäre die „nach und nach eingerissene Unordnung nit erfolgt“[112]. Die Klagen, die zur Untersuchung von 1622 geführt hatten, waren wohl der Anlaß, daß man später diese Richtlinien noch einmal neu faßte. Wichtig erscheint in dieser Instruktion für den Statthalter aus dem Jahre 1623, daß die Rechts- und anderen Angelegenheiten nicht allein vom Statthalter oder dem einen oder anderen Rate behandelt werden, sondern im Linzer Schloß in dem hiezu „deputierten Zimmer“ durch ein „formatum consilium“, wie es in allen anderen Regierungen des Herzogs von Bayern vorgenommen und dort „per majora erörtert, expediert und exequirt“ werden sollen. Es soll täglich von sieben bis zehn Uhr und nachmittags nach Bedarf Rat gehalten werden. Der Statthalter und die Räte sollen anfallende „Staats- oder Interessen-Sachen“ gemeinsam beim Statthalter, aber außerhalb der Ratsstunden in einem Zimmer „privatim“ beraten und „collegialiter“ das Notwendige überlegen und beschließen, wobei der Statthalteramtssekretär Protokoll führen soll. Besonders wird in der Instruktion auf die Geheimhaltungspflicht verwiesen. In dieser Instruktion ist auch die Stellvertretung des Statthalters geregelt. Bei Abwesenheit Herberstorffs soll ihn derjenige Rat sowohl in „Staats als Justiti-Sachen“ vertreten, welcher als „ein geborener oder rittermäßiger oder von uns dafür erkennte Person“ ist. Alle Dekrete müßten im Namen des Statthalters erlassen werden, doch „mit Subscription des Kanzlei Inspectoris und des Secretarii“. Kein Rat darf ohne Erlaubnis des Statthalters verreisen. Auch auf das Verhalten gegenüber den Landständen nimmt die Statthalterinstruktion des Herzogs Bezug: Statthalter und Räte sollen sich in „iren Decreten Bevelchen und Gescheften gebührenden Ernsts, doch auch der Bescheidenheit und Respects, damit sich niemandt, wie bisweilen geschehen, zu beschwehren, gebrauchen, auch den Ansuchenden ohne Aufhalt fürderliche Audienz geben“. Im besonderen wird Statthalter und Räten eingeschärft, daß die „zu vertreuliche Kundschaften mit den Stenden und anderen, item die öftere Ladschaften und Gastereyen sonderlich aber die Schenk — und Verehrungen als ein ... Ursach zur Partheylichkeit allerdings abgeschafft sein". Besondere Wichtigkeit wird der Aufsicht über die lokalen Obrigkeiten, über die Inhaber der Landgerichte beigemessen, damit „Land und Leut, Weg und Straßen gesichert sein und ein jeder bei dem seinigen in Ruhe verbleiben möge". Auch solle der Statthalter und seine adjungierten Räte die von den konfiszierten Gütern einlangenden Gelder den Kammerräten bzw. an die Kasse des Herzogs abliefern und den Kammerräten in allen die herzoglichen Angelegenheiten betreffenden Dingen gute Assistenz leisten, ebenso sollten die Kammerräte, soweit es ihre eigenen Geschäfte zulassen, den Justizrat besuchen. In dieser Instruktion sind nun gerade jene Punkte auffallend, die sich mit den Dingen befassen, die man dem Statthalter gelegentlich vorgeworfen hat. Man hat Herberstorff doch — auch später noch — zum Vorwurf gemacht, daß er „schier nie den Rat besuche", man hat seine Unbescheidenheit, sein Regieren auf eigene Faust ohne Mehrheitsbeschlüsse hervorgehoben[113]. Im allgemeinen waren allerdings die Bewohner Oberösterreichs, wenigstens wenn sie im Bauernkrieg von 1626 auf die Jahre vorher zurückblickten, mit Herberstorffs Regierung am Anfang der Besatzungszeit durchaus zufrieden. Denn in den Bauernbeschwerden von 1626 heißt es diesbezüglich eindeutig, daß der Statthalter „eingangs seiner Regierung nit allein mit Worten, Geberden und Gesicht sich aller Lindigkeit und Freundlichkeit erzeigt, sondern auch all sein Ratschläg und Handlung mit solcher geschwinder Leutseligkeit und Freigebigkeit zu des gemeinen Manns gefallen zu lenken wußte, daß kaumb einer zu finden, der nit von seinem bestendigen Gemüet und unzweifelten Neigung gegen des Vaterlandts Aufnemung, auch Erhaltung guten Fridens ihme alle Hoffnung gemacht"[114].

In den Jahren der Herberstorffschen Statthalterschaft herrschte natürlich hinsichtlich des Gerichtswesens ein Ausnahmezustand. Nach der alten Verfassung, dem Rechtsbrauch des Landes, war der Landeshauptmann nicht nur der oberste Verwaltungsfunktionär, sondern auch der oberste Richter des Landes. Er hatte den Vorsitz im landeshauptmannschaftlichen Gericht, dem Landrecht, das viermal im Jahr zusammentrat. Es war der ordentliche Gerichtsstand für Zivilklagen gegen Mitglieder der Stände, es war das Gericht des nichtständischen Adels, der im Land Gülten besaß, und Appellationsinstanz gegenüber allen übrigen Gerichten des Landes. Vor das Landrecht konnte der Landeshauptmann jede Rechtssache im Land ziehen im Falle einer Rechtsverweigerung[115]. Die Gerichtsbank des Landrechtes besetzten die Landräte, welche aus dem Herren- und Ritterstand genommen wurden. Durch den Aufstand von 1619/20 hatte der Adel seine Freiheiten verloren, und seine Mitglieder erschienen als für das Landratsamt unfähig. Die Gerichtsbarkeit und das Landrecht waren daher in der Hand des bayerischen Statthalters und seiner Räte. Das heißt, alle Gerichtsverfahren waren daher außerordentlicher Natur. Daß Herberstorff auch bezüglich des Justizwesens viele Schwierigkeiten zu überwinden hatte, zeigt ein Brief an den Kurfürsten, worin es heißt, daß er es mit Mühe dahin gebracht habe, daß keine Beschwerden an den Herzog gelangt seien. Er meinte dazu, es fehle ihm ein Rechtsgelehrter, „der ein Willen hat zu arbeiten, da ich dergleichen bekhomen khan, hof ich das von Euer Churfürstlichen Durchlaucht mir anvertraute Governo allhier also zu versechen, das das Land ohne Klag und Euer Churfürstlichen Durchlaucht damit gnedigst werden zufriden sein khinten"[116]. Bestrebungen vom Lande aus, das Landrecht zu aktivieren, gab es natürlich; und es ist interessant, daß gerade die Prälaten auf die Wiederherstellung des Landrechtes drängten. Damit verbanden sie allerdings den alten Wunsch, daß im Landrecht auch die Prälaten vertreten sein sollten. Gerade Abt Georg von Wilhering hat im Jahre 1622 beim Herzog die Forderung erhoben, daß bei der Bestellung von Landräten nunmehr auch der Prälatenstand berücksichtigt werden solle. Herberstorff war lange gegen die Wiedereinführung des Landrechtes, weil er — wie er sich äußerte — unter dem Adel nur drei taugliche Katholiken kenne, die als Landräte in Frage kämen. Auch habe der Landeshauptmann nur eine Stimme und könnte im Landrecht daher majorisiert werden. Im übrigen, meinte er, haben „bei diesem Gericht nur die Grandes und deren ansehnliche Befreundt sich wol befunden, der geistlich, gemein Edelmann, Bürger und Underthonen haben fast alle Zeit das Nachsehen davontragen oder gar ungeklagt zu Haus bleiben müssen". Er schlug aber vor, den bayerischen Räten zwei Mitglieder der Stände, z. B. Gottfried von Salburg und Erasmus von Rödern, beizugeben. Als Landrichter wird in der Zeit Herberstorffs ein Wolf Förgen genannt (vor 1624) und später (1625) als Landrichteramtsverwalter Narzissus Rothwang[117].

Herberstorffs Aufgaben waren zu einem nicht unbeträchtlichen Teil natürlich auch militärischer Art. Denn die bayerischen Besatzungstruppen im Land unterstanden dem Statthalter als dem obersten Vertreter des Bayernherzogs im Land. Dazu gab es — abgesehen von der steten Sorge um die Eintreibung des Garnisongeldes — noch die Probleme der Verteilung der Besatzung im Land, die häufig vom Herzog gewünschten Werbungen und die von den Ständen und überhaupt von den Bewohnern des Landes gefürchtete Einrichtung von Musterplätzen. Die Truppenstärke wechselte naturgemäß. Im Dezember 1620 werden erwähnt: das Mortaignesche Regiment, das Anholtsche Regiment, das Mabausche Fähnlein Knechte, zwei Kompagnien Reiter Herberstorffs selbst, drei Kompagnien Reiter des Oberstleutnants Johann Firmont[118]. In Abwesenheit der Obersten Mortaigne und Anholt erhielt am 1. Februar 1621 Herberstorff unmittelbar das Kommando über die beiden Regimenter[119]. 1623 lag dann Herberstorffs eigenes Regiment im Land mit den Kompagnien der Hauptleute Tobias Schmelzer, Erasmus von Gera, Christoph Rehlinger (vor ihm Kapitän Ränfftl), Jobst Bernhard von Rohrbach, Jakob Philipp von Sittichhausen und Hieronymo Antonio im Hof[120]. Viel Mühe und Arbeit dürften Herberstorff die Werbungen neuer Truppen verursacht haben. Der Schriftwechsel zwischen dem Statthalter und dem Herzog läßt die Schwierigkeiten erkennen, die bei diesen Anwerbungen zu überwinden waren[121]. Herberstorff sollte die Kapitäne finden, welche die Werbungen durchzuführen hatten, er mußte die Laufplätze bestimmen, mußte für das Anrittgeld und für das Liefergeld sorgen, das er zunächst auch selbst gelegentlich vorstrecken mußte. Daß es hier um beträchtliche Geldbeträge ging, sieht man aus einem Brief des Statthalters, in dem er dem Herzog mitteilt, daß er 10.000 Gulden für das Liefergeld vorstreckte und daß er eine Kompagnie (dreihundert Mann) ganz aus seinem „Säckel" bezahlt hat[122]. Dazu kam die Frage der Ausrüstung der neugeworbenen Soldaten, wobei allerdings Herberstorff gelegentlich auf Ausrüstungsgegenstände, welche in den konfiszierten Gütern lagerten, oder auf Waffen aus den ständischen oder städtischen Zeughäusern zurückgriff. Das konnte natürlich nur bis zu einem beschränkten Ausmaß geschehen.

Von großer Bedeutung war es, daß der Herzog dem Statthalter Ende 1621 erlaubte, ein eigenes Regiment zu werben. Schon in einer Urkunde vom 29. September 1621 bezeichnet Herberstorff sich selbst als „Obrister über 800 Pferd und 1 Regiment hochdeutscher Knechte zu Fuß“[123]. Die Werbungen begannen Anfang September 1621, und Herberstorff war mit dem Fortgang durchaus zufrieden: „Es laufen auch schon ein ziemliche Anzahl Knecht an die verordneten Laufplätz.“ Er nahm den Obristwachtmeister des Mortaigneschen Regiments als Oberstleutnant, der bereit war, eine über seine Kompagnie hinausgehende Anzahl Soldaten zu liefern. Herberstorff hatte zunächst noch immer etwas Angst, daß er das Regiment, das zu werben er im Begriffe war, nicht behalten könne: „Weilen ich mich unterthenigst getröste, Euer fürstlichen Durchlaucht werden die 1.500 Mann untter meinem Commando lassen, weil ich Mieh undt Arbeit genueg haben werde in solcher Zeit soliche uff die Füeß zu bringen, als sein sie auch versichert, daß ich mich in allen Fehlen [Fällen] solcher unterthenigster Treu erzeigen will, daß sie von mein undt solichem Volk sowohl zu dero Satisfaktion bedient sein sollen, als sie es von einem anderen dero Obristen zu erwarten.“[124] Allerdings gab es bald Schwierigkeiten, da der Herzog, als das Regiment (1500 Mann) bereits zu einem Teil geworben und drei Kompagnien schon aus dem Land geschickt worden waren, plötzlich die Musterung sistierte. „Ich trag die Beisorg“, schrieb Herberstorff an Herzog Maximilian, „Euer Durchlaucht werden bei dem glücklichen Success davor der Allmacht Gottes hechlich gedankt sei, bedenkhen haben, ob sie die noch übrige zwei Compagnien Reiter oder Fueßvolk mustern lassen sollen, wird zwar soliches zu Euer fürstlichen Durchlaucht gefallen gestellt sein miessen, Euer fürstlichen Durchlaucht die wollten aber dabei gnedigst considerieren weil sie mir die gnadt erzeigt und die dignitet gegohnt, daß sie mich ein Regiment zu Fues richten lassen und mein erste Werbung zu Fues, was es mir vor nachtl bei khünftigen Werbungen bringen wird, wenn dies Volkh ungemustert wider licentiert werden soll, undt weilen Euer fürstlichen Durchlaucht in diesem Land doch noch zur Zeit Volk in Garnisonen behalten werden, als bitte Euer fürstlichen Durchlaucht ich gehorsamist sie wellen die mir erzeigte hoche gnadt darum Euer fürstlichen Durchlaucht ich die Zeit meines Lebens mit allen Treuen unterthenigst obligirt bleibe, in sein effectus undt

Wirkhung khomen lassen und sich gnedigst versichern, daß in allen occasionen ich mich sollicher schuldigkheit undt Treu erzeigen wil, daß Euer fürstlichen Durchlaucht die in vilweg mier erwiesene hoche fürstlichen gnaden nit gereihen [gereuen] sollen."[125] Ein leidenschaftlicher Appell, der nicht nur verhindern will, daß alle Mühe, diese 1500 Mann zusammenzubringen, umsonst war, der nicht nur einen großen Prestigeverlust hintanhalten möchte, der vielleicht doch auch die Leidenschaft zeigt, mit der Herberstorff dem Kriegsdienst verbunden war und wie sehr er um die großen Möglichkeiten wußte, welche dieser Dienst damals doch für einen Obersten bot, der ja auch wirtschaftlicher Unternehmer gewesen ist.

Wenn solche Musterungen hinausgeschoben werden mußten, so brachte das für Herberstorff als Statthalter immer neue Probleme. Denn dann blieben die geworbenen Truppen im Land und mußten Quartier erhalten. Das war wegen der Not im Lande keine einfache Sache. Darum schlug er damals dem Herzog vor, daß in diesen Fällen auch die Güter der katholischen Stände, „die bishero mit Einloghierung verschont geblieben auch gleiches mitleiden . . . miessen", ein Problem, das später noch eine Rolle spielte, als Herberstorff dann 1625 etwa in die Märkte und Güter der Prälaten Garnisonen legte[126]. Die Werbungen brachten für Herberstorff außer Freude, außer Mühe und Arbeit, gelegentlich natürlich auch Ärger. Es hat ihn maßlos gekränkt, als man über ihn dem Herzog Berichte zugehen ließ, als ob es bei der Aufstellung der Kompagnien nicht richtig zuginge. Es wurde dem Herzog berichtet, daß diese geworbenen Kompagnien nicht komplett seien. Damit verdächtigte man den Statthalter, der ja vom Herzog dann den Sold für die vollen Kompagnien forderte, nicht nur der Unwahrheit, sondern gewissermaßen auch der Unredlichkeit. Damals schickte Herzog Maximilian Georg Pfliegl, welcher noch — es war im Dezember 1621 — Kammerrat und Generalproviantmeister des Herzogs war, nach Oberösterreich zur Untersuchung des Falles. Zur Genugtuung des Statthalters fand dieser alle geworbenen Kompagnien komplett. Aber die „Betruebnis", von der Herberstorff spricht, dürfte echt gewesen sein. Er rechnete aber mit des Herzogs „gerechtem Gemüt", daß er von ihm „khein Ungleiches sich einbilden lassen"[127].

Als die Werbungen weitergingen und Herberstorff sein Regiment auf 3000 Mann aufstocken wollte, nahm er in einem Schreiben Bezug auf die Unannehmlichkeiten und den Ärger, der ihm bereitet wurde. Die Zeiten seien so beschaffen, sagt er, daß sich gewiß niemand um Werbungen „reißen" werde. „Aber je schwerer die Occasion, Dienst zu thuen, je hecher werden sie geacht." Dies alles sei die Ursache seiner Bemühungen, denn die letzte Werbung habe ihm „erschreckliche Sorg und mieh und etwas Verdrießung gemacht"[128]. Herberstorff setzte sich stets persönlich voll bei den Werbungen ein. Als er im Auftrag des Herzogs kroatische Reiter werben sollte, teilte er Maximilian die Schwierigkeiten mit, die sich dabei ergaben. Wohl gebe es an den Grenzen der Steiermark Reiter, aber ob es bei den kurzen Terminen „versuchte", d. h. erprobte, im Krieg bereits erfahrene Reiter seien, sei fraglich. Er machte dann im Januar 1622 selbst eine sechstägige Reise nach Graz, vor allem auch, um die Probleme zu lösen, die sich wegen der beginnenden Inflation bei den Werbungen ergaben[129]. Welches Ausmaß die Werbungen annahmen, sieht man, wenn es um die Einquartierung der geworbenen Soldaten und um die Musterplätze ging. Während der Herzog natürlich stets bestrebt war, die Musterplätze im besetzten Land ob der Enns und nicht in seinen Stammlanden einzurichten, war Herberstorff bemüht, dies zu verhindern. Denn er als Statthalter mußte dann mit den großen Schwierigkeiten fertig werden, welche die im Land liegenden und zu musternden Söldner bereiteten. Die sieben landesfürstlichen Städte waren ohnehin mit Garnisonen belegt, es gab weder Heu noch Stroh, noch Hafer, den man zudem auf kaiserliche Anforderung nach Niederösterreich liefern mußte. Außerdem befürchtete Herberstorff, daß durch die Einrichtung der Musterplätze im Land das Garnisongeld noch schwerer einzubringen sei als sonst. Er war sich auch sicher, daß die Landstände beim Herzog protestieren würden. Für den Fall aber, daß Maximilian trotz all dieser Schwierigkeiten auf den oberösterreichischen Musterplätzen bestand, schlug Herberstorff vor, fünfhundert Pferde des Oberst Del Maestro nach Eferding zu legen, fünfhundert Herberstorffsche Reiter sollten in Wels ihren Musterplatz haben, und für 1500 Mann Fußvolk mußte Steyr Quartier geben. Die noch zu werbenden weiteren fünfhundert Reiter Del Maestros „weiß ich", so schreibt Herberstorff an Maximilian, „in wahrheit in disem Landt nit undterzubringen und daß aus Mangel der fueterey undt vermeinte ich doch ohne gehorsambiste Maßgebung Euer fürstlichen Durchlaucht sollten solche 500 Pferd auf des Erzbischoven von Salzburg Guetter einem accomodieren khönen“[130]. Es gebe im Land ob der Enns keine „bequeme und gespörte Orth“ mehr, die sich als Musterplätze eignen, und der Prälatenstand, dessen Märkte und Flecken schon von den ständischen Truppen ruiniert worden seien, beklage sich stets über die ständigen Musterungen[131]. Als Soldaten waren besonders begehrt die kroatischen Reiter, und Herberstorff, der ja selbst wegen Werbungen von kroatischen Reitern in die Steiermark gereist war, schickte dann auch noch seinen Kornett Kollonitsch dorthin. Er bezweifelte aber, ob Herzog Maximilian mit diesen Kroaten auch seine reine Freude haben werde. Er kannte sie jedenfalls und meinte, sie seien ein „beherzt und geschwindt Volkh“, sie seien aber „schwerlich in order und disciplin zu halten“. Fünfhundert ungarische Reiter, die sich Herberstorff angeboten hatten und in bayerische Dienste treten wollten, hat der Herzog allerdings abgelehnt. Hatte doch Herberstorff selbst auf die Bedenken hingewiesen, die dagegen sprechen, sich „dieser Nation“ zu bedienen[132]. Das hing natürlich mit der Feindschaft Bethlen Gabors gegen die katholische habsburgisch-wittelsbachische Koalition zusammen. Denn in diesen Jahren nach der böhmischen Katastrophe bedrohte ja noch immer Gabor die österreichischen Länder, und Herberstorff, der vom Herzog angewiesen worden war, ständig über die Bewegungen der Soldateska Bethlen Gabors zu berichten und gute Kundschaft zu halten, tat dies auch eifrig in seinen Lageberichten an Maximilian. Dieser befürchtete doch gelegentlich sogar Einfälle der Ungarn in Bayern[133]. Im August 1621, als nach Herberstorffs Information 1000 Ungarn bis Krems vordrangen und nach Mähren vorstießen, als Einbrüche der Ungarn in die Steiermark erfolgten und als Graf Meggau Herberstorff im Vertrauen geschrieben hatte, daß es mit des Kaisers Kriegswesen in allen Orten sehr übel stehe, da hatte Herberstorff sogar Patente erlassen, in denen er Verteidigungsmaßnahmen gegen die Ungarngefahr im Land ob der Enns anordnete[134].

Obwohl nun Herberstorff mit allen möglichen Werbungen für das Liga-Heer des Herzogs befaßt war und sich mächtig in diesem großen Unternehmen engagiert hatte, bildete den Kern seiner Werbungen doch die Aufstellung seines eigenen Regiments. Und hier suchte er natürlich auch noch geeignete Offiziere. So bemühte er sich besonders, den Oberstleutnant Pechmann zu gewinnen, der in Mähren die oberösterreichischen Kompagnien kommandiert hatte und bereit war, in die Dienste Maximilians zu treten. Herberstorff sah nur ein Hindernis: Pechmann war lutherisch. „Er ist nit der catholischen Religion“, schreibt Herberstorff an den Herzog, „aber derselben gar nit zuwider, mit einem Wort, er ist ein politischer Christ ...“[135]. Daß Herberstorff bestrebt war, in seinem Regiment auch seine nächsten Verwandten, seinen Stiefsohn Gottfried Heinrich von Pappenheim und seinen Vetter Walkun, zu haben, entspricht ganz seinem Wesen. Mit Pappenheim, der ja schon seinem Reiterregiment angehört hatte, hatte Herberstorff keinen Erfolg. Denn Pappenheim hatte den Herzog um Entlassung von seinem Oberstleutnantamt gebeten. Herberstorff hatte zwar beim Herzog interveniert und wollte erreichen, daß Pappenheim in bayerischen Diensten verbleibe. Und der Herzog wäre bereit gewesen, Pappenheim sechs Kompagnien zu geben. Aber Pappenheim hatte zum zweitenmal um Entlassung gebeten. Herberstorff zuliebe hätte der Herzog Pappenheim weiter im Dienst behalten, er hätte eigenhändig an Herberstorff geschrieben, wenn er nicht dem Oberst Lindlo die sechs Kompagnien schon versprochen hätte, „hette mich das ufkünden gar nit gehindert, euch zu gefallen hierin zu gratifizieren“. Herberstorff, der es, wie er selbst schrieb, von Herzen gerne gesehen hätte, wenn Pappenheim geblieben wäre, nahm die Entscheidung Maximilians zur Kenntnis[136]. Pappenheim trat im September 1622 wieder in das Liga-Heer ein[137]. Mehr Glück hatte Herberstorff hinsichtlich seines Vetters Walkun. Er hatte den Herzog gebeten, daß er eine der neu geworbenen Kompagnien zu Fuß seinem Vetter Walkun geben dürfe. Dieser diene dem Herzog nunmehr zwei Jahre und sei in Herberstorffs eigenem Reiterregiment als Rittmeister. Die Infanteriekompagnie würde dann durch einen Kapitänleutnant verwaltet. Das war nun eine besondere Ausnahme, und der Herzog betonte dies auch: „Ob wir wol bisher nit ein gebrauch gehabt, den Rittmeister neben den Compagnien zu Roß auch eine zu Fuß zu gelassen“, gewährte er doch Herberstorff seine Bitte, ein Zeichen mehr, wie sehr er den Statthalter wohl geschätzt haben muß[138].

Ende Februar 1622 stand nun das neue Regiment zu Fuß des Oberst Herberstorff. Am 26. Februar schrieb der Herzog an ihn, daß er von den Kompanien zwölf, „nemblich 10 neugeworbene, deine eigene und noch eine aus den 7 alten, so sich bei unserer darnidigen Armada befindet, behalten und also ein Regiment von 12 Kompagnien haben sollest“[139]. Damit konnte das Regiment Herberstorff seinen Marsch antreten. Es hat dieses Regiment zu Fuß, das unter dem Namen des Statthalters Herberstorff dem Liga-Heer angehörte, sowie das Reiterregiment des Statthalters in den Schlachten des Dreißigjährigen Krieges tapfer gekämpft, vor allem in der Schlacht bei Lutter am Barenberge (1626), wo beide Herberstorffschen Regimenter in der Schlacht standen[140]. Dem Reiterregiment Herberstorffs, das in der Schlacht am Loenerbruch (1623) kämpfte, hat Annette von Droste-Hülshoff mit den Worten ein Denkmal gesetzt:

„Da plötzlich wie ein Ebertroß
der knirschend vor dem Jäger rennt,
heran der Spar'sche Landsknecht schoß;
und hinterdrein auf flücht'gem Roß
das Herberstorff'sche Regiment,
die Säbel hoch im Sonnenblitze,
den Albrecht Tilly an der Spitze.“[141]

Für Herberstorff selbst brachte dieser Abmarsch seines Regiments eine ein Jahr lang währende Unterbrechung seines Wirkens im Lande ob der Enns. Er hatte durch die Werbungen unter schwierigen Verhältnissen im Lande eine bedeutende Leistung erbracht und war dem Herzog von Bayern ein wichtiger Helfer und auch Ratgeber geworden. Wie sollte man sonst seine Zitation nach München verstehen, als ihn der Herzog am 11. Februar 1622 aufforderte, sofort, trotz der laufenden Werbungen, zu ihm zu kommen: „Es fallen ... solche wichtigen Sachen vor, dazu wir deiner Gegenwart und Meinung sonders von Nöten.“[142] Es war nicht beabsichtigt, Herberstorff vom Statthalteramt zu entfernen und ihn ganz im Dienste des Liga-Heeres zu verwenden. Vielmehr sollte er bloß die selbst geworbenen Truppen nach Bayern führen. Aber aus dieser kurzfristigen Abwesenheit aus dem Land wurde schließlich ein Intervall von einem Jahr. Dieses Zwischenspiel im Liga-Heer, fern von seinem Amtssitz auf der Linzer Burg, bildete nicht nur eine Zäsur in seinem Wirken als Statthalter ob der Enns, sondern auch einen eigenen Abschnitt seines Lebens.

2. Im Liga-Heer

Karl Brandi hat in seiner „Geschichte der Gegenreformation und der Religionskriege“[143] gesagt, daß nach dem siegreichen Ende des böhmischen Feldzuges und der Ausdehnung der Feindseligkeiten in die Obere Pfalz und anschließend in die unteren pfälzischen Lande der Krieg allmählich begann, „ein Zustand“ zu werden. Das heißt, daß das Gesicht des Krieges ein anderes Aussehen gewann, daß die Dynamik, welche den Feldzug nach Oberösterreich und Böhmen charakterisierte, einer Kriegführung wich, welche durch die „Bleiernen Füße“ — wie man die spanische Art der Kriegführung nannte — gekennzeichnet war, keine echten Entscheidungen in kurzen Fristen brachte und bereits erkennen ließ, daß jene Recht behalten werden, die am Beginn des Krieges befürchtet hatten, man müsse sich auf einen „zwanzig-dreißig-oder vierzigjährigen Krieg gefaßt machen“[144]. Damit war verbunden, was in unseren Augen für das Bild des Dreißigjährigen Krieges so signifikant ist: das Hausen der Söldnerheere, Mord und Brand, die Verwirklichung jenes Prinzips, daß der Krieg sich selbst ernähre, die Ausplünderung der Bevölkerung an Geld und Lebensmitteln, die Greuel bei der Eroberung von Städten wie Heidelberg und später Magdeburg. Es ist die Ära der Kondottiere, der Söldnerführer, deren größter ja schließlich Wallenstein gewesen ist. Diese nach der böhmischen Katastrophe sich anbahnende zweite Phase der kriegerischen Auseinandersetzung mußte naturgemäß jene Gebiete erfassen, welche zum Kurfürstentum der Pfalz gehörten, dessen Kurfürst Friedrich V. als König von Böhmen gleichsam das caput rebellionis gewesen ist. Die Ächtung des Winterkönigs am 22. bzw. am 29. Januar 1621 durch den Kaiser hatte den Weg freigemacht für die Niederwerfung der Pfalz und für die schließliche Translatio der Kurwürde von der pfälzischen auf die bayerische Linie der Wittelsbacher und deren Haupt, den Herzog Maximilian von Bayern. Nun wurde im eigentlichen Sinne keine Exekution der Acht gegen Friedrich von der Pfalz durchgeführt, weil beide für diese Exekution in Frage kommenden Mächte — der König von Spanien für die Rheinpfalz und der Herzog von Bayern für die Oberpfalz — Bedenken hatten. Aber unter dem Namen einer kaiserlichen Kommission wurde doch der Krieg gegen die Pfalz in Szene gesetzt und fortgeführt. Herzog Maximilian drang in die Oberpfalz im Zusammenhang mit seiner Kommission zur Niederwerfung Böhmens ein und besetzte sie[145]. Hier, in der Oberen Pfalz, nahe an der böhmischen Grenze, war Ernst von Mansfeld, einer der großen Abenteurer und Glücksspieler des Dreißigjährigen Krieges, der in Friedrichs V. Dienste getreten war, mit seinen Soldaten gestanden. In Scheinverhandlungen mit Maximilian zeigte er sich bereit, gegen eine beträchtliche Summe die Plätze in der Oberpfalz auszuliefern und nie mehr gegen den Kaiser, den Herzog und gegen die Katholischen Kriegsdienste zu leisten. In der Tat verließ Mansfeld die Obere Pfalz, löste jedoch sein Heer nicht auf, sondern zog mit diesem in Eilmärschen an Nürnberg vorbei in die Rheinpfalz. Er hatte die Vertragsverhandlungen nur geführt, um einen Druck auf Friedrich V., auf England und die Generalstaaten auszuüben, um ihm einen festen Monatssold zu garantieren[146]. Nun erschien er zur Überraschung der Spanier, die unter Don Gonzalo de Corduba in der Rheinpfalz wieder militärisch in Aktion getreten waren, am Rhein, und die spanischen Truppen sahen sich nun auch den Truppen des Mansfelders gegenüber. Herzog Maximilian ließ sich seine Kommission vom Kaiser zur Verfolgung des Mansfeld erweitern. Am 11. November 1621 erhielt er von Kaiser Ferdinand II. die „kontinuierte Kommission auf weitere Verfolgung des Mansfelders und seines Anhanges sowohl in der Unteren Pfalz als anderer Orten im Römischen Reich". Wenn es dabei hieß, der Herzog möge dem „niederburgundischen Kriegsvolk ersprieslich assistieren", so war damit die militärische Zusammenarbeit des Liga-Heeres in der Rheinpfalz mit den Spaniern im besonderen vom Kaiser unterstrichen worden[147]. Im Auftrag des Bayernherzogs folgte nun Tilly mit etwa 11.000 Mann dem Mansfeld in die Untere Pfalz. Maximilian legte dabei größten Wert darauf, daß er nicht als Achtvollstrecker in der Unteren Pfalz in Erscheinung trete, sondern nur, um den Mansfeld zu verfolgen und den Spaniern gegen ihn zu helfen. Er betont dies, weil er nicht das Odium auf sich nehmen wollte, vor allem aber auch wegen der Spanier, und er machte Tilly klar, daß der spanische Feldherr Corduba der kaiserliche Kommissarius für die Untere Pfalz sei. Deswegen sollte Tilly alle eroberten Orte auch den Spaniern übergeben, diese mit kaiserlichem Volk zu besetzen, „daß nur ich aus dem Verdacht komme, daß ich mich der Exekution wider die Underpfalz principaliter unterfange“[148]. In diesen größeren Zusammenhang der Unterwerfung der Pfalz gehört Herberstorffs neue Mission. So wie er in der ersten Phase des großen Krieges durch seine Teilnahme am Einmarsch in Oberösterreich beteiligt war, war er nunmehr auch bei der folgenden zweiten großen Aktion, welche die Erblande des Winterkönigs in die Hand der katholischen Mächte bringen sollte, aktiv mitwirkend.

Nach den großen Werbungen, die Herberstorff im Herbst 1621 und Anfang des folgenden Jahres durchgeführt hat, bat er den Herzog, daß er einen Teil der neuen Truppen, und zwar fünf Kompagnien, die er zuletzt geworben hatte und die in Mühldorf gemustert werden sollten, selbst an einen vom Herzog zu bestimmenden Ort führen dürfe. Er sagte dem Herzog ganz offen den Grund, warum er diese Gelegenheit suchte: „Weil ich ohne das drausen bei mein Frauen und Khinder Guetter undt befreindt zu thun und was wenigs zu verrichten hette.“[149] Er wollte nach Pfalz-Neuburg bzw. nach Treuchtlingen oder Pappenheim, wo es darum ging, persönliche Anliegen seiner Familie zu regeln. Es war also zunächst ein ganz familiärer Grund, der Herberstorff veranlaßte, sich darum zu bewerben, die Söldner nach Bayern zu führen, und es dachte niemand, vor allem auch er selbst nicht, an eine längere Abwesenheit von Oberösterreich. Auch Herzog Maximilian hatte nicht vor, den Statthalter aus Oberösterreich abzuberufen. Er genehmigte jedoch Herberstorff den geplanten Abstecher: „Mögen wir zwar gnädigst wol leiden, daß du die letzten 5 Compagnien ... welche zu Mühldorff zu mustern, selbst dahin führest und folgends bei deinen Guetern zusehest.“[150] Wenn der Herzog aber als Bedingung für diese Genehmigung verlangte, daß für die Zeit der Abwesenheit in Linz ein geeigneter Vertreter bestellt werden müßte, so geschah das wohl nicht, weil er der Meinung war, Herberstorff werde lange Zeit nicht nach Linz zurückkehren, sondern weil er das besetzte Land ob der Enns nicht ohne Haupt lassen wollte und weil er die Position eines Statthalters in Oberösterreich für so wichtig hielt, daß die Stellvertretung des Statthalters für diesen Fall eindeutig geregelt und die Verantwortung klar festgestellt werden sollte. Der Herzog wünschte diesbezügliche Vorschläge Herberstorffs.

Dieser hat seine Vorschläge sehr schnell erstattet. Man sieht daraus, daß es ihm darum zu tun war, daß nicht direkt für die Zeit seiner Abwesenheit ein anderer an seine Stelle treten sollte. Dies konnte nur geschehen, wenn nicht ein Stellvertreter des Statthalters bestimmt wurde, sondern wenn das Kollegium der bayerischen Räte als Ganzes die Vertretung des abwesenden Statthalters innehaben sollte. Er hat dafür einen sehr plausiblen Grund; denn *er* als Person war den Ständen des Landes vom Herzog als Statthalter vorgestellt worden, und er meinte, es könnten sonst „Difficultäten" entstehen. Daher schlug er dem Herzog vor, daß die „hinderlassenen Räte insgesambt das Guberno dergestalt" führen, daß sie alle Befehle im Namen Herberstorffs ausfertigen und daß der erste unter den Räten jeweils unterschreibe. Er empfahl dem Herzog, den eben zum Vizedom in Oberösterreich bestellten Georg Pfliegl nach Linz zu senden, „dann ratione officii ein Vicedom allzeit die ander Persohn nach einem Landtshaubtman gewest". Pfliegl sollte also gleichsam das „Directorium in den Räten führen". Aber auch für den Fall, daß der Herzog den Wunsch habe, daß doch außer den Räten eine Persönlichkeit die Statthalterschaft gleichsam verwesen sollte, hatte Herberstorff einen Vorschlag, der zeigt, wie er doch dabei um seine Position besorgt war. Ein Bayer aus der Reihe der Räte des Herzogs in München, der mit dieser besonderen Aufgabe nach Linz delegiert werde, war ihm wohl zu gefährlich und konnte ihn allenfalls verdrängen. Darum schlug er ein Mitglied der oberösterreichischen Landstände vor, und zwar den Abt Anton Wolfradt von Kremsmünster. Er motivierte dies damit, daß der Herzog in München schwerlich einen seiner dortigen Räte entbehren könne, daß der Prälat von Kremsmünster durch die Interimshuldigung dem Herzog verpflichtet sei und drittens, daß man einem Geistlichen mehr als anderen vertrauen könne. Man wird Herberstorff nicht Unrecht tun, wenn man annimmt, daß ihm der Abt von Kremsmünster deswegen als Stellvertreter angenehm gewesen wäre, weil er als Österreicher für eine Dauerfunktion als „bayerischer Statthalter" nicht in Frage kam und auch, weil er als Abt des größten oberösterreichischen Klosters sich keinesfalls ganz dem Statthalteramt hätte widmen können[151]. Abt Wolfradt stellte also keinesfalls eine mögliche Alternative für Herberstorff dar. Im Grundsätzlichen hat nun Herzog Maximilian den Vorschlägen Herberstorffs entsprochen, d. h., er war damit einverstanden, daß die zurückbleibenden Räte als Kollegium das Statthalteramt verwalten. Allerdings sollte nicht der Vizedom, wie Herberstorff vorgeschlagen hatte, die dominierende Stelle innehaben, sondern die Verwaltung des Statthalteramtes durch die Räte sollte auf Befehl des Herzogs „mit Mitwirkung des Spindler Anwalds“ geschehen[152]. Herzog Maximilian hatte diesen Befehl nicht nur an Herberstorff, sondern auch gesondert an die Räte erteilt. In diesem Befehl an die Räte in Linz hatte er außerdem noch angeordnet, daß sie alles in Herberstorffs Namen fertigen und wichtige Sachen an diesen gelangen lassen sollten. Auch an den Landesanwalt Johann Baptist Spindler schrieb der Herzog, daß er während der Abwesenheit des Statthalters neben den Räten das Statthalteramt verrichten solle[153]. Maximilian erwies sich hier als besserer Kenner der Rechtsbräuche des Landes ob der Enns, wo nicht der Vizedom, dessen Verwaltung im wesentlichen auf das Kammergut beschränkt war, den Landeshauptmann in dessen Abwesenheit vertrat, sondern der Anwalt[154]. Dies ist auch in der Instruktion für den Landeshauptmann Wolf Wilhelm von Volkenstorf aus dem Jahre 1610, welche den Bayern vorlag, festgehalten gewesen, wo es z. B. heißt: „Und wann in sein unsers Landthaubtmans Abwesenheit durch unsern Anwalt und Vizedomb expedirte Sachen zu underschreiben unnd zu fertigen, solle der Anwalt, alß welcher unser landsfürstliche Persohn representiert, sich am Ersten underschreiben und fertigen und hernach under Ime gegenwärtiger und khünfftiger Vizedom.“[155] Daraus ist auch zu ersehen, daß der Anwalt und nicht der Vizedom die, wie Herberstorff sagte, „ander Person“ nach dem Landeshauptmann gewesen ist. Maximilian mochte darum zu tun sein, die Landsbräuche, soweit dies möglich war, einzuhalten, war er ja gewissermaßen auch verpflichtet, die Regierung des Landes der „alten Ordnung gemäß“ zu führen. Für Herberstorff war diese Lösung keineswegs ungünstig, da ja Spindler Österreicher war und überdies, wie sich dann zeigte, in der Zeit der Abwesenheit Herberstorffs nicht merklich hervorgetreten ist. Der Herzog hatte allerdings die Hoffnung ausgesprochen, daß Herberstorff den Räten die notwendigen Informationen hinterlasse, so daß während seiner Abwesenheit „nichts versäumbt oder vernachteiligt werde“. Auch Herberstorff selbst hatte dies beabsichtigt und auch die Möglichkeit unterstrichen, daß er in Sachen „von Importanz“ jederzeit durch Boten erreicht werden könne[156].

Herberstorff hat nun in der Tat eine eigene Instruktion für die Räte hinterlassen, wie sie während seiner Abwesenheit die Geschäfte des Landes zu führen haben. Darin ist zu sehen, daß Spindler als Anwalt in „allen Staats- und Justicisachen“ seine Ratsstelle besitzen solle und sich in keiner Angelegenheit „sondern“ oder „gesondert werden“ dürfe. Herberstorffs Instruktion hält auch fest, daß dem Befehl des Herzogs entsprechend und seiner eigenen Installation gemäß alle Schriftstücke in seinem Namen ausgefertigt werden müssen. Besonderes Augenmerk richtete er darauf, daß keiner der Räte ohne die Billigung der Mehrheit verreisen dürfe. Er hat später dem Geheimen Rat Dr. Jocher in München den besonderen Grund für diesen Passus genannt: Damit das viele „Spazierreisen“ aufhöre[157]. Auch hat er in seinem Memorial im besonderen verfügt, daß die Kridaprozesse hinsichtlich der „annotierten Güter“ keine Verzögerung erfahren dürfen und daß daher der Rat Dr. Faber von anderen Geschäften weitgehend entlastet werden solle, um sich ganz den Krida- und Prioritätsangelegenheiten widmen zu können, und daß auf diese Weise dem Wunsch des Herzogs in dieser Richtung besonders entsprochen werde. Wichtig scheint auch noch, daß Herberstorff vor allem darauf hinweist, daß keiner der Räte weder heimlich noch öffentlich auch in der geringsten Sache einen Bescheid gebe, sondern daß jede Erledigung „communicato consilio“ geschehen müsse[158]. Herberstorff hat bald nach seiner Abreise erfahren, daß es gegen seine Instruktion in Linz Widerstand gab, daß namentlich Dr. Hieronymus Faber die Auffassung vertrat, der Statthalter sei nicht berechtigt, den Räten „Maß vorzuschreiben“, wie sie während seiner Abwesenheit die Regierung zu führen und was sie zu verrichten hätten. Faber erklärte, sie, die Räte, hätten vom Herzog Befehl, in Abwesenheit Herberstorffs das Land zu „gouvernieren“. Er betrachte daher Herberstorffs Instruktion als unverbindlich, und er beachte sie auch nicht. Er „dependiere allein von München“ und beabsichtige, sich dorthin zu begeben, um Instruktionen einzuholen. Herberstorff hat — als er kurz nach seinem Abmarsch aus Oberösterreich in München beim Herzog weilte — Dr. Jocher über all dies informiert. Er meinte, daß

Faber besonders wegen des Punktes über die Kridaprozesse betroffen sei, und ersuchte, bei Fabers Vorsprache in München nicht zu vergessen, daß dieser in den Kridaangelegenheiten „noch wenig gericht"[159]. Es ist nun nicht bekannt, inwieweit dann Herberstorffs Instruktion für die Räte verbindlich wurde, jedenfalls hängt offenbar dieser Zwist mit Dr. Faber dann auch zusammen mit jener bereits erwähnten Untersuchung, die während Herberstorffs Abwesenheit in Linz durchgeführt wurde[160].

Herberstorff hatte nun vor, am 3. April 1622 fünf Kompagnien nach Landshut zu bringen. Er wußte von Dr. Leuker in München, einem der Räte des Herzogs, daß diesem besonders daran gelegen war, die Truppen baldigst abführen zu lassen. Allerdings hatte er schon am Vortage dem Herzog berichtet, daß einige der abzuführenden Kompagnien erst aus Kroatien angekommen seien und daß die Pferde vollkommen ermattet wären. Dem Wunsche des Herzogs gemäß wollte er die Kompagnien bis Landshut oder auch weiter führen. Dann wollte Herberstorff nach München zum Herzog reisen, um ihm „unterthenigst die hendt zu küssen" und seine weiteren Befehle abzuwarten[161]. Wegen dieser Erschöpfung der Pferde setzte er kürzere Tagesmärsche fest, als es der Herzog wünschte, und sah folgenden Weg vor: Abmarsch von Wels über Grieskirchen, Ried, Braunau, Eggenfelden, Neumarkt, Landshut. Tatsächlich aber konnte Herberstorff mit seinen Truppen erst am 9. April abmarschieren, da eine Kompagnie aus Dalmatien ankam und Herberstorff daher noch einige Rasttage gewähren mußte. Er zog daher mit sechs Kompagnien von Wels aus nach Bayern. Offenbar blieb Landshut nicht das erste Ziel. Denn bereits am 16. April erhielt Herberstorff den Befehl, seine sechs Kompagnien von Donauwörth aus neben anderem Kriegsvolk, das sich bereits dort befand, in die Unterpfalz zu Tilly zu führen, auch sollte er seinem Oberstleutnant Holt Befehl geben, mit fünf Kompagnien Reitern aus der Oberpfalz ebenfalls in die Untere Pfalz zu marschieren. Der Marsch aller dieser Truppen in die Untere Pfalz zu Tilly wurde vom Herzog sehr gefördert. Zwischendurch — am 21. April — finden wir Herberstorff kurz in München, der Herzog drängte jedoch auf eilige Abreise, so daß Herberstorff nicht einmal Zeit fand, seinen geplanten Besuch bei Dr. Jocher zu machen. Am 1. Mai meldet sich Herberstorff aus Sontheim in Württemberg, wo er Quartier genommen, und da er von Oberst Lindlo Aviso erhalten hatte, sich zu beeilen, marschierte er, wie er an den Herzog schrieb, „nach Möglichkeit". Das Ziel scheint Krautheim, etwa vierzig Kilometer von Wimpfen entfernt, gewesen zu sein[162]. Die Eile, mit welcher die Transferierung der Truppen Herberstorffs in die Untere Pfalz in Szene gesetzt wurde, hing mit der militärischen Situation zusammen, die sich dort ergeben hatte. Ernst von Mansfeld, in dessen Lager in Germersheim sich aus seinem Exil in den Generalstaaten über Frankreich kommend Kurfürst Friedrich V. von der Pfalz eingefunden hatte, setzte gegen Ende April über den Rhein, um sich gegen Tillys Truppen zu wenden. Am 28. April gelang es dem Mansfelder, dem Feldherrn der Liga bei Mingolsheim in der Nähe von Wiesloch eine empfindliche Schlappe beizubringen[163].

Eine Woche vorher aber war in dem Markgrafen Georg Friedrich von Baden-Durlach den Spaniern und der Liga-Armee ein neuer, gefährlicher Gegner erstanden. Es war dieser ein leidenschaftlicher Anhänger der Union, ein bibelfester Mann, der die Frohbotschaft 58mal gelesen zu haben sich rühmte. Als Mann von fünfzig Jahren wollte er sich nun ganz dem Krieg für die Sache des Pfälzer Kurfürsten und damit der Sache des Protestantismus widmen. Er hatte seine Markgrafschaft im April 1622 seinem Sohne überlassen, um im Falle des Scheiterns seines Vorhabens seine Lande zu sichern. Er hatte ein stattliches Heer von 20.000 Mann aufgestellt, und noch Ende März 1622 hatte er einem Abgesandten des Kaisers, dem Grafen Johann Georg von Zollern, der das Befremden des Wiener Hofes über die „so starke Kriegsbereitschaft" des Durlachers ausdrückte, versichert, daß diese nur defensiven Zwecken diene. Das „große Mißtrauen gegen die hispanische Nation und welche von derselben dependieren" war ein Hauptgrund, und dies konnte vom kaiserlichen Gesandten dem Markgrafen auch nicht ausgeredet werden, solange „die Burgundische Armada nicht aus der Nachbarschaft abgeführt wird". Der Markgraf ließ damals dem Kaiser versichern, er wolle den Feinden des Kaisers „einigen Beisprung oder Assistenz nit laisten"[164]. Am 27. April, am Tage des Treffens von Wiesloch, aber kündigte Markgraf Georg dem Erzherzog Leopold, der im Elsaß stand, den Kriegseintritt gegen Tilly an, der, wie er sagte, „mich und die meinigen in den Grund richten" wolle[165]. Er hatte bereits am 22. April, dem Tag der Ankunft des Winterkönigs in Germersheim, mit Mansfeld einen Bund geschlossen. Aber Mansfeld hatte sich nach seinem Erfolg bei Wiesloch nicht mit dem Markgrafen vereinigt, sondern sich nach Bruchsal gewandt und dort von Friedrich von der Pfalz die eroberten speyerischen Gebiete als eigenes Fürstentum sich überweisen lassen. Während der Markgraf seine Armee in die Gegend von Wimpfen führte, wandte sich Mansfeld mit seinen Söldnern und mit der pfälzischen Armee des Winterkönigs in die von den Spaniern entblößte nördliche Pfalz[166]. Denn auf die Hilferufe Tillys war von dort aus der spanische General Corduba mit 4000 Mann Infanterie und 1300 Reitern dem Liga-Heer Tillys zu Hilfe geeilt. Am 3. und 4. Mai trafen die spanischen Truppen bei Wimpfen ein. Dort haben Tilly und Corduba gemeinsam die badische Armee geschlagen. Die Entscheidung fiel am Nachmittag des 6. Mai, als Herberstorff eben mit seinen Truppen zu Tilly stieß[167] und so das bayerisch-spanische Heer verstärkte. Die Explosion badischer Pulverwagen hat die Entscheidung zugunsten des ligistisch-spanischen Heeres wesentlich beeinflußt. Moritz Ritter hat gemeint, daß der Sieg bei Wimpfen keine Wendung des Krieges brachte, daß er aber ein schwerer Schlag für die pfälzische Sache gewesen sei, daß das „tüchtigste Heer“, welches für sie eintrat, vernichtet oder verstümmelt war[168]. Die von Siegmund Riezler in seiner Bayerischen Geschichte angenommene Teilnahme Herberstorffs an der Schlacht bei Wimpfen läßt sich quellenmäßig nicht belegen. Sie ist jedoch nicht nur möglich, sondern auch durchaus wahrscheinlich. Als Herberstorff am 1. Mai dem Herzog aus Sontheim schrieb, er marschiere nach Möglichkeit, hatte er noch fünf Tage zur Verfügung, um sich mit Tilly zu vereinigen. Das Aviso des Oberstleutnant Lindlo an Herberstorff, welches ihn zur Eile trieb, zeigt, daß Tilly, der ja auch Corduba herangerufen hatte, natürlich bestrebt war, den bayerischen Nachschub möglichst bald für die ja schon drohende Auseinandersetzung mit dem Durlacher oder mit den vereinigten badisch-pfälzischen Streitkräften zur Verfügung zu haben.

Herberstorff hatte dann wieder Befehl, von Donauwörth aus Truppen nach Stumpfen zu führen und die Vereinigung mit dem spanischen Kriegsvolk des Marquese Thomas Carracciolo, das aus Böhmen kam, zu suchen. Er erhielt auch den Auftrag, in einer bestimmten Angelegenheit zum Feldmarschall von Anholt zu reisen, der aus Westfalen zum Schutze Würzburgs und Mainz' am Main einlangte[169]. Alle diese Truppenzusammenziehungen — auch Herberstorffs wenigstens geplanter Marsch in das Bistum Würzburg — hingen mit dem Auftauchen des Prinzen Christian von Braunschweig-Wolfenbüttel, des Administrators von Halberstadt, zusammen, der an den Main zog, um gemeinsam mit Mansfeld das katholische Heer zu schlagen. Dieser protestantische Inhaber des Bistums Halberstadt, genannt der tolle Christian, der Pfaffenfresser, war ein Mann voll Tatendrang und Übermut, voll Roheit und Gewalttätigkeit. Die schwärmerische Verehrung für Elisabeth Stuart, die Gattin des Winterkönigs, gab seiner Abenteuerlust — wie Karl Brandi sagte — einen romantischen Zug[170]. Er hatte von Friedrich von der Pfalz die Bestallung zur Werbung und Führung von 1000 Reitern zur Verteidigung der Pfalz erhalten, warb in Niedersachsen und in Westfalen 18 Kompagnien Reiter und hatte dann das Stift Paderborn ausgeplündert. Seine Armee war im Mai 1622 auf sechs Regimenter zu Fuß und 13 zu Pferd, zusammen etwa auf 11.000 Mann, angewachsen[171].

Herberstorff berichtet am 3. Juni 1622 dem Herzog, daß er mit Kriegsvolk, Geld und Munition in Krautheim angekommen sei. Am Tage vorher habe er von Tilly Befehl bekommen, sich mit seinen Truppen in das Bistum Würzburg zu begeben und sich mit dem Feldmarschall Anholt zu verbinden. Daraufhin habe er „einen Postritt" zu Tilly gemacht und diesem berichtet, was ihm der Herzog aufgetragen habe. Als er schon auf dem Marsch nach Würzburg war, erhielt er Nachricht, daß der Braunschweiger sich bei Frankfurt mit Mansfeld vereinigen werde. Es ging also darum, den Prinzen Christian am Übergang über den Main zu hindern. Daher erhielt Herberstorff — wie er selbst berichtet — von Tilly Befehl, sich mit den Truppen nach Buchen, vermutlich dem im Morretal, etwa zwanzig Kilometer südlich der Mainschlinge, bei Miltenberg gelegenen Städtchen, zu begeben[172]. Tilly kam einer Vereinigung des Halberstädters mit Mansfeld zuvor und hat am 20. Juni bei Hoechst, vereinigt mit Corduba und spanischer Reiterei des Don Carracciolo, den Braunschweiger Prinzen geschlagen. Mit den Resten seines Heeres zog dieser gegen Mannheim und vereinigte sich mit Mansfeld. Tilly verfolgte den Feind nicht, zog erst mehrere Tage später über den Main gegen Ladenburg und Heidelberg[173]. Wir haben keinerlei Nachricht, ob Herberstorff, der ja

Anfang Juni mit seinen Truppen an den Main gegen den Halberstädter marschiert war, an der Schlacht bei Hoechst teilgenommen hat. Die Befehle, die er vom Herzog erhielt, stimmten gelegentlich mit Tillys Aufträgen nicht überein, und man sieht, daß der Herzog von München aus nur mit Schwierigkeiten versuchte, lenkend einzugreifen, da sich die Situation dauernd änderte und er nicht immer die neuesten Informationen hatte. So ist aus dem Briefwechsel zwischen Maximilian und Herberstorff dessen Aufenthalt zur Zeit der Schlacht bei Hoechst nicht zu ersehen. Jedenfalls ergibt sich daraus, daß der Herzog schon Ende Mai wünschte, Herberstorff möge zu ihm nach München kommen. Denn dieser bat am 30. Mai noch einige Zeit bei der Truppe bleiben zu dürfen. Der Herzog aber antwortete auf diesen Wunsch am 2. Juni: „Ist uns dein bisher in merwegen erzeigter gueter valor wol bekhant, weren auch nit ungenaigt deinem begeren zu willfahren, weil wir aber dein Persohn in unsern Landen, an denen uns sonderbar gelegen, gebrauchen, du auch zu allen Vorfallenheiten nit weniger um so viel eher im Land ob der Enns sein kannst, so wollen wir hiermit gnädigst, daß du dich, sobald du dys Volk an dem Ort, wo es Not, gebracht und ein anderer Capo vor der hant sein würde, wieder alher zu uns beförderst, dann es mag sich die occasion in Kürz wol geben, daß wir dich wieder hinunder schicken."

Der Herzog hatte also vor, Herberstorff wieder ins Land ob der Enns zu senden. Nun konnte Herberstorff zunächst nicht gleich von der Truppe weg, offenbar erforderte die Situation zunächst sein Verbleiben beim Heer, und Tilly hat ihm dies auch befohlen. Aber bereits drei Tage später erneuerte der Herzog seine Weisung, wenn Herberstorff das Volk dem Tilly geliefert und seine Kommission bei Feldmarschall Anholt erledigt habe, solle er zu ihm kommen, „sintemalen wir dein Persohn alsdann heroben wol gebrauchen"[174]. Ob nun Herberstorff dem Befehl des Herzogs nachkommen konnte und nach München reiste oder ob er beim Heer blieb und allenfalls an der Schlacht gegen den Braunschweiger teilnahm, muß ungeklärt bleiben. Mit der vom Herzog geplanten Rückkehr Herberstorffs nach Linz wurde es jedoch nichts. Die Erlaubnis für Herberstorff, nun seine Geschäfte in Pfalz-Neuburg zu erledigen und im Anschluß daran wieder an seinen Statthalterposten nach Linz zurückzukehren, hatte der Herzog bereits erteilt, als man Herberstorff neuerdings für eine Sonderaufgabe beim Heer benötigte. Bei dem um Donauwörth liegenden „geworbenen und Landvolk" herrschte eine derartige „Confusion", daß man großes Unheil besorgte. Der Herzog benötigte dort also zur „Remedierung" einen „qualifizierten Capo", vor welchem alle anderen „hoche und niedrige Befehlshaber Iren gebierenden Respect haben". So erhielt Herberstorff den Befehl, sich nach Donauwörth zu begeben, das Kommando über das dort liegende Kriegsvolk zu übernehmen und alles zu tun, was zur Wiederherstellung der Kriegsdisziplin und zum Schutze der dortigen Stände notwendig sei. Seine Reise nach Linz sollte bis nach Erledigung dieser Aufgabe verschoben sein[175]. Herberstorff erhielt ein Patent für diese Kommission, in dem alle Befehlshaber und Offiziere des Kriegsvolkes bei Donauwörth angewiesen wurden, Herberstorff zu gehorchen und ihn für ihren Capo zu halten[176]. Herberstorff dürfte es bald gelungen sein, die Ordnung wiederherzustellen. Er erhielt, als er in Rain, 13 Kilometer östlich von Donauwörth, sein Feldquartier aufgeschlagen hatte, bald den Befehl, abgedanktes Durlachsches Volk, welches durch das Gebiet des Stiftes Ellwangen zog, zu zertrennen und zu schlagen, und Ende Juli 1622 mußte er das zur Disziplin zurückgebrachte Kriegsvolk bei Donauwörth in der Stärke von zwei Regimentern und zwei Kompagnien Reitern zu Tilly nach Wimpfen führen, da dieser die Truppen begehrte. Der Marsch sollte allerdings erst durchgeführt werden, wenn Herberstorff im Besitz des Geldes war, das ebenfalls zu Tilly transportiert werden sollte.

Inzwischen mußte Herberstorff dringend nach München, er sollte sich sofort beim Herzog in Schleißheim melden[177]. Diese Blitzreise an den Hof des Herzogs — der Bote zu Herberstorff war Tag und Nacht unterwegs[178] — scheint zwei Gründe gehabt zu haben: erstens ging es um den Transport einer größeren Geldmenge für die Liga-Armee und zweitens um das Vorhaben, Herberstorff Tillys Stab zu adjungieren. Bei dem Geldtransport handelte es sich um einen sehr großen Betrag: „Summa ist nit schlecht, sondern sehr groß", vermerkte der Herzog eigenhändig, und er hatte Bedenken, dem Oberst Pechmann, den ja Herberstorff seinerzeit empfohlen hatte, als „einem neuen Obristen — so widriger Religion —", den Geldtransport anzuvertrauen. So wurde erwogen, den Transport des Geldes drei Fähnlein Haimhausens und Herberstorffs zu übertragen. Herberstorff hatte sich jedoch eindeutig für Pechmanns

Vertrauenswürdigkeit ausgesprochen. Er nahm nun von München den Befehl für Pechmann für das Kommando mit. Man wollte allerdings, es sollte der Oberst Herliberg bis Schwäbisch-Hall mitziehen, wohin Herberstorff den Oberstleutnant Lindlo hinschicken sollte[179]. Der zweite Grund, warum Herberstorff nach München zitiert worden war, war natürlich viel wichtiger. Nicht nur weil dadurch der Plan, Herberstorff eben wieder nach Oberösterreich zu seinem Statthalteramt nach Linz zu senden, hinfällig wurde, sondern weil Herberstorff eine ganz neue, etwas delikate Aufgabe zugewiesen wurde: als „Assistenzrat" an der Seite Tillys zu wirken. Der Grund ist nicht eindeutig bekannt. Offenbar wollte man aber eine Kontaktperson zum Herzog bei Tilly haben, denn die Position Herberstorffs, die er nun erwarb, hatte keineswegs — wie man sagte — etwas mit einem „Generalstabschef" des Feldherrn zu tun[180], sondern vielmehr war Herberstorff eine Art Kommissär, der dem Feldherrn auf die Finger schauen, der die spezifischen Interessen des Herzogs vertreten und diesem immer eingehend berichten sollte. Mitgespielt hat wohl auch die Unzufriedenheit mit Tilly, weil er den Sieg bei Hoechst über den Halberstädter nicht ausnützte. Hat doch wenige Wochen später Herzog Maximilian seinem Unmut darüber in einer Anweisung Ausdruck gegeben, Tilly solle berichten, „warumb man seithero des Halberstats niderlag nichts vorgenommen", da jedermann dem bayerischen Heer die Schuld gibt, „daß die Victori anders nit und bösser prosequiert worden"[181]. Als die „geheimen Kammer- und Kriegsräte" am 29. Juli 1622 dem Herzog vorschlugen, Herberstorff als Assistenzrat bei Tilly zu bestellen, betonten sie ganz besonders das große Vertrauen, das der Herzog in Herberstorffs Person setzte, sowie dessen bekannten Eifer, seine „Dexterität" und sein Durchsetzungsvermögen, das er mit einem diskreten Vorgehen zu verbinden wisse. Wenn sie zugleich den Vorschlag machten, mit Herberstorff auch den Johanniter-Komtur Ferdinand von Muggenthal zu einem Assistenzrat bei Tilly zu ernennen, so geschah dies vor allem deswegen, weil sie meinten, es entstehe hiedurch weniger ein Argwohn. Denn Tilly hatte wohl früher einmal Assistenten begehrt, da er niemand bei der Hand hatte, aber das war lange Zeit her. Jetzt — so meinte der Herzog selbst — werde er es für „ein Diffidenz oder dafür halten, man sei mit seiner Verrichtung nit zufrieden"[182].

Am 30. Juli teilte der Herzog Herberstorff mit, er halte es für nötig, Tilly tüchtige Oberste und Räte zur Seite zu stellen, welche diesem an die Hand gehen und sich zu Ratschlägen gebrauchen lassen können. Daher ernenne er ihn zum Assistenzrat Tillys, und wenn er das Kriegsvolk zu Tilly geführt habe, solle er diese Funktion ausüben[183]. Zwei Memorialien regeln die Funktion dieser Assistenzräte, eines ziemlich allgemein für Herberstorff und Muggenthal gemeinsam, ein anderes stellte Herberstorff ganz konkrete Aufgaben[184].

Wenn es in der allgemeinen Instruktion heißt, sie sollen immer bei der Armada und in specie an dem Ort sein, wo Tilly in Person sich aufhalte, sollen jedem Kriegsrat beiwohnen, auch von selbst Tilly Vorschläge machen, und im besonderen solle Herberstorff mit „gueter Discretion" treiben, wenn etwas beschlossen sei, daß man es vollziehe, so ist der Kern dieser Mission hiemit wohl gekennzeichnet. Herberstorff sollte dem Feldherrn auch mündlich Aufträge des Herzogs übermitteln, so z. B., daß ständig die Intention des Herzogs, „Persequierung" des Feindes und Defension des Kaisers und der katholischen Stände beobachtet werde. Herberstorff mußte Tilly in Erinnerung bringen, daß dem Herzog an einem Brückenschlag bei Udenheim sehr viel gelegen sei, er brachte besondere Instruktionen für den Feldherrn bezüglich der Verbindung des Anholtschen Volkes mit den Truppen des Erzherzogs Leopold, weiters sollte Herberstorff Tilly veranlassen, seine Berichte über die Angelegenheiten klarer und verständlicher zu erstatten. Herberstorff sollte auch dem Liga-Feldherrn die Auffassung des Herzogs übermitteln, daß er sich bei der Belagerung Heidelbergs nicht aufhalten lassen solle, der Herzog wünsche, wenn den Katholischen daraus keine Gefahr erstehe, daß lieber Mannheim statt Heidelberg belagert werde. Herberstorff sollte auch Aufträge des Herzogs beim Erzbischof von Mainz, dem hessischen Landgrafen in Darmstadt und dem Bischof von Speyer verrichten, den er vor allem wegen seiner Bitte um Artillerie informieren sollte[185]. Herberstorff, der mündlich viel eingehender informiert wurde als in den beiden Instruktionen[186], trat mit etwas gemischten Gefühlen an seine neue Aufgabe heran, er wollte sich diese zwar nach „äußerstem Vermögen" angelegen sein lassen, aber er meinte, „die Ministri in dem Lager werden schwerlich von ihrem gewohnten precedere ... zu bringen sein". Zugleich sah er aber auch die Möglichkeit zu einem Avancement. Er wollte größeren Respektes halber die freie Generalwachtmeisterstelle erhalten und bat darum. Er meinte, „durch dieses mitel würde ich ratione autoritatis und meiner Commission auch verhoffentlich desto nützlicheren Effect schaffen". Sein Wunsch wurde ihm sehr bald — es dürfte im Laufe des Septembers gewesen sein — erfüllt. Herberstorff war nun General geworden. Der Generalwachtmeister war der unterste Generalsrang in der bayerischen Armee[187]. Am 6. August verließ Herberstorff Rain bei Donauwörth, machte kurz einen Abstecher nach Neuburg[188] und war am 8. August bei Tilly angelangt. Wie Tilly diese Beiordnung Herberstorffs aufnahm, ist nicht zu ersehen. Vielleicht trifft auch wenigstens teilweise zu, was gesagt wurde, daß nämlich diese neuen Assistenzräte trotz großer Vollmachten sich „in bescheidener Ferne" von Tilly halten mußten, „da er gegen diese Art von Kontrolle höchst aufgebracht war"[189]. Herberstorff begab sich am 11. August nach Darmstadt und Mainz. Es wird ihn also Maximilians Brief vom 3. August erst verspätet erreicht haben, wo der Herzog wieder seine Lieblingsidee ausspricht, wenn ein Einfall in Hessen nicht nötig sei und Mansfeld die Stifte nicht gefährde, solle Tilly Mannheim angreifen und hiebei die Hilfe des Erzherzogs Leopold und des kaiserlichen Feldherrn Marquese Monte Nero suchen. Es ist bezeichnend für die Situation, daß der Herzog die Originalbefehle an Herberstorff schickte, der sie dann erst bei Zutreffen der Voraussetzungen an Tilly aushändigte bzw. dem Erzherzog Leopold und Monte Nero übermitteln sollte. Auch ist zu sehen, daß Herberstorff von allen Schreiben des Herzogs an Tilly Abschriften erhielt. Als Herberstorff am 18. August gemeldet hatte, daß Anstalten getroffen würden zur Belagerung der pfälzischen Hauptstadt, erhielt er vom Herzog Schreiben, die er im Falle der Eroberung Heidelbergs dem Erzherzog Leopold und dem Generalleutnant Tilly übergeben sollte. Sie betrafen die kostbaren „Tapezereien" und Mobilien im Heidelberger Schloß, und Herberstorff erhielt selbst noch den Auftrag, sich um die Erfüllung der Absichten des Herzogs zu bemühen[190]. Am 15. September ordnete Tilly den allgemeinen Sturm auf Heidelberg an, der noch zurückgeschlagen wurde, aber am folgenden Tage fiel die Stadt in die Hände der Liga-Truppen, am 19. September kapitulierte auch die tapfere Besatzung des kurfürstlichen Schlosses unter

Oberst Heinrich de Merven gegen freien Abzug. Plünderungen und ein grausiges Blutbad trafen die Stadt am Neckar[191]. Der pfälzische Rat Ludwig Camerarius sprach in seinem Exil in bezug auf den Fall Heidelbergs von einer „Grausamkeit, dergleichen in Deutschland nie gehört". Martin Opitz aber, der von Heidelberg nach Jütland geflohen war, schrieb in seinem „Trostgedicht in den Widerwärtigkeiten des Krieges" unter anderem:

> „Mein Haar, das steigt empor, mein Herze zittert nur
> Nehm ich mir diese Zeit in meinem Sinne für."[192]

Herberstorff konnte Maximilians Wunsch, sich persönlich um dessen Absichten bezüglich der Schätze und Kostbarkeiten im Schloß des pfälzischen Kurfürsten zu Heidelberg zu bemühen, nicht erfüllen, da er während des ganzen September krank darniederlag[193]. Es tat ihm aufrichtig leid, daß er diesem Wunsch des Herzogs nicht nachkommen konnte, aber — wie er dem Herzog schrieb — hat der von Starzhausen dem Wunsche des Herzogs „wegen der zu Heidelberg gefundenen Tapezerei und Bibliothek" Satisfaktion geleistet[194]. Maximilian hat dann die berühmte Heidelberger Bibliothek dem Papst geschenkt. Am 14. Februar 1623 verließ der päpstliche Bevollmächtigte, der griechische Skriptor der vatikanischen Bibliothek, mit fünfzig Frachtwagen, die 184 Kisten mit Büchern und Handschriften enthielten, die pfälzische Hauptstadt[195]. Der bayerische Rat Dr. Leuker war im Oktober nach Heidelberg gekommen, hatte kaum Quartier gefunden, da alles zerstört und ausgeplündert war. Auch das Schloß war in desolatem Zustand, und von den Kostbarkeiten war nur wenig vorhanden, auch an Gemälden war nichts Besonderes zu finden, an Tapezereien nur einige „gemeine ordinari Stuck". Die Mutter des Winterkönigs und der Pfalzgraf von Zweibrücken hatten die besten und meisten Sachen bereits vorher weggeführt[196]. So mochte Herberstorff wenig Erfolg haben, als er am 18. Oktober den Herzog gebeten hatte, daß er von den vorhandenen Tapezereien, „weliche weil sie zum Teil gar schlecht Euer fürstliche Durchlaucht nicht gebrauchen werden, damit ich von selbiger Action ein angedenken haben möcht — etwas davon und nur von dem schlechten nehmen mege". Der Herzog hatte ihm darauf geantwortet, falls noch etwas übrig sei, wolle er auch Herberstorffs gedenken[197].

Es ist fraglich, ob Herberstorff nach seiner Genesung den Auftrag des Herzogs vom 3. September, zum Kurfürsten von Mainz und zum Landgraf Ludwig von Hessen zu reisen, um die Winterquartiere vorzubereiten, ausführen konnte. Jedenfalls ist er schon Mitte Oktober in Mannheim, an dessen Belagerung er teilnahm. Denn unmittelbar nach dem Falle Heidelbergs war das Liga-Heer vor Mannheim gerückt, dessen Besatzung nach einer sechswöchigen Belagerung am 2. November kapitulierte[198]. Herberstorff hatte vorher dem Herzog gegenüber bezweifelt, ob es möglich sei, Mannheim zu erobern. Er schilderte die heftige Abwehr der Besatzung und die Schwierigkeit der Belagerung. Auch meinte er, das Jahr sei schon zu weit fortgeschritten. Er gesteht dem Herzog, wenn er anwesend gewesen wäre, so hätte er von der Belagerung Mannheims abgeraten. Maximilian hat die Entscheidung jedoch Tilly überlassen, der dann auch verschiedene Befehle des Herzogs, die über Herberstorff an ihn gelangt waren und Abdankungen verschiedener Truppen betrafen, nicht ausführt[199]. Übrigens hat dann Herberstorff im Verlaufe der Belagerung seine Meinung doch geändert und die Hoffnung ausgesprochen, daß die Stadt Mannheim bald eingenommen werde. Er rühmt die Haltung der ligistischen Truppen als „sehr mutig und zum Arbeiten und Anlaufen so willig als man es immer bei einer Armada sehen möge". Von Mannheim aus hat Herberstorff den Herzog auch gebeten, daß bei der Reformierung des Zollernschen Regiments von diesem zwei Kompagnien zu seinem eigenen transferiert werden sollen, das durch die Kämpfe ebenfalls dezimiert war. Er betont bei dieser Gelegenheit mit Bestimmtheit seine Treue zum Herzog, der in ihm einen Oberst habe, „der sich mit dero gnedigsten Befelchen und Verordnungen in allem conformieren wird"[200]. Herberstorff betrachtete es im übrigen stets ganz besonders als seine Aufgabe, dem Herzog über alles, was beim Heer vorfiel, zu berichten. Auch über Einzelheiten bei der Belagerung Mannheims informierte Herberstorff den Herzog[201]. Ein Generalbericht über den Stand des Heeres wollte er gerne dem Herzog persönlich erstatten. Er wollte dies in Verbindung bringen mit einer kurzen Reise nach Linz. Er bat Herzog Maximilian, falls Mannheim falle oder blockiert bleibe, ihm diesen Postritt nach Linz zu gestatten, um seine Angelegenheiten dort besser in Ordnung zu bringen, da er ja bei seiner Abreise nicht wußte, daß er „beständig bei der Armada bleiben werde". Der Herzog hat ihm diese Reise nach Oberösterreich genehmigt, wenn die Musterung und Abrechnung vorüber ist und wenn die Winterquartiere bezogen sind[202]. Herberstorff hat nach dem Fall Mannheims von dieser Erlaubnis Gebrauch gemacht und ist für kurze Zeit nach Linz gekommen.

Diese Reise nach Linz war allerdings mit einem neuen Auftrag für ihn verbunden, der ihn zu Kaiser Ferdinand II. führte. Ferdinand II. befand sich bereits auf der Reise nach Regensburg zum Fürstenkonvent, die er mit einem riesigen Gefolge von sechshundert Personen Anfang November angetreten hatte[203]. Am 16. November hat ihn Herberstorff in Vilshofen erreicht. Am folgenden Morgen wurde er vom Kaiser in Audienz empfangen, bei der Herberstorff sich seiner Kommission entledigte. Der Kaiser wünschte, daß Herberstorff die mündlich vorgebrachten Wünsche und Vorschläge Herzog Maximilians ihm schriftlich überreiche, und er verlangte auch, daß Herberstorff mit ihm bis Straubing weiterreise, um für allfällige Rückfragen zur Verfügung zu stehen. Herberstorffs Memorandum, das er dem Kaiser am Tage nach der Audienz überreichte, informierte den Kaiser über die militärische Situation und machte verschiedene diesbezügliche Vorschläge[204]. Im Zentrum der Befürchtungen des Herzogs von Bayern steht noch immer Ernst von Mansfeld, der bei Emmerich lagerte, weiters taucht als Gefahr nunmehr der König von Dänemark auf, der bei den braunschweigischen Herzögen in Wolfenbüttel gewesen sei, wo man den Beschluß gefaßt habe, der Halberstädter solle mit dem Kriegsvolk, das mit Hilfe Dänemarks und der Hansestädte geworben wurde, geradewegs durch Franken nach Bayern und Böhmen marschieren. Beunruhigend wirkte auf Herzog Maximilian auch der Friede, der zwischen dem König von Frankreich und den Hugenotten geschlossen wurde, und er befürchtete, daß diese dem Winterkönig Hilfe leisten würden. Aus einem interzipierten Brief eines ansbachischen Rates sah man, daß das Heer der Protestierenden 70.000 Mann stark ins Feld ziehen werde. Herberstorff hatte offenbar diese drohenden Gefahren dem Kaiser sehr drastisch vor Augen geführt und ihn zugleich darauf aufmerksam machen müssen, daß das Liga-Heer den Krieg in der Pfalz nicht mehr weiterführen könne, da es durch die Kämpfe zusammengeschmolzen war. Kaiser und katholische Stände müßten daher neue Werbungen durchführen. Das wichtigste sei, Mansfeld an der Verbindung mit Truppen der deutschen Protestanten zu hindern, ihn zu schlagen und zu „zertrennen". Man müsse achthaben auf Württemberg und Hessen-Kassel, die allein schon über 12.000 Mann verfügten. Herzog Maximilian schlägt dem Kaiser eine Gesandtschaft an die Infantin Isabella in den Niederlanden vor. Die Infantin solle bewogen werden, daß ihre Truppen gemeinsam mit dem Liga-Feldmarschall Graf Anholt, der bei Wesel liege, Mansfeld vernichten. Auch auf die schwierige Lage in der Pfalz weist Herberstorffs Memorandum hin. Früher hatte die bayerische Armee etwa 30.000 Mann, dazu Corduba 6000, Don Carracciolo ebenfalls einige 1000 Mann in der Kurpfalz stehen. Dennoch hatte man zu tun, der Gegner Herr zu werden. Nun sei das bayerische Heer allein in der Pfalz und könne in seinem derzeitigen Zustand nicht mit Erfolg dem Feind entgegentreten. Unter den gegebenen Umständen, der starken Rüstung der Generalstaaten und der Gefahr des Eingreifens Frankreichs im Veltlin, könne in der Pfalz derzeit nicht mit größeren spanischen Hilfsmaßnahmen gerechnet werden.

Herberstorff trug dem Kaiser nun verschiedene Vorschläge des Herzogs vor. Zunächst sollte der Kaiser aus Böhmen 8000 Mann an die Grenze der Oberpfalz verlegen, daß man sich ihrer im Ernstfalle bedienen könne. Weiters hielt es Herzog Maximilian für ratsam, der Kaiser möge beim Papst sollizitieren lassen, daß dieser die früher angebotenen 5000 Mann und 1000 Pferde eiligst werben lasse, weil derzeit in den Niederlanden günstige Gelegenheit zu Werbungen bestehe. Auch möge der Kaiser die Infantin bewegen, Don Gonzalo de Corduba mit seinem Heer wieder in die Pfalz zu senden. Eine kaiserliche Gesandtschaft solle überdies in Frankreich bewirken, daß die Hugenotten gehindert werden, Friedrich von der Pfalz militärisch zu unterstützen. Württemberg und Kassel sollten von Ferdinand II. veranlaßt werden, ihr Volk abzudanken, und der Kaiser solle trachten, dieses abgedankte Volk in seine Dienste zu nehmen. Der Landkomtur im Elsaß könnte bei den schwäbischen Kreisständen hier Hilfe leisten. Auch hält es Herzog Maximilian für angebracht, daß der Kaiser nun den kleineren untreuen Reichsständen, wie Löwenstein und Ortenburg, den Prozeß mache. Herberstorff hat in seiner Mission auch noch den Auftrag, in Angelegenheit der Pfalz dem Kaiser besondere Wünsche des Herzogs vorzubringen, vor allem sollten die Garnisonen in den großen Städten der Pfalz, wie Heidelberg und Mannheim, samt Proviant und Munition von den Kaiserlichen gestellt werden. Auch schlug er vor, gleich jetzt alle calvinischen Prädikanten aus der Pfalz zu vertreiben. Zugleich sollte Herberstorff den Kaiser, falls er etwa wankend werden sollte, ermuntern, trotz der Nachrichten, daß der Kurfürst von Sachsen und die Herzöge von Braunschweig und Pommern nicht nach Regensburg kommen, seine angefangene Reise fortzusetzen, um in Regensburg mit den gehorsamen Ständen zu beraten und sich zu vergleichen. Gerade der letzte Punkt war dem Herzog besonders wichtig, da es in Regensburg ja um die Investitur des Herzogs mit der pfälzischen Kurwürde ging[205]. Dem Kaiser schienen die im Herberstorffschen Memorandum gemachten Vorschläge und Mitteilungen von „solcher Importanz", daß er nicht gleich Stellung nehmen wollte. Erst in Regensburg wollte er die wichtigen Probleme mit dem Herzog selbst und den Kurfürsten und Fürsten beraten. In einigen Punkten erhielt jedoch Herberstorff sofort eine positive Resolution, so bezüglich der Intervention bei der Infantin Isabella in den Niederlanden, die allerdings unter Zuziehung des spanischen Gesandten Oñate erfolgen sollte. Fürst Eggenberg selbst sollte den Grafen Oñate aufsuchen. Auch hinsichtlich der 8000 Mann, welche aus Böhmen an die pfälzische Grenze gelegt werden sollten, gab Kaiser Ferdinand dem Fürsten Karl von Liechtenstein, seinem Statthalter in Böhmen, den nötigen Befehl, ebenso nahm er den Vorschlag bezüglich des württembergischen Kriegsvolkes und der Soldaten der schwäbischen Kreisstände an. Er wollte dem Landkomtur in Elsaß zum Kreistag der schwäbischen Stände zu diesem Zwecke abordnen. Bezüglich der Kooperation des Feldmarschalls Anholt mit den spanischen Truppen konnte Eggenberg im Auftrag des Kaisers Herberstorff mitteilen, daß die Infantin auf kaiserliches Betreiben dem Grafen Heinrich von Berg bereits befohlen habe, sich mit dem Feldmarschall Anholt zu vereinigen und den Mansfelder zu verfolgen. Auch Don Corduba werde sie bald senden. In Vilshofen bzw. in Straubing herrschte noch immer Hoffnung, daß der Kurfürst von Sachsen doch persönlich nach Regensburg kommen werde, vom Mainzer Erzbischof hatte der Kaiser eben eine sichere Zusage erhalten[206]. Da Herzog Maximilian selbst nicht nach Regensburg kam, bevor die Translation der Kur auf ihn gesichert war, ist es verständlich, daß Hans Ulrich Eggenberg Herberstorff darauf hinwies, der Herzog möge seine Reise nach Regensburg beschleunigen, da der Kaiser ihn dort mit großem Verlangen erwarte. Aber während der Kaiser bereits am 24. November vor Regensburg eintraf, kam Herzog Maximilian erst im Januar 1623 dort an[207]. Herzog Maximilian hatte am 23. November 1622 gegenüber dem Reichsvizekanzler Ulm die Äußerung getan, er habe den Wunsch, dem Kaiser bald „auf den Dienst zu warten", wenn es nur ohne „Disreputation" geschehen könne. Herberstorff hatte übrigens am kaiserlichen Hoflager auch erfahren, daß man dort vom Waffenstillstand zwischen England und der Infantin in Brüssel, der Mitte November vereinbart worden war, Kenntnis hatte, und Herberstorff hat in Straubing den Eindruck gewonnen, daß die kaiserlichen Räte mehr als der Kaiser selbst zur „suspensio armorun" neigen. Herzog Maximilian hatte — er dachte übrigens nicht daran, diese Vereinbarung Englands mit der Infantin anzuerkennen — in einem Schreiben an den König von Spanien geschrieben, er sei wohl für den Frieden, aber dieser müsse „vera, justa, non simulata" sein und dem Kaiser und den Katholischen Sicherheit bringen. Dieser Brüsseler Waffenstillstand hätte unter anderem auch Heidelberg für ein Jahr dem Winterkönig als Unterhalt eingeräumt. Von Schärding aus hatte Kaiser Ferdinand wegen des Waffenstillstandes den Vizekanzler Ulm nach München gesandt. Dessen Mission hatte sich also mit Herberstorffs Sendung zum Kaiser gekreuzt[208]. Herberstorff meinte in einem Brief an den Herzog, der Kaiser werde so lange in Straubing bleiben, bis einer der eingeladenen Kurfürsten nach Regensburg komme. Herberstorff selbst hatte vor, nach Erledigung seiner Mission in Straubing auf drei Tage nach Linz zu reisen. Ob er dann doch länger in Oberösterreich bleiben konnte, ist nicht eindeutig festzustellen. Schon am 3. Dezember 1622 erhielt er dann allerdings den Befehl, mit seinen Leuten dringend nach München zum Herzog zu kommen[209].

Nach ungeheuren Schwierigkeiten rechtlicher und politischer Art hat Maximilian sein Ziel, die Belehnung mit der Kurwürde, erreicht. Am 25. Februar 1623 ist in einer feierlichen Zeremonie in der bischöflichen Burg zu Regensburg die Investitur Herzog Maximilians mit der pfälzischen Kur erfolgt. Daß die Belehnung nur für die Person des Herzogs galt, war das Ergebnis der schwierigen und langwierigen Verhandlung auf dem Regensburger Konvent. Trotz dieses Kompromisses war es für Maximilian von Bayern, diesem großen und zielbewußten Herrscher, ein Tag der Freude und des Erfolges. Ein Kurier brachte die Botschaft nach Rom zum Papst, der wohl am meisten diese Translation der Kur auf einen katholischen deutschen Fürsten gefördert hatte[210]. Zu den Regensburger Verhandlungen wurde auch Tilly beigezogen. Man benötigte den Feldherrn bei den Beratungen naturgemäß für alle militärischen Fragen, bot sich doch die Gelegenheit zu einer Koordination der Meinungen, zu einem Austausch der Ansichten vor einem Forum, in dem die wichtigsten Vertreter der kriegführenden katholischen Mächte beisammen waren. Schließlich mußte ja wohl Maximilians Feldherr auch dabei sein, wenn das große Ziel des Bayernherzogs, die Erlangung der pfälzischen Kur, erreicht war. Tilly erhielt große Geschenke von Kaiser und Herzog, der ihm überdies namentlich in der Oberpfalz reichen Grundbesitz an Herrschaften und Gütern überließ[211]. Am 12. Januar 1623 war Herzog Maximilian in Regensburg eingetroffen. Tilly sollte vermutlich zur gleichen Zeit wie der Herzog in Regensburg sein. Er dürfte sich etwas verspätet haben, da er am 9. Januar an seinen herzoglichen Herrn schrieb, er habe noch nicht abreisen können, werde aber so bald als möglich kommen[212]. Er dürfte also ab Mitte Januar in Regensburg gewesen sein. Es ist nun für die Stellung Herberstorffs aufschlußreich, daß er während der Abwesenheit Tillys diesen vertrat und über die Liga-Armee das Kommando führte. Dies ist aus verschiedenen Schreiben Maximilians und Herberstorffs ersichtlich[213]. Herberstorff weilte zunächst im Zusammenhang mit Musterungen und Abrechnungen bei Teilen der Armee in der Pfalz und ist am 26. Januar in Assenheim in der Wetterau eingetroffen. Er wollte beim Gros der Armee sein, da ihm Nachrichten vom Grafen Anholt zugekommen waren, daß Mansfeld gegen das Stift Fulda marschiere und daß er angebe, sein Ziel sei Böhmen[214]. Herberstorffs Kommando über die katholische Armada dauerte bis zu Tillys Rückkehr, der Anfang März wieder im Hauptquartier eintraf[215]. Während Herberstorffs Kommando gab es beim Heer etliche Schwierigkeiten. Der Feldmarschall Graf Anholt wollte — so berichtet jedenfalls der sächsische Agent Friedrich Lebzelter an seinen Hof — abdanken, weil „der in der Religion abgefallne von Herberstorff, welcher doch zuvor kein Soldat gewesen“, Generalwachtmeister sei. Von diesem wolle sich Anholt nicht kommandieren lassen[216]. Es ist von Interesse, daß der Kursachse auch genaue Angaben über Stärke und Qualität des Liga-Heeres machte und über die bestehenden Absichten der militärischen Führung des katholischen Heeres. Lebzelter selbst nennt seinen Gewährsmann nicht mit Namen, aber dieser — ein vornehmer Offizier der bayerischen Armee — ist des Kurfürsten von Sachsen „Landkind, der recht evangelischen Religion eifrig zuegetan“, und war eben in Regensburg eingetroffen. Nun wissen wir, daß der Oberst Pechmann, den Herberstorff dem Liga-Heer zugeführt hatte, evangelisch war und daß er im Februar zum Herzog nach Regensburg reiste, um ihn um Urlaub nach Meissen zu bitten. So war es sicherlich Pechmann, der hier den Sachsen die Information über das Liga-Heer gab. Von Pechmann stammt dann auch die Äußerung, daß diese Armee, die insgesamt mit den spanischen Truppen des Corduba, mit kaiserlichen Truppen, die aus Böhmen gekommen waren, 36.000 Mann stark sei und daß sie am 25. März aufbrechen werde nach Norden unter dem Vorwand, Mansfeld und den Halbstädter zu verfolgen, in Wahrheit aber, um sich der Weser und der Elbe sowie der beiden sächsischen Kreise zu bemächtigen, alle Evangelischen auszurotten und die zwei Erzstifter und 13 Bistümer und Abteien der beiden Kreise wiederum mit Katholiken zu besetzen. „Und seie zwar solches nicht allein im Kriegsrat (darbei diese vertraute Person [Pechmann] wegen ihres hohen befelchs zum Teil selbst gewesen) oftmals in deliberation gezogen, sondern auch villen, so under disser Armada dienen und sich sonsten in diesem Werk gebrauchen lassen, allbereit versprochen worden, sie mit bistumbern und andern ansehnlichen güttern zue begeben, wie dann irer viel, sonderlich aber der obangedeute abgefallne Herbersdorfer solches ofentlich ganz ungescheucht reden, alle evangelischen potentaten ganz schimpflich verachten und sonsten also braviren sollen, als ob sie albereit ein gewunen spiel in handen.“[217] Auch mit dem Oberst Mortaigne, der mit Herberstorff einst im Jahre 1620 ins Land ob der Enns gekommen war und im Heere Tillys wirkte, gab es eine Differenz. Mortaigne war zum Oberstzeugmeister bestellt worden und verlangte, daß er die Präzedenz vor Herberstorff als Generalwachtmeister der Reiterei habe. Tilly versuchte bei seiner Rückkunft auf Herberstorff einzuwirken, daß dieser sich akkommodiere. Aber Herberstorff gab nicht ohne weiteres nach: „Ich kann nicht sechen, mit was fueg der Obrist von Mortaigne dis pretendiren mag, angesechen er weiß, was Gestalt es in diesem Fall mit seinem Antecessori gehalten worden, was auch Euer Kurfürstlichen Durchlaucht Veldtordnung hierzu disponiert und wie sie es der hochen befelch halben bei dero Armada gehalten haben wollen“, schrieb er an Kurfürst Maximilian[218]. Herberstorff hatte sich nicht umsonst an den Kurfürsten gewandt, denn dieser hat Tilly Order gegeben, daß es in dieser Sache bei der Armee wie bisher gehalten werden solle[219]. Eine etwas kritische Situation für Herberstorff trat während der Abwesenheit Tillys für ihn ein, als der bayerische Kriegskommissär Ruepp ihm vom Feldmarschall Anholt das briefliche Begehren übermittelte, Herberstorff solle mit der Armee gegen die Weser vorrücken oder ihm wenigstens ein Regiment zu Fuß zu Hilfe schicken. Herberstorff hatte größte Bedenken trotz der angeblichen Gefahr des Vordringens des Mansfelders und sandte Ruepp zu Herzog Maximilian mit der Bitte um Entscheidung. Er selbst war etwas unentschlossen und sich der schweren Verantwortung bewußt, die nun auf ihm lag, da Tilly abwesend war. Herzog Maximilian wies ihn an, ja nicht zu marschieren, und sollte er mit einem Teil seiner Truppen bereits auf dem Marsch sein, so solle er sich wieder auf den Ausgangspunkt zurückziehen. Herberstorff aber war trotz seines Wankens nicht von Assenheim weggezogen und hatte die Resolution des Kurfürsten erwartet[220].

Nach der Unterwerfung der pfälzischen Kurlande hatte Tilly mit seiner Armee in der Wetterau Winterquartiere bezogen. Auch Herberstorff verbrachte den Winter 1622 auf 1623 wie sein Feldherr in Assenheim in der Wetterau, wo er trotz seiner Musterungsreise im Zusammenhang mit der Reformation der Regimenter auch zur Zeit seines Kommandos über die Liga-Armee wohl seinen Sitz hatte, als Tilly in Regensburg war. Durch die Erfüllung der Mission des Liga-Heeres im Süden des Reiches wurde dieses von Mansfeld und Halberstadt, die im Norden standen, wie von einem Magnet angezogen. Immer mehr begann der Krieg sich wie ein glosender Brand nach Norden weiterzufressen. Freilich hatte der sächsische Agent Lebzelter nicht recht, wenn er nach Dresden berichtete, die Armee Tillys werde schon im März aufbrechen. Zwar hatte der Kaiser während seiner Anwesenheit in Regensburg zuerst dem Grafen Anholt, dann Tilly besondere Vollmacht zur Verfolgung des Mansfelders gegeben und das allfällige Vorgehen der Armee des Bayernherzogs durch seine Autorität gedeckt[221]. Aber das Liga-Heer war in einem Zustand, der es nicht zuließ, daß es so dem Feind entgegentreten konnte. Was Herberstorff dem Kaiser in Vilshofen über die Verhältnisse im Heer gesagt hatte, entsprach durchaus den Tatsachen, darum wollte Tilly das stark dezimierte Heer reformieren. Er machte im April 1623 dem Herzog konkrete Vorschläge zur Reformation und auch zur Bezahlung der Armee. Aus seinem Bericht ist zu ersehen, daß auch das Herberstorffsche Regiment sehr geschwächt war; so sollte von diesem aus 14 Kompagnien bestehenden Regiment neun abgedankt werden. Tilly befürchtete, weil stets das Geld für die Auszahlung des Soldes mangelte, daß sich das Kriegsvolk selbst durch Plündern bezahlt mache. Und hier findet sich in seinem Bericht an den Herzog eine Bemerkung, die in zweierlei Hinsicht erwähnenswert ist. Der Feldherr meint, es wäre gut, wenn Herberstorff bis zur Vollendung der Abdankung hierbliebe, „damit um so besser Disziplin gehalten werden könne". Herberstorff hatte offenbar großes Ansehen und war ein Mann, der das Kriegsvolk in Zucht hielt. Zugleich sieht man, daß Herzog Maximilian damals — es war am 10. April 1623 — offenbar schon die Absicht hatte, Herberstorff von Tillys Armee abzuberufen. Daß Herberstorffs Wort bei der Armee etwas galt, kann man auch daraus schließen, daß bei Schwierigkeiten, welche die Obersten, wie z. B. Graf Johann Jakob Fürstenberg, zum Teil wegen der Abdankung ihrer Kompagnien machten, Tilly der Meinung war, daß für deren Haltung Herberstorffs Wort bestimmend sein werde: „Stimmt dieser der Reformation zu, so wird sich auch Fürstenberg und ebenso die anderen Obersten dazu bequemen müssen."[222] Herberstorffs Tage bei der Liga-Armee waren aber gezählt. Tilly war bestrebt, Herberstorff noch eine Zeit bei seinem Stab zu halten. Er hatte durch den Kriegskommissär Ruepp dem Herzog Maximilian mitteilen lassen, daß er Herberstorff vornehmlich noch zu Missionen benötige und nicht entbehren könne. Doch befahl der Herzog am 12. April dem Generalleutnant, Herberstorff ohne Rücksicht auf notwendige Gesandtschaften, wenn er ihn hinsichtlich seines Generalwachtmeisteramtes entbehren könne, zum Herzog zu senden. Der Herzog wünschte, daß Herberstorff, sobald „die Armada in Fortzug gebracht", nach München komme[223]. Anfang Mai war Herberstorff noch bei den Truppen in der Unteren Pfalz. Er hatte erfahren, daß geplant sei, dort Reiterei zurückzulassen, darunter auch sein altes Regiment. Er bat aber den Kurfürsten, daß sein Regiment den Vormarsch mitmachen dürfe. Es habe sich bei allen Gelegenheiten bestens bewährt. Auch Tilly würde dies um so lieber sehen, „weil von der ganzen Armada kein einziges Regiment als das meinige armiert"[224].

Am 14. Mai — Tilly lag noch immer bei Assenheim — bemerkt der Herzog in einem Brief an den Generalleutnant, daß er „den von Hörberstorff an jetzt abfordere", und am 20. Mai wird dessen baldige Ankunft von den Kriegsräten des Herzogs in München erwartet[225]. Herberstorff dürfte also nicht mehr dabeigewesen sein, als Tilly mit seiner Armee am 27. Mai von Assenheim mit 12.000 Mann Infanterie und 4000 Reitern nach Norden aufbrach und zunächst in Hersfeld sein Quartier aufschlug[226]. Aber der Generalwachtmeister im Heere Tillys, dessen Nachfolge Ende Juni noch nicht geregelt war[227], sollte zunächst noch dafür sorgen, daß das vom Kaiser in Aussicht gestellte kaiserliche Kriegsvolk in Böhmen, es waren 3000 Mann Infanterie unter dem Grafen Collalto, ehest in Marsch gesetzt werde, um Tilly bei einem Zusammenstoß mit dem Feind zur Verfügung zu stehen. Aus diesem Grund befand sich schon der Hofratssekretär des Kurfürsten, Balthasar Rampeck, in Prag, konnte dort aber nichts ausrichten[228]. Darum sandte Maximilian am 8. Juni Herberstorff nach Prag. Er sollte dort vor allem beim Statthalter Fürst Karl von Liechtenstein den Abmarsch Colaltos betreiben. Herberstorff selbst nannte den Grund, warum die Truppen noch nicht abmarschiert waren trotz kaiserlichen Marschbefehles: die Soldaten weigerten sich, vor Bezahlung des rückständigen Soldes zu marschieren. Erst Mitte Juli kam das Kriegsvolk zum Marsch[229]. Anfang Juli ist dann Herberstorff vermutlich direkt von Prag aus wieder in sein Amt als Statthalter nach Linz zurückgekehrt[230]. Sucht man nach einem Grund, warum nunmehr der Herzog Adam von Herberstorff wieder zurück nach Linz beorderte, so sieht man deren zwei, die sich jedoch keineswegs ausschließen.

Der Krieg trat mit seiner großen Wende gegen den deutschen Norden in ein neues Stadium. Der Kurfürst wollte grundsätzlich Herberstorff nicht aus seinem Statthalteramt im Land ob der

Enns entlassen[231]. Da ein Ende des im Frühjahr 1623 vorbereiteten Feldzuges nach Norddeutschland nicht abzusehen war, hat sich vermutlich Kurfürst Maximilian entschlossen, Herberstorff wieder nach Oberösterreich zu entsenden. Diese Absicht des bayerischen Herzogs mag noch sehr wesentlich bestärkt worden sein durch die neue Gefahr, die Österreich, und damit auch dem verpfändeten Land ob der Enns, von Bethlen Gabor drohte. Dieser hatte den Nikolsburger Frieden mit dem Kaiser vom Januar 1622 wohl nur als eine Art Waffenstillstand betrachtet und war schon ein halbes Jahr später in Koalitionsverhandlungen mit dem Winterkönig und mit dem Sultan in Konstantinopel getreten[232]. Eben als Tillys Vormarsch gegen Mansfeld und gegen den Halberstädter in Vorbereitung war, also im Frühjahr 1623, verbarg der Fürst von Siebenbürgen kaum mehr, daß er neue Kriegsabsichten gegen den Kaiser hege. Das Zusammenspiel des neuen Mithridates, wie man Gabor nannte, mit den norddeutschen Gegnern der Liga machte sein Vorhaben zu einer großen und drohenden Gefahr für den Kaiser, die im Frühjahr 1623 durchaus akut war. Da mußte es dem Herzog von Bayern wichtig sein, daß im Land ob der Enns nicht ein Provisorium herrschte, sondern daß der Statthalter selbst, der Kriegsmann war und wohl besser als die zivilen Räte in Linz im Falle von militärischen Komplikationen die Situation meistern konnte, wieder auf seinem Posten war. Das sieht man auch ganz deutlich, als Herberstorff, kaum daß er wieder in Oberösterreich war, umgehend dem Herzog über die von Bethlen drohende Gefahr eingehende Berichte übermittelte und betonte, daß Oberösterreich zu seinem Schutz vor allem Reiterei brauche. Als Bethlen Gabor die Feindseligkeiten begonnen hatte, da trug der Herzog dem Statthalter dringend auf, die Pässe des Landes ob der Enns nach Niederösterreich gut zu versichern und auf Bethlen Gabors Tun und Lassen ein wachsames Auge zu haben[233].

Herberstorff hatte in diesem Jahre seiner Wirksamkeit beim Liga-Heer im Südwesten des Reiches seinen militärischen Rang erhöhen können. Er ist nie sichtbar hervorgetreten als militärischer Führer im Sinne strategischer oder taktischer Maßnahmen. Seine Stärke lag offenbar in militärisch-organisatorischen Dingen. Er war der verlängerte Arm des Herzogs in Tillys Hauptquartier, ein zuverlässiger Berichterstatter an den Hof und wie immer ein getreuer Vollzieher fürstlicher Befehle. In diesem Sinne mag er seine Aufgaben als Assistenzrat bei Tilly zur Zufriedenheit des Herzogs erfüllt haben. Er war ein Kriegsmann von großem Ansehen bei der Truppe, der eisern Disziplin hielt, dessen schnelle Karriere zum Generalwachtmeister jedoch von den Truppenführern gelegentlich — wie das Beispiel des Grafen Anholt zeigt — mit scheelen Augen angesehen wurde. Herberstorff, der vom Amt eines Statthalters in Pfalz-Neuburg ohne größere militärische Schulung plötzlich zum Kriegsdienst übergewechselt war, mochte dem Feldmarschall Anholt, dessen Armee im Jahre 1620 Herberstorff ja mit seinen Reitern zunächst zugeteilt gewesen war, als homo novus erscheinen. Die vielen Sonderaufgaben, die Herberstorff während seiner Anwesenheit im Heere Tillys vom Herzog übertragen wurden, seine häufigen Besuche am Hof von München zeigen, daß es dem Statthalter gelungen war, im besonderen Ausmaß das Vertrauen des Herzogs von Bayern zu erwerben, der dies wiederholt auch unmittelbar zum Ausdruck brachte. Gerade dieses Vertrauen des Kurfürsten war nun besonders wichtig für die Aufgaben, die des Statthalters nunmehr nach seiner Rückkehr in das Land ob der Enns harrten.

3. Zwischen Kurfürst und Kaiser

Im Jahre 1624 hat Herberstorff einmal an Kaiser Ferdinand II. geschrieben, es schmerze ihn von Herzen, daß er wiederholt feststellen müsse, daß sich Leute finden, welche dem Kaiser alle „Actiones“ des Statthalters „ungleich referieren und suspect machen“. Dann fährt er wörtlich fort: „Ich nemme den hechsten Gott zum Zeugen, daß so lang ich bei diesem Guvernio bin, ich mich nach aller meiner Möglichkeit befließen, Euer kaiserlichen Majestät allergnädigster Intention mich je und allzeit aller unterthenigst soweit zu conformieren, als ich es auch gegen mein gnädigsten Herrn dem Churfürsten in Baiern deren ich gelobt und geschworen, zu verantworten. Und wird mich ja kein Mensch mit Wahrheit beschuldigen khinen, dass Euer kayserlichen Majestät ich mit Willen im geringsten contrarirt, habe ich von amts wegen bishero etwas verordnet sogegen Euer kaiserlichen Majestät allergnädigsten Willen gewesen, so consideriren Sie allergnädigst, dass ich ein Diener bin, und dem schuldig nachzukommen, was mir von meinen Oberen befohlen wirdt.“[234]

In diesen Worten des Statthalters spiegelt sich in voller Klarheit das Spannungsverhältnis, in dem er sich zwischen Kurfürst und Kaiser befand und das ihm gelegentlich zu schaffen machte und sein Amt bedeutend erschwerte. Nun war dieses bipolare Verhältnis, das ihn zwischen zwei Mächtige stellte und ihn zwang zu einer eigenen Politik, zum Taktieren zwischen seinen beiden Herren, zum Versuch, es sich mit keinem, weder mit dem Kaiser noch mit dem Kurfürsten, zu verderben, bis zu einem gewissen Maße von allem Anfang an gegeben. Es hat sich aber in der zweiten Periode der Statthalterschaft, nach der Rückkehr vom Liga-Heer Tillys, zweifellos verstärkt. Das hatte seine Gründe in der Entwicklung der Frage der Verpfändung bzw. der Wiedereinlösung Oberösterreichs durch den Kaiser. Weil Versuche des Kaisers, das Land gegen die eroberte Oberpfalz einzulösen, zunächst gescheitert waren und durch das neue Abkommen zwischen Kaiser und Kurfürst vom 28. April 1623 über die Kriegskosten die Wiedereinlösung Oberösterreichs weiter hinausgeschoben worden war[235], führte dies auf kaiserlicher Seite dazu, daß man immer mehr die Verpfändung des Landes als unerträgliche Last empfand, daß man immer stärker dazu neigte, die Beschwerden der Landstände über die bayerischen Maßnahmen nicht nur zu verstehen, sondern auch versuchte, diese abzustellen und den Statthalter in die Schranken zu weisen. Es wurde in letzter Zeit darauf hingewiesen, welch große Rolle in der Politik Ferdinands II. das Ziel, Oberösterreich wiederzugewinnen, gespielt hat[236]. Immer mehr gewann man in Wien die Überzeugung, daß die oberösterreichischen Stände aus Gegnern nunmehr im Bemühen um die Wiedergewinnung Oberösterreichs zu Bundesgenossen geworden waren, und diese selbst spürten stärker als je zuvor, daß der Kaiser ihnen eine Stütze gegen Kurfürst und Statthalter sein werde. Zu diesen allgemeinen, in den politischen Gegebenheiten wurzelnden Ursachen der Spannung zwischen Wien und München, deren Seismograph gleichsam der in Oberösterreich amtierende Statthalter war, kamen noch persönliche Momente hinzu, die im Statthalter selbst ihre Quelle hatten und dieses Spannungsverhältnis noch vergrößerten. Herberstorff hat sich zweifellos in erster Linie — er hat dies ja auch in dem oben angeführten Brief an den Kaiser ausdrücklich gesagt — dem bayerischen Herzog verpflichtet gefühlt. Andererseits war er auch in politischer Hinsicht in Abhängigkeit vom

Kaiser, dem als Landesfürsten ja die Souveränität über das verpfändete Land vorbehalten geblieben war. So kamen für den Statthalter sowohl aus München als auch aus Wien ihn bindende Befehle. Persönlich war der Statthalter jedoch ein Angehöriger des steirischen Adels und als solcher Ferdinand II. als Landesfürsten der Steiermark verbunden. Dazu kam, daß Herberstorff, je länger er im Lande weilte, immer stärker von dem Gedanken beseelt war — wie er sich selbst einmal ausdrückte —, sich im Lande zu „accommodieren“[237], d. h. hier hineinzuwachsen und schließlich seßhaft zu werden. Dazu bedurfte er natürlich des Kaisers. Seine Position zwischen Kurfürst Maximilian und Kaiser Ferdinand II. wird zunehmend spannungsgeladener, und diese Spannung bricht oft eruptiv an die Oberfläche, oft schwelt sie bloß unter dem Grunde, aber vorhanden ist sie immer. Vielleicht war es übertrieben, wenn die oberösterreichischen Bauern behaupteten, sie wüßten, daß der Statthalter alle vom Kaiser kommenden Befehle zerreiße[238], und vielleicht war nur die Spannung eben im Bauernkrieg am stärksten gewesen, damals, als Herberstorff von des „Teufels Dank“ aus Wien sprach[239]. Aber zu einer konstanten Erscheinung wurde diese Spannung seit 1623, und sie ist für diese Zeit von Herberstorffs Rückkehr bis zur Gegenreformation und zum Bauernkrieg zweifellos signifikant.

Als Herberstorff Tillys Armee verlassen hatte und wieder sein Amt als Statthalter übernahm, da war er Oberst eines Regiments zu Fuß und eines Reiterregiments, und er war als Generalwachtmeister der Reiterei zurückgekehrt. Er war bayerischer Rat und Kämmerer und erhielt die Pflegschaft in Erding[240]. Diesen Begünstigungen von seiten des Herzogs von Bayern standen auch kaiserliche Gnadenbezeugungen zur Seite. Herberstorff legte großen Wert auf äußere Zeichen fürstlichen Wohlwollens. 1621 ist er auch Rat und Kämmerer des Kaisers, und im gleichen Jahre hatte er den Kaiser um die Verleihung einer goldenen Kette, „500 Cronen Wert“, gebeten und diese auch erhalten, wobei allerdings die fünfhundert Kronen in bar aus den Rentamtsgefällen zu Steyr im Kriegszahlamt ersetzt werden mußten[241]. Später hat er sich bemüht, als die protestantischen Herren Oberösterreichs ihre Landeserbämter verloren, ein solches vom Kaiser zu erhalten, und er hat den Abt von Göttweig um seine Intervention beim Kaiser gebeten[242]. Auch der König von Spanien stellte sich mit Ehrungen ein. Schon Ende des Jahres 1621 hatte Kaiser Ferdinand den Wunsch geäußert, den Statthalter seines Landes auszuzeichnen, und im Oktober 1622 wurde Herberstorff der „Abito de Santiago", die Tracht des Ordens des hl. Jakob vom Schwerte, der 1161 im spanischen Leon im Kampf gegen die Mauren gegründet worden war, verliehen. Auch wurde Herberstorff Ritter des Ordens von Calatrava für seine Verdienste im Kampf gegen die Häretiker, eine Auszeichnung, auf die er besonderen Wert legte[243]. Viel wichtiger war aber Herberstorffs Standeserhöhung durch den Kaiser. Am 8. April 1623 hat Kaiser Ferdinand Adam Freiherrn von Herberstorff und alle seine künftigen ehelichen Leibserben und deren Erbens-Erben, Männer und Frauen, absteigende Linie in den „Stand Ehr und Würde unserer und des heyligen Römischen Reichs auch unserer Erbkönigreiche Fürstenthumb und Landen Grafen und Grafinnen gnediglich erhebt und gesetzt". Außer dieser Erhebung in den reichs- und erbländischen Grafenstand erhielt Herberstorff das Recht, das Prädikat „Wohlgeboren" zu führen, und für den Fall, daß er ohne eheliche Leibserben bleiben sollte, sollte er berechtigt sein, einen aus dem Geschlecht der Herberstorff oder einen anderen aus seinem Geblüt zu adoptieren, ihn zu seinem Erben zu instituieren und ihm Namen und Grafentitel mit allen Rechten zu übertragen[244]. Als Begründung für die Erhebung Herberstorffs in den Grafenstand werden alle seine Verdienste angeführt, die er sich um die Niederwerfung der ständischen Rebellion in Oberösterreich und Böhmen — angefangen von den Werbungen von Kriegsvolk bis zum Einmarsch in Oberösterreich — erworben hat; auch seine Teilnahme an den Kämpfen — wobei es scheint, als wäre er auch bei der Schlacht am Weißen Berg dabeigewesen[245] —, seine Verdienste als Statthalter und seine gute Verwaltung werden angeführt. Adam von Herberstorff, aus einem steirischen Rittergeschlecht hervorgegangen, das vor nicht allzu langer Zeit erst in den Herrenstand aufgestiegen war, war nunmehr Graf des Heiligen Römischen Reiches und der habsburgischen Erbländer geworden.

Es ist charakteristisch für den starken Familiensinn, der Herberstorff zu eigen war und der sich wiederholt manifestierte, daß er den Versuch machte, daß die Erhebung in den Grafenstand auch auf seinen Bruder Franz und seinen Vetter Walkun von Herberstorff extendiert wird. Kaiser Ferdinand hat jedoch diesem

Wunsch Herberstorffs nicht stattgegeben: weil diese Erhöhung allein durch Adam von Herberstorffs Verdienste um den Kaiser und das Haus Österreich, besonders aber wegen seines Wirkens gegen die Rebellion und die Unruhe in den Ländern des Kaisers veranlaßt worden war, soll sie auch auf ihn allein beschränkt bleiben[246]. Wie Herberstorff bestrebt war, seine beiden Verwandten Franz und Walkun wenigstens irgendwie an seinem Erfolg partizipieren zu lassen, zeigt der Versuch, für Franz von Herberstorff und Walkun wenigstens das Palatinat, die Hofpfalzgrafenwürde, zu erhalten[247]. Seinem besonderen Günstling und Weggefährten seit den Tagen seiner Jugend in Lauingen, Walkun, hat Herberstorff dann im Jahre 1624 den kaiserlichen Oberstititel verschafft[248].

Der Statthalter hat auf der Burg in Linz Hof gehalten und sich auch eine Art Hofstaat eingerichtet. Hofmeister des Statthalters war Hans Christoph Schmitzberger zum Thurn, der dann am 21. Mai 1627 in den neuen Ritterstand des Landes ob der Enns aufgenommen wurde[249]. Mit Bewilligung des Statthalters feierte er im Jahre 1628 auf dem Linzer Schloß seine Hochzeit mit Maria Elisabeth Groß von Troknau[250]. Als Schloßpfleger diente dem Statthalter Herberstorff seit 1623 Felix Guetrater, ein kränklicher, unzufriedener Mann, der Erinnerungen schrieb, die uns spärlichen Einblick in das Leben dieser Zeit und in Glück und Unglück dieses „Schloß-, Pfleg- und Zeugwarts ... bei dem kaiserlichen Hauptschloß Linz“ gewähren. Als Guetrater und seiner Ehefrau Euphrosine am 29. März 1625 ein Sohn geboren wurde, erhielt dieser die Namen Paris Adam, und der Erzbischof von Salzburg, Paris Lodron, sowie Adam Graf Herberstorff waren unter den Taufpaten[251]. In seinem Gefolge hatte Herberstorff auch einen eigenen Wundarzt, einen jungen Wiedertäufer, dem im Jahre 1622 dann die Jesuiten das Sakrament der Taufe spendeten[252]. Als Hofkaplan des Statthalters ist im Jahre 1625 Melchior Neydhardt nachweisbar[253]. Auch ein Stallmeister und ein Hauptmann der Garde des Statthalters werden 1622 erwähnt. Guetrater berichtet in seinen Erinnerungen, daß Herberstorff in seinem Hofstaat auch einen Hofmaler namens Hans Rielinger beschäftigte (1627). Als Sekretarius diente Herberstorff Jakob Stich[254]. Gelegentliche Besuche wurden an Herberstorffs Hof auf der Linzer Burg gastlich empfangen. Der junge Fürst Christian von Anhalt, Sohn des großen Unruhestifters in Mitteleuropa, der am

Weißen Berg mit seinem König geschlagen worden war, kam im Herbst 1622 zur Zeit der Abwesenheit Herberstorffs auch nach Linz. Er bewunderte nicht nur das Landhaus mit dem „marmelsteinernen“ Tor und die darin befindliche „feine Kirchen“, in welcher noch evangelische Predigten stattfanden, die dortige Ratsstube mit den Bildnissen Kaiser Matthias’ und seiner Gemahlin, sondern auch das Schloß, „welches sehr schön gebauet, mit großen Gemächern“, welches auf einem Berg liege und „ein sehr lustig Aussehen auf die Donau“ habe. Anhalt hat der Frau des Statthalters, Maria Salome von Herberstorff, und ihrer Tochter, „Fräulein Trautle von Papenheim“[255], einen Besuch abgestattet. Er besichtigte den Marstall Herberstorffs und bewunderte dessen schöne Pferde. Er war abends Gast der Familie des Statthalters und verbrachte die Nacht im Schloß. Nach der Abendtafel hat Herberstorffs Stieftochter „auf der Lauten gespielt und drein gesungen“. Als Anhalt am nächsten Morgen wieder abreiste, um zu dem nach Regensburg reisenden Kaiser zu eilen, den er am 19. November in Straubing traf, da ließ Maria Salome von Herberstorff den jungen Fürsten durch den Stallmeister und den Gardehauptmann bis Hartheim bei Eferding das Geleite geben[256]. Aber nicht nur Herberstorffs Gattin führte ein gastliches Haus, auch der Statthalter selbst war ein gastfreundlicher Kavalier, der die Cortesia pflegte. So hat er „etlich gefangene Fürsten von Sachsen-Weimar mit ihren Dienern und Pferden“, welche in Linz angekommen und hier die Nacht verbrachten, gastlich bewirtet[257].

Gelegentlich waren Anlässe zu größeren Festen an Herberstorffs Hof. Mitte September 1621 fand in Linz die Hochzeit von Herberstorffs Stieftochter Maria Magdalena von Pappenheim[258] mit dem 1619 Witwer gewordenen Johann Warmund von Preysing, dem Besitzer des Schlosses Moos in Niederbayern, statt. Der Bräutigam schiffte sich — begleitet von einer größeren Reisegruppe — mit mehr als zwanzig Dienern und etwa zwanzig Pferden am 11. September 1621 in Vilshofen ein und reiste zu Wasser nach Linz. Dort wurden Dienerschaft und Pferde bei einem Gastwirt, die adelige Reisegruppe aber im Schloß als Gäste des Statthalters einquartiert. Der Statthalter hatte gegen Erlag von 1500 Gulden durch den Bräutigam die Kosten für den Unterhalt der Gäste und für das Hochzeitsmahl übernommen. Der Heiratskontrakt wurde am 15. September in Linz abgeschlossen. Maria Magdalena erhielt 4000 Gulden als Heiratsgut, J. Warmund Preysing setzte als Widerlage auch 4000 Gulden für seine Braut und als Morgengabe 1000 Gulden. Zeugen und Beistand bei Abschluß des Heiratsvertrages waren auf seiten des Bräutigams Georg Christoph von Preysing, Bartolomäus Freiherr von Dietrichstein, Herr auf Riedau und Roith, auf seiten der Braut deren Stiefvater Adam von Herberstorff, Hans Wilhelm von Zelking auf Weinberg und weiters der Bruder der Braut Gottfried Heinrich von Pappenheim und ihr Onkel Otto Heinrich Freiherr von und zu Fränking, Herr zu Adldorf. Die Braut trug bei der folgenden Kopulation ein Kleid, für das mehr als 13 Ellen „königsfarbener gewarsserter Schamelot" verwendet wurden, und einen Hut mit Schnüren. Es mag ein festlicher Aufzug gewesen sein, als dieses Paar in Linz zum Traualtar schritt, und beim Hochzeitsmahl im Linzer Schloß gab es reichlich Speise und Trank. Maria Salome von Herberstorff hatte sich alles, was für diese großen Feierlichkeiten für ihre Tochter an guten Dingen nötig war, aus Bayern bringen lassen; war man doch im Land ob der Enns noch nicht so ganz zu Hause; vielleicht hatte sie auch gehofft, in Niederbayern, im Umkreis von Schloß Moos, billiger einzukaufen. Man hat in dieser Zeit gut und reichlich gegessen und getrunken, es mußte alles im Überfluß vorhanden sein bei derartigen Anlässen der Freude; was übrigblieb, fand sicherlich Absatz bei Gesinde und Bedürftigen der Stadt. Wir kennen den Speisezettel jenes Festaktes im Linzer Schloß nicht, aber was man für diesen Zweck einkaufte, konte in dieser Woche der Anwesenheit der Hochzeitsgäste wohl nicht aufgegessen werden. Neben 15 Indianischen Hühnern wurden zwölf gute und 18 weniger gute Kapauner, zwanzig Hennen und vier gemästete Gänse sowie zehn Aalfische nach Linz gebracht, dazu fünfzig Schafe. Den Wein aber wird der Statthalter aus seinem Keller in reichlichem Maße zur Verfügung gestellt haben. Denn die Herren waren trinkfreudig, und die bayerische Hochzeitsgesellschaft hatte schon auf der Reise nach Linz in Vilshofen am Vorabend der Abreise 18 Kopf Wein[259] getrunken. In Linz fand anläßlich der Pappenheim-Hochzeit ein Turnier, ein Ringelrennen, auf dem Hauptplatz statt[260]; für die Sieger stiftete Preysing zwei silberne Becher. Im Jesuitenkolleg aber, bei den großen Freunden des Statthalters und seiner Familie, spielten die Studenten zu Ehren der Festgäste eine „Komödie". Dann gab es reichlich Geschenke des Bräutigams für die Herberstorffschen Bediensteten: Hofmeister Schmitzberger erhielt einen silbernen Doppelbecher, der Stablmeister und der Stallmeister einen goldenen Ring mit einem Rubinstein, für die Musikanten aus Linz, die wohl auch beim Hochzeitsmahl aufspielten, stiftete Preysing „Verehrungen".

Nach einer Woche reiste Maria Magdalena mit ihrem neuvermählten Gatten nach Moos in Niederbayern. Schon die Teilnahme Zelkings als Trauzeuge läßt erkennen, daß man wohl auch den protestantischen Adel des Landes zur Hochzeit eingeladen hat und daß eine große Hochzeitsgesellschaft im Linzer Schloß vereinigt war[261]. Als knapp zwei Jahre später Herberstorffs andere Stieftochter Anna Benigna Herrn Erasmus von Gera heiratete, da wurde zur Hochzeitsfeier in Linz am 7. Januar 1624 unter anderem auch Juliane von Starhemberg, Witwe des calvinischen Reichard Starhemberg, der Freund und Vetter des Georg Erasmus Tschernembl gewesen war, zu den Hochzeitsfeierlichkeiten eingeladen. Auch Hans Ludwig Geumann zu Gallspach, ebenfalls einer der führenden protestantischen Familien des Landes angehörig, erhielt zur Pappenheim-Hochzeit in Linz eine Einladung. Damals mag es ähnlich groß hergegangen sein wie 1621[262]. Über den gesellschaftlichen Verkehr auf der Linzer Burg sind wir so gut wie nicht unterrichtet, auch nicht über private Kontakte der Familie Herberstorff[263]. Zu Johannes Kepler allerdings, dessen alte Verbindung zu Herberstorff in die Grazer Zeit des Astronomen zurückreicht, scheint auch in Linz noch eine lebendige Beziehung bestanden zu haben. Dies sieht man daraus, daß im Jahre 1625 Keplers Sohn Ludwig seine deutsche Übersetzung des „Ersten Buches des Cornelli Taciti Historische Beschreibung" Maria Salome von Herberstorff widmete. Aus der Widmung des jungen Kepler ist zu entnehmen, daß Herberstorffs Familie mit Kepler offenbar näheren Kontakt pflegte. Denn schon das Manuskript dieser Übersetzung, die aus dem Lateinunterricht Keplers für seinen Sohn hervorgegangen war, hatte Maria Salome von Herberstorff von Kepler erhalten, und als dieser das Manuskript wieder abforderte, da wünschte die Gräfin Herberstorff eine Abschrift, die sie ihrem Sohn Gottfried Heinrich von Pappenheim schicken wollte. Dieses persönliche Interesse und die Verehrung Keplers für die Gräfin Herberstorff waren Anlaß, dieses Büchlein drucken zu lassen, und der Vater Johannes Kepler hatte zur Dedikation an Herberstorffs Gattin geraten[264].

Wegen des gespannten Verhältnisses des Statthalters zu den Landständen dürfte der gesellschaftliche Verkehr sich nur auf einzelne Mitglieder und besondere Ereignisse, wie die erwähnten Heiraten, beschränkt haben. Die Bestimmungen in den Instruktionen für die Statthalterei, wo gegen zu große Vertraulichkeit mit den Ständen, gegen Einladungen und „Gastereien" Vorsorge getroffen ist, zeigen, daß engere Kontakte nicht erwünscht waren, zugleich aber auch — sonst hätte es nicht verboten werden müssen —, daß es diese gab. Daß Herberstorffs Gäste köstliche Speisen erwarteten, sieht man aus einem Auftrag des Hofmeisters Schmitzberger zur Beschaffung von „Artischocken, Kreitwerch und Krepsen" für die Tafel des Statthalters. Die aus dem Süden stammende Artischocke galt als besonders köstliche Frucht und diente sogar gelegentlich als Geschenk, mit dem man hohen Herren Freude machen wollte[265].

Zu Heinrich Wilhelm Starhemberg, Reichard Starhembergs Sohn, hatte Herberstorff ein sehr gutes persönliches Verhältnis. Das ist nicht nur daraus zu sehen, daß er ihn zu den Faschingslustbarkeiten nach Linz einlud (1627)[266], sondern auch, weil er sich einmal für Starhemberg beim Kurfürsten ganz energisch einsetzte, ja sich mit ihm solidarisch erklärte. Starhemberg war damals — es war im Jahre 1625 — Hauptmann im Herberstorffschen Regiment zu Fuß. Nun scheinen Starhembergs Soldaten in Franken in derartigem Maße gehaust zu haben, daß ihn der Kurfürst von der Armee abberufen ließ. Herberstorff wandte sich zugunsten Starhembergs an Kurfürst Maximilian und verlangte vor allem, daß Starhemberg selbst gehört werde. Herberstorff erlaubte nun Starhemberg, nach München zu fahren und dem Kurfürsten persönlich zu berichten.

Starhembergs Person sei ihm — so schreibt der Statthalter an Kurfürst Maximilian — so gut bekannt, daß er ihm wohl das Kommando über die betreffende Kompagnie anvertrauen konnte. Über Starhemberg äußerte sich der Statthalter: „er ist erstlich ein angesessener Kavalier, der auch die zweimal hunterttausend Gulden Güeter in diesem Land hat, des Kaysers wirklicher Cammerer und zwei Jahr lang zuvor schon ein Capitän gewest, auch sich gegen Churfürstliche Durchlaucht in allen Actionen also affectioniert erzeigt, wie dessen Euer kurfürstlichen Durchlaucht Räth in diesem Landt Zeugnis geben können, daß er selbst Gelegenheit getracht, in diese Dienst zu kommen und sich um Euer churfürstlichen Durchlaucht und dero hochlöblichstes Haus etwas verdient zu machen". Herberstorff drückte förmlich seinen „Schmerz" aus, daß sich immer Leute finden, die ihn beim Kurfürsten diskreditieren. Denn dies alles gehe nicht nur Starhemberg, sondern auch ihn selbst, seine eigene Ehre und seine „Existimation" an. Der Kurfürst war auch etwas indigniert über Herberstorff und notierte auf Herberstorffs Brief eigenhändig: „Man schick ihm nur deren von Nürnberg Schreiben. Er ist gar zu sensitivo, man soll ihme alles loben" — ein aufschlußreiches Wort Maximilians über die Empfindlichkeit seines Statthalters und dessen Bedürfnis, fürstliches Lob zu empfangen[267]. Nun war Heinrich Wilhelm Starhemberg, dessen Partei Herberstorff so leidenschaftlich ergriff, der erste der Starhemberger, der sich „akkommodierte", ja auch — er war ja der Sohn eines Kalviners — als erster wieder katholisch wurde. Damals, als Herberstorff 1625 sich für Starhemberg exponierte, war dieser allerdings noch Protestant[268].

Herberstorffs Statthalter-Tätigkeit nach seiner Rückkehr vom Heer wurde durch gelegentliche Reisen unterbrochen. So reiste er im Dezember 1625 privat auf Wunsch seines Stiefsohnes Gottfried Heinrich von Pappenheim in Familienangelegenheiten für 14 Tage nach Augsburg und Treuchtlingen, im September 1624 weilte er zum Begräbnis eines Herrn von Preysing zu Adldorf im Gericht Landau in Bayern[269], dazu kamen gelegentliche offizielle Reisen, wie z. B. seine Fahrt nach Böhmen im März und im Mai 1624, wo er in Krumau meuternde Reiterei beschwichtigen sollte, was ihm jedoch sehr schwer gelang, so daß Kurfürst Maximilian dann Tilly selbst zu Herberstorff nach Südböhmen schickte[270]. Auch zum Kaiser reiste er manchmal, so etwa im Herbst 1625[271]. Dazu kamen noch durch Repräsentation bedingte Fahrten im Land, als er z. B. im August 1624 den Erzherzog Karl, Bruder des Kaisers Ferdinand, bei dessen Besuch im Stift Kremsmünster dorthin begleitete[272]. Nun gingen derartige offizielle und offiziöse Reisen gewiß auf Rechnung der bayerischen Staatskasse, dennoch klagte Herberstorff über Schwierigkeiten hinsichtlich seines Einkommens. Anfang des Jahres 1625 spricht er davon, daß er während seines Dienstes im Land ob der Enns bei den teuren und schweren Zeiten einen „namhaften Pfenning zugebüßt" habe. Er verweist darauf, daß er außer seiner Besoldung keine „Accidentia" habe, daß er diese um besserer Nachrede willen auch nicht suche. Er müsse jedoch für alles bar bezahlen, sogar das Holz zum Heizen in dem großen Schloß, was ihm jährlich 1600 Gulden koste. Es bestünde auch keine Hoffnung auf bessere Zeiten, und alle Länder, von denen früher das Land ob der Enns Hilfe bekam, seien ruiniert. Als Statthalter habe er viele Repräsentationsauslagen — „Spesa" — auf Grund seines Amtes, und man sei von den Landeshauptleuten hier „etwas extraordinari Spesa gewohnt". Auch klagt er, daß sein Kriegssold vom Reiterregiment nicht eintreffe, seit zwanzig Monaten habe er von daher keinen Pfennig an Sold erhalten. Darum möchte er haben, daß der Sold von seinem Reiterregiment sowie vom Regiment zu Fuß „hier im Land bei den Garnisonsgefällen" angewiesen wird. „Einige Service im Land an Heu, Stroh" etc. will er nicht, er befürchte, daß seine nachgesetzten Offiziere und das Volk auf dem Lande darüber reden würden. Er will, „daß ja kein Mann mit Wahrheit sagen kann, daß von Euer churfürstlichen Durchlaucht Offizier als mir die Inwohner dieses Lands in einem oder anderen gleichen Falle beschwert werde". Ohne Hilfe des Kurfürsten kann er nicht „continuieren", „noch viel weniger prosperiren". Die 3500 Gulden, die er daraufhin vom Kurfürsten in Raten angewiesen erhielt, mögen ihn zunächst zufriedengestellt haben[273]. Nun hat der Jesuitenpater Jeremias Drexel, der das Liga-Heer nach Oberösterreich und Böhmen begleitet hatte, in seinem Diarium berichtet, Herberstorff erhalte für seine „Präfectura" im Lande jährlich 14.000 Gulden[274]. Tatsächlich bezog Herberstorff als Statthalter jährlich 2000[275] Gulden. Das wäre im Vergleich zum Aufwand für das Holz im Schloß zu Linz mit 1600 Gulden sehr wenig, im Vergleich zu den Hofgehältern am bayerischen Hof stellt es aber doch eine beträchtliche Summe dar, und nur die höchsten der Hofbeamten Maximilians, wie der Oberstkämmerer und der Obersthofmeister Johann Graf von Zollern und der Hofmarschall Egon von Fürstenberg und später Andreas von Wolkenstein, hatten höhere Gehälter als Herberstorff. Der Oberstkanzler Donnersberg z. B. hatte nur 1000 Gulden jährlich, der Hofratspräsident Gundacker von Tannberg 1200 Gulden. Georg Pfliegl hatte als Vizedom Oberösterreichs 1200 Gulden Jahresgehalt, der bayerische Rat in Linz, Dr. Melchior Sturm, hatte 1000 Gulden jährlich[276]. Nun kam zu Herberstorffs Bezug als Statthalter freilich noch sein Kriegssold. Dieser betrug ursprünglich als Oberst fünfhundert Gulden und wurde 1621 vom Herzog auf monatlich 650 Gulden erhöht. Aus den Garnisongeldern Oberösterreichs erhielt Herberstorff vermutlich als Oberst seines Regiments zu Fuß monatlich 1000 Gulden, und zwar „aus Ursachen, daß die wissentlich hoche Notdurft erfordert, er, Herr Obrister, im besagten Land ob der Enns stetigs bei der Stell verbleibe, und auch auf die benannte Compagnia ebensowohl die Staatspersonen halten mueß, als wenn das Regiment völlig beisammen“[277]. Bei all diesen Gehältern und Bezügen (insgesamt jährlich 22.000 Gulden) ist allerdings zu berücksichtigen, daß durch die Inflation natürlich eine Wertminderung eingetreten war. Dazu kommt, daß z. B. Herberstorffs Statthaltergehalt wenigstens von 1620 bis 1624 gleich, d. h. 2000 Gulden hoch blieb.

Die Inflation am Beginn des Dreißigjährigen Krieges, die ganz Deutschland erfaßte, wirkte sich naturgemäß auch auf das Land ob der Enns aus. Man hat diese als Kipper- und Wipperzeit, als „Münzkonfusion“ bezeichnete Erscheinung in den ersten Kriegsjahren die „größte Katastrophe in der deutschen Münzgeschichte“[278] genannt. Sie ist ein merkwürdiges Phänomen, das in seinen Ursachen mit der Inflation, wie sie die Generation unmittelbar nach dem Ersten Weltkrieg kennenlernte, nicht identisch ist. H. Bechtel[279] hat darauf hingewiesen, daß die Inflation um 1920 eine Folge der durch den Krieg entstandenen Mißverhältnisse zwischen Güter und Geldmenge war. Dreihundert Jahre vorher aber war die Inflation durch in Massen geprägte minderwertige Scheidemünzen — Kriegsmünzen oder Notmünzen — entstanden, vermehrt durch Gewinnsucht und Betrug, wobei das schlechte Geld nach dem Greshamschen Gesetz das gute Geld verdrängte. Erst jüngst wurde betont, daß der tiefere Grund der Münzkatastrophe im Übergang vom Silber zum Kupfer zu sehen ist und vor allem im Zusammenhang mit der spanischen Silberkrise steht. Deutschland habe in diesen Jahren nach 1620 wohl nicht de jure, aber de facto einen Kupferstandard gehabt[280]. Ein gewaltiger Sturz des Geldwertes und enorme Preissteigerungen kennzeichnen diese Zeit. Eine riesige Spekulationssucht erfaßte alle, und die Fürsten und auch der Kaiser selbst suchten durch Verpachtung der Münzprägung gegen eine Pauschalsumme Gewinn einzuheimsen[281]. Herzog Maximilian von Bayern hatte Bedenken gegen diese Vergabe von fürstlichen Münzrechten an andere, obwohl — wie er schreibt — der Kaiser, der Pfalzgraf von Neuburg „und viel andere ansehnliche Reichsfürsten" derartige Akkorde getroffen hatten, und er stellte sich und seinen Ratgebern die Frage, „ob derowegen ein anderer Fürst des Reiches dieser Schlaipfen [Verderbnisse] ... auch nachgehen und mit guetem Titel das Münzregal verstiften kündte, ohne daß er dadurch eine schwere Verantwortung vorderst gegen Gott und dann der weltlichen Obrigkeit auf sich lade[282]. Maximilian hat auch tatsächlich sein Münzregal nicht verpachtet. Aber Bayern und das verpfändete Land ob der Enns blieben dennoch nicht verschont von der riesigen Geldentwertung, die zunehmend überhandnahm. Schon unmittelbar nach dem Bekanntwerden der Verpfändung Oberösterreichs setzte eine allgemeine Geldflucht aus dem Lande ein, bzw. eine Hortung des guten Geldes, und Herberstorff berichtete am 14. Juli 1621 an den Herzog: Es ist „diese Contrabandi und haimbliche Verschwörzung bei den gemainen Leiten diser Landen so gmain, daß schier unmöglich zu verhieten und wenig guets Geld mehr zu finden ist"[283]. Herberstorff hatte nun wegen des Ostermarktes in Linz eine „Münzsteigerung" im Lande verfügt, wogegen der Kaiser beim Herzog protestierte und, um den Ruin der Kammergutsarbeiter zu verhindern, die Reduzierung verlangte. Nun war, wie Maximilian an die Linzer Regierung schrieb, dem Kaiser die Disposition in dem Münzwesen im Lande ob der Enns vorbehalten[284]. Herberstorff aber hatte gute Gründe anzuführen für die befohlene Münzsteigerung und für die Verweigerung einer Reduzierung, denn die groben Münzsorten waren ringsum im Reich und den benachbarten Ländern „durchgehend in einem hecheren Wert", so daß beim Ostermarkt in Linz ungeheure Schwierigkeiten zu erwarten waren. Auch die bayerische Besatzungsmacht bekam unmittelbar das hereinbrechende Fallen des Geldwertes zu spüren, weil das Garnisongeld nicht gezahlt wurde, da niemand Geld herausgeben wollte, bis man den Wert anglich. Und auch hinsichtlich der Bezahlung der bayerischen Soldaten stand man vor unüberwindlich scheinenden Problemen, da diese das wertlose Geld nicht annehmen wollten. Außerdem mußten die Städte zur Naturalversorgung der Soldaten verpflichtet werden, weil diese eben um ihr Geld nichts erwerben konnten.

Auch die Plünderungen und Ausschreitungen der Soldateska hingen mit dem wertlosen Geld zusammen[285]. Herberstorff hatte sich also um des allgemeinen Wohles im Lande wegen zur Münzsteigerung bewogen gefühlt. Denn es wurde die „grobe und guete alte Münz derorten ganz häufig aufgewechslet und aus dem Land über alles ernstliches Verbot und Bestellung verführt und dagegen andere kleine schlechte Sorten ins Land gebracht und darinnen gelassen", schrieb er an den Kurfürsten. Unter diesen Zuständen litten die Geschäfte und das Gewerbe, und die Spekulation sei voll in Blüte. Herberstorff hielt es daher für unmöglich, dem Wunsch des Kaisers zu entsprechen und eine Reduzierung dieser Münzsteigerung durchzuführen ohne größten Schaden für das Land[286]. Den Höhepunkt erreichte die Inflation auch im Land ob der Enns, als der Kaiser die Münzprägung an ein fünfzehngliedriges Münzkonsortium um sechs Millionen Gulden Anfang des Jahres 1622 auf ein Jahr verpachtete. Diesem Münzkonsortium gehörten unter anderem der Prager Bankier Johann de Witte, der Prager Handelsmann Jakob Bassevi, der Sekretär der böhmischen Kammer Paul Michna sowie der Statthalter von Böhmen Fürst Karl von Liechtenstein, Albrecht Eusebius von Wallenstein, Gundacker von Polheim, vermutlich auch Hans Ulrich von Eggenberg an. Sie zogen größten und reichsten Gewinn aus dieser Tätigkeit, und Wallenstein war schon Ende 1622, abgesehen von seinem riesigen Gütererwerb, in der Lage, dem Kaiser dreieinhalb Millionen Gulden in langer, vom Münzkonsortium geprägter Münze als Darlehen anzubieten[287]. Nun war diese große Welle der Teuerung und der Geldentwertung über das Land gekommen, als Herberstorff beim Liga-Heer weilte, und die zurückgelassene Regierung in Linz suchte durch Festsetzung von Höchstpreisen, durch Ausfuhrverbote der Lage Herr zu werden. Alle diese Patente ergingen im Land unter Herberstorffs Namen. Die Preise waren bis Dezember 1622 auf das Vier- bis Fünffache gestiegen[288]. Noch kurz vor seinem Abgang zur Armee Tillys hatte Herberstorff seine Verbote des „Aufwechselns" der guten Münze, der Ausfuhr aller Lebensmittel sowie der Verbringung von Leinwand, Flachs und Zwirn in Erinnerung gerufen und mit Beschlagnahmen und anderen harten Strafen gedroht[289]. Das ganze Jahr 1622 hindurch kämpfte die bayerische Regierung in Linz gegen die Teuerungswelle, allerdings mit geringem Erfolg. Während für die übrigen kaiserlichen Erblande die Devalvation der Kippermünzen, die sogenannte Münz-Calada, erst Ende des Jahres 1623 kam, wurde sie im Lande ob der Enns bereits zu Pfingsten dieses Jahres durch ein kaiserliches Patent eingeleitet. Das Geld wurde auf ein Viertel des bisherigen Wertes und auf ein Achtel des Nennwertes herabgesetzt[290]. Diese nicht am Ende, sondern am Beginn eines großen Krieges stehende Inflation, welche zur Folge hatte, daß das Vermögen vieler Menschen zerrann und namentlich die Festbesoldeten in große Nöte gerieten, hat, wie Friedrich Lütge betont, weniger eine Hemmung der wirtschaftlichen Entfaltung als eine beträchtliche Umschichtung des Vermögens bewirkt[291]. Auch für das Land ob der Enns wird neuerdings die Ansicht vertreten, die Auswirkung der Münzverschlechterung auf die allgemeine wirtschaftliche Situation, vor allem auf den Handel, sei gering gewesen. Am Beispiel des Salz- und Getreidehandels wird illustriert, daß dieser vom Geldwert unabhängig war, daß die Preissteigerung vor allem einen erhöhten Proviant- und Kriegsmittelbedarf widerspiegelt. Erst strengere Maßnahmen Herberstorffs von 1624 und 1625 hätten normalere Marktverhältnisse geschaffen und damit auch die Preisgestaltung wirkungsvoll beeinflußt. Die großen Geschäfte seien auch im Lande ob der Enns zur Zeit der Münzwirren in guten alten Münzen, die es immer noch im Land gegeben habe, getätigt worden[292]. Es ist dies eine Auffassung, die Herberstorffs Behauptungen, es gäbe so gut wie keine gute Münze mehr im Lande, durchaus widerspricht. Es muß nun Herberstorffs Auffassung nicht unbedingt richtig gewesen sein, denn was offiziell nicht sichtbar war, kann es dennoch gegeben haben, obwohl man aus einzelnen Nachweisen von Geldhortungen noch keine ganz allgemein gehaltenen Urteile wird fällen können. Selbst wenn diese optimistische Auffassung, die den Aussagen des Statthalters widerspricht, zutreffen sollte, so hat jedenfalls die breite Schichte der Bevölkerung, die kleinen Leute, die keine Möglichkeit hatten, der Geldentwertung auf irgendeine Weise auszuweichen, die Zeit der Inflation im Lande schwer zu tragen gehabt.

Wenn Herberstorff in einem Patent sagte, „daß sowohl das Geldt als auch allerlei Victualia, so zu des Menschen Unterhaltung von Nöten mit höchster Beschwerung des armen Mannes von Tag zu Tag in höherm Werth kommen“, so hat er die üble

Auswirkung der Münzverschlechterung auf die unteren Schichten der Gesellschaft zweifellos richtig gekennzeichnet[293].

Der Vizedom Georg Pfliegl hat im Spätherbst 1623 in einem Bericht an den Kurfürsten die Schwierigkeiten geschildert, die hinsichtlich der Einnahmen der bayerischen Verwaltung bestanden. So mußte man, als an Herberstorff auf Befehl Maximilians zur Armee 6000 Reichstaler überwiesen werden mußten, diesen Betrag bei den Salz- und Mautgefällen antizipieren. Die Ämter im Lande warfen wenig oder nichts für die Bayern ab, die konfiszierten Güter, die etwas getragen hätten, seien nach Pfliegls Angaben verschenkt, verkauft oder verpfändet worden und brächten praktisch keine Einnahmen für die bayerische Verwaltung. Die Kassen der Salinen seien leer, und die Strafgelder nehmen meist die Stände als Inhaber der Landgerichte. Auch ist von Interesse, daß Pfliegl damals von der Schwierigkeit für die Stände spricht, das Garnisongeld bei den Untertanen hereinzubringen, denn „die Not“ sei „bei dem armen gemeinen Pauersmann bereits so groß, daß wohl gar kein eilende Rechnung darauf zu machen ist“. Die Untertanen müßten zweimal während des Jahres „Hauptsteuern“, dazu monatlich das Garnisongeld zahlen und so, ganz abgesehen von den Heeresforderungen, „die auf Mehrweg auch nit schlecht“, vierzehnmal im Jahr Steuer zahlen. Mit Sorge sehe man dies und fürchte, daß diese Onera und Exactiones nicht kontinuierlich vom Lande getragen werden könnten. Das Land ob der Enns sei arm an Gewerben, habe nur den Garn- und Leinwandhandel. Auch die Städte seien fast erschöpft, liege doch die Soldateska ihnen vier Jahre auf dem Hals[294]. Dabei wurden die Städte später vom Rüst- und Monatsgeld befreit, und als auch einzelne Herrschaften, wie im Jahre 1625 die Herrschaftsuntertanen von Wildenegg, um Befreiung vom Rüst- und Monatsgeld baten, da trat Herberstorff dafür ein, obwohl hiedurch die Einbringung des Garnisongeldes neuerdings erschwert wurde[295]. Herberstorff wußte nur zu gut um die schlechte Stimmung, welche die Garnisongeldforderungen im Lande erzeugten, schrieb er doch wenig später an den Kurfürsten, das Garnisongeld mache die Untertanen im Land insgesamt unwillig und schwierig[296]. Die Schuldenlast des Landes — der Stände und des Landesfürsten zusammen — wurde 1624 von der bayerischen Landesverwaltung in Linz mit mehr als 23 Millionen Gulden angegeben. An Garnisongeld hatten die Stände bis Ende 1624 insgesamt 753.965 Gulden gezahlt, mit dem aus dem Vizedomamt gelieferten Garnisongeld waren es fast eine Million[297].

Außer dem normalen Garnisongeld gab es oft noch außerordentliche Forderungen. So etwa, als Herberstorff die Verlegung von fünf Kompagnien Reitern aus Böhmen nach Oberösterreich ankündigte, was die Stände nur durch Zahlung von 30.000 Talern innerhalb acht Tagen abwenden konnten. Vermutlich handelte es sich um die meuternden Reiterkompagnien, zu deren Beruhigung sich Herberstorff im März 1624 und später im Mai gemeinsam mit Tilly nach Böhmen begeben hatte. Die Stände zahlten die 30.000 Taler tatsächlich an Tilly und verschonten so das Land vor dieser schweren Last der Einquartierung[298]. Wie gespannt das Verhältnis des Statthalters zu den oberösterreichischen Landständen auch nach seiner Rückkehr vom Liga-Heer gewesen ist, zeigt die Affäre um das sogenannte Kellerbergsche Kapital, das zu bezahlen sich die Stände trotz des Befehles Herberstorffs weigerten. Darauf ließ Herberstorff die ständischen Verordneten, Abt Georg von Wilhering, Wolf von Gera, Hans Paul Geumann, am 27. September 1623 um acht Uhr früh ins Schloß zitieren und hielt ihnen eine der für ihn so charakteristischen Schimpfreden, die vermutlich härter klangen als ihr tatsächlicher Effekt gewesen ist: „Er müsse aus dieser Verschimpfung und andern mehr vernehmen, daß sowohl Katholische als auch Unkatholische in ihrem Ungehorsam, Stolz und Übermut (durch welche das Land in den Labyrinth geraten) fortzufahren begehren, wie sie es angefangen; wollt nur die Ursache gern wissen, was sie so übermüthig machen thue. Sie sollen aber gedenken, daß sie noch nicht gar über den Graben gesprungen und ihnen noch große Ungelegenheiten bevorstehen, derentwegen sie seines Favors noch wohl weiter bedürfen werden. Es mangle ihm auch an Mitteln nicht, seine Auctorität zu erhalten, und hätte er wohl Ursach wegen des erzeigten Ungehorsams die Herren Verordneten im Schloß an ein Ort zu legen, welches Ihnen nit rühmlich sein werde und ihnen ihre Ämter zu suspendieren.“ Der Ton, in dem Herberstorff mit den Vertretern der Landstände verkehrte, hatte sich also seit 1621 keineswegs geändert[299].

Kaiser Ferdinand II. hatte bereits im Jahre 1623 an Kurfürst Maximilian geschrieben, er möge das Land ob der Enns schonen und nur so viel Besatzung halten, als unbedingt notwendig sei. Die Stände könnten die hohen Kosten nicht erschwingen. Man fordere neuerdings eine Million Gulden als Kontribution vom Land, der Kurfürst möge doch dem Kaiser mitteilen, was es mit diesen hohen Forderungen für eine Bewandtnis habe[300]. Dieser Eingriff des Kaisers ist bereits charakteristischer Ausdruck des neuen schon erwähnten Verhältnisses zwischen Kaiser und Kurfürst nach dem Regensburger Vertrag vom 6. bzw. 28. April 1623 über die Kriegskosten[301]. Denn durch dieses Abkommen war zunächst die vom Kaiser gewünschte Ablösung des Landes ob der Enns hinausgeschoben worden. Der Regensburger Vertrag bedeutete die Anerkennung des Kaisers für die von Maximilian vorgelegte Kriegskostenrechnung von 16 Millionen Gulden. Allerdings wurde dieser Betrag auf eine Pauschalsumme von 12 Millionen Gulden reduziert, welche der Kaiser zahlen sollte. Je sechs Millionen Gulden fanden ihre Sicherstellung in der Oberpfalz und im Land ob der Enns. 600.000 Gulden, das sind fünf Prozent, sollten jährlich an Zinsen von der Oberpfalz und vom Land ob der Enns — hier 300.000 Gulden aus den Salzgefällen — bezahlt werden. Oberösterreich blieb also bis zur Bezahlung der sechs Millionen Gulden in bayerischer Hand, ja es bestand sogar die Gefahr, daß es bei einem Verlust der Oberpfalz durch die Kriegsereignisse auf unbestimmte Zeit in bayerischen Händen bleiben mußte.

War so die Wiedereinlösung des Landes durch den Kaiser vor allem eine Finanzfrage, so stand neben diesem Problem und engstens mit ihm verknüpft auch die Frage der Verzeihung des Kaisers für die Landstände immer, bald stärker, bald schwächer, zur Diskussion. Die Stände hatten von Anfang an — nach ihrer Niederlage — versucht, ihr Verhalten von 1618 bis 1620 zu verniedlichen oder zu entschuldigen, und waren dennoch zugleich bestrebt, den kaiserlichen Pardon zu erhalten. Sie hatten jedoch ihren Nacken noch nicht ganz gebeugt und waren keineswegs bereit, sich ganz bedingungslos zu unterwerfen. Das Fehlen dieser inneren Bereitschaft, ihre Machtlosigkeit zur Kenntnis zu nehmen und ohne Bedingungen um Pardon zu bitten, erschwerte alle Verhandlungen, und es verzögerte die dann doch schließlich notwendige Submission und die damit verbundene Gnade des Kaisers. Man kann sogar annehmen, daß gerade der Druck der bayerischen Besatzung, die Härte des Statthalters und seine gewisse Rücksichtslosigkeit es gewesen sind, die sicher dazu beigetragen haben, die Stände mürbe zu machen zu einem Nachgeben gegenüber ihrem Landesfürsten, sie wieder „österreichisch" zu machen im Sinne der Zugehörigkeit zur Herrschaft des Hauses Österreich. Auch die Einsetzung einer kaiserlichen Strafkommission, welche im Land ob der Enns die Vergehen jedes einzelnen Ständemitglieds in der Zeit des Ständeaufstands untersuchen und eine gerechte Strafe möglich machen sollte, hatte ihre Wirkung auf die Landstände[302]. Sie suchten tatsächlich den Ausgleich mit dem Kaiser, und der erste Tag, den sie wieder unter habsburgischer Herrschaft verbringen könnten, war ihnen zweifellos der liebste. Es kann also nur eine böswillige Verleumdung gewesen sein, als dem Kaiser als „sicher" berichtet wurde, „die Land ob der Ennser wären mehr incliniert bayrisch zu bleiben, als wieder unter ihr Majestät völlige Devotion zu khomben". Der Abt von Kremsmünster, zu dem der Kaiser dies sagte, widersprach auch heftig und betonte, die Stände wünschten nichts inniger, als wieder unter das Zepter des Kaisers zu kommen, worauf Ferdinand II. sagte: „Ihr werd nunmehr so gern unter mir sein, als gern ich das Land wieder hätte, wann nur mit Ihr Durchlaucht Liebden in Bayern zu einem völligen Ende gelangen möchte." Nun hatte der führende Kopf am kaiserlichen Hof, Hans Ulrich von Eggenberg, zu einer oberösterreichischen Gesandtschaft wohl etwas unverblümt, aber im Grunde doch richtig, gesagt, als diese ihn im Oktober 1623 um einen Hinweis bat, was sie zur gänzlichen Aussöhnung mit dem Kaiser tun müßten, sie sollten Geld für die Ablösung des Landes zur Verfügung stellen, und zwar jährlich 500.000 Gulden Kapital und 300.000 Gulden Interesse, der „Pardon" werde sich dann von selbst ergeben. Das dürfte die wichtigste Erkenntnis jener Gesandtschaft gewesen sein, die unter Führung des Gundacker von Polheim seit Juli 1623 des Pardons wegen in Wien weilte, wobei sie sogar ein Interzessionsschreiben des Herzogs von Bayern vorweisen konnte. Polheim schlug darauf den Ständen vor, zu einem Beschluß in der Geldfrage zu kommen, damit das Land ob der Enns wieder „zu der sanftmüetigen Regierung des römischen Kaisers gelangen möge"[303]. Ende Februar 1624 traf dann ein vertrauliches Schreiben aus Wien bei den Ständen in Linz ein, das so geheim war, daß es nach der Verlesung zerrissen wurde. Es ist aber als sicher anzunehmen, daß es Abt Anton Wolfradt von

Kremsmünster[304] war, der seit Oktober 1623 Hofkammerpräsident in Wien gewesen ist und den Ständen nun riet, eine neue Gesandtschaft mit allen Vollmachten nach Wien zu senden. Die Stände müßten allerdings die nötige „Deprecation" und Demut mitbringen, müßten etwas „Mehrers" zur Ablösung des Landes an die Hand geben und in punkto der Religion sich der kaiserlichen Resolution anbequemen. Der Fürst von Eggenberg, der einflußreichste Mann am Hofe Ferdinands, dem der päpstliche Nuntius Caraffa absoluten Einfluß auf den Willen des Kaisers zuschrieb, habe dem Briefschreiber zugesichert, daß er sich dann für die Stände verwenden werde. Es könnte so die Strafkommission verhindert werden und die Stände würden „Ständ" bleiben und ihre Besitzungen ferner behalten können. Der Briefschreiber war sich dabei bewußt, daß es den Ständen bezüglich der Religion am schwersten sei nachzugeben, gibt ihnen aber zu bedenken, daß sie ihr freies Religionsexerzitium kaum behalten werden, wenn die Strafkommission ihre Arbeit im Lande Oberösterreich verrichten werde[305]. Gundaker von Polheim, der auch noch zu berichten wußte, daß die Stände sich, um die Verzeihung des Kaisers zu erhalten, freiwillig der Privilegien begeben sollten, faßte seine Meinung über die Bedingungen, die man den Ständen stellte, in die wenigen Worte zusammen: „Weiß ich nit, wie ein Land mit größerer Ruten gestrichen werden mecht." Was den geforderten Verzicht auf die Religionsfreiheit betraf, so meinte Polheim, das betreffe „unser Seel und Seeligkeit", die Stände könnten alles Zeitliche hingeben, aber „guetwillig solches zu vergeben, das traget auf sich Straf und kein Belohnung"[306]. Die Stände konnten sich auch gerade in diesem Punkt nicht überwinden. Als sie durch eine Gesandtschaft in München wieder eine Intervention des Herzogs von Bayern beim Kaiser erreicht hatten[307], beschlossen sie die Absendung einer großen Delegation aus allen Ständen an den Kaiserhof nach Wien. Abt Anton von Kremsmünster hatte ihnen inzwischen auch die Gesamtsumme von zwölf Millionen genannt, die auf beiden Ländern, der Oberpfalz und dem Land ob der Enns, als Hypothek lagen, und er hat ihnen mitgeteilt, daß sie ihr Ziel nicht erreichen würden, wenn sie sich dem Kaiser nicht gänzlich anvertrauten, wenn sie mehr auf Interventionen als auf die kaiserliche Gnade bauten. Die Stände hörten auf den Rat des Abtes von Kremsmünster nicht.

Die große Gesandtschaft, die am 3. Mai 1624 ihre Instruktion erhielt, sollte dem Kaiser die finanzielle Beihilfe zur Ablösung des Landes anbieten. Die Stände waren bereit, die Zinsen von sechs Millionen jährlich durch zwölf Jahre hindurch zu zahlen, wobei sie allerdings forderten, daß die 500.000 Gulden vom Kapital jährlich pünktlich gezahlt werden, daß sich ihr Zinsendienst verringern werde. Sie baten dagegen um Freilassung der verhafteten Ständemitglieder sowie um die Bestätigung ihrer Privilegien und betonten dabei auch die Freiheit der Religion für die weltlichen Ständemitglieder evangelischer Konfession „sintemal anderer Gestalt unmöglich sein würde, solch untertänigste Devotion im Werk zu erweisen“[308]. Das hartnäckige Festhalten der Stände an ihrer Forderung nach Bestätigung der Religionsfreiheit mag nicht nur in der Auffassung, daß man, wie Polheim meinte, freiwillig dieses hohe Gut nicht aufgeben dürfe, ihre Wurzel gehabt haben. Auch die Hoffnung, daß etwa Bethlen Gabor in seinen Verhandlungen mit dem Kaiser auch für die österreichischen Länder die Freiheit des Augsburgischen Bekenntnisses erwirken würde, mag mitgespielt haben[309]. Nun kann man sich wohl vorstellen, daß diese Art von Submission der Stände, welche als eine conditio sine qua non für ihre Unterwerfung die Aufrechterhaltung der Religionskonzession von 1568 bzw. der Kapitulationsresolution König Matthias' von 1609 forderten, dem Kaiser nicht genügte. Er ließ den Gesandten am 4. Juni 1624 durch den Abt von Kremsmünster und den Hofkanzler daher eine sehr ungnädige Resolution mündlich mitteilen. Seine Erwartung, daß die Stände demütig sich ihm anvertrauen und ohne jede „Exzeption“ und „Condition“ ihre Verbrechen erkennen, sei nicht erfüllt worden. Ihre dem Kaiser übergebene Schrift habe diesem bewiesen, daß es den Ständen nur darum zu tun sei, ihr Verhalten in den Jahren 1618/20 zu rechtfertigen. Er, der Kaiser, könne also nicht davon absehen, die bereits beschlossene Strafkommission ans Werk gehen zu lassen[310].

Dieser kaiserliche Bescheid rief nun große Aufregung bei den Ständen hervor, und sogar die Prälaten, die ja in der Deputation vertreten waren und die Bittschrift an den Kaiser unterfertigt hatten, bekamen eine Rüge, weil sie durch ihre Unterschrift sich auch mit dem Begehren nach Freistellung der Religion identifiziert hatten. Sie mußten sich daher in dieser Frage von den weltlichen Ständen distanzieren, „separieren", wie man es formulierte, und nur in der Frage der Landesfreiheiten, der Huldigung und der Pfandablösung traten sie nun mit den drei politischen Ständen gemeinsam auf. Es ist interessant, die innere Haltung des Prälatenstandes aus einem Schreiben des Propstes Leopold von St. Florian kennenzulernen. Er meint, daß die politischen Stände enttäuscht seien über diese Separation des Prälatenstandes, aber es sei nicht anders möglich, weil man beim kaiserlichen Hof die Haltung des Prälatenstandes sehr übelgenommen habe. Die Prälaten hätten — so meint der Florianer Propst — nichts anderes getan als andere hohe Potentaten — gemeint ist Maximilian von Bayern —, und es könne dies nicht Unrecht sein, sonst hätten diese „als hochverständig" ihre Interventionen zugunsten der Stände ja unterlassen. Sowohl die ständische Solidarität, das gemeinsame Landesbewußtsein, aber auch eine gewisse Dankbarkeit für die Haltung der evangelischen Stände gegenüber den Prälaten zur Zeit der Rebellion war Grund für diese Haltung des Prälatenstandes von Oberösterreich. Der Florianer Propst sagte dies sehr deutlich: Es sei, so meinte er, „nit unbillig, daß sich ein Glied des andern annimmt, ihr Bedenken, daß sie uns gleichwohl tempore interregni, da unser heilige Religion gleichsam auf dem Spitz gestanden, toleriert und zum Teil defendirt, daß wir samt unsern Conventen und Pfarren bei dem unsrigen haben bleiben können"[311].

Die Stände baten nach der ablehnenden Resolution des Kaisers wieder den Herzog von Bayern sowie den Bruder des Kaisers, Erzherzog Leopold, um Intervention und suchten auch die Hilfe des Fürsten Eggenberg zur Einstellung der Strafkommission[312]. Sie reichten eine neue Eingabe an den Kaiser ein, die konzilianter und demütiger war, an ihrer Grundforderung der Religionsfreiheit hielten sie jedoch fest. Der schriftliche Bescheid des Kaisers war daher wieder abschlägig[313]. Ferdinand II. war selbst interessiert, zu einer Lösung zu kommen, darum immer wieder die Bereitschaft zur Verhandlung. Er hat zwar im Oktober die Mitglieder der Strafkommission für Oberösterreich ernannt und die Stände aufgefordert, sich dieser Kommission zur Untersuchung ihres Verhaltens in der Zeit des Aufstandes zu stellen, doch immer wieder auch Gesandtschaften der Stände nach Wien gestattet. Das Spiel ging bis in den Dezember 1624 fort; es wurde schließlich den zäh um ihre Freiheiten und um die Freiheit ihres Gewissens ringenden Ständen Oberösterreichs ein Ultimatum gestellt. Am 9. Dezember erklärten die in Wien weilenden ständischen Ausschüsse im Namen der Landstände deren unbedingte Unterwerfung[314]. Als am 18. Februar 1625 die Stände dem Kaiser die von allen Mitgliedern des Adels und der sieben Städte gefertigte Submissionsschrift übergeben hatten, erließ Ferdinand II. am 27. Februar die Pardonierungsresolution. Den oberösterreichischen Ständen wurde nunmehr Verzeihung und Gnade zuteil. Die Zitation vor die Strafkommission wurde aufgehoben, alle Strafen an Stand, Leib, Ehre, Besitz wurden nachgesehen, und die Bestätigung aller der kaiserlichen Hoheit nicht nachteiligen Freiheiten wurde zugesagt. Aber es gab einige sehr harte Bedingungen für diese Gnade. Die Stände sollten dem Kaiser feierlich Abbitte leisten, und der Kaiser behielt sich volle Entscheidungsfreiheit in der konfessionellen Frage vor, d. h., der Fortgang der eben angefangenen Gegenreformation war unvermeidlich. Weiters wurde eine hohe Geldstrafe von einer Million Gulden festgesetzt, welche die Stände ohne Heranziehung der Untertanen, also aus ihrem eigenen Säckel, im Laufe von drei Jahren zahlen sollten, wovon der Kaiser allerdings bald 400.000 Gulden nachließ[315]. Versuche der Stände, den Kaiser dazu zu bewegen, aus Gnade auf diese Bedingungen zu verzichten, bewirkten nur eine arge Verstimmung Ferdinands. Ja, Fürst Hans Ulrich von Eggenberg sagte dem Herrn Adam von Traun, einem der oberösterreichischen Unterhändler in Wien, „er hab auch ihr Majestät also alteriert nie gesehen, als über diese Schrift“[316].

Am 26. April 1625 erfolgte nach längeren Verhandlungen über die Formel der Abbitte die feierliche Deprekation der oberösterreichischen Abordnung vor dem Kaiser in der Wiener Hofburg. Der Kaiser — umgeben von Hofkanzler Werda, Fürst Gundaker von Liechtenstein, Graf Meggau, Herrn von Harrach, Wilhelm von Slawata — empfing in der inneren dritten Kammer die oberösterreichische Abordnung, die unter Führung Weikhards von Polheim stand. Es war festgelegt worden, daß die Abbitte kniend geleistet werden sollte. Der Kaiser hat auf diesen Akt der Demut stets großen Wert gelegt, er hatte dies vom Fürsten Christian von Anhalt verlangt und wollte dies so von Friedrich V. von der Pfalz. Vielleicht hatte er vor Augen, was sein früherer Rat Kaspar Schoppe in seinem Buch „Classicum belli sacri“ gefordert hatte. In dieser Fanfare des konfessionellen Krieges hatte der streitbare Schoppe gemeint, wenn der Kaiser die ketzerischen Fürsten besiegt habe, solle er über sie zu Gericht sitzen, „bis sie gebückt zu dir kommen und dich fußfällig bitten“[317]. Die Oberösterreicher hatten sich in den Vorbereitungsverhandlungen schweren Herzens bereiterklärt, diesen Fußfall zu tun. Bei Hof wußte man natürlich, daß es den stolzen Herren äußerst schwerfiel, ihr Knie zu beugen. Und es gab eine peinliche Szene an diesem Sonntag Vormittag in der Wiener Burg. Polheim hatte eben mit seiner Rede begonnen, da trat schon der Hofkanzler an ihn heran, unterbrach ihn und mahnte still zum Kniefall. Polheim erwiderte, es würde dies im Augenblick der Abbitte geschehen. Der Hofkanzler aber verlangte, daß dies sofort zu geschehen habe. Daraufhin — so heißt es in der Relation der ständischen Vertreter — „wir alle uns auf die Knie gebogen“. Aber der Kaiser wollte nur die Bereitschaft sehen: „Es hat aber alsbald die kaiserliche Majestät als sie unsern aller gehorsambisten Willen nur gesehen, mit dem Handschuech gewunken uns zu erheben“. Darauf setzte Polheim seine Rede fort, deren Kern die „verba praescripta, so gelesen wurden“ gewesen sind, die vorgesehene Formel, welche zum Ausdruck brachte, daß es den oberösterreichischen Ständen leid tue, was sie in der böhmischen Rebellion gegen den Kaiser vorgenommen. Sie versprachen, immer treue Stände zu sein, und baten um Verzeihung und um der göttlichen Barmherzigkeit willen, den Ständen Pardon zu gewähren, sie wieder in Gnaden aufzunehmen und ihr gnädigster Kaiser und Erbherr zu sein. Namens des Kaisers sprach der Hofkanzler Werda die Verzeihung des Herrschers aus. Nach Dankesworten Polheims sprach der Kaiser selbst noch zu den Oberösterreichern die Worte: „Ich will hoffen, ihr werdet euch den fürgangnen Error treulich leid und ein Warnung sein lassen hinfüro, mit schuldiger Treue und Eifer zu erzeigen, wie gehorsamen Untertanen und Kindern gegen ihren Vater gebührt. Entgegen will ich mich wiederum erzeigen nit als Kayser und Landtsfürst, sondern wie ein Vater gegen sein Kindern“. Dieses Vater-Kind-Verhältnis war in den Fürstenspiegeln als Ideal der Beziehungen zwischen Fürst und Untertanen dargestellt, und der Jesuit Bellarmin hatte in seinem Buch „De officio principis christiani" dieser Caritas Paterna der Fürsten einen ganzen Abschnitt gewidmet. Ferdinand liebte offenbar dieses Bild und hatte in dem Augenblick der Verzeihung, die er den Oberösterreichern nunmehr gewährte, dieses enge Verhältnis zwischen ihm und seinen Untertanen besonders unterstreichen wollen. Wenn man weiß, wie sehr dem Kaiser an dieser Aussöhnung gelegen war, wird man diesen Passus von der väterlichen Liebe des Fürsten für keine Phrase halten. Der Kaiser reichte am Schluß noch jedem der Abgesandten die Hand, „die wir nacheinander alle gehorsambest und demuetigist geküßt". Damit fand dieser offizielle Akt der Unterwerfung und Verzeihung seinen Abschluß[318].

Die Entscheidung über die am 7. Mai 1625 dem Kaiser vorgelegten Privilegien der Stände zögerte sich bis 1627 hin. Bis zu dieser Entscheidung sollten auch die ständischen Verordneten suspendiert sein, und die Freiheiten der Stände wurden schließlich vom Kaiser reduziert[319]. Wichtig war, daß in den Fragen, die strittig waren, der Kaiser interpretierte und so die siegreiche fürstliche Auffassung gegenüber der unterlegenen ständischen Vorstellung als rechtmäßig und gültig festgelegt wurde. Auch in Oberösterreich blieb wie in Böhmen der Landtag bestehen, aber das Recht der Einberufung und Haltung der Landtage wurde eindeutig als alleiniges Recht des Landesfürsten bezeichnet. Den Landständen wurde nunmehr auch verboten, Gesandte an fremde Fürsten zu senden, und der ständischen Außenpolitik, wie sie de facto durch Jahrzehnte betrieben wurde, war hiemit ein klares Ende bereitet. Es war sehr wichtig, daß den Ständen das von ihnen verfochtene und praktizierte Recht, im Interregnum die Landesverwesung zu führen, strikte untersagt wurde. Allerdings hat der Kaiser zugesagt, die Steuern nur auf den Landtagen zu fordern — außer im Falle der Not[320]. Das alles bedeutete eine weitgehende politische Entmachtung der Stände. Die Verhängung der Geldstrafe durch den Kaiser über die pardonierten Stände führte im Anschluß an das ganze Versöhnungswerk zu schweren Auseinandersetzungen mit dem Statthalter.

Herberstorff hat die Wiener Verhandlungen zwischen Kaiser und Landständen etwas mit Mißtrauen verfolgt und wachte aufmerksam darüber, daß die bayerischen Interessen hiedurch keinen Schaden erleiden. So hatte er schon im März 1625 den Kurfürsten Maximilian darauf aufmerksam gemacht, daß im Zusammenhang mit dem kaiserlichen Generalpardon alle geistlichen Vogteien und Lehenschaften der protestantischen Stände wieder dem Kaiser heimfallen sollen, der beabsichtige, diese dem Hochstift Passau zu überlassen. Herberstorff weist nun darauf hin, daß alle Konfiskationen, also auch diese, in genere zur Pfandschaft gehörig seien[321]. Als nun der Kaiser dem Kurfürsten von Bayern die von den Ständen zu zahlende Strafsumme von 600.000 Gulden als Abschlagzahlung abtrat, suchten die Bayern möglichst bald in den Besitz dieser Summe zu kommen, und Herzog Maximilian hat am 10. Juni die Landstände aufgefordert, bei ihrer für den 15. Juni geplanten Zusammenkunft Beschlüsse über die Zahlung des Strafgeldes und die Verteilung der Quoten zu fassen und ehestens zu zahlen. Er drohte, für den Fall, daß dies nicht geschehe, die Anteile nach der von den Ständen seinerzeit unterzeichneten böhmischen Konföderation festzusetzen und Güter von Ständemitgliedern zu beschlagnahmen[322]. Der Statthalter hat diesen Befehl den Ständen übermittelt und erwies sich in der Folgezeit als hartnäckiger und rücksichtsloser Eintreiber der Summe und kam hiedurch nicht nur mit den Ständen, sondern auch mit dem Kaiser in Konflikt. Denn dieser hatte den Ständen die Bezahlung in Raten erlaubt. Sie sollten drei Jahre hindurch an jedem Linzer Markt, das ist zu Ostern und zu Bartholomäi, je 100.000 Gulden zahlen. Die Stände hatten daher bei ihrer Zusammenkunft am 15. Juni noch keine Beschlüsse gefaßt, was neue Befehle aus München an den Statthalter zur Folge hatte, welcher die Beschlagnahme der Landesgefälle androhte. Herberstorff hat auch hier als treuer Diener Maximilians gehandelt, und als er am 30. Juli für den Fall, daß die Stände entgegen seinem Befehl am Bartholomäusmarkt nicht zusammentreten und die Beschlüsse wegen des Strafgeldes faßten, mit der Exekution drohte, da bemerkte er dabei, „— so ich lieber umgehen wollte“[323]. Auch hier wieder ist zu sehen, daß seine Härte und sein Festhalten an Forderungen auf den Kurfürsten selbst zurückzuführen sind. Kaiser Ferdinand hat sich schon frühzeitig für die Stände eingesetzt und am 5. August an den Kurfürsten und an Herberstorff geschrieben, sie sollten wegen der in Wien stattfindenden Beratungen über Mittel zur Ablösung des Landes die Stände wegen der Geldstrafe in Ruhe lassen und einen Stillstand akzeptieren[324]. Die kaiserliche Intervention hatte jedoch keinen Erfolg.

Als der Statthalter dann am 31. August die Submissionsschrift der Stände von diesen anforderte, da erfaßte diese Angst[325]. Denn sie sahen darin eine teuflische List Herberstorffs, dem sie die Absicht zuschrieben, die Landesmitglieder, welche die Submissionsschrift unterzeichnet hatten, für die 600.000 Gulden haftbar zu machen und auf deren Hab und Gut seine Hand zu legen. Sie wandten sich hilfesuchend an Gundaker von Polheim, der in Wien beim Hof dieses Vorgehen des Statthalters, das sie für äußerst verderblich ansahen, verhindern sollte, und versuchten sogar, den Kaiser zum Nachlaß des Strafgeldes überhaupt zu bewegen. Weitere Ersuchen Ferdinands an den Kurfürsten, dem Statthalter zu befehlen, bis zum Ende der Verhandlungen in Wien von den Ständen kein Geld zu fordern, blieben offenbar ebenfalls erfolglos. Am 14. Oktober hatte Herberstorff seinem großen Ärger über die ständische Verzögerungstaktik Ausdruck verliehen, und er äußerte sich, bis Weihnachten müßten die Stände die Hälfte des Strafgeldes (300.000 Gulden) zahlen. Herberstorff verhängte damals auch wieder Arrest über die Stände, welche sich darüber beim Kaiser beschwerten. Der Statthalter hat die Stände beschuldigt, daß sie den Kaiser falsch informieren und durch diese „falsa narrata" ihn zu Interventionen für sie persuadieren. Er machte ihnen schwere Vorwürfe, sprach von Quertreibereien, von „Tergiversationen" und beschuldigte die Landstände, daß sie ihr Privatinteresse suchen, daß sie selbst noch nicht mehr als 6000 Gulden aus ihrem Säckel für die Garnisonen gezahlt hätten, weil sie alles auf den gemeinen Mann abwälzen[326]. Aber der Kaiser war in Angelegenheit des Strafgeldes durchaus der ständischen Auffassung. Im Dezember 1625 schrieb er einen sehr klaren und eindeutigen Brief an den Statthalter Herberstorff und rügte vor allem den Ton, den dieser im Verkehr mit den Ständen anwandte, er beanstandete, daß der Statthalter auch den Prälatenstand und die katholischen, an der Rebellion unbeteiligten Stände mit der nur den Pardonierten auferlegten Strafsumme belasten wolle. Auch das Vorhaben Herberstorffs, die Landesgefälle zu beschlagnahmen, die mit den Kammeraleinnahmen, welche dem Kurfürsten überlassen seien, gar nichts zu tun hätten, rügte der Kaiser. Die pardonierten Stände, und nur diese, seien angewiesen, bis Ostern 100.000 Gulden vom Strafgeld zu zahlen. Der Kaiser betont sein Verständnis für die schwierige Lage Oberösterreichs, und er stellt fest, daß nicht die Stände die Schuldner des Kurfürsten seien, sondern er, der Kaiser, selbst. Auch verweist er dem Statthalter, daß er die oberösterreichischen Stände insgesamt als des Crimen laesae Majestatis schuldig bezeichne, obwohl die Katholischen und andere treu waren und nichts gegen den Kaiser unternommen hätten. Ferdinand weiß nun nicht, ob Herberstorff das in Frage kommende Dekret[327], auf das der Kaiser sich bezieht, aus eigenem erlassen oder ob ihm dies vom Kurfürsten aufgetragen sei. Für den ersteren Fall verbietet er ihm dies entschieden. Der Statthalter wird zur Berichterstattung aufgefordert, damit Ferdinand sich an den Kurfürsten wenden könne. Bis zu neuen Resolutionen dürfe Herberstorff die Stände nicht mehr mit Exekutionen bedrohen. Er darf pardonierte und unschuldige Stände nicht mehr „in einen Topf werfen". Der Kaiser fordert den Statthalter auf, die Garnisonen von den Gütern des Prälatenstandes und der katholischen Stände abzuziehen[328].

Das war nun eine harte Sprache aus Wien. Aber Herberstorff blieb unbeirrt. Einige Wochen, nachdem er diesen Brief des Kaisers erhalten hatte, berichtete er an den Kurfürsten, er habe nach langen Verhandlungen und großer Mühe bei den Ständen erreicht, daß sie zu Ostern 1626 300.000 Gulden von der Strafsumme zu zahlen bereit seien[329]. Diese ganzen Auseinandersetzungen, in denen sich natürlich das Spannungsverhältnis zwischen München und Wien widerspiegelt, bereiteten auch Herberstorff selbst sehr viel Ärger. Vor allem die Haltung des oberösterreichischen Prälatenstandes erschwerte ihm seine Verwaltungstätigkeit. Das Verhalten der Prälaten bezeichnete er als widrig. Als er z. B. den Ständen wegen der Strafsumme verboten hatte, von Linz zu verreisen, seien die Prälaten dennoch abgereist. Er habe daher in die Märkte und Güter der Prälaten Soldaten gelegt, der Kurfürst solle dies wissen, falls Beschwerden kämen[330]. Sein ganzer Unwille entlädt sich gegen die oberösterreichischen Prälaten, vor allem aber gegen Abt Georg von Wilhering[331], welcher, wie Herberstorff sagte, „derzeit im Landschaftsrat den Meister spiele". Wenn der Statthalter diskret vermerkt, auch mit einer anderen Person seien die Stände eng verbrüdert, so meint er wohl den Abt Anton Wolfradt von Kremsmünster, der als Hofkammerpräsident großen Einfluß in Wien besaß. Den ihm am meisten verhaßten Abt von Wilhering schätzt Herberstorff nicht, er meint, Georg Grüll von

Wilhering sei kein Mann „von judicio, Gwalt und Geschicklichkeit“, und er genieße auch bei anderen „recht wissenden Leuten“ kein besonderes Ansehen. Herberstorff hat kein Verständnis für die landständische Solidarität der Stände, für das gemeinsame starke Landesbewußtsein, das evangelische Stände und katholischen Prälatenstand gemeinsam gegen Bayern Stellung beziehen läßt. Er sieht bei den oberösterreichischen Prälaten nur Undank gegen den Kurfürsten von Bayern. Sie hätten schon vergessen, meint er, daß ohne Herzog Maximilian weder der Wilheringer noch seinesgleichen im Lande wären und vielleicht jetzt noch nicht wüßten, wo sie wohnen könnten. Sie alle — die Prälaten im Lande ob der Enns — unternehmen „undankbare und widerige Actionen“, sie sind Gegner der bayerischen Herrschaft, „diskurieren übel“ über diese und suchen sie zu unterminieren. Er führt diese Gegnerschaft der Prälaten darauf zurück, daß er sich gegen die religiösen Mißstände auf den Pfarren der Stifte gewendet habe, und der Wilheringer Abt könne ihm nicht vergessen, daß Ottensheim den Linzer Jesuiten und nicht dem Stift Wilhering überlassen wurde. Herberstorff hat auch etwas Angst vor den Prälaten, deren Einfluß in Wien er kennt — „weil diese Leut ihre Actiones so glatt und sauber könnten unten [gemeint ist Wien] fürtragen“, und er meint, daß sie alles, was der Kurfürst für das Land ob der Enns leiste, „sinistre wissen auszulegen“. Das Ganze ist für den Statthalter ein Anlaß, dem Kurfürsten zu beteuern, „wie schwer mir und anderen Euer churfürstlichen Durchlaucht Räthen und getreuen Offizieren allda zu dienen“[332].

Vielleicht waren diese Spannungen, welche die verschiedenen Auffassungen in Wien und München über die Haltung gegenüber den oberösterreichischen Ständen hervorriefen und naturgemäß das Verhältnis zwischen dem Kaiserhof und dem Pfandherrn belasteten, mit ein Grund, daß Herberstorff, als er Anfang Januar 1626 in privater Angelegenheit nach Augsburg und Treuchtlingen reiste, auch nach München zum Kurfürsten zitiert wurde. Das Hauptthema der Besprechung in München dürfte aber doch jenes Problem gewesen sein, das in den Verhandlungen um die Submission der Stände bereits aufgetaucht war und das durch die Reformationspatente Kaiser Ferdinands II. höchste Aktualität gewonnen hatte: die nunmehr einsetzende Rekatholisierung des Landes. Es ist bezeichnend für die konsequente Haltung des Kaisers in konfessionellen Dingen, daß er diese Maßnahmen zur Ausrottung des Protestantismus im Land ob der Enns zu einem Zeitpunkt in die Wege leitete, als er in politischen Belangen eben als Schützer der Landstände aufgetreten war und als der gemeinsame Wunsch des Kaisers und der evangelischen Landstände, das Land aus der bayerischen Pfandschaft zu lösen, Landesfürst und Stände zu enger Kooperation in dieser Frage eben zusammengeführt hatte.

III. Kapitel

RELIGIONSREFORMATION UND AUFSTAND DER BAUERN

1. Die Gegenreformation des Kaisers

Wenn Jakob Burckhardt einmal meinte, die Regierungen „haben die deutsche Reformation am Leben erhalten", so konnte er analog dazu auch von der Gegenreformation sagen, daß sie ohne die Hilfe des Staates, ohne die Kraft katholischer Fürsten nicht erfolgreich gewesen wäre und daß sich die erneuerte katholische Kirche ohne das sich hilfreich anbietende brachium saeculare nicht hätte behaupten können[1]. Die dadurch gegebene innige Verbindung zwischen der Kirche der Gegenreformation und dem katholischen Fürstentum ist eben geradezu charakteristisch für die Situation des späten 16. und frühen 17. Jahrhunderts, und es ist dieses Faktum auch wesentlich mitbeteiligt an der Dauer der Gegenreformation, die geistig in gewisser Hinsicht bis in unsere Tage angedauert hat. Gerade aber diese Bindung des Religiösen an den Staat, vor allem an den absolutistischen Staat, ist weithin Ursache der Grausamkeiten der Gegenreformation, weil die Gewaltmittel des Staates für die Religion eingesetzt werden konnten und auch eingesetzt wurden. Die Überhitzung der Gemüter im konfessionellen Zeitalter über den Siedepunkt hinaus hat diese Grausamkeiten und Härten der Gegenreformation bewirkt, die gerade den Menschen unserer Zeit an dieser Epoche unserer Geschichte so abstoßen und stören. Arnold Toynbee spricht vom „unsauberen" Geist, der einst den Menschen des Westens beseelt habe, und führt die starke Entfremdung vom Christentum, welche zunächst eine geistig sittliche Elite, schließlich aber die breite Masse erfaßte, mit auf die im Namen der Religion begangenen Grausamkeiten zurück[2]. Nun war gerade die Gegenreformation aber ihrem Wesen nach doch eigentlich erst Reaktion, und selbst Jakob Burckhardt, sonst dem Machtdenken keineswegs offen, hatte aus diesem Grund das Wirken der Gegenreformation für verständlich und bis zu einem gewissen Grad für entschuldbar gehalten[3]. Man ist heute geneigt, diese Gegenreformation wieder als die katholische Reformation anzusehen, die sie — wie Alexander Rüstow es formulierte — „von innen gesehen" ja auch ist. Es wird damit wieder ein Terminus lebendig, der den katholischen Zeitgenossen der Wende vom 16. zum 17. Jahrhundert für das, was wir seit Stefan Pütter und Leopold von Ranke als Gegenreformation zu bezeichnen gewohnt sind, durchaus geläufig war. Man sprach damals von der „Religionsreformation" und meinte damit die Erneuerung der Kirche und die Rückführung zum katholischen Bekenntnis. Nicht mit Unrecht hat Rüstow gesagt, daß „religiös ... die Gegenreformation im Grunde ein nachträglicher Sieg der Reformation im Inneren der katholischen Kirche" gewesen sei und daß die Tiefenwirkung dieses Sieges am besten aus der Tatsache hervorgehe, daß die katholische Kirche bis ins 20. Jahrhundert auf dem Boden der „Gegenreformation" stehe. Man kann diese Gegenreformation nicht negativ bewerten, wenn man die Reformation positiv einschätzt. Denn sie steht geistesgeschichtlich doch auf der gleichen Seite wie die Reformation, auf der Seite „theologisch-herrschaftlicher Gebundenheit gegen jene große Freiheitsbewegung, die sich in Renaissance und Aufklärung verkörpert"[4].

Kaiser Ferdinand II. ist die hervorragendste Erscheinung der österreichischen Gegenreformation, er ist — so kann man es wohl formulieren — der Kaiser der Gegenreformation. Dennoch steht er — wie wir schon gesehen haben — nicht am Anfang gegenreformatorischer Maßnahmen in Österreich. Denn schon mit den Mandaten und Verboten Ferdinands I. trat die Gegenreformation in Erscheinung, und die sogenannte Rudolfinische Gegenreformation war wohl etwas milder und ließ die Zügel schleifen, aber grundsätzlich war diese Phase der Wiederherstellung des katholischen Glaubens in Österreich durchaus vom echten Geist der Gegenreformation geprägt. Freilich sah man und sieht man auch heute noch im Österreich Ferdinands I. und Maximilians II. stark irenische Züge, einen Einfluß erasmischen Geistes[5], und das Wort Maximilians II. „nulla major est tyrannis, quam imperare velle conscientiis" ist plastischer Ausdruck dieses Geistes religiöser Toleranz, den es auch im habsburgischen Österreich gab und den niemand geringerer als der Rostocker lutherische Theologe David Chyträus bezeugt. Freilich, die sprichwörtliche Clemenz des Hauses Österreich, die Sanftmütigkeit der habsburgischen Herrscher, die in so vielen zeitgenössischen Quellen zu finden ist, ist ein Topos, weil eben seit Seneca die „clementia“ eine der hervorragendsten Herrschertugenden war, die naturgemäß dem Kaiser in besonderem Maße zu eigen sein mußte. Auch bei Ferdinand II., der den Protestanten als Verkörperung des Tyrannen erschien, wird diese „Mildigkeit“ und „Sanftmuetigkeit“ meist betont. Er hatte, als er im Land ob der Enns zur Gegenreformation schritt, die Erfahrungen als steirischer Landesfürst, und er begann im Land ob der Enns mit gleicher Konsequenz sein Vorhaben. Man kann mit Recht die Gegenreformation im Land ob der Enns als die Gegenreformation des Kaisers bezeichnen, weil er — sogar unter Außerachtlassung politischer Rücksichten — gleich nach der Unterwerfung des Landes die Rekatholisierung durchführen wollte und sie beim Pfandinhaber, dem Herzog von Bayern, stets in Erinnerung rief und urgierte, auch weil sie sein persönlichstes Anliegen war. Herberstorff hat diese Tatsache später, als er sich nach dem Bauernaufstand wegen seines Verhaltens verteidigte, einmal in einem Schreiben an den Kaiser mit folgenden Worten festgehalten: „Wie dann Euer kaiserliche Majestät selbst am besten gewißt, daß die Reformation dero lauter eignen Gewissens will und Befelch gewest.“[6]

Schon als die ligistische Armee im Juli 1620 eben in das Land ob der Enns eingerückt war, äußerte der Kaiser durch seinen Rat, den Grafen Harrach, dem Herzog von Bayern in Wels seinen Wunsch, er möge die Prädikanten samt ihrer Ketzerei aus dem Lande vertreiben. Der eigenhändige Vermerk des Kaisers, der Herzog möge sich — wie wir bereits erwähnt haben — des Religionswesens annehmen, damit die „Pfeifer abgetan und der Tanz eingestellt werde“ und so das Reformationswerk im Grunde in Angriff genommen werden könne, zeigt dessen persönliches Engagement vor allem in der Religionsfrage. Der Herzog war aber viel mehr Realpolitiker als der Kaiser, er hatte wohl schon am 27. Juli 1620 noch von Bayern aus dem Kaiser geraten, den oberösterreichischen Ständen in religiöser Hinsicht keinerlei Konzessionen zu machen, aber er lehnte es auch ab, bei der Interimshuldigung die Religionsfrage hineintragen zu lassen, weil er Zeit gewinnen wollte für die Fortsetzung der Kriegsexpedition nach Böhmen. Das war der Grund, warum er Harrach schon in Wels seine Meinung sagte, daß die Reformation des Landes aufzuschieben sei, was Ferdinand dann am 11. August auch akzeptierte[7]. Aber der Kaiser konnte den Beginn der Gegenreformation kaum erwarten. Und als Ende 1620 der Reichshofratspräsident Hans Georg von Zoller und Hans Ruprecht Hegenmüller zu Verhandlungen in München weilten, da hatten sie vom Kaiser wieder die Aufgabe erhalten, die Frage der Reformation in Oberösterreich zur Sprache zu bringen. Doch Bayern hielt den Augenblick noch nicht für gekommen und befürchtete, Maßnahmen gegen die Lutheraner in Oberösterreich könnten Kursachsen beunruhigen. Es verflossen jedoch kaum zwei Monate, da drängte Ferdinand wieder zur „gänzlichen Abschaffung des unkatholischen Exercitii", aber noch im Mai 1621 hielt Maximilian von Bayern die Reformation in Oberösterreich vor dem geplanten Regensburger Konvent für „nit ratsam"[8]. Das Tauziehen zwischen dem Kaiser als Landesfürsten und Maximilian als Pfandinhaber ging weiter; und als der Kaiser im Sommer 1622 den Herzog neuerdings zur Reformation mahnte und dazu schrieb, daß er „auch gewissenshalber solches lang aufzuschieben nicht vor guet halte", da schrieb ihm der Herzog, er werde diese Reformation der Religion im Lande nur durchführen, wenn der Kaiser dies durch offene Patente verordne. Der Herzog fürchtete das Odium, das auf ihn fallen werde: „Sonst man mir großen Unglimpf zurechnen würde, wann ich an einem fremden Ort für mich dergleichen Mutation sollte anstellen, welche Euer Kaiserlichen Majestät unterlassen." Er meinte auch, dies könne in Oberösterreich leichter geschehen, wenn der Kaiser selbst in Niederösterreich den Anfang mit der Gegenreformation mache. Maximilian wollte also vermeiden, daß in Oberösterreich der Eindruck entstehe, die „Reformation" gehe von Bayern aus. Übrigens war er der Meinung, wenn der bevorstehende Regensburger Konvent gut ausgehe, „folgt diese Reformation für sich selbst"[9]. Maximilian hat also nicht etwa aus irgendwelchen Rücksichten auf das Land und seine Menschen die Gegenreformation in Oberösterreich nicht durchgeführt, sondern aus rein rationalen Erwägungen politischer und taktischer Natur.

Es ist hier auch von Interesse, welche Haltung Herberstorff selbst in dieser Frage des Beginnes der Reformation im Lande eingenommen hat. Er hat zwar später betont — es war dies zur

Zeit des Bauernkrieges von 1626 —, daß er die Durchführung der Gegenreformation in Oberösterreich nicht sollizitiert habe. Das stimmt für diese Zeit, und er hat nach dem Bauernkrieg sogar seine Gegnerschaft gegen eine totale Gegenreformation angemeldet[10]. Aber am Anfang seiner Statthalterschaft war Herberstorff ein leidenschaftlicher Vorkämpfer des Gedankens einer sofortigen Rekatholisierung Oberösterreichs. Es ist durchaus nicht richtig, daß er in dieser Hinsicht irgendwie tolerant gewesen ist, wie dies zu zeigen versucht wurde[11]. Wenn er nachsichtig war und die religiösen Verhältnisse mehr oder weniger unangetastet ließ, so nur aus dem einen Grund, weil ihm jede Legitimation zur Gegenreformation fehlte. Aber er suchte diesen Auftrag zur Gegenreformation unbedingt zu erhalten und betrieb dies in München und in Wien. Es ist eine gezielte Aktion in diese Richtung, wenn er sich an den durch seine Frömmigkeit bekannten Herzog Wilhelm von Bayern, Maximilians Vater, wendet, Herzog Maximilian möge Herberstorffs Anfrage, ob er die Prädikanten von den beschlagnahmten Gütern in Oberösterreich vertreiben solle, positiv entscheiden. Seine ganze Haltung in der religiösen Frage offenbart der Statthalter, wenn er in dem erwähnten Brief an den Herzog Wilhelm schreibt, er begehre „mehr Glück nit, als in diesem Land die Kommission zu haben, das zu tun, was ich im Fürstentum Neuburg getan". Und der Statthalter hegte die Hoffnung, dieses Werk der Gegenreformation „mit solcher Manier ins Werk zu stellen, das der Allerhöchst daran gefallen habe". Die Bedenken des Kurfürsten scheint er also nicht geteilt zu haben, er meinte vielmehr, daß jetzt kaum zwei Monate nach der Schlacht am Weißen Berg und dem Schwinden aller Hoffnungen der protestantischen Stände die Gelegenheit günstig sei. „Das Volk ist alles forchtsam", schreibt er an Herzog Wilhelm, je länger man warte, desto schwerer werde es. Auch nach Wien wandte sich Herberstorff mit seinen Wünschen nach gegenreformatorischen Maßnahmen, und es ist zweifellos interessant, seine Meinung zu hören, am kaiserlichen Hof sei man „sonderlich in Religionssachen" nachlässig[12]. Vielleicht war die Ausweisung von zehn Prädikanten anläßlich der Verhaftungswelle im März 1621 ein Erfolg dieser Bemühungen des Statthalters[13]. Es blieb aber bei einzelnen Maßnahmen gegen die Protestanten. Der Statthalter hielt sich bei gerichtlichen Klagen streng an die Buchstaben der

Religionskonzession von 1568. Das mußten die Städte Enns, Freistadt und Gmunden erfahren, deren Bürgern der Besuch des katholischen Gottesdienstes anbefohlen wurde, was Herberstorff als gerecht empfand, weil hiedurch den katholischen Obrigkeiten und Pfarrern wieder Rechte zurückgegeben würden, die ihnen von Protestanten entzogen worden waren[14]. Um eine Wiederherstellung solcher alter Rechte ging es auch, als Herberstorff in Streitfällen um protestantische Kirchen diese nunmehr zugunsten der Katholiken entschied. Meist handelte es sich um Fälle, die noch in die Zeit der Rudolfinischen Gegenreformation zurückreichten, die durch den Tod des damaligen Landeshauptmannes Löbl aber nicht zu Ende geführt wurden. Ein klassisches Beispiel dafür sind eine Reihe von Kirchen rund um Linz, über welche die Jörger Vogtei und Lehenschaft hatten, deren Pfarrzugehörigkeit etwa wie bei St. Peter strittig war. Unter den ganz anderen Machtverhältnissen und dem Übergewicht der katholischen Partei kam für diese Kirchen nunmehr die Zeit der Restitution an die Katholiken. Herberstorff hat hier sehr aktiv zu diesen Restituierungen beigetragen, die teilweise schon vor der eigentlichen Gegenreformation Ferdinands II. erfolgten. In Linz wurden damals die Kirchen von St. Peter, St. Magdalena und Kleinmünchen, wo die Jörger noch immer protestantischen Gottesdienst hielten, wieder in katholischen Besitz überführt[15]. Auch die Landhausprediger der Stände wurden gelegentlich durch den Statthalter bedrängt und von ihm ins Schloß zitiert. Und als der Linzer Pfarrer Blasius Aliprandini[16] sich wegen gottesdienstlicher Handlungen der Prädikanten und wegen des damit verbundenen Entzuges von Einnahmen, wie etwa der Stolgebühren, beschwerte, da wurde diesen der Eingriff in die pfarrlichen Rechte des Linzer Dechanten vom Statthalter strenge verboten. Der Prediger der Stände, Stefan Hartmann, von dem Aliprandini an den Statthalter berichtete, er sei von den Ständen als Nachfolger des 1621 verhafteten Daniel Hitzler eingestellt worden, mußte 1623 das Land auf Herberstorffs Befehl verlassen[17]. Es sind also trotz der Weigerung des Herzogs von Bayern, die Gegenreformation durchzuführen, doch — wenn auch durchaus bescheidene — Maßnahmen in diese Richtung zu verzeichnen.

Im großen aber wurde die Religionskonzession von 1568 vom Statthalter respektiert, und es ist bemerkenswert, daß das evangelisch-kirchliche Leben in den ersten Jahren der Statthalterschaft Herberstorffs durchaus blühte. Auch der junge Fürst Christian von Anhalt, der 1622 Linz besuchte, wunderte sich, daß in der „feinen Kirche" des Landhauses „die Evangelischen noch predigen lassen", und der in Eferding stationierte Hauptmann des Liga-Heeres mußte sich für das Osterfest 1621 vom Abt von Wilhering einen Priester erbitten, da in der Umgebung Eferdings weder katholische Geistliche noch Gerätschaften für den katholischen Gottesdienst vorhanden waren[18]. Die Kirchenmatrik des Linzer evangelischen Landhausministeriums, in welcher seit 1608 die kirchlichen Handlungen eingetragen sind, zeigt in den dort erhaltenen Kommunikantenverzeichnissen, daß dieses evangelische Kirchenwesen gerade zur Zeit der Statthalterschaft Herberstorffs und unmittelbar vor dem Einsetzen der kaiserlichen Gegenreformation sogar einen Höchststand erreicht hatte. Mit 5109 erlangte im Jahre 1623 die Zahl der Kommunikanten im Linzer Landhaus ihren absoluten Höhepunkt[19] — zweifellos eine merkwürdige Erscheinung, die aber wohl dadurch zu erklären ist, daß die über dem Protestantismus schwebende Gefahr dazu beigetragen hat, die Innerlichkeit des religiösen Lebens zu steigern. Der Adel des Landes scheute sich auch zur Zeit der bayerischen Statthalterschaft nicht, seine Söhne an evangelische Universitäten zur Ausbildung zu senden. Herberstorff berichtet selbst dem Kurfürsten, daß die „fürnehmsten Patrioten" ihre Kinder an Akademien schicken, welche das „calvinisch Exerzitium" pflegen[20]. Daß das nicht eine Verleumdung des oberösterreichischen Adels von seiten des Statthalters gewesen ist, sieht man etwa aus dem Livre du Recteur der Genfer Universität, wo in den Jahren 1624 und 1625 Georg Heinrich und Johann Reichart Starhemberg sowie drei Brüder aus der Familie Landau verzeichnet sind. Der erwähnte Johann Reichart Starhemberg — wie Georg Heinrich Starhemberg ein Sohn des Erasmus von Starhemberg und der Elisabeth Ungnad — ist in den Jahren 1623 bis 1627 auch an der calvinischen Akademie zu Saumur in Frankreich nachweisbar, Johannes Keplers Sohn Ludwig aber wurde von oberösterreichischen Adeligen zu Pfalzgraf August nach Sulzbach zur Erziehung gebracht, einem der protestantisch gebliebenen Brüder Herzog Wolf Wilhelms von Pfalz-Neuburg[21]. Der Fall des Prädikanten Magister Martin Faber, eines evangelischen Prädikanten, der sich zum Katholizismus bekehrte und von Herberstorff in den Jahren 1622 und 1623 finanziell unterstützt wurde, dürfte ein Einzelfall geblieben sein[22].

Herberstorff war in diesen Jahren vor dem Einsetzen der Ferdinandeischen Gegenreformation bemüht, die innere katholische Restauration im Lande zu fördern. Er hatte von dem Zustand des Katholizismus im Lande keine gute Meinung. In Briefen an den Kurfürsten Maximilian und an Erzherzog Leopold, den Bruder des Kaisers, hat er gelegentlich auf die üblen Zustände im Katholizismus Oberösterreichs hingewiesen; vor allem war es der Mangel an guten und tauglichen katholischen Priestern, den er beklagte. Dafür gab es im Land, wie er es selbst sagte, eine große Anzahl „böser, unexemplarischer und ungeschickter Priester". Seine Bemühungen beim bischöflichen Ordinariat in Passau zur Beseitigung dieser Mißstände hatten keinen Erfolg, weil von dort „mit dem Fleiß und Eifer, als es wohl von Nöten, nit gegangen würd". Besonders stieß sich der Statthalter daran, daß für die Seelsorge auf dem Lande meist nur „wälische" Geistliche zur Verfügung standen. Und Herberstorff betonte sehr nachdrücklich den Schaden, welchen diese welschen Geistlichen für die katholische Kirche anrichteten. Ihre seelsorgliche Wirksamkeit bleibe ohne Effekt, da sie nicht in der Sprache des Volkes predigen können, und „kann einige Kinderlehre uff dem Land, weliches das Fundament des christlich-katholischen Glaubens ist umb des Willen nit gehalten werden, weil sie aus Mangel der Sprach nit sufficienti"[23]. Aber es war nicht nur die Sprachunkundigkeit italienischer Geistlicher, welche beim Statthalter Anstoß erregte, auch das schlechte Beispiel der katholischen Priester machte ihm Sorgen. Und Herzog Maximilian, der dem Statthalter auftrug, sein Augenmerk diesen Zuständen besonders zuzuwenden und diese Mängel zu beheben, bemerkte einmal, es gäbe in den katholischen Pfarrhöfen des Landes mehr Kinder, als man in einem „ehelichen" Haus finden könne. Der Statthalter spricht in einem seiner Berichte wörtlich „vom ärgerlichen Puebenleben" der Mönche auf den Pfarren des Landes, die auch zur Predigt nichts taugten. Und er glaubt etwa die Gegnerschaft der Prälaten gegen ihn teilweise darauf zurückführen zu müssen, daß er ihnen geraten habe, das Beispiel vor der Lehre in Obacht zu nehmen und gute Priester und Prediger auf ihre Pfarren zu schicken. Herberstorff beklagt auch die Geldgier der Pfarrer und meint, daß kaum irgendwo in Deutschland der Bürger und Bauer mehr Stolgebühren zahlen müsse als im Land ob der Enns, wo Pfarrer bis zu fünf Prozent der Verlassenschaft als Stolgebühr begehren. Es geschehe aber auch nichts gegen dieses schlechte Leben mancher Geistlicher, Predigt und Gottesdienst werde auch an Sonntagen und großen Festen unterlassen und es gebe gleichsam keine Kinderlehre im ganzen Land[24].

Trotz dieser Dinge hatte zweifelsohne die innere Erneuerung der katholischen Kirche im Lande bereits eingesetzt, die Wiederbesiedlung von Klöstern, die in der Reformationszeit verlassen worden waren, wie des Zisterzienserklosters Schlierbach und des Franziskanerklosters in Pupping, weist unter anderem auf diese Tatsache hin. Herberstorff hat auch jene Orden, die sich am Anfang der Gegenreformation im Lande angesiedelt hatten, unterstützt, wie etwa die Linzer Kapuziner im Weinberg, denen er 1625 den Landhaussaal der Stände zur Ausübung der Predigt zur Verfügung stellen wollte[25], vor allem aber die Jesuiten.

Diese hatten seit ihrem Eintreffen in Linz ihre Position beträchtlich ausgebaut. Ihre wirtschaftliche Basis hatte sich seit der Schenkung des ehemaligen, in der Reformationszeit verlassenen Klosters des Heiligen-Geist-Ordens in Pulgarn wesentlich gebessert. König Matthias hatte Pulgarn nach der Huldigung im Jahre 1609 mit allen seinen Gütern und Einnahmen den Linzer Jesuiten angewiesen. Aber erst seit 1612, als die päpstliche Bestätigung dieser Schenkung eingetroffen war, konnte sich die Linzer Jesuitenniederlassung als „Kollegium mit dem Besitz Pulgarn“ bezeichnen, und erst nach heftiger Auseinandersetzung mit den protestantischen Jörgern von Steyregg kamen die Jesuiten in den vollen Besitz der Herrschaft Pulgarn. In Linz aber waren sie noch immer bescheiden untergebracht, erweiterten ihre Basis jedoch ständig durch Erwerbung einzelner Häuser in der Stadt. Für ihr seelsorgliches Wirken stand ihnen nach anfänglichen Schwierigkeiten mit den Linzer Stadtpfarrern die Stadtpfarrkirche, vor allem aber die ehemalige Minoritenkirche zur Verfügung. Sie hatten in den zwei Dezennien ihres Wirkens in Linz trotz des starken Druckes, der im protestantischen Oberösterreich auf ihnen lastete, unter kaiserlichem Schutz bedeutende Erfolge in ihrem Wirken zu verzeichnen. In ihren Jahresberichten, den Literae annuae, spiegelt sich der Erfolg ihrer Tätigkeit. Eine Statistik der durch sie in Linz bewirkten Bekehrungen zum Katholizismus zeigt aber doch, wie mühevoll diese Arbeit war und wie nach anfänglich stärkerem Erfolg dieser wieder nachließ und wie sich die Zahl der Konversionen im Durchschnitt um dreißig hält. 1601 konnten sie fünfzig Bekehrungen verzeichnen, 1605 waren es 67, 1614 jedoch nur zwei. Im Jahre 1610 sollen bereits 1000 Personen an der Fronleichnamsprozession teilgenommen haben, die ja geradezu ein spezifischer Gradmesser des Bekenntnisses zum Katholizismus im konfessionellen Zeitalter gewesen ist. Zielbewußt bauten die Linzer Jesuiten auch ihr Schulwesen aus. Im Jahre 1623 war ihr Gymnasium im Sinne der Zeit komplett[26]. So schwer es die Jesuiten in Linz zur Zeit der Vorherrschaft des Protestantismus im Lande hatten, so günstig war natürlich ihre Lage nach der großen Zäsur, die sich 1620 nach der Besetzung des Landes durch die Bayern ergeben hatte. Nun konnte sich für sie und ihre Arbeit das Wohlwollen und die Förderung dreier großer Freunde der Sozietät, des Kaisers, des Herzogs von Bayern und des Statthalters Herberstorff, voll auswirken. Denn nicht nur der Kaiser war ein leidenschaftlicher Gönner des Ordens, und nicht nur Kurfürst Maximilian von Bayern förderte aus innerem Bedürfnis heraus die Väter, auch für den Statthalter Herberstorff war die Zeit längst vorbei, da er in der „Jesuiten Blut lieber seine Hände gewaschen hätte“[27]. Er war inzwischen ein eifriger Förderer des Ordens und besonders der Linzer Jesuiten geworden.

Seine engen Kontakte zu den Jesuiten gingen zurück auf seine Neuburger Zeit, als er Herzog Wolf Wilhelm folgend zum Katholizismus übergetreten war, wobei der Jesuitenpater Reihing eine gewichtige Rolle gespielt haben dürfte. Und auch in seiner Familie verkehrten damals die Neuburger Jesuiten und bemühten sich um die Konversion der Stieftöchter Herberstorffs. Er mußte also für die Linzer Jesuiten persona grata sein, und sie sprachen von ihm auch als von einem „durch Kriegserfahrung, Herkunft und Weisheit berühmten und als Gegner der Protestanten und Freund der Jesuiten bekannten Mann“[28]. Das bei den Linzer Jesuiten im Jahre 1623 aufgeführte allegorische Theaterstück „Epibaterion panegyricum symbolicum“ diente der Verherrlichung des Statthalters und ist ein echter Hymnus auf Herberstorff, der durch

Kaiser Ferdinand II.

Abt Georg Falb von Göttweig

den Mund Apolls in dieser Allegorie als Feldherr, der den Völkern Österreichs wiedergegeben wurde, gerühmt wird. In überschwenglicher Form wird hier Herberstorff mit höchsten Attributen bedacht und die Lobpreisung auch auf Maria Salome von Herberstorff und die Pappenheimschen Töchter ausgedehnt. Musik begleitete und bestärkte diese dichterische Verhimmelung des Statthalters und seiner Familie, und Chöre der Knaben priesen im Lied die Magnanimitas und die Clementia und alle anderen Virtutes, die man dem Statthalter zubilligte. Götter und Poeten riefen nach ihren Lobeshymnen auf Herberstorff den Zuhörern mit Erfolg ihr „Plaudite“ zu. Man wird all diese barocken Übertreibungen auf keinen Fall als Quelle für die Erkenntnis etwa der Persönlichkeit des Statthalters heranziehen, aber die Tatsache, daß die Allegorie gedichtet und von der juventus studiosa linziana im Jahre 1623 aufgeführt wurde, zeigt doch, wie sehr Herberstorff in der Gunst der Sozietät stand und wie diese andererseits durch solche öffentliche Veranstaltungen sich das Wohlwollen des Statthalters zu erhalten und zu mehren bestrebt war. In einem Nachwort zu diesem Jesuiten-Poem sagen die Väter im Linzer Kollegium, was sie dem Statthalter alles verdanken: „Hausimus, excellentissime comes herosque fortissime, e manibus tuis velut fonte limpiadissimo a multo jam tempore beneficia, hausimus favores, hausimus animi tui in nos amorem et benevolenciam singularem“, und sie schließen ihren Dank an Herberstorff mit dem pathetischen Ausruf: „Fave Maecenas benevolentissime, vale heros fortissime, vive comes excellentissime.“[29] Alles in allem ein Zeugnis der engen Beziehungen zwischen den Jesuiten in Linz und Adam von Herberstorff, den sie in ihrer Chronik als ihren „patronus“ bezeichnen. Dieser Schutz und Schirm des Statthalters äußerte sich im Kleinen, wenn Herberstorff zu den großen Schulfeiern der Jesuiten Prämien unter die studierende Jugend verteilte, 1621 nach einer „Barbaraaufführung“, 1622 nach der Aufführung der Komödie „Crysoarius“ und 1623 nach dem Epibaterion, wenn er nach dem Tode des Rektors des Linzer Kollegiums, Pater Melchior Mayr, aus Ehrfurcht vor dem Toten Linzer Arme reich beschenkte[30]. Seine innere Bindung an das Linzer Kollegium zeigte er, indem er seiner Stieftochter Maria Magdalena und einem Wundarzt aus seinem Gefolge von den Jesuiten das Sakrament der Taufe spenden ließ, vor allem aber auch dadurch, daß er selbst der bei den Linzer Jesuiten bestehenden Marianischen Kongregation „Annuntiata“ als Mitglied beigetreten ist[31]. Als Beichtvater hatte Herberstorff einen Jesuiten des Linzer Kollegiums, Pater Georg Kölderer, der ihn auch begleitete, wenn er auf seinen Gütern, z. B. in Ort, gewesen ist. Es ist für die Zusammenhänge vielleicht von Interesse, daß Pater Kölderer, bevor er nach Linz kam, dem Münchner Kolleg angehörte[32]. Herberstorff verdankte das Linzer Kollegium auch, daß im Zusammenhang mit dem Beschlagnahmen von Rebellengütern Ende 1622 die wertvolle Bibliothek des Georg Erasmus von Tschernembl auf ihre Bitte den Jesuiten gegeben wurde. Versuche des Sohnes des Führers der oberösterreichischen protestantischen Stände, Hans Helfrid von Tschernembl, die Bibliothek seines Vaters oder wenigstens eine wertvolle Lutherbibel von den Jesuiten wieder zu erhalten, waren fehlgeschlagen. Auch die Bibliothek des flüchtigen Andre Ungnad von Steyregg ließ Herberstorff dem Kollegium der Jesuiten in Linz zukommen[33].

Wichtig für das Gedeihen und die weitere Entwicklung des Linzer Kollegiums war natürlich, daß Herberstorff sehr bemüht war, die materielle Basis des Kollegiums zu stärken. Zunächst war beabsichtigt, den Linzer Jesuiten eine reiche Pfarre mit guten Einkünften zu verschaffen. Herberstorff dachte an die Pfarre Hartkirchen bei Aschach an der Donau, eine Großpfarre mit 4000 Seelen. In der Frage des Patronates dieser Pfarre gab es Schwierigkeiten zwischen dem Passauer Domkapitel und der Jörgerschen Herrschaft Stauf, so daß die Pfarre schon längere Zeit unter Sequestration der Landeshauptmannschaft stand und vom Statthalter nunmehr dem Linzer Dechant vorübergehend zur Administration überlassen wurde. Vor Beginn der Gegenreformation hatte der Linzer Dechant die Pfarre durch einen Kaplan versehen lassen, der — wie Herberstorff an den bayerischen Kurfürsten berichtete — „schlecht genug gewest“, was aber zunächst nicht von Bedeutung war, da — wie Herberstorff weiter ausführt — „kein Mensch in die katholische Kirche komme“. Um das aber bald zu ändern, machte Herberstorff dem Kurfürsten den Vorschlag, Hartkirchen den Linzer Jesuiten zu geben, die dort in religiöser Hinsicht große Wirkungsmöglichkeit hätten[34]. Die Aktion zur Erwerbung der Pfarre Hartkirchen für die Jesuiten ging konzentriert vor sich. Denn außer den Weg über den ihnen wohlgesinnten Statthalter hatten die Linzer Jesuiten, die offenbar sehr interessiert an dieser Pfarre waren, noch eine andere Möglichkeit, direkt an Herzog Maximilian heranzukommen. Es stand ihnen der Kontakt zu Maximilian von Bayern auch über die Münchner Jesuiten direkt offen. Der Rektor des Linzer Kollegiums, Pater Melchior Mayr, hat sich — sicherlich nicht zufällig — am gleichen Tag wie Herberstorff an den Kurfürsten in der Angelegenheit der Pfarre Hartkirchen an Pater Adam Contzen gewandt, der als Beichtvater Maximilians beträchtlichen Einfluß auf diesen besaß. Pater Contzen, einer der großen politischen Beichtväter dieser Zeit, gleichsam der Antipode Lamormainis, des Beichtvaters Ferdinands II., beim wittelsbachischen Kurfürsten und nicht unbedeutend als Vertreter einer katholischen Staatslehre, hat von Maximilian sofort die Zustimmung zur Übertragung Hartkirchens an die Jesuiten erwirkt. Keine drei Wochen später billigte der Kurfürst Herberstorffs Vorschlag und erklärte diesem sein Einverständnis, den Linzer Jesuiten Hartkirchen mit allen Rechten und Einkünften zu überlassen. Er hat allerdings bemerkt, die Patres würden selbst beim Kaiser und beim Hochstift Passau[35] alles, was zu dieser Transferierung nötig sei, bewerkstelligen. Nun ist nicht zu ersehen, woran dieses Projekt scheiterte, am ehesten wohl am Passauer Domkapitel. Jedenfalls war diesem ersten Versuch des Statthalters, den Linzer Jesuiten beträchtliche Einkünfte zu verschaffen, kein Erfolg beschieden[36].

Ein kleinerer Wunsch der Jesuiten, das von ihnen erworbene Starhembergische Haus in der Hahnengasse in Linz gegen das geräumigere Losensteinische Haus zu vertauschen, ging, unterstützt von Herberstorff und Pater Contzen, in Erfüllung[37]. Aber Herberstorff erwies sich auch weiterhin als Protektor des Linzer Kollegiums. Die Pardonierung der Landstände durch den Kaiser im Jahre 1625 bot eine günstige Gelegenheit, etwas Entscheidendes für die Väter der Gesellschaft Jesu in Linz zu tun. In der Pardonierungsresolution Ferdinands II. vom 27. Februar 1625 behielt sich der Kaiser die ständische Schulkasse der zwei oberen politischen Stände samt allen Stiftungen zur freien Verfügung vor[38]. Zum Vermögen der ständischen Schulkasse gehörte auch die Herrschaft Ottensheim bei Linz. Vorausgeschickt sei nun, daß Herberstorff im Jahre 1623 selbst interessiert war, dieses in nächster Nähe der Landeshauptstadt Linz gelegene Schloß und die dazugehörige Herrschaft für sich zu erwerben. Es gelang ihm jedoch nicht, da er zuwenig geboten hatte[39]. Am 31. März 1625 hatte Herberstorff den Kurfürsten Maximilian in allgemeinen Worten bewogen, für die Jesuiten in Wien zu intervenieren, daß das ständische Schulwesen, das bisher in der protestantischen Landschaftsschule seine höchste Ausformung gefunden hatte, den Linzer Jesuiten übertragen werde, denn er stelle das religiöse Moment weit vor die Pflege der adeligen Tugenden und Fertigkeiten, wie sie in der ständischen Schule gepflegt wurden. Die Gelder, die ad pium usum einst — allerdings von Protestanten für die protestantische Schule — gestiftet worden waren, sollten wieder insbesondere religiösen Zwecken, so meinte Herberstorff, nun zur Erneuerung des Katholizismus, zur Heranbildung guter Priester verwendet und den Jesuiten in Linz überlassen werden. Er konnte sich dabei auf eine Zusage berufen, die Kaiser Ferdinand den Linzer Jesuiten gemacht hatte: Wenn es einmal zur Reformation im Land komme, dann werde er ihnen zur Errichtung einer Kirche, eines Kollegiums und zur Stiftung eines Seminariums das Notwendige von der lutherischen Schulstiftung „applizieren" lassen. Während nun die Frage einer Neuerrichtung der Landschaftsschule und deren Übertragung auf die Jesuiten sich noch einige Jahre hinzog, wurde die Übergabe der Herrschaft Ottensheim schon im Jahre 1625 realisiert. Als die Linzer Jesuiten dem Herzog Maximilian berichteten, sie hätten auf die Interzession des Herzogs hin vom Kaiser zur Fundierung einer Kirche, eines Kollegiums und eines Seminars das Gut Ottensheim erhalten, und um den Konsens des Pfandherrn baten, da verlangte Maximilian Herberstorffs Stellungnahme hiezu[40]. Dieser meldete, daß die drei politischen Stände aus den Kapitalien der Schulkasse vor Jahren Ottensheim angekauft hätten, daß Benedikt Schifer die Herrschaft gepachtet hatte und jährlich dafür 2000 Gulden gezahlt habe. Herberstorff berichtete hier nun — und es klingt etwas anders als der Bericht der Jesuiten nach München —, daß der Kaiser den Linzer Jesuiten 40.000 Gulden aus den Schulgefällen und „in specie von dieser Herrschaft" bewilligt habe. Herberstorff machte nun den Vorschlag, Ottensheim so teuer als möglich zu verkaufen und den Jesuiten das Geld — die 40.000 Gulden — zum Zwecke ihrer großen Vorhaben in bar zukommen zu lassen[41]. Die Jesuiten aber wollten nicht das Bargeld, sondern die Herrschaft Ottensheim. Der Beichtvater Maximilians, Pater Contzen, hat bei seinem Herrn selbst in diesem Sinne gewirkt und formulierte es mit folgenden Worten: „Dominium pluris aestimatur quam quadraginta millibus". Die Herrschaft Ottensheim, so nahe bei Linz, könne fast den ganzen Lebensunterhalt für die Patres in Linz aufbringen, Ottensheim sei auch ein „nidus haereticorum", ein Ketzernest, und die unter dem Prätext der Wirtschaft dorthin entsandten Jesuitenpatres könnten für die Konversion der protestantischen Untertanen gut wirken. Verkaufe man aber das Gut, werde sich nicht gleich ein Käufer finden, und es könnten sich auf diese Weise große Verzögerungen ergeben. Maximilian hörte auf seinen Beichtvater. Am 5. August 1625 ordnete Maximilian an, daß Herberstorff dem Jesuitenkolleg in Linz das Gut Ottensheim um die 40.000 Gulden, „so ihr kaiserliche Majestät ihnen allergnädigst geschenkt", einräumen und überantworten solle. Die Übergabe erfolgte am 22. August 1625[42], und Ottensheim blieb bis zur Ordensaufhebung in der Hand der Linzer Jesuiten.

Herberstorffs Wunsch, den Jesuiten die gesamten Stiftungen und Kapitalien der Schulkasse zu überlassen, hatte für den Augenblick als Teilerfolg die Transferierung Ottensheims aus der Schulkasse der Stände in das Eigentum der Gesellschaft Jesu bewirkt. Das war geschehen gegen einen mächtigen Konkurrenten: Das Zisterzienserstift Wilhering hatte ebenfalls Ottensheim erwerben wollen, was wegen der unmittelbaren Nachbarschaft durchaus verständlich ist. Herberstorff führte dann ja die Gegnerschaft des Abtes Georg Grüll von Wilhering gegen ihn auch auf seine Haltung in dieser Frage zurück, die eindeutig den Jesuiten zuneigte[43]. Auch als die Stände versuchten, beim Kaiser eine Restituierung der verlorenen Herrschaft zu erreichen, nahm der Statthalter dagegen Stellung und vertrat die Rechtsauffassung, daß Ottensheim als beschlagnahmtes Eigentum dem Kaiser verfallen und im Pfandschaftsposseß des Kurfürsten war und daß die Stände daher keinerlei Rechtsansprüche auf Ottensheim hätten[44]. Bei der engen Beziehung, die zwischen Herberstorff und dem Jesuitenorden bestand, wäre man versucht zu glauben, daß er auch seine Hand im Spiel hatte, als die alte Benediktinerinnenabtei Traunkirchen am Traunsee, die zur Zeit der Reformation verödet war und um 1620 dem Kardinal Klesl gehörte, den Jesuiten übergeben wurde.

Das scheint jedoch nicht der Fall gewesen zu sein, sondern die Überlassung Traunkirchens an die Gesellschaft Jesu war die höchstpersönliche Tat des Erzherzog Leopold, der Bischof von Passau war und nach Beseitigung verschiedener Widrigkeiten 1622 Traunkirchen dem Passauer Jesuitenkolleg inkorporieren ließ[45]. So war die Gesellschaft Jesu im Land ob der Enns mächtig verankert und hat die Schwierigkeiten, die sich ihrer Ausbreitung entgegensetzten, mit Hilfe der Mächtigen, auch des Statthalters, überwinden können. Es ist verständlich, daß die Jesuiten dabei gelegentlich auf die alten landsässigen Orden und Stifte stießen; wie die Zisterzienser von Wilhering Ottensheim für sich erwerben wollten, versuchten die Benediktiner nach Klesls Verhaftung Traunkirchen zu erhalten. Dennoch wäre es übertrieben, den Gegensatz zwischen den alten Orden und den Jesuiten in Oberösterreich allzu stark zu betonen. Der Abt von Kremsmünster hat z. B. an Erzherzog Leopold bezüglich Traunkirchens geschrieben, er wünsche von sich aus, daß Traunkirchen an die Jesuiten gelange, und der Florianer Propst Leopold Zehetner gehörte zu den mächtigen Freunden der Gesellschaft Jesu im Lande[46]. Daß es den Jesuiten gelang, auch im Geist der religiösen Erneuerung auf die alten Klöster einzuwirken, zeigt die Tatsache, daß 1624 ein Linzer Jesuit nach Kremsmünster gerufen wurde, den Mönchen Exerzitien zu halten. Das war ganz im Sinn des Statthalters, der bemüht war, die kirchliche Reform zunächst durch die Verbesserung des religiösen Sinnes beim Klerus selbst und insbesondere bei den alten Orden zu fördern, die ja auf die Seelsorge großen Einfluß hatten, da zahlreiche Pfarren den Klöstern des Landes inkorporiert waren[47].

So ist Herberstorff — in der österreichischen Geschichte als der Prototyp des Gegenreformators bekannt, der nur äußerlich und gewaltsam zur Wiederherstellung des katholischen Glaubens im Lande tätig war — zweifellos auch mit der inneren Erneuerung der katholischen Kirche verbunden. Aber trotz so vieler Belege für sein Wirken in dieser Richtung wird es schwer sein, über seine persönliche Religiosität etwas auszusagen. Denn diese im innersten Bezirk menschlichen Daseins liegende Haltung läßt sich nicht mit absoluter Sicherheit aus äußeren Handlungen rekonstruieren, schon gar nicht — im Falle Herberstorffs — im Zusammenhang mit dem harten Vorgehen im Zuge der offiziellen Rekatholisierung. Denn das war alles engstens mit der Religionspolitik verknüpft, und gerade hier sehen wir Herberstorff, der von dem Fanatismus des Konvertiten getrieben wurde, oft auch vom Gedanken der Taktik, um nicht zu sagen der Opportunität, beherrscht, als Pragmatiker, der mit den Realitäten rechnete. Das werden wir während des Bauernkrieges beobachten, als er religiöse Zugeständnisse machen wollte, ebenso auch bei seinem Verhalten als Grundherr einer böhmischen Herrschaft, wo er dem Verwalter befohlen hatte, die „lutherischen Prediger unperturbiert zu lassen und sie bei dem Ihrigen und was ihnen von Rechts wegen gehört“ zu schützen[48]. Schon eher läßt sich auf eine persönliche Frömmigkeit aus seinem Bemühen um die Erneuerung der Kirche schließen, etwa aus seinem Bestreben um gute Priester, um die Veranstaltung von Predigten und Kirchenlehren. Dazu kommt seine Zugehörigkeit zur Congregatio Mariana, die Tatsache, daß er sich einen Beichtvater hielt, seine Kirchfahrten, seine Teilnahme an der Fronleichnamsprozession etwa 1623 in Traunkirchen. Er war auch um verschiedene Kirchen im Lande, die durch das Luthertum gelitten hatten, bemüht. So ließ er z. B. in Enns im Jahre 1625 auf Bitten des Ennser Dechants Hartmann Oberegger die Orgel aus der lutherischen Spitalkirche in die katholische Marienkirche übertragen. Er plante auch, das gotische „wundertätige Gnadenbild“ der Muttergottes in der Ennser Maria-Anger-Kirche in die Seitenkapelle zu übertragen und diese auf eigene Kosten ausschmücken zu lassen[49]. Offenbar hatte er die lebensgroße Plastik, Maria mit dem Kinde darstellend, später in die Kapelle seines Schlosses Ort bringen lassen, welche sie noch heute schmückt[50]. Auch die Kapelle auf seinem Schloß Pernstein erhielt durch Herberstorff die noch heute vorhandene Stuckausstattung[51]. Solche Beispiele würden sich zweifellos noch mehrfach finden lassen. In der für sein Schloß Ort zuständigen Pfarrkirche in Altmünster hatte der Statthalter in den Jahren 1625 bis 1627 ein neues, in den Formen des frühen Barock gestaltetes Presbyterium anbauen lassen, wodurch die gotische Kirche nicht nur beträchtlich vergrößert wurde, sondern auch den Geist der Herberstorffschen Ära in die Gegenwart trägt[52]. Auch eine Orgel hatte er gestiftet. Ebenso schenkte Herberstorff wertvolle kirchliche Geräte, z. B. einen Kelch, eine silberne Monstranz, ein Rauchfaß, silberne Opferkännchen und Meßgewänder, der Pfarrkirche Altmünster.

Das alles zeigt, daß er im persönlichen Leben durchaus ein praktizierender Katholik war und daß er wohl seit seinem Übertritt in diese Kirche innerlich hineingewachsen war, wenn er auch selbst nicht als ein Frömmler gelten wollte[53]. Dazu war er eine zu rauhe und harte Persönlichkeit. Aber dem äußerlichen kirchlichen Leben der beginnenden Barockzeit war er zweifellos enge verhaftet, und größere Zweifel in Glaubensdingen dürften ihn, für den nach seiner Konversion diese nunmehr von ihm als alleinseligmachend bezeichnete katholische Lehre eine Selbstverständlichkeit geworden war, kaum geplagt haben. So war der Mann, dem nun bald die schwere Last der Gegenreformation im Land ob der Enns aufgebürdet wurde, nicht nur ein Diener des Kaisers und seines kurfürstlichen Herrn, sondern auch der katholischen Kirche, der er innerlich zugehörte, wenngleich seine Religiosität den Rahmen äußerlicher Glaubensübungen nicht allzu weit überschritten haben dürfte.

Herberstorff mußte also dem Kaiser als durchaus geeigneter Mann erscheinen, das Werk der Ausrottung des Protestantismus und der Wiederherstellung des katholischen Glaubens im Lande ob der Enns durchzuführen. War Ferdinand II. bisher den Wünschen seines wittelsbachischen Vetters gefolgt, der die Gegenreformation in Oberösterreich aus taktischen Erwägungen noch für verfrüht hielt, so mag ihn nunmehr das unnachgiebige Verhalten der oberösterreichischen Stände in den Verhandlungen um die Unterwerfung in der Religionsfrage geradezu gezwungen haben, dem labilen konfessionellen Zustand im Lande ein Ende zu setzen. Es besteht kein Zweifel, daß beides äußerlich miteinander zusammenhing, und es ist daher kein Zufall, daß die Aktivierung der Strafkommission für Oberösterreich und der Erlaß des Reformationspatentes durch Kaiser Ferdinand II. vom 4. Oktober 1624 fast gleichzeitig erfolgte. Auch die Stände sahen durchaus diesen Zusammenhang. Schon im Sommer hatte der Kaiser Anstalten zur Gegenreformation geplant, als die Stände ihn in Wien durch betontes Festhalten an der Religionsfreiheit zutiefst verletzten[54]. Aber nun wurde es ernst. Der 4. Oktober 1624 war ein dies ater des oberösterreichischen Protestantismus. Es scheint nicht ganz klar, inwieweit Maximilian von Bayern nunmehr mit dem Einsetzen der Religionsreformation einverstanden war, jedenfalls hat der Kaiser einer schon drei Jahre vorher geäußerten Forderung Maximilians entsprochen und sich offen hinter diese Aktion gestellt und sich durch ein landesfürstliches Patent als alleiniger Urheber dieser einsetzenden gegenreformatorischen Maßnahmen bekannt. Sieht man nun dieses Dokument, das den Anfang vom Ende des Protestantismus im Lande einleitete, näher an, so fällt als außerordentlich merkwürdig auf, daß fast ausschließlich politische Gründe für diese gegenreformatorischen Akte angeführt werden. Ein ganzer Katalog der in der Rebellion von 1618 bis 1620 von den Oberösterreichern begangenen politischen Verbrechen wird vorgelegt, angefangen von der verweigerten Erbhuldigung über die Anmaßung der Landesregierung durch die Stände, die abgeschlossenen Konföderationen mit Böhmen und den Kontakten mit Bethlen Gabor und zur Pforte bis zu den militärischen Maßnahmen der Oberösterreicher, wie den Überfall auf das Kloster Melk und die Plünderung von Ybbs. Es wird erwähnt, daß die Oberösterreicher hiedurch der Strafe der beleidigten Majestät verfallen und daß der Herzog von Bayern als Kommissär Ferdinands das rebellische Land unterwarf. Und in direkten Zusammenhang mit all diesen Dingen werden nun die evangelischen Prädikanten gebracht, denen eine Hauptschuld an der Rebellion durch Aufwiegelung des gemeinen Mannes zugemessen wird und die auch jetzt noch ungescheut öffentlich gegen die katholische Religion lästern, schreien und predigen. Und nun folgt kein Wort etwa von der Wiederherstellung der katholischen Lehre im Lande, der nun diese lutherischen Prediger weichen müßten. Vielmehr, „Zu Stabilisierung eines sichern ruhig und beständigen Regiments", habe sich der Kaiser entschlossen, diese Prädikanten aus dem ganzen Land ob der Enns auszuschaffen und deren bisher geübtes Exerzitium gänzlich abzustellen und zu verbieten. Alle Einwohner des Landes, welchen Standes sie seien, erhalten den Befehl, innerhalb acht Tagen nach Publizierung dieses Patents alle Prädikanten und deren Schulmeister abzudanken. Diese sollten sich mit Hab und Gut außer Landes begeben, würden sie nach dem Ausweisungstermin noch angetroffen, werden sie mit Strafe bedroht, ebenso wie alle, die Prediger noch weiter in ihrem Dienste halten. Herberstorff erhält zugleich den Auftrag, für die Durchführung des kaiserlichen Patents zu sorgen und „andern zum Abscheich und Exempel unverschont Menigliches" gegen alle mit Strafe an Leib, Hab und Gut vorzugehen, die gegen dieses Gebot des Kaisers handeln.

Dieses für die religionsgeschichtliche Entwicklung so wichtige kaiserliche Patent ist ein klassischer Ausdruck der engen Verknüpfung politischer und religiöser Faktoren. Denn zweifellos war für den frommen Kaiser die religiöse Motivation seines Handelns im Vordergrund, aber die politischen Faktoren boten die günstige Handhabe zu diesem Vorgehen, und der Begründung aus dem rebellischen Verhalten der Oberösterreicher konnte kaum etwas entgegengesetzt werden von den Betroffenen und Besiegten[55]. Wenn auch diese Gegenreformation wie das Schwert des Damokles über den Protestanten des Landes seit 1620 drohend schwebte und immer befürchtet wurde, daß der Kaiser zur Gegenreformation schreiten werde, so kam doch alles für die Allgemeinheit etwas zu plötzlich, und das Geschehen entbehrte keineswegs der Dramatik. Herberstorff hatte sich — wohl auf Wunsch des Kaisers — nach Wien begeben und war mit dem Patent am 10. Oktober 1624 früh am Morgen in Linz eingetroffen. Es ist charakteristisch für ihn, daß er nicht einen Tag, ja nicht einmal eine Stunde verstreichen ließ, um dem kaiserlichen Befehl nachzukommen. Ohne sich Erholung von der beschwerlichen Reise zu gönnen — berichten die Jesuiten in ihren Literae annuae —, habe der Statthalter „das von den Katholiken ersehnte Werk" in Angriff genommen[56].

An diesem Donnerstag um sieben Uhr früh riefen gerade die Glocken des Linzer Landhauses, und viele Gläubige hatten sich im Saal zu Gesang und Predigt versammelt. Schon nach den ersten Glockenstreichen schickte der Statthalter seinen Kammerdiener ins Landhaus, „welcher dem Messner mitten im Leythen, daß er davon aufhören und sich künftig allerdings enthalten solle bei Leib und Lebens-Straf geboten". Auf dem Weg zur Ratsstube begegnete Herberstorffs Kammerdiener dem Prädikanten, der an diesem Morgen die Predigt halten sollte, Magister Johannes Mayr, dem er Herberstorffs Verbot, die Kanzel zu besteigen und zu predigen, übermittelte, der sich jedoch auf die ständischen Verordneten berief. Diese ließ Herberstorff ins Schloß zitieren. Ehe sie aber das Landhaus verließen, ordneten sie an, daß man im Landhaussaal so lange die Gläubigen singen lassen solle, bis sie der Predigt halber aus dem Schloß Nachricht geben. Und so sangen die Gläubigen, während Herberstorff im Schloß die Ständevertreter empfing, ihre Lieder: „O Gott vom Himmel sieh darein", „Es ist das Heil uns kommen her", „Ein feste Burg ist unser Gott", „Wann wir in höchsten Nöten sein" und „Wo Gott der Herr nit bei uns hält". Für die Linzer Jesuiten sind es Mißtöne, die aus dem Tempel „impietatis" — wie sie schreiben — an ihr Ohr dringen, aber sie sollten nicht mehr lange hiedurch behelligt werden. Herberstorff teilte den ständischen Verordneten nicht nur das kaiserliche Patent und die Abschaffung des evangelischen Exerzitiums mit, sondern er ließ auch den schon begonnenen Landhausgottesdienst nicht mehr zu Ende führen. Als der Statthalter „diese Predigt bei Vermeidung hocher Straf, die er gegen den Prediger fürzunehmen gedrohet, nicht zuelassen wollen, also hat man auch in dem letzten Gesang aufhören müessen: ‚Gott wird einmal aufwachen'". Und der schlichte, ergreifende Bericht eines Unbekannten, der uns diese Vorgänge im Linzer Landhaus schildert, fährt fort: „Darauf die Leut ohne Verrichtung der Predigt oder einig verrers vermelden sehr traurig und kläglich und ihrer viel herzlich weinend wieder aus der Kirchen und zu Haus gegangen. Und kurz hernach, zwischen 9 und 10 Uhr ist auch das kaiserlich gedruckte Mandat wegen Abschaffung der Prediger und Schulmeister im ganzen Land vom dato der Publikation innerhalb 8 Tagen sich daraus zu begeben mit vorgehendem Trummelschlag öffentlich verlesen und alsdann an das Landhaus geheftet worden."[57] Die Jesuiten aber lassen in ihrem Bericht, der stark geprägt ist von der Liebe zu dramatischer Szene, die versammelten Gläubigen in Wehklagen ausbrechen, in Beschimpfungen des Kaisers, der Katholiken und vor allem der Jesuiten, und in Wahnsinnsausbrüchen hätten viele der Gläubigen das Weltende prophezeit[58].

So hatte Herberstorff den ersten Akt der Gegenreformation des Kaisers im Zentrum des oberösterreichischen Protestantismus, im Landhaus zu Linz, gesetzt und durch eine Art Überrumpelung den ersten Erfolg errungen. Freilich suchten die Landstände — das einzige was sie tun konnten — wenigstens Zeit zu gewinnen. So baten sie nun den Statthalter Herberstorff, den Befehl zur Ausweisung der Prädikanten bis zu einer neuen kaiserlichen Resolution rückgängig zu machen, aber Herberstorff verwies darauf, daß der Kaiser ihm schriftlich und mündlich befohlen habe, das Reformationspatent unverzüglich auszuführen. Er könne also von diesem Auftrag des Kaisers nicht abgehen[59]. Die Landstände hatten Ende September bereits gerüchtweise gehört, daß der

Strafprozeß gegen sie in Gang gesetzt werde und auch daß man mit der Religionsreformation innerhalb weniger Tage im Lande beginnen werde, ja sie wußten auch, daß Herberstorffs Wien-Aufenthalt mit der beginnenden Reformation zusammenhing, und sie hatten versucht, durch Gundaker von Polheims Vorsprache bei Fürst Eggenberg in Wien einer Übereilung vorzubeugen[60]. Dies war ihnen allerdings, wie die Entwicklung zeigte, nicht gelungen. Polheim hatte den Oberösterreichern bereits am 5. Oktober bestätigt, daß das Patent betreffend die Religionsreformation unmittelbar bevorstehe, und konnte auch im wesentlichen den Ständen bereits den Inhalt bekanntgeben. Aber verhindern konnte er nichts. Eilends sandten die Stände noch am 10. Oktober Erasmus den Jüngeren von Starhemberg nach Wien zum Fürsten von Eggenberg und zum Kaiser selbst, um Strafprozeß und Religionsreformation doch noch zu vereiteln. Eggenberg, der eben kurz vorher auf der Rückreise von Göppingen in Linz geweilt hatte, riet Starhemberg, die Stände sollten eine große Gesandtschaft, die die abgebrochenen Verhandlungen wegen der Submission weiterzuführen hätten, nach Wien senden, meinte aber, die Frage der Religion müßten die Stände beim Kaiser unbedingt aus dem Spiel lassen. Fürst Eggenberg wußte um die Absicht des Kaisers, und er habe auch Starhemberg, als dieser bei ihm in Tübingen weilte, dies gesagt, ebenso den Ständen selbst bei seiner Anwesenheit in Linz. Daß das Religionspatent aber jetzt und auf diese Weise erlassen wurde, habe er selbst erst bei seiner Rückkehr nach Wien erfahren. Für Herberstorffs Stellung ist nun von großem Interesse, was Eggenberg zu Starhemberg über das Werden des Reformationspatentes sagte: „Das ganze Werk wer von ihr kaiserlichen Majestät mit Herrn Statthalter, der sich darum angenommen, traktiert und ihme anbefohlen worden." Herberstorff berichtete dann dem Fürsten Eggenberg über die bereits ergangene kaiserliche Resolution. Das zeigt, daß Herberstorff nicht förmlich das Opfer war, dem mehr oder weniger wider Willen das Reformationswerk anvertraut wurde, sondern daß er ganz im Geiste seines früheren Schreibens an Herzog Wilhelm von Bayern mit dem Herzen bei der Sache war. Starhemberg erhielt auch bei Ferdinand II. Audienz und erreichte das Zugeständnis neuer Verhandlungen bezüglich der Submission und Strafkommission, aber hinsichtlich der Gegenreformation sagte der Kaiser unmißverständlich zu ihm: „Aber von der Religion müeßts mir nichts fürbringen, denn ich würds sonst allerdings bei meiner vorigen Resolution bewenden lassen[61].

Die Prädikanten mußten daher innerhalb des Zeitraumes von einer Woche das Land verlassen. Der Zeitpunkt des Abzuges der Prediger und der Schulmeister aus dem Land richtete sich allerdings nach der jeweiligen Verkündigung des kaiserlichen Patents, und da sie von ihren Anhängern zu ihrer Fahrt donauaufwärts einen Zehrpfennig und von ihren Dienstgebern eine zweijährige Besoldung erhielten, spotteten die Linzer Jesuiten, sie hätten mit vollen Händen und mit Spenden beladen das Land verlassen und seien durch die Ausweisung nur reicher geworden. Nun war es in der Folge des kaiserlichen Patents zu Schwierigkeiten gekommen, und es ist nicht ganz so, wie es Herberstorffs Freunde im Linzer Jesuitenkollegium darstellten, daß durch die Weisheit und das Ansehen des Statthalters alles mehr oder weniger beschwichtigt wurde, daß vor allem die Intelligenzschicht — „Doktoren, Magister und andere Gelehrte und gemäßigte Männer“ — beruhigt wurde[62]. Zunächst erhob sich vor allem im Zusammenhang mit der Einsetzung der Strafkommission am 1. Oktober, sicherlich aber auch als Folge des Reformationspatents, eine starke Unruhe im Lande, und vor allem die Bürger in den Städten und Märkten versuchten, ihr Geld und ihre Fahrnis ins Ausland zu bringen und dann selbst das Land zu verlassen. Herberstorff hat dies strengstens verboten und alle Obrigkeiten und Grenzstellen angewiesen, keine Personen und keine Sachen ohne Paßbrief außer Landes zu lassen. Aber auch hinsichtlich des Reformationspatents gab es bald Schwierigkeiten. Schon am 8. November stellte der Statthalter fest, daß seines Wissens wohl die Prädikanten das Land verlassen hätten, daß aber noch evangelische Schulmeister im Lande wirkten und daß die Landleute in ihren Schlössern durch die Pfleger Gottesdienst und Lesungen hielten und die Bauern sogar durch Glockengeläute hiezu riefen. Dies wird verboten und befohlen, daß die Untertanen an ihre Pfarrkirchen zu verweisen sind, bei Androhung strengster Strafen[63]. Das Land war eben „erzlutherisch“, wie der Chronist der Stadt Steyr schrieb, und es trat die alte Praxis des Notgottesdienstes und des „Auslaufens“ in die Schlösser der evangelischen Herrn und Ritter, wie sie lange Zeit in der Ära der Rudolfinischen Gegenreformation üblich war, wieder in Geltung. Es konnte eben nicht mit einem Schlag aus dem protestantischen Land ob der Enns ein katholisches Musterland gemacht werden. Das zeigt nicht nur das Weiterleben des Protestantismus nach dem Erlaß des Patents und die Versuche, ohne die Prädikanten das evangelische Glaubensleben aufrechtzuerhalten, sondern auch manche Signale, die das Riskante dieses Ferdinandeischen Reformationswerkes offenbarten. Herberstorff selbst berichtet schon zehn Tage nach der Publikation des Reformationspatents an Kurfürst Maximilian, daß nach der Ausweisung der protestantischen Prediger Unruhe bei den Bauern im Donautal und bei Haag am Hausruck herrschten. Es dürfe sich kein katholischer Priester mehr sehen lassen. Man befürchtete sogar, daß die Bauern das dem Erzherzog Leopold gehörige Schloß und den Markt plündern würden. Der Statthalter beorderte den Hauptmann Rehlinger mit zweihundert Musketieren nach Haag und begab sich dann auch selbst dorthin. Denn die Gefahr, die durch die einsetzende Gegenreformation ausgelöst wurde, war ihm durchaus klar, und er wußte, daß es für die weitere Entwicklung wichtig war, wie er mit den ersten Zeichen solchen Widerstandes fertig werde. Er war entschlossen, die Bauern zunächst in Güte zu beruhigen: „Dann meines Erachtens an deme viel gelegen, daß der erste Auflauf und Anfang mit gueter Manier gestillt wird."[64] Trotz oder vielleicht gerade wegen der Schwierigkeiten und wegen des — abgesehen von der erzwungenen Emigration der Prädikanten — geringen Erfolges des Reformationspatentes mußte der Kaiser die Aktion gegen die Prediger nur als ersten Akt betrachten, und er hat in einem zweiten Mandat die „schuldige Parition" gefordert und in einem Dekret vom 26. November 1624 das Auslaufen der Untertanen und deren Zulassung durch Obrigkeiten etwa in Niederösterreich zum evangelischen Gottesdienst mit größter Strenge untersagt[65]. Schon vorher hatte Ferdinand II. Reformationskommissäre eingesetzt. An ihrer Spitze stand der Statthalter, als Mitkommissäre waren ihm zunächst adjungiert der Abt Dr. Georg Falb des Stiftes Göttweig, ein ehemaliger Konventuale und Prior des oberösterreichischen Benediktinerstiftes Garsten, sowie der Salzamtmann zu Gmunden Johann Baptist Spindler. Später wurde noch Konstantin Grundemann von Falkenberg, Mautamtmann zu Linz, der Reformationskommission des Statthalters zugesellt[66]. Die wesentliche Aufgabe dieser Kommission war die Rekatholisierung der landesfürstlichen Städte. Diese waren immer — auch schon zur Zeit der Rudolfinischen Gegenreformation — das erste Objekt gegenreformatorischer Maßnahmen von seiten des Landesfürsten. Galt doch ursprünglich die Religionskonzession von 1568 nicht für diese Städte des Landesfürsten, und erst unter Kaiser Matthias, während des habsburgischen Bruderzwistes, konnte Tschernembl für sie die Duldung erreichen. Auch jetzt setzte der Kaiser bei den Städten an. Das hing im Grunde mit der verfassungsrechtlichen Stellung der landesfürstlichen Städte zusammen, welche zum fürstlichen Kammergut gezählt wurden und daher in einem engeren Herrschaftsverhältnis zum Landesfürsten standen. Herberstorff ging hiebei systematisch vor und bereiste die Städte mit der Reformationskommission.

In Linz, wo er mit seiner großen Aktion begann, hat er am 12. November 1624 die Bürgerschaft der Stadt, „Advocaten, Officier, in summa die ganz gemein", im Namen des Kaisers und des Kurfürsten in das kaiserliche Schloß vorgeladen und ihnen im Beisein seines „Mitcommissarii in reformatione", des Abtes von Göttweig, und der bayerischen Räte und Beamten eine große Rede gehalten. Sie dauerte, wie wir von einem Zeitgenossen wissen, immerhin dreiviertel Stunden. Sie ist außerordentlich aufschlußreich, nicht nur, weil sie manche Dinge bringt, die zeigen, wie Herberstorff in Kaiser Ferdinands Intentionen eingeweiht war, sondern auch, weil sie seine eigene Haltung gut erahnen läßt. Sie trägt auch dazu bei, Herberstorffs Art, wie er an diese verantwortungsvolle Aufgabe herangeht, besser kennenzulernen. Herberstorffs Rede ist eine merkwürdige Mischung von aufgezeigtem Verständnis für die Protestanten und von Frivolität, mit der er den Evangelischen in grausamer Art ihre aussichtslose Lage schilderte. Sie zeigt eine gewisse mit einem Schuß von Grobianismus gepaarte Jovialität und läßt im Grunde die Härte Herberstorffs deutlich werden. Sie zeigt ihn als einen Mann, der durchaus geschickt und taktisch klug vorzugehen verstand, der versuchte, in Güte das Ziel der Gegenreformation zu erreichen, zugleich aber die Evangelischen zur Verzweiflung trieb durch die tatsächliche Kompromißlosigkeit des ganzen Reformationswerks, die er auch besonders unterstrich. Es ärgerte ihn die zwiefache Propaganda der Protestanten nach der Vertreibung der Prädikanten. Die einen suchten die Austreibung der Prediger zu verniedlichen und verbreiteten die Meinung, nach einem halben Jahr würden die Prediger wieder im Land sein und in ihr Amt restituiert werden. Sie machen auf diese Weise — so meinte der Statthalter — jene unsicher und wankend, welche die Absicht haben, katholisch zu werden, oder wenigstens bereit waren, katholischen Predigten, sei es nun aus „Fürwitz" oder aus Mangel anderer Predigten, beizuwohnen. Andere „Lügenmäuler" — so der Statthalter in seiner Rede — verbreiten die Nachricht, „der Kaiser werde jedem, so sich in 14 Tagen nicht zur päpstlichen Religion bequemen wolle, ein weißes Staberl in die Hand und 5 Gulden zur Zehrung geben, ihn alsbald aus dem Land schaffen und seine Güter einziehen".

Herberstorff will nun allem Unheil, das aus dergleichen unwahrer und feindseliger „Persuasion" sich ergeben könnte, vorbeugen, und er will seinen Zuhörern sagen, was es mit der Vertreibung der Prädikanten, mit dem Reformationswerk überhaupt, für eine Bewandtnis habe. Und nun zeigt er sich als besonderer Vertrauter des Kaisers: Aus dessen eigenem Mund habe er vernommen, solange er, der Kaiser, lebe und soweit es an ihm liege, werde in dieses Land kein Prädikant mehr „schmecken", „sondern er wolle eher das äußerste daransetzen, einen Stab in die Hand nehmen und sich Land und Leut begeben"[67]. Nun gibt es ähnliche Formulierungen aus dem Mund des Kaisers, die seine Entschlossenheit zur Gegenreformation bekunden, aber auch seine Bereitschaft, lieber auf die Herrschaft zu verzichten, als die Ketzerei zu dulden, und es ist daher durchaus möglich, daß Ferdinand II. auch zu Herberstorff wohl gerade während der Vorbereitungsverhandlungen zur Gegenreformation sich in dieser Art geäußert hat. Herberstorff sagte aber der Linzer Bürgerschaft außerdem noch, der Kaiser habe „auch bereits solche Disposition gemacht und präcavieret, daß seine Erben der Suczession im Land in Ewigkeit nicht fähig werden sollen, bis sie sich mit einem Eide solemniter verbinden, diese Resolution gleichfalls fest und steif die Zeit ihres Lebens zu maintenieren". Damit spielte er auf das Testament Ferdinands II. an, in welchem dieser seinen Nachfolgern die Ausrottung der Häresie zur Pflicht gemacht hatte und die Katholizität als eine ausgesprochene Bedingung für die Sukzessionsfähigkeit deklariert hatte[68]. Es läßt sich daraus ersehen, daß der Kaiser mit dem Statthalter die Gegenreformation ganz eingehend

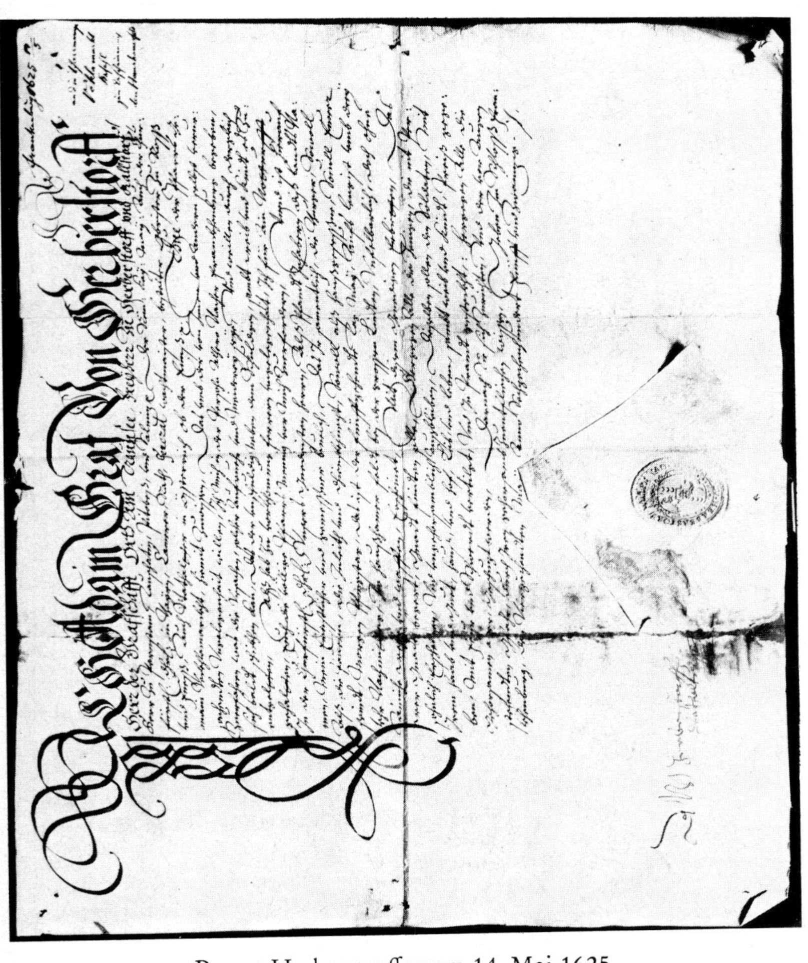

Patent Herberstorffs vom 14. Mai 1625
(Erscheinen auf dem Haushamerfeld)

Gedechtnis des Bauren Kriegs im Jahr. 1626.

Psal: 37.
Der Herr hilfft den Gerechten, Er ist ihre Stercke in der Noth.

Psal: 20.
In Nahmen vnsers GOTTES werffen wir Panier auff.

Der Osterreichischen Ob der Ens gesambten Bauerschafft an Ihr Kayß: Maÿ: begeren stehet in folgenden 12. Articulenn.

I.
Das Wort GOTTES.

2.
Den Kayser zum Herren, vnd nicht den Beyerfürsten.

3.
Den Stadthalter zu Lintz abzuschaffen.

4.
Einen Landtshauptmã der in Lande geseßen.

5.
In den Städten Lutherische Richter vnd Burgemeister zusetzen, den Catholischen ist nicht zutrauen.

6.
Die Prælaten auß den Rath vnd die Bauren hinnein zusetzen, wie in Tyrol der brauch.

7.
Das die Soldaten aus den lande mit stäblein geweiset, dan wir Bauren wollen das landt schutzen.

8.
Die Guarnison in Städten abzuschaffen, soll Jahrlich etlich gelt darfur gegeben werden.

9.
Das Jesuitische Pfaffengesinde außer die Prælaten auß den Lande zuschaffen.

10.
Einen General Perdon allen Armen vnd Reichen Hohes vnd Nider standes.

11.
Die Capitulation so Käyser Matthias verheischen, ein ieder Landtherr auff seinen Güttern einen Prediger zuhalten.

12.
Allen vertribenen ihre Gütter gentzlich zu Restituiren vnd widerumb in geruigen Posses zusetzen.

Gegeben in Ländlein Ob der Ens.

Oberösterreichische Bauernkriegsartikel 1626

besprochen hatte und ihn auch in Dinge einweihte, die sicher noch zu den Arcana des Hauses Österreich gehörten. Ist doch jenes aus gegenreformatorischem und absolutistischem Denken 1621 erwachsene Testament Ferdinands II. offiziell erst bekanntgemacht worden, als es als eine der Grundlagen der Pragmatischen Sanktion fast hundert Jahre später den Landständen zugänglich gemacht wurde. Herberstorff nahm den evangelischen Bürgern von Linz jede Hoffnung, daß der Kaiser etwa seine Resolution ändern werde, und sie dürften, so meinte er, auch nicht mit dem Gedanken spielen, daß man den Kaiser etwa „per forza" dazu zwingen werde, wie man dies im Bruderzwist im Hause Habsburg bei König Matthias tun konnte. Er verwies dann in seiner Rede auf das Reformationsmandat, auf die Rebellion von 1618 bis 1620 und die große Schuld der Stände, so daß das Land nicht in dem Kredit beim Kaiser stehe, daß er ihnen hinsichtlich der Religion entgegenkomme. Das alles sage er ihnen, „damit ihr die etwa gefaßte Opinion und Hoffnung wegen Restituierung der Prädikanten, es sei gleich mit Bitten oder Gewalt auf lang oder kurz gänzlich fallen lasset". Und der Statthalter fährt in seiner Rede fort, hätte man seinerzeit, als Ferdinand eine Legation nach der anderen ins Land schickte und die Bestätigung aller Privilegien anbot, sich akkomodiert und nicht alles auf die Spitze getrieben, so hätten sie vielleicht Konzessionen erhalten. Nun kam er noch auf die Gerüchte zu sprechen, daß der Kaiser alle, die nicht katholisch werden wollen, aus dem Land jagen und ihre Güter einziehen werde. Und hier verweist er auf Ferdinands Wunsch, daß alle seine Untertanen den gleichen katholischen Glauben haben sollen wie der Kaiser selbst, und hier kommt ein Gedanke zum Vorschein, der bei Ferdinand tatsächlich eine große Rolle spielte, daß nämlich der Kaiser auch für das Seelenheil seiner Untertanen sich verantwortlich fühlte und der Meinung war, er würde für seiner Untertanen „Seelen künftig am jüngsten Gericht Rechenschaft geben müssen". Herberstorff erwähnt hier das im ganzen Reich geltende Recht des Landesfürsten, daß „ein jeder in seinem Land die Religion nach seinem Willen disponieren möge", also das Konfessionsbestimmungsrecht, das im Augsburger Religionsfrieden von 1555 den Reichsständen zugesichert worden war. Und nun kommt Herberstorff darauf zu sprechen, wie der Kaiser sich diesen Vorgang der Rekatholisierung seiner Untertanen vorstelle. Der

Kaiser beabsichtige keineswegs zur Erreichung seiner Absicht „so strikte und rücksichtslos mit euch zu prozedieren, sondern auf solche Weis und Weg, damit ihr von selbsten und aus Antrieb eures Gewissens euch dazu begeben". Das werde sicherlich bei allen oder doch bei den meisten der Fall sein, wenn sie die katholischen Predigten fleißig anhören. Zum Besuch der Messe wolle man sie noch nicht verhalten. „Fides ex auditu", meinte der Statthalter. Sie werden, wenn sie die katholischen Prediger ohne „Passion und Affect" anhören, diesen ihre Zweifel anvertrauen und sich von ihnen unterweisen lassen. Der Erfolg werde dann nicht ausbleiben, und sie würden dann ganz anders über den katholischen Glauben denken und diesen ganz anders sehen, als dieser ihnen bisher von den Prädikanten dargestellt worden ist. Also eine Gegenreformation, deren wesentliche Grundlage ein Glaubenswechsel aus Überzeugung sein sollte, ein Gedanke, der festgehalten zu werden verdient, weil Herberstorff später einmal wieder diese Idee verfocht.

Herberstorff hat sehr geschickt nun von seiner eigenen protestantischen Vergangenheit gesprochen. Er stellte, wie Enzmilner in seinem Bericht meldet, „sich selbsten vor ein Spiegel". Der Statthalter zitierte ein Wort, das er dem hl. Paulus zuschrieb, „unus dominus, una fides, unum baptisma", ein Herr, ein Glaube, eine Taufe. Und nun beschönigte er keineswegs sein früheres Verhalten, ganz im Gegenteil, er rückte seine protestantische Intoleranz und seinen Fanatismus grell ins Licht. Die Linzer Bürger sollten sehen, daß er nicht besser war als sie, eher ein noch größerer Eiferer, der dennoch „weder um zeitlicher Ehre noch Gut" den Weg zum wahren Glauben gefunden habe: „Ich schwör euch, so war ich begehr seelig zu werden, daß ich nicht vermeine, daß jemand in der lutherischen Religion verbissener und verhärteter habe sein können, oder dem katholischen Glauben feinder gewesen, und in der Pfaffen, sonderlich der Jesuiten Blut lieber seine Hände gewaschen hätte, als eben ich gewesen". Und er schildert ihnen, wie er durch Nachdenken, durch Besuch katholischer Predigten, durch Lesen katholischer Bücher und durch den Vergleich der beiden Religionen den Weg zum katholischen Glauben gefunden habe. Und nun folgt dann der Appell des Statthalters an die Bürger von Linz, der allen Oberösterreichern galt: „Folget mir und tut eines: Bittet Gott vom Grund eures Herzens, daß er euch entweder in den wahren Glauben und Segen zu eurer Seelen Seeligkeit erleuchten, oder, zum Fall ihr denselben bereits hattet, darinnen beständig erhalten wolle. Gewißlich, wenn ihr solches mit Ernst tun und beinebens unsere Predigen mit Fleiß anhören, dieselben ponderieren werdet, wird Gott letztlich seine Gnad und Segen geben, daß ihr die Wahrheit einmal erkennen, zeitliche und ewige Wohlfahrt finden werdet." Herberstorff meint, der Besuch der Predigten werde ihnen nicht schwerfallen, und er glaubt, es sei keiner unter seinen Zuhörern, der nicht schon in eine katholische Kirche — aus Neugierde, bei Hochzeiten oder anläßlich von Leichenpredigten — gegangen sei. Dennoch sei der Himmel nicht über diesen eingefallen und er sei sicherlich deswegen nicht bei seinen Glaubensbrüdern für unredlich gehalten worden. Aber auch für jene unter den Protestanten, die nicht beabsichtigen, katholisch zu werden, sondern vom Recht der Auswanderung Gebrauch machen wollen, sieht Herberstorff einen Vorteil, wenn sie gehorsam sind und zunächst die katholische Kirche und die katholischen Predigten besuchen. Der Statthalter meint, daß eben ein Gehorsamer „durch meine Hilf mit mehrerer seiner Gelegenheit den Abzug wird nehmen können, als ein anderer, der sich trutzig und halsstarrig erzeiget". Herberstorff betonte dann noch, daß er niemandem verwehren wolle, der Religion halber auszuwandern. Aber als guter Freund warne er: „Gewißlich, gewißlich, es ist nicht überall Österreich. Ich bin auch meiner Tage manches Land ausgezogen, ich finde aber nirgends Österreich." Hier hat er eine Saite zum Erklingen gebracht, deren Ton in die Tiefe gehen und das Heimatgefühl der einzelnen berühren und ihre Bindungen an das Land ihnen vor Augen halten sollte. Man denkt dabei an jenes Wort der Frau Susanne von Tschernembl, die ihr ganzes Leid über die verlorene Heimat in einem Brief aus dem Exil 1622 zum Ausdruck brachte: „Wir müeßten wohl die ganze Welt ausziehen, wir würden kein Land ob der Enns finden."[69] Herberstorff liegen naturgemäß die Beispiele aus seinem Heimatland, der Steiermark, nahe, und er spricht davon, daß viele vornehme und vermögliche Personen sich auf ihr Geld verließen und aus dem Land gezogen sind. Aber er wisse auch, wie ihnen dies bekommen sei, und zwar, daß die meisten von diesen entweder verstorben oder verdorben seien oder sich aber wieder in das verlassene Vaterland zurückgebettelt hatten. Doch das sei

— meinte der Statthalter — die eigene Angelegenheit eines jeden einzelnen, und es könne jeder ja das Abenteuer der Emigration versuchen, wenn er wolle. Zunächst aber gelte sein strikter Befehl: „Daß ihr interim meinem Rat und Willen mit Besuchung der Kirchen nachkommt." Darum, um diese Bezeigung des guten Willens, geht es ihm zunächst vor allem. Und diesem geäußerten Willen folgt eine klare Aussage: „Denn das darf sich weder Bürger noch Bauer, Edel oder unedel nicht einbilden, daß ich hinfüro das Predigen oder Lesen und Singen in den Häusern, viel weniger das Auslaufen auf St. Pantaleon[70] oder sonst außer Landes, gedulden werde. Geschicht es aber, dann werd ich jetzt diesen um 100, jetzt jenen um 300 oder mehr Taler bestrafen, arrestieren, Bücher nehmen lassen etc."

Also die Bürger sollten wissen, es bleibt nicht bei der erfolgten Ausweisung der Prediger, es sollte vielmehr jede Möglichkeit evangelischen Glaubenslebens erstickt werden. Herberstorff versichert seinen Zuhörern noch, so wie er alle seine Aktionen zu der Gehorsamen Schutz und des Landes Wohlfahrt geleitet habe, so werde nichts ihn hindern, „die ungehorsamen, schädlichen Patrioten zu strafen und zu verfolgen", auch alles vorzukehren, was dem Kaiser zur Stabilisierung seiner Herrschaft und zur Wiederbringung von Liebe und Einigkeit im Lande förderlich sei. Damit schloß der Statthalter seine große Rede im Linzer Schloß. Die Protestanten wußten nunmehr zweifellos woran sie waren, und trotz des Verständnisses des Statthalters mußte ihnen klar sein, daß es keinen Kompromiß geben konnte: Entweder Bekehrung oder Auswanderung. Nach dieser Rede Herberstorffs predigte in der Linzer Pfarrkirche der Abt von Göttweig über das Wort „Dirigite viam domini", bereitet den Weg des Herrn[71].

Nachdem im Dezember 1624 Herberstorff noch Bürgermeister und Rat der Stadt Linz als Obrigkeit dafür verantwortlich gemacht hatte, daß die kaiserlichen Patente mit voller Strenge durchgeführt, daß die Bürger und Inwohner die katholische Pfarrkirche besuchen und Predigten hören, daß jeder Auslauf verhindert werde, begab er sich im Januar 1625 mit den übrigen Reformationskommissären in die landesfürstlichen Städte. Der Modus war im wesentlichen überall gleich: Zuerst predigte der Abt von Göttweig in der Pfarrkirche, dann sprach Herberstorff im Rathaus zur Bürgerschaft, wobei im wesentlichen seine Linzer Rede als

Muster diente. Auch in den anderen Städten wurde gesagt, daß in „diesem Religionswerk keiner übereilet oder wider Willen gedrungen werden sollte.“[72] Zum Unterschied von Linz wurden aber — offenbar nach neuen Weisungen des Kaisers — in den anderen landesfürstlichen Städten die evangelischen Funktionäre der Stadt, Bürgermeister, Stadtrichter und Ratsherrn sowie die städtischen Beamten, durch Katholiken ersetzt, was allerdings in deren Ermangelung oft nur beschränkt möglich war[73]. Außerdem setzte Herberstorff in den Städten jeweils einen katholischen Stadtanwalt ein, der die Interessen des Kurfürsten in der Stadt vertreten sollte. Herberstorff hatte dies Kurfürst Maximilian vorgeschlagen. Die bisher von den Protestanten benützten Kirchen in den einzelnen Städten aber wurden den Katholischen übergeben, desgleichen Schulen und Spitäler[74]. Zuerst wurde die Reformation in Steyr durchgeführt, anschließend in Wels, in Vöcklabruck und in Gmunden. Schließlich wurde die Veränderung des Magistrates im Februar auch in Linz nachgeholt. Als letzte Stadt kam Enns an die Reihe, Freistadt mußte man wegen einer dort herrschenden Seuche zunächst auslassen. Verärgert vermerken die Landstände diese Reise der Reformationskommissäre und der Ersetzung der Evangelischen durch Katholiken, ob diese nun hiezu qualifiziert seien oder nicht. Als Subdelegierte der Reformationskommission auch auf dem Lande, so wie dies in den Städten geschehen war, verschlossene und verwaiste Kirchen den Katholiken übergaben und Herberstorff der Weisung des Kurfürsten gemäß an die Stelle der Prädikanten katholische Priester setzte, da suchten die Landstände wieder den Kaiser zu bewegen, die Gewissen nicht zu bedrängen. Sie baten Ferdinand II. zu erwägen, daß es mit der Religion „nit wie mit den anderen zeitlichen bewandt, sondern daß die Seelen-Sach niemand anderem, als allein dem allmächtigen Gott unterworfen sein kann“[75].

Kaiser Ferdinand war zunächst mit dem ersten Anlaufen der Gegenreformation zufrieden und hat noch im Jahre 1624 Herberstorff und dem Abt von Göttweig ein eigenes Dankschreiben übersandt. Er freue sich, so schrieb der Kaiser, wie weit Herberstorff und der Abt im Reformationswerk bereits gekommen seien, und er hoffe nun auf dessen ungestörten Fortschritt. Der Kaiser rühmte den Eifer der Kommissäre und die „wachsame Fürsichtigkeit“, mit der sie vorgingen, und er meinte, sie hätten hiedurch sich der

„göttlichen Belohnung ... teilhaftig gemacht“[76]. Dennoch war der wirkliche Effekt der bisherigen Maßnahmen nicht sehr groß. Herberstorff klagt noch im Herbst 1625, daß es auf den Pfarren der Stifte wenig echten Fortschritt gäbe, und er meinte, daß die kaiserlichen Reformationsmandate bisher kaum dazu beigetragen haben, bei den Mönchen auf den Pfarren die höchst notwendige Korrektion herbeizuführen. Die Schwierigkeiten, die freien Pfarren mit guten katholischen Geistlichen zu besetzen, waren außerordentlich groß, und die Bitten Herberstorffs an den Erzherzog Leopold als Bischof von Passau hatten nur geringen Erfolg. Aber auch alle Schikanen, um die Protestanten zur Teilnahme am katholischen Gottesdienst zu zwingen, und die Verbote des Auslaufens blieben weithin unwirksam[77]. Herberstorff selbst schrieb im Februar 1625 dem Erzherzog Leopold, daß die Bauern „haufenweis zu den Predigten in den Schlössern laufen“. Der Statthalter hat sich daher im Frühjahr 1625 bemüht, den Kaiser zu einer Verschärfung der Gegenreformation zu veranlassen. Er wünschte vom Kaiser die Zustimmung, daß „vor allem der Adel oder wenigst ihre Kinder in diesem Land zur katholischen Religion angehalten und unkatholische Pfleger, Schreiber und Rentmeister ihnen abgeschafft würden. Dadurch gelangen Ihr kaiserliche Majestät zum ersten zu dero Intention, denn wenn der Adel dahin gehalten werde, daß sie ihre Kinder in keine andern als katholische Ort schicken derfen, so akkommodiert sich der gemeine Mann durchgehend desto lieber.“ Er hielt diese Verschärfung der Gegenreformation für so wichtig, daß er meinte, wenn „das nit geschicht, so ist alle Müeh bei diesem Werk vergebens“[78], und an den Abt von Göttweig schrieb er diesbezüglich, „wenn sich Ihr kaiserliche Majestät uff die überschriebenen Patentspuncten nicht resolvieren, wie mans demselben fürgeschlagen, so schreib ichs Euer Hochwürden realmente, daß ich in Reformationssachen ferner nichts tuen werde, ich seche denn, man schick sich auf ein solche Weis darzu an“[79]. Man muß also festhalten, daß nicht vom Kaiser, sondern von Herberstorff eine härtere Gangart gefordert wurde und daß er es war, von dem die Initiative zur totalen Gegenreformation damals ausging[80]. Denn wie man sieht, hat er nicht nur dem Kaiser seinen Wunsch geäußert, sondern ihm auch für ein neues verschärfendes Patent Vorschläge in konkreter Weise gemacht. Herberstorffs Bemühungen in Wien um eine Steigerung der Gegenreformation hatten zunächst allerdings keinen Erfolg. Der Kaiser wollte zwar, daß Herberstorff im April zu diesbezüglichen Besprechungen nach Wien käme, aber Herberstorff war damals verhindert. Vermutlich dürfte er daher auch einer Einladung Pater Lamormainis nach Wien nicht Folge geleistet haben[81].

Gerade das Problem italienischer Pfarrer, die zum Ersatz für die von den Prädikanten verlassenen Pfarren herangezogen wurden, sollte die größten Schwierigkeiten für den Statthalter herbeiführen. Denn hier war namentlich für die Landbevölkerung ein wunder Punkt gegeben. Die Bauern dachten außerordentlich realistisch und vertraten die Auffassung, wenn man schon für einen Pfarrer den Unterhalt aufbringen mußte, so sollte es wenigstens einer sein, dessen Sprache man versteht. Ein erster Fall, daß die Bevölkerung sich gegen die Einsetzung eines italienischen Pfarrers mit Gewalt zur Wehr setzte, trat im Januar 1625 in Natternbach auf. Als ein deputierter Reformationskommissär und der Linzer Dechant Aliprandini dort einen welschen Geistlichen als Pfarrer installieren wollten, rotteten sich einige Hundert Bauern zusammen und verjagten die Kommission und den neuen Pfarrer, „daß sie" — wie Herberstorff selbst berichtete — „kaum mit dem Leben davongekommen" sind. Das Bedenkliche dabei war, daß sich die Bauern des Einverständnisses mit den Bauern im benachbarten Bayern rühmten. Herberstorff ließ den Herrschaftsinhaber von Peuerbach, Christoph von Hohenfeld, einen Lutheraner, den er der Anstiftung verdächtigte, und „5 der vornehmsten Rädelsführer in custodia" nehmen, gab sie aber nach Anhören wieder frei, weil er die Sache so behandeln wollte, „daß dadurch allen bösen Consequenzen gesteuert sein soll". Persönlich hatte er für die Ablehnung der italienischen Priester durch die Bauern jedoch völliges Verständnis. Er war also noch der Meinung, wie er sie bei den ersten Regungen des Widerstandes gegen das Reformationswerk in Haag am Hausruck und im Donautal vertreten hatte, daß man mit „gueter Manier" — d. h. in Güte — diese Unruhen stillen könne und müsse[82].

Als jedoch schon in wenigen Monaten sich im früheren Dorf Zwiespalten, dem nunmehrigen Markte Frankenburg, ein ähnlicher Fall ereignete und viel größere Ausmaße annahm, da hat Herberstorff wohl die Überzeugung gewonnen, daß seinem bisherigen Verhalten gegenüber den offenen Widerständen gegen die Rekatholisierung kein Erfolg beschieden sei und daß es daher gelte, an die Stelle gütlicher Bereinigung die Härte zu setzen. Das muß man unbedingt bedenken, wenn man Herberstorffs Haltung in dieser Frankenburger Affäre richtig beurteilen will. Die Geschehnisse in Frankenburg und auf dem Haushammerfeld bei der großen Linde sind oft erzählt worden, sie fanden Eingang in die Literatur, in Roman und Drama. Dennoch müssen sie hier noch einmal kurz skizziert werden. Aufschluß geben uns über die Ereignisse zwei Augenzeugen, beide von der Seite der Gegenreformatoren, und zwar zwei Briefe des Statthalters Herberstorff selbst, welche er in dieser Angelegenheit an Kurfürst Maximilian geschrieben hatte, sowie seine ausführliche Relation über die Ereignisse an den Kurfürsten, welche den Ablauf des ganzen Geschehens in Frankenburg eingehend schildert[83]. Der zweite Augenzeuge, von dem wir eine ausführliche Darstellung haben, ist der Khevenhillersche Oberpfleger von Frankenburg Abraham Grüenbacher, der ja auch Objekt der Rebellion der Bevölkerung von Frankenburg gewesen ist[84]. Wir haben jedoch keine Darstellung aus der Reihe der protestantischen Rebellen oder eines ihrer Gesinnungsgenossen. Der Anlaß zur Rebellion war die Einsetzung eines katholischen Pfarrers in Frankenburg, welche Grüenbacher am 11. Mai 1625 vornahm. Richter und Rat des Marktes Frankenburg, aber auch die Vertreter der Pfarrgemeinde, die „bestellten Achter", nahmen aus Protest als Evangelische an der Predigt in der Kirche nicht teil, sondern verharrten heraußen auf dem Friedhof. Als Abraham Grüenbacher die Installation des Pfarrers vornehmen und die „Kirchenrechnung" abnehmen wollte, erhob sich auf dem Friedhof großes Geschrei, und es erfolgte „der Glockenstreich", in damaliger Zeit bei bestimmter Art des Läutens ein Alarmsignal, das Sturmläuten. Als Grüenbacher aus der Kirche herauseilte, um nachzusehen und Ruhe zu gebieten, da mußte er feststellen, daß eine große Menge Bewaffneter auf Friedhof und Marktplatz sich eingefunden hatte, die den verhaßten Pfleger, der auch eben im Begriffe war, katholisch zu werden, bedrohte und ihn zur Flucht in das Schloß zwang. Die Geistlichen wurden verprügelt und weggejagt. Eine etwa 1500 Menschen zählende Menge belagerte daraufhin das Schloß. Sie erhielten Zuzug aus den benachbarten Pfarren und Märkten, aus Vöcklamarkt, aus Neukirchen, aus Gampern und Pöndorf. Man hatte diese Gemeinden aufgefordert, mit der

Waffe in der Hand zu kommen und sich der Rebellion anzuschließen unter der Drohung, wer nicht mithalte, „demselben soll mit Haus und Hof verprennt werden“, man schickte Boten nach Wartenburg, nach Peuerbach und Grieskirchen, welche die Rückberufung der Prädikanten versprachen, und baten, die Botschaft weiterzutragen zu den Nachbarn, damit „man ins gemain darzu tun könne“, d. h., daß ein allgemeiner Aufstand sich erhebe, um ein Ende zu bereiten den „vill Anlagen und Wochengelt“. Wolle man sie zwingen „päpstlich zu werden, wöllen gleich das Leben verlieren“. Die Botschaft hatte einen gewissen Erfolg, die Menge, die Grüenbacher im Schloß belagerte, schwoll auf über 5000 an. Von Sonntag, 11., bis Dienstag, 13. Mai, dauerte diese Belagerung des Schlosses Frankenburg, man drohte mit Brandlegung, und die Aufständischen feuerten ihre Büchsen in die Wohnung des Pflegers. Dieser konnte, obwohl, wie er sagte, kein Mäuserl herein- oder hinauskommen konnte, dennoch Herberstorff von der Rebellion verständigen. Am Dienstag aber ließen die Belagerer, nachdem ihnen Grüenbacher einen Revers ausgestellt hatte, er werde sie nicht bestrafen, niemand in seinem Gewissen beschweren und niemals mehr einen katholischen Geistlichen einsetzen, von der Zernierung des Schlosses ab. Die Menge lief auseinander. Dazu hatten allerdings auch Gerüchte beigetragen, daß an der Hausruckgrenze bayerisches Militär zum Einrücken bereitstehe. Herberstorff, der nicht in Linz weilte, „sondern in seinem Schloß Ort sich zum Aderlaß aufhielt“[85], ließ in Eile sechshundert Mann zu Fuß zusammenführen, richtete Abmahnungspatente an die Untertanen in Frankenburg und warnte die Orte, die sich mit den Frankenburgern verbinden sollten, vor einem Anschluß an den Aufstand. Herberstorffs Patente hielten viele davon ab, dem Ruf zu einem allgemeinen Aufstand Folge zu leisten. Der Statthalter kannte die Situation nicht und wußte nicht, „ob alle Orte parieren oder nicht parieren werden“. Grüenbacher suchte, als die Rebellen auseinandergelaufen waren, den Statthalter noch vom Kommen abzuhalten[86]. Dieser aber zog mit sechshundert Mann, fünfzig Reitern und drei Geschützen nach Frankenburg. Der Henker begleitete diesen militärischen Aufmarsch. Am Mittwoch, 14. Mai, um 10 Uhr vormittags, traf Herberstorff mit seinem Vetter Walkun und dem Hauptmann von Gera in Schloß Frankenburg bei dem nunmehr schon wieder freien Oberpfleger Grüenbacher ein. Er war zunächst überrascht, daß eigentlich alles schon wieder vorbei war. „Findt zu meiner Haimbkunft, daß sie das Herz verloren." Er führte das auf die bayerischen Truppen des Pflegers von Ried, Tattenbach, von dessen Bereitstellung die Bauern gehört hatten, und auf die Verweigerung vieler Orte mitzumachen, zurück. Als daher Herr von Tattenbach bei Herberstorff in Frankenburg eintraf, lehnte Herberstorff dessen Hilfe ab: „Der Statthalter das Werk allein zu verrichten sich erklärt", meldet uns Abraham Grüenbacher[87]. Das mag nun nicht nur aus dem Grunde geschehen sein, weil die akute Gefahr vorüber war, sondern Herberstorff dachte zweifellos an sein Prestige. In München sollte man nicht sagen, daß der Statthalter die erste größere Unruhe im Lande nicht allein meistern konnte. Herberstorff hatte die Gefahr, welche der Frankenburger Aufruhr bedeutete, erkannt und die Möglichkeit eines allgemeinen Aufstandes im Lande ob der Enns und die Verbindung zu den bayerischen Bauern ganz lebendig vor sich gesehen. Daher — so ist anzunehmen — war er entschlossen, gleichsam ein Exempel zu statuieren. Er gebrauchte diese Formulierung selbst, als er dem Kurfürsten sein Vorgehen ankündigte, und sagte, „daß verhoffentlich sie ein Exempel haben sollen, daran sie sich zu spiegeln"[88]. Nach Beratung mit Grüenbacher schickte Herberstorff am Abend des Mittwoch Boten in die Märkte Frankenburg, Vöcklamarkt und in die Pfarren Pöndorf, Neukirchen und Gampern, wo man „den Glockenstreich getan"[89], und ließ dort von Haus zu Haus sein Patent verkünden. Darin hieß es, er habe sich wegen der Unruhen in Person nach Frankenburg begeben, um Grund und Ursache dieses Aufruhres zu erfahren. Und weil durch solche Vorkommnisse es sich leicht schicken könne, daß der Unschuldige neben dem Schuldigen samt Weib und Kind es zu entgelten habe, halte er es für wichtig, die ganze Pfarrgemeinde vor sich zu erfordern. Darum befehle er im Namen des Kurfürsten als Pfandinhaber, daß alle, die Bürger sowohl als die Bauern, die Inleute und Dienstknechte und alle „Hausgesessene, soviel Euer seint", morgen, Donnerstag, 15. Mai, spätestens um 3 Uhr Nachmittag, ohne Wehr und Waffen am Haushammerfeld „bei der großen Linden" sich einzufinden hätten. Und nun folgt in diesem Patent jener Passus, der so viele veranlaßte, dem Befehl des Statthalters Folge zu leisten: „Mit dem gnädigen Erbieten, daß, wer Gnade begehrt, Gnade finden solle, derogegen alle diejenigen, die nit persönlich erscheinen und ungehorsamlich ausbleiben, dieselben sollen den Soldaten mit ihrem Hab und Guet, Haus und Hof, Leib und Leben, samt Weib und Kind preisgegeben, mit Feuer und Schwert vertilgt und in Brand gestecket, derogegen alle die Gehorsamen aber geschützt werden."[90] Herberstorff, der offenbar in Frankenburg die Nacht verbracht und dort das „Fruehmahl" eingenommen hatte[91], begab sich am Donnerstag, 15. Mai, um 2 Uhr, zum Haushammerfeld und ließ die Soldaten etwas abseits, „in einem Pusch", halten. Als — nach Herberstorffs eigener Angabe — etwa 6000 Menschen[92] sich angesammelt hatten, ließ der Statthalter sein Kriegsvolk samt den drei Geschützen gegenüber der Menge in „Reuter-Ordnung" Aufstellung nehmen. Dann ritt Herberstorff zu den anwesenden Bürgern und Bauern, die er in „ein Ring zusammenkommen lassen". Er erklärte den Versammelten, er wolle mit ihnen reden, die Menge sei aber so groß und er befürchte, daß sie ihn — weil er „so laut nit reden khünne" — nicht verstehen werden[93]. Er befahl ihnen daher, sich nach Pfarrgemeinden gesondert aufzustellen. Als dies geschehen war, ritt er zu jeder Gemeinde heran und begehrte, daß die Märkte Richter und Rat, die Pfarren aber die Achter, die Vierer und die Zechleute „zum Ausschuß verordnen" und daß dieser Ausschuß sich dann zu ihm begeben solle. Diesem Ausschuß werde er erklären, warum er gekommen sei, und die Mitglieder dieses Ausschusses könnten dann jeweils ihrer Gemeinde dies bekanntmachen. Als diese Ausschüsse nun beim Statthalter sich eingefunden hatten, führte er sie zu den Soldaten, die einen Ring um diese Vertreter der Gemeinden schloßen. Daraufhin ritt Herberstorff wieder zu der Masse der rebellischen Untertanen[94]. Er verwies ihnen ihr Verhalten und sagte, er hätte Grund genug, sie jetzt alle den Soldaten preiszugeben, weil er aber den Gehorsamen Gnade versprochen, so wolle er sie pardonieren und ihnen versprechen, daß keinem von ihnen weder am Leben noch am Gut etwas geschehen solle, sofern sie ihm das Versprechen abgeben, nunmehr gehorsam zu sein. Sie sollten sich, das verlangte der Statthalter als Bedingung seiner Gnade, dem Reformationswerk des Kaisers nicht mehr widersetzen, sie sollten die katholischen Priester unperturbiert lassen und schützen, sie sollten weiters an Sonn- und Feiertagen die Kirche besuchen. Außerdem sollte niemand von ihnen den vom Statthalter als „Meutmacher" bekanntgegebenen Rebellen „kein Stund behausen und behofen", sie sollten dem Statthalter behilflich sein, dieser Rädelsführer habhaft zu werden, wofür der Statthalter das Hab und Gut dieser Leute den Anzeigern versprach. Die Märkte, die sich dem Aufruhr angeschlossen hatten, mußten ihre Privilegien der Herrschaft abliefern und sollten ihrer Freiheiten verlustig sein. Da aber die Haupträdelsführer entflohen seien, sollten nun diejenigen bestraft werden, die nächst diesen am meisten am Aufstand schuldig seien. Dies seien die Richter, die Ratsherrn, die Achter und Vierer der Pfarren, denn sie hätten ihre Pflicht gröblich verletzt. Hätte der Richter zu Frankenburg zeitgerecht eingegriffen, die Rädelsführer „bei dem Kopf genommen", so hätte er seiner Pflicht genügt. Hätten Richter und Rat zu Frankenburg die Bürger abgemahnt, hätten sie den Friedhof mit ihren Leuten bewacht, so wäre es nicht möglich gewesen, Sturm zu läuten, und hätten sie den Bauern gezeigt, daß sie deren Vorgehen nicht dulden, dann hätten die Bauern gesehen, daß die Bürger nicht mitmachen, und es wäre nicht so weit gekommen. Wenn die Kirchenleute, die Achter, Vierer und Zechpröpste, „auf die der gemein Pauersmann ein Aug" habe, die Rebellen abgemahnt hätten, so würden sich die Bauern ihr Verhalten wohl überlegt haben. Aber niemand, weder die Vertreter der Bürgerschaft noch der Pfarrgemeinden, hätte dergleichen getan, sie haben sich vielmehr von der Menge sogar als Ausschüsse gebrauchen lassen, der Richter von Frankenburg habe Grüenbachers Revers in Verwahrung genommen, die Kirchenvertreter haben die Schlüssel der Kirche beim Oberpfleger geholt und allerorten „den Glockenstreich tuen lassen". Darum, so verkündete Herberstorff der Menge, müßten sie „in Mangel der Haupträdelsführer ... andern zum Exempel" bestraft werden. Es soll nun — so befahl der Statthalter — „keiner von den Anwesenden keinen Tritt vom Haufen tun, bis diejenigen gestraft worden, daran sie sich dann spiegeln sollen". Daraufhin tat die Menge einen Fußfall, bat um Gnade, versprach, alle Forderungen Herberstorffs zu erfüllen, die Leute dankten dem Statthalter, daß er die Unschuldigen verschone. Und nun wörtlich aus Herberstorffs großem Bericht an Kurfürst Maximilian von Bayern: „Darauf ich wieder in den Ring, wo der Ausschuß verwahrt worden, geritten und solchen ihr Untreu und Meineid, daraus Jammer und Not folgt und noch mehr hätt folgen können, wie auch dies angezeigt, daß sie Leib und Leben verloren, auch Wert wären daß ich sie samentlich auf das Rad legen ließe, weilen ich aber ihnen versprochen, so solle ihnen Gnad, doch solcher Gestalt widerfahren, daß welche verdient lebendig geradbrecht und gespießt zu werden, die sollen zur Gnad gehängt werden. Darauf ich sie spielen lassen und bei die zwanzig, so am wenigsten geworfen, darunter das Los drei Richter und im übrigen die Ärgsten, wie ich diese Nachrichtung, davon getroffen, vier gleich unter der Linden in Präsenz der Pauern, den Richter aber und zween des Rats aber zu Vöcklamarkt, dann auch zu Frankenburg, wo der Pfleger belagert worden, sieben und den Rest zu Neukirchen oben zum Kirchturm hinaus und diejenigen darunter, so den Glockenstreich getan, an die Strick der Glocken zum Fenster hinaus henken lassen; Welche ein Tag und Nacht gehangen, alsdann durch den Henker wieder herabgenommen und nach Vöcklamarkt geführt, allda an der Straß auf Salzburg auf dem Perg, wo die meisten Pauern um die Zeit als ihr churfürstliche Durchlaucht ins Land gezogen, sich versammlet, an die Spieß stecken lassen. Durch dieses ist den Pauern, den Burgern und den Märkten und denjenigen, so durchs Land wandern der Gewinn, so die Rebellen gehabt, genuegsam demonstriert worden. In fünf Märkt der Grafschaft Frankenburg habe ich 600 Knecht gelegt, die ich dort solang lassen will, bis ich ihres Gehorsam genug versichert." Soweit des Statthalters eigener Bericht[95]. Abraham Grüenbacher hat darüber hinaus das Würfeln, das Herberstorff nur erwähnte, näher geschildert. Ihm zufolge habe Herberstorff dem todgeweihten Ausschuß „angezeigt, was Maßen sie alle das Leben verwirkt, aber zu Gnaden wolle er dem halben Teile das Leben schenken, solcher Gestalt, daß allerwegen zween miteinander um das Leben spielen sollen. Der verlieret, soll henken. — Ist also ein schwarzer Mantel auf die Erde ausgebreitet worden, haben allerwegen zween miteinander gewürfelt; welche verloren, sind alsbald vom Freimann gebunden worden." Aus den 19 Personen, welche ihr Leben verspielt, sind durch Grüenbacher noch zwei Personen ausgebeten worden. Herberstorff schenkte diesen beiden das Leben[96]. Das also war das „Blutgericht am Haushammerfeld", für das im 19. Jahrhundert die Bezeichnung „Frankenburger Würfelspiel" aufkam[97]. Das Bild des Statthalters wurde bis in unsere Tage durch dieses sein Vorgehen auf dem Haushammerfeld geprägt. Die Bauern und Bürger haßten ihn seit dieser Zeit als „Bluthund", der Unschuldige „ohne Urtl und Recht" hängen und spießen ließ, der Gnade versprochen und sein Wort nicht gehalten habe. Das Schrecklichste war aber den Bauern doch das Würfelspiel. In ihren Beschwerden, ein Jahr nach Frankenburg, schrieben sie: „Und da sie mit Würfeln solchen erbarmlichen und schandlichisten Tod verspülen muessen, das kann bis an den jüngsten Tag stillschweigend nit fürübergelassen werden . . .“[98]

Zwei Dinge sind bezüglich Herberstorffs Persönlichkeit und die Beurteilung seines Strafzuges nach Frankenburg zu klären. Zunächst: Ist der Statthalter aus eigenem mit so großer Strenge vorgegangen oder handelte er, wie so oft, als Diener seiner Fürsten nur in deren Auftrag? Und in zweiter Hinsicht gilt es, die Methode, mit der er dem Aufstand gegenüber trat, zu untersuchen und festzustellen, ob seine „Gnade“, die er versprach und gewährte, nur ein Hohn, ob das Spielen um Leben und Tod eine ausgesuchte Grausamkeit war bzw. sein sollte, um das Abschreckungsmoment, das der Statthalter ja besonders betonte, zu vergrößern. Bezüglich der Eigenverantwortlichkeit Herberstorffs hinsichtlich seiner Strenge gegen die Aufständischen wurde bisher der Statthalter von der Geschichtsschreibung weitgehend entlastet. Namentlich seit Felix Stieves und Julius Strnadts Forschungen über den Bauernkrieg galt es bis jetzt als sicher, daß Herberstorff mit seiner Strenge nur einem Auftrag seiner Fürsten, d. h. des Kurfürsten von Bayern und des Kaisers, nachkam und die Verantwortung nicht so sehr ihm als Maximilian und Ferdinand II. aufzulasten sei[99]. Der Statthalter als Exekutivorgan der Fürsten mußte — mehr oder weniger zu Unrecht — den Haß der Bauern auf sich ziehen, weil diese die Befehle der Herrscher ja nicht kannten, die Befehle, die den Statthalter banden, und weil nur dieser für die Bauern der Teufel war, der ihre Glaubens- und Standesgenossen schmählich in den Tod schickte. Diese Entlastung des Statthalters basiert auf einem Schreiben Maximilians von Bayern vom 14. Mai 1625, in welchem er in bezug auf die Rebellion in Frankenburg dem Statthalter den Auftrag gibt, nicht wie jüngst (in Natternbach) „so glimpflich“ vorzugehen, sondern, wenn man die Unruhe gestillt und der Rädelsführer habhaft ist, „daß mit denselbigen alsdann mit wirklicher Leibsstraf als dem Aufhenken auf die Straßen verfahren werde“[100]. Bezüglich einer Einflußnahme des Kaisers kennen wir lediglich eine Bemerkung des Vizedoms Pfliegl, die dieser mehr als ein Jahr später machte[101]. In dieser Bemerkung heißt es, daß auch der Kaiser die Schärfe empfohlen habe. Beides reicht nicht aus, den Statthalter zu entlasten. Es zeigt nur, daß er im Sinne des Kurfürsten und des Kaisers handelte, aber nicht, daß er im Augenblick des Handelns einen konkreten besonderen Auftrag hatte. Maximilian hatte am 13. Mai, also zwei Tage nach Beginn des Aufstandes, durch Tattenbach und den Pfleger von Friedburg von der Zusammenrottung von Bauern in Frankenburg erfahren und in seinem Brief der Meinung Ausdruck gegeben, Herberstorff werde zweifelsohne das Nötige zur Stillung der Unruhe tun. Dann folgt der Passus mit der Aufforderung zur Strenge. Maximilians Brief wurde am 14. Mai geschrieben, also an dem Tag, da Herberstorff bereits in Frankenburg war und sein Patent mit dem Befehl zur Sammlung auf dem Haushammerfeld aussandte. Der Brief wurde aber nicht gesondert expediert, sondern kam zunächst als Postskriptum in die Kanzlei, wo er dann einem anderen Schreiben beigelegt wurde[102]. Die Bemerkung im Brief, falls „etwas an der Sache sein sollte", deutet darauf hin, daß Maximilian nicht näher informiert war und die Bedeutung der Unruhen zunächst nicht überschätzte und daher wohl auch keine besondere Eile hatte[103]. Es ist schon daraus zu schließen, daß Herberstorff vermutlich am 15., am Tage der Exekution in Frankenburg, den Brief Maximilians noch gar nicht in Händen hatte. Dies wird nun dadurch bestätigt, daß Herberstorff in seinem Schreiben vom 15. Mai an den Kurfürsten den Brief seines Herrn gar nicht erwähnt und auf Maximilians Befehle keinerlei Bezug nimmt. Aber nicht nur dies. In der Einleitung dieses Briefes, den Herberstorff am Tage der Exekution in Frankenburg schrieb, heißt es: „Von Euer kurfürstlichen Durchlaucht Räten zu Linz werden sie gehorsamlich bericht worden sein ..."[104], also er nimmt an, daß der Kurfürst vom Statthalteramt in Linz Nachricht über die Frankenburger Unruhe erhalten hat. Er weiß es aber nicht sicher, was jedoch unbedingt der Fall gewesen wäre, wenn er den Befehl Maximilians schon erhalten hätte. Aber auch als Herberstorff am 16. Mai[105], also am Tage nach dem Würfelspiel, aus Vöcklamarkt dem bayerischen Kurfürsten über die Frankenburger Ereignisse berichtete, erwähnt er noch nichts von Maximilians Brief und Befehl. Er hatte also Maximilians Schreiben am 15. noch nicht erhalten, und er hatte in Frankenburg nicht in speziellem Auftrag des Kurfürsten, sondern in seiner

Verantwortung als Statthalter eines besetzten Landes gehandelt. Er mußte nach den Unruhen in Haag, in Natternbach mit Härte auftreten und hat in seinem Brief an Maximilian vom 15., den er unmittelbar vor der Aktion auf dem Haushammerfeld schrieb, schon seinen Plan für sein Vorgehen mitgeteilt und auch seine Absicht, einen Teil der Rebellen in Gegenwart der anderen zur Abschreckung abzustrafen. Aber kein Wort etwa vom Befehl des Kurfürsten oder gar des Kaisers.

Herberstorff hat also, als er nach den Frankenburger Ereignissen Maximilians Brief erhielt, in diesem nur eine Bestätigung für die Richtigkeit seines Handelns sehen können sowie in jenem Schreiben Maximilians, in welchem dieser dem Statthalter dann am 26. Mai seine Zufriedenheit über sein Verhalten in Frankenburg ausdrückte[106]. Wenn Pfliegl jedoch ein Jahr später in der Verteidigung des Statthalters meldet, auch der Kaiser sei für Härte gewesen, so kann dies nur bedeuten, daß der Kaiser nachher das scharfe Vorgehen des Statthalters gebilligt oder nicht getadelt hat. Davon, daß Herberstorffs „wohlwollendes Herz" sich gegen das Strafgericht gesträubt habe, kann gar keine Rede sein[107]. Ist somit der Statthalter, der in Kriegszeit und als Vertreter der Besatzungsmacht nach seinem erfolglosen gütlichen Prozedieren zweifellos zur Härte gezwungen war, doch allein für die strenge Bestrafung des Frankenburger Exzesses verantwortlich, so ist er es um so mehr für die merkwürdige Art, in der er dies tat, was auch nie in Zweifel gezogen wurde. Er hat allen, die Gnade suchten, d. h. persönlich kamen, auch Gnade versprochen. Er hat dies bei der großen Masse von 5000 bis 6000, allerdings unter der Bedingung ihres Eides, sich zu „accommodieren", auch getan. Die Lüge, mit der er die versammelten Gemeinden zur Abstellung ihrer Vertreter — des Ausschusses — bewog, nämlich er wolle mit ihnen reden, damit sie ihre Gemeinden dann besser informieren könnten, paßt nicht zum „Kavalier", als den Enzmilner den Statthalter bezeichnete. Herberstorff hat ja eingehend die Verantwortlichkeit der Amtsträger in den Märkten und Pfarrgemeinden unterstrichen, um dadurch ihre Mitschuld an dem Ereignis besonders zu betonen. Denn hätte er die Rädelsführer, die, wie er selbst sagte, entlaufen waren, zur Verfügung gehabt, so wäre vielleicht die Hinrichtung der Repräsentanten der Gemeinden, die ja nur Ersatz waren und nur als indirekt mitschuldig galten, unterblieben. Es war hier die Idee kollektiver bzw. in diesem Falle eher einer „substitutiven“ Verantwortung im Spiele[108]. Die Bauern hatten später bemängelt, daß Unschuldige ohne Prozeß hingerichtet wurden. Herberstorff als Kriegsoberst lag natürlich die Auffassung nahe, daß bei Unterdrückung einer Empörung das Kriegsrecht anzuwenden sei, das ihn bei Gefahr zu sofortigem Handeln berechtigte. Mit Recht wurde auf eine Parallele in Oberösterreich hingewiesen, nämlich auf den zweiten oberösterreichischen Bauernkrieg von 1595 bis 1597, wo der ständische Truppenführer Gotthard Starhemberg auf seinem Zug durch das Mühlviertel überall die Rädelsführer hängen ließ[109]. Die Gnade, die der Statthalter ja allen versprochen hatte, welche seiner Aufforderung zu kommen Folge leisteten, wurde für die Amtsträger allerdings sehr wesentlich eingeschränkt, und zwar auf die Art der Todesstrafe. Und hier gab es sehr wesentliche Differenzierungen, die Milderung oder Verschärfung der Strafe bedeuten konnten. Das Rädern etwa war zweifellos eine härtere Strafe als die Enthauptung, die Vierteilung sicherlich härter als das Hängen[110]. Pfliegl hat später gerade im Zusammenhang mit den Ereignissen von Frankenburg darauf hingewiesen, daß Hängen bei Unruhen als milde Strafe galt[111]. Sieht man in der peinlichen Halsgerichtsordnung Karls V. nach, welche Strafe für Aufruhr vorgesehen war, so sieht man, daß dem Richter ein Spielraum zwischen Todesstrafe und Landesverweisung gegeben war. An der Spitze — je nach der Schwere des Verbrechens — stand die Strafe der Enthauptung. Die Strafjustiz hatte sich auch weiter entwickelt. In einem Kommentar zur karolinischen Halsgerichtsordnung aus dem späten 17. Jahrhundert heißt es z. B. bezüglich der Aufrührer: „Heutigen Tages aber werden dergleichen schuldige Übeltäter nach Gewohnheit und Gelegenheit der Verbrecher gevierteilet und die Güter konfisziert oder eingezogen.“[112] Herberstorffs Strafjustiz war also von den Normen des Strafrechts der damaligen Zeit keineswegs allzu weit entfernt. Was offen bleibt, ist freilich die Verweigerung eines Verfahrens — „ohne Urtl und Recht“, wie die Bauern sagten —, und unbeantwortet muß auch bleiben, ob der Statthalter zur Anwendung kriegsrechtlicher Bräuche berechtigt war, um so mehr, als der Aufstand bei seinem Eintreffen in Frankenburg eigentlich bereits vorbei war. Aber man war in dieser rohen und rauhen Zeit des Dreißigjährigen Krieges nicht allzu ängstlich, wenn es galt, bei derartigen Vorfällen Unruhestifter zu vernichten. Herberstorff hat später, als er sich gegenüber dem Kaiser über seine Verwaltung rechtfertigte, auch Bezug genommen auf den Vorwurf der Tyrannei, der ihm im Zusammenhang mit dem Frankenburger Ereignis gemacht wurde. Er vertritt in seiner Verantwortung die Auffassung, daß er milde gewesen sei, denn es sei im ganzen Land bekannt, daß er aus etlichen tausend rebellischen Bauern und Bürgern *nur* 17 habe hängen lassen, obwohl er „des ganzen Schwarms mächtig gewesen sei“[113]. Die Gnade Herberstorffs bestand auch darin, daß er die Todesstrafe milderte. Er sagte es selbst: statt sie zu rädern und zu spießen sollen sie „zu Gnad gehängt“ werden. Das mag nun teils gesagt worden sein, um zu zeigen, daß er nicht wortbrüchig sei, es war aber tatsächlich nach damaliger Auffassung eine gnadenweise Milderung der Strafe. Er hat ja diese Strafe des Hängens dann noch für einige der Unruhestifter auch verschärft in Anlehnung an ihr Verhalten. So ließ er diejenigen, die den Glockenstreich getan, am Strick der Glocken zum Kirchturm hinaushängen, wobei „höher hängen“ allein schon als Verschärfung der Strafe galt[114].

Was nun das Würfelspiel betrifft, stellt es eine sehr merkwürdige Kombination von Grausamkeit und Hoffnunggeben dar. Es wurde von den Bauern als infernalische Grausamkeit des Statthalters gesehen. Dieser aber mag kaum — in seinem völlig unkomplexen Denken — die seelische Wirkung dieses Spielenlassens um Leben und Tod, das auch dem Gewinner die Todesangst bereitete, bedacht haben. Ihm kam es zweifellos in erster Linie auf die Abschreckung an, weiters wollte er einem Teil die Möglichkeit geben, sich noch zu retten. Das mag um so mehr der Fall gewesen sein, weil es bei diesen Marktrichtern und Pfarrgemeindevertretern ja um ein Kollektiv ging, bei dem die Größe des Verschuldens des einzelnen für den Statthalter nicht bestimmbar war. Daher der Ausweg zum Los durch das Würfeln. Es spielt hier der alte Gedanke mit, daß die verbotene Handlung dem Missetäter selbst Unglück bringt und Böses zufügt, eine Art — wie man es genannt hat — von Automatismus der verbotenen Handlung, die „wie eine Klapperschlange, auf die man getreten ist, den Missetäter anspringt“ und ihm Böses bringt. In diesem Heranziehen des Zufalles, wie dies beim Würfeln geschieht, wird an diesen Automatismus der bösen Handlung, welche unmittelbar die Strafe nach sich zieht, appelliert[115]. Herberstorff mag das Würfeln um Leben und Tod vor allem aus der Praxis des Kriegsrechtes gekannt haben, wo es in zahlreichen Kriegsartikelbriefen für Kriegsoberste vorkommt und bei Meuterei in Anwendung zu bringen war. Heißt es doch etwa in einer Nota zum kurfürstlich-brandenburgischen Kriegsrecht des großen Kurfürsten, die Römer schon hätten den Gebrauch gehabt, wenn bei einer Meuterei „ihrer viele ... rebelliert hatten ... so haben sie per decimationem etc. gestraft: sie haben den Zehenden ..., so durchs Los der Würfel dazu prädestiniert worden, aufhängen lassen“. Aber auch für die Idee, bei Zweifel über die Schuld das Los zu Hilfe zu ziehen, gibt es Belege. So ist aus dem Jahre 1732 ein Fall bekannt, daß in Hamburg drei Soldaten wegen eines Totschlages, dessen Täter nicht feststellbar war, um ihr Leben würfeln mußten. Der am wenigsten warf, wurde enthauptet[116]. L. Radermacher hat auf zwei im Hohenzollern Museum gezeigte „Totenwürfel“ hingewiesen, mit denen einst unter dem Kurfürsten Friedrich Wilhelm I. zwei Soldaten um ihr Leben würfeln mußten. Da keiner — auch nicht auf der Folter — die Tat gestand, hatte der Kurfürst ein Gottesurteil verlangt und die beiden würfeln lassen. Daß mit dem Würfeln oft ein jenseitiger, tieferer Aspekt verbunden ist, zeigt etwa die Erzählung des Herodot, daß König Ramsinit von Ägypten lebend in die Unterwelt stieg und mit Demeter gewürfelt habe, oder die Erzählungen über das Würfeln mit dem Teufel um Leben und Seligkeit, wie es bereits in der Lebensbeschreibung des Simeon von Selos erwähnt wird[117]. Herberstorff hatte beim Frankenburger Würfelspiel den Glauben, daß durch das Würfeln der Schuldigere offenbar wird; dies ist daraus zu sehen, daß er dem Kurfürsten berichtet, beim Würfelspiel habe das Unglück „vornehmblich die Richter in den Märkten und die anderen auf dem Land also getroffen“, welche nach dem Urteil der anwesenden Gemeinden die „Ärgsten“ gewesen seien[118]. Daß für den Statthalter das Würfelspiel nichts Besonderes, d. h. Ungewöhnliches war, sieht man daraus, wie er dem Kurfürsten ohne nähere Erläuterung des Vorganges lediglich schrieb: „darauf denn ein Schuß spielen lassen“ bzw. „darauf ich sie spielen lassen“. Eben wie man auf einen durchaus üblichen Vorgang nur kurz hinweist. Es war auch gar nicht notwendig, dem Kurfürsten Maximilian dies etwa näher erläutern zu müssen, da er dieses Würfeln natürlich durchaus kannte.

Hat er doch, als er anläßlich eines Geldtransportes zum Liga-Heer die Geheimhaltung verletzt sah, eigenhändig auf einem Schriftstück vermerkt: „So ist es ein Spott und zu erparmen, daß ... sogar die Fuhrleut selbst zu sagen wissen, wieviel Geld sie führen. Ist also gar kein geheim bei diesem Kriegsrat und Kanzlei, wollets ihnen vorhalten und bedeuten, wenn ich einen erdappe, ich werde ein Kriegsprozeß einmal vornehmen und mit Würfeln spülen lassen, welcher den Strick bezahlen mueß." Aus der Zeit der Statthalterschaft Herberstorffs ist auch ein „Würfelspiel" in Böhmen bekannt, das der dortige Statthalter Fürst Karl Liechtenstein veranstalten ließ. Die „Ordentliche Postzeitung" (Wien, vom 7. Mai 1622) wußte aus Prag zu berichten: „Zu Prag haben 16 Soldaten einen Schusterladen Preiß gemacht, den Schuster aber außer daß sie die Stiffel und Schuch, so sie zu ihrer Nothturfft zu haben vermainten, kein andere Ungelegenheit zugefügt. Deß anderen Tags seynd sie vor dem Fürsten von Liechtenstain als Gubernatorn erfordert worden, welche auch erschienen, der zu ihnen alsbaldt mit diesen Worten gesagt: ‚Ihr Kärl, ich wil euch dieser Sachen halber nicht alle hencken lassen, drey aber sollen jetzt durch den Strang hingerichtet werden, derhalben spielt, und wem das Glück das Leben fristet, dem günne ichs auch wol.' Ist auch dieses Vrtl an denen dreyen, so verspielt, alsbalds exequiert worden." Auch in Oberösterreich gibt es gerade im Jahre des Frankenburger Würfelspiels ein Beispiel, daß das Würfeln über Tod und Leben vor allem im Bereich des Kriegsrechtes gang und gäbe war. Im Oktober 1625 wurde in Steyr über drei Soldaten Kriegsrecht gehalten. Sie waren in ein Bauernhaus eingebrochen, wo „die Pest regierte", hatten Bettgewand und andere Sachen in die Stadt gebracht und verkauft: „haben alle 3 miessen spillen, welcher unter ihnen henkhen soll, hat einer seines Handwerkhs ein Bekhen Jung verspilt, gebürttig von Hällä aus dem Salzburger Landt, ist gleich ein Galgen in der Statt auf dem Platz gewesen, an welchem er gleich aufgehenckht worden"[119]. So ist Herberstorffs grauenhaftes Spielenlassen unter der Linde des Haushammerfeldes keine singuläre Erscheinung, und wie er sein ganzes Vorgehen gegen die Aufständischen nach dem Kriegsrecht ausrichtete, so hat er von diesem auch das Würfeln übernommen, wobei auch archaische Vorstellungen, das Los werde weniger Schuldige retten und die Hauptschuldigen offenbar werden lassen — ein Gottesurteil —, mit im Spiel gewesen sind. Daß Maximilian von Bayern im grundsätzlichen mit der gewaltsamen Niederschlagung des Aufruhrs einverstanden war, zeigt nicht nur sein bereits erwähnter Brief vom 14. Mai, sondern auch die Tatsache, daß Maximilian einen Tag später große Besorgnis äußerte und Rüstungen angeordnet hat[120]. Daß er die Niederschlagung der Rebellion als Verdienst Herberstorffs betrachtete, läßt auch sein Schreiben an den Grafen Franz Christoph Khevenhiller nach Madrid erkennen, in dem er Herberstorffs Vorgehen schilderte, die Gefährlichkeit dieses Aufruhrs betonte und dem kaiserlichen Botschafter am spanischen Hof, in dessen Gebiet ja der Aufstand sich erhoben hatte, davon sprach, daß ein solcher „Inheimischer aufstand der Unterthanen" bei der gefährlichen internationalen Situation „ein neues schädliches feuer anzünde, die flammen auch in den benachbarten Lanten ausschlagen, vnd gefehrliche weiterungen verursachen möchte". Wenn er noch mitteilt, er habe Herberstorff befohlen, „ein vleißiges wachtsambes aufsehen" zu haben, damit keine neuen Unruhen entstehen, so trifft er sich mit der Auffassung des kaiserlichen Botschafters, der nur Worte des Dankes für Herberstorffs Wachsamkeit und Vorsicht in Bestrafung des Aufstandes findet. Aber auch am kaiserlichen Hof nahm man die Züchtigung der aufrührerischen Untertanen in Khevenhillers Grafschaft Frankenburg offenbar befriedigt zur Kenntnis, und Fürst Eggenberg schreibt an Khevenhiller nach Madrid nur so nebenbei, dessen Untertanen hätten sich bei Einsetzung eines katholischen Priesters „sehr übel gehalten, aber auch darüber eingebüßet und starken Castigo empfangen".

Böse Worte fand man in Passau über die Frankenburger Ereignisse. Vom Hof des Bischofs Erzherzog Leopold schrieb man an den passauischen Pfleger zu Starhemberg bei Haag, der über den Frankenburger Aufstand berichtet hatte: „Ich verwundere mich, daß die Meuttmacherischen Pauern einen so großen Lust zum strick haben, ist schier zu vil, das man die Gotteshäuser und Kirchenthurm mit ihnen verunehrt, gehereten billicher auf einen Schündter Waasen, wo di raben und anders unzifer sich gern versamblet, damit also die Gesellschaft beisammen zu fünden wäre . . ."[121]

Hinsichtlich des Frankenburger Würfelspieles sei abschließend noch bemerkt, daß bei allen Bestrebungen, aus der Situation der

Zeit heraus die Vorgänge zu verstehen, es nicht heißen darf, daß alles verstehen, alles entschuldigen bedeute. Das Würfelspiel am Haushammerfeld bei Vöcklamarkt ist zu einem Symbol geworden für tyrannische Herrschaftsausübung und zeigt auch uns noch, daß Herrschaft und die Ausübung selbst von legalen Herrschaftsrechten stets problematisch wird, wenn es um Freiheit und Leben der Menschen geht.

Am 17. Mai verließ Herberstorff die Gegend um Frankenburg und begab sich auf sein Schloß Ort bei Gmunden[122]. Am 24. Mai erließ er noch einen Steckbrief gegen 15 geflüchtete Rädelsführer[123]. Die Frankenburger Ereignisse hatten bei ihm die Meinung verstärkt, daß in diesem Land ob der Enns bei den Erfahrungen, die er mit Ständen und Untertanen gemacht habe, die Situation äußerst schwierig sei, und er betonte die Notwendigkeit, die Garnison im Land zu verstärken. „Ohne Reiterei weiß ich in diesem Land nit fortzukommen", schrieb er nach München. Viel mehr aber als das Geschehen von Frankenburg dürfte ihn die Reaktion im Lande beeindruckt haben. Denn als sich während der Frankenburger Unruhen im Lande das Gerücht verbreitete, die Rebellen hätten gegenüber dem Statthalter die Oberhand behalten, da gab es in Linz „auf dem Platz" einen erregten Auflauf der Bürger und Handwerker, welche ungescheut erklärten, sie hätten gewußt, daß es kommen werde, die Bauern würden sie erlösen, daß sie nicht päpstisch werden müßten. In dieser Nacht, da es in Linz gärte, wurde eingetroffenen bayerischen Truppen das zugewiesene Quartier verweigert, welches sich diese dann mit Gewalt nehmen mußten. Herberstorff schien über die Stimmung im Lande betroffen und er fühlte wohl, wie verhaßt er bei den Bewohnern Oberösterreichs eigentlich gewesen war. Denn, so berichtet er selbst dem Kurfürsten nach Bayern, im ganzen Land sei auf die Nachricht von seiner angeblichen Niederlage in Frankenburg „ein solches Frohlocken gewest, daß ich vor nit gehofft hätte"[124]. Dies machte auf ihn großen Eindruck, und seit dieser Zeit hat sich seine Haltung gegenüber der Gegenreformation geändert. Er ist unsicher geworden, begann zu zweifeln, ob eine totale Gegenreformation, wie er sie eben gefordert hatte, angebracht sei, ob nicht die Gefahr eines Aufstandes hiedurch vergrößert werde und ob er im Ernstfalle einem das ganze Land umfassenden aktiven Widerstand werde standhalten können. So blieb — wie Herberstorff selbst im August 1625 an Kurfürst Maximilian schrieb — die Gegenreformation im Lande ganz stecken[125], und schon im Frühjahr hatte der Mitkommissarius Herberstorffs für das Reformationswerk, Konstantin Grundemann, dem Abt Falb nach Göttweig mitgeteilt, daß durch dessen Abwesenheit „in bewußten Reformationswerk bishero gar nichts weiters prozediert oder fürgangen ist, sondern alles auf Euer Hochwürden Gegenwart remitiert und differiert worden ...“[126]. Nun war aber Ferdinand II. keinesfalls bereit, im Eifer um seine Gegenreformation nachzulassen. Herberstorff, der ihn im März erst zu verschärfter Gangart hatte bewegen wollen, konnte es jetzt nicht gelingen, den Kaiser etwa zu einem Zurückweichen zu bewegen. Nun ist es nicht richtig, daß Ferdinand im August 1625 den Statthalter wegen der Katholisierung zu sich berief. Das war schon viel früher geschehen, aber Herberstorff konnte damals nicht. Jetzt, am 9. August, begab sich der Statthalter von sich aus zu Ferdinand II., der eben in die Steiermark gereist war. Aber das Reformationswerk sollte für Herberstorff nur Vorwand sein für diese Reise, vielmehr ging es um die Beschaffung von Geldmitteln für den Kurfürsten — eventuell aus dem Salzwesen[127]. Dennoch dürfte bei dieser Zusammenkunft in Graz zwischen dem Kaiser und dem Statthalter die Entscheidung über die Verschärfung der Gegenreformation gefallen sein. Schon Anfang September konnte Herberstorff dem Kurfürsten berichten, daß er fünf Tage am kaiserlichen Hof geweilt habe. Der Kaiser habe die Kommission der Religionsreformation dergestalt reassumiert, daß es sein Wille sei, den Untertanen einen Termin zu stellen, sich zur katholischen Religion zu bekennen oder auszuwandern. Weiters müßten alle lutherischen Pfleger und Herrendiener das Land in bestimmter Frist verlassen. Alle Landleute aus dem Herren- und Ritterstand müßten Verzeichnisse vorlegen, wo sie derzeit ihre Kinder haben, und sie müßten bei Strafandrohung verhalten werden, dieselben innerhalb eines halben Jahres von unkatholischen Orten abzuberufen und an katholische zu schicken. Auf diese Weise hoffte der Kaiser, sein Ziel zu erreichen. Man sieht, daß Herberstorffs Vorschlag vom Februar 1625 eigentlich, was die Ausweisung der herrschaftlichen Beamten und die katholische Erziehung der Kinder des Adels betraf, vom Kaiser übernommen wurde[128]. Dennoch hat Herberstorff seit Frankenburg Angst. Er spricht jetzt, nachdem er bei Ferdinand II. gewesen ist, von der Religionsreformation als von einer „soliche schwere Kommission", die ihm der Kaiser übertragen habe, daß er ohne das im Land liegende Kriegsvolk diesen Auftrag zu übernehmen Bedenken habe. Außerdem gebe es im Land bei „Hoch und Niedrig" so „hochtrabende ... verächtliche und teils nachdenkliche Diskurs", daß er befürchte, er brauche bald noch mehr Kriegsvolk, um der schweren, ihm auferlegten Verantwortung willen. Herberstorff hoffte, daß sich bei der bevorstehenden Reformation die Stände gehorsam erweisen würden. Er verweist in dem Brief an den bayerischen Kurfürsten darauf, daß sowohl bei den wenigen katholischen Bauern als auch bei den lutherischen wegen der hohen Abgaben großer Unwille herrsche. Das Vorhaben der Reformation „disgutiere" den Adel, das Garnisongeld und die Abgaben hätten bewirkt, daß die Untertanen im ganzen Land „unwillig und schwierig" seien. Er sieht große Gefahren und bittet Maximilian, für ihn Soldaten anwerben zu lassen[129]. Herberstorff hatte also keine Freude mit der Verschärfung der Gegenreformation; und wenn man die folgenden Ereignisse im Jahre 1626 sieht, hatte er hier zweifellos eine gewisse Voraussicht bewiesen. Der Statthalter hatte für die Fortsetzung der Gegenreformation vom Kaiser eine Instruktion und ein Patent vom 20. August 1625 erhalten[130]. Auf Grund dieser beiden kaiserlichen Dokumente erließ er am 10. Oktober 1625 ein Reformationspatent. Herberstorff erklärte bald, er „hat selbst wegen der Reformation zuvor bedacht und das seinige dabei geredt. Es sei aber Ihrer kaiserlichen Majestät Willen und die Geistlichen habens also haben wollen."[131]

Die Grundsätze des Reformationspatents vom 10. Oktober 1625 entsprechen dem Vorhaben des Kaisers, wie Herberstorff sie dem Kurfürsten bereits mitgeteilt hatte. Die Einleitung, wie sie vorliegt, ist von Herberstorff und geht, namentlich was die Beschuldigung der Stände betrifft, über die kaiserliche Instruktion hinaus. Auch ist hier viel stärker als im ersten Reformationspatent von 1624 das religiöse Motiv betont, der „wider Auffbaw und Erhebung unser geheiligten wahren allein seeligmachenden Catolischen, Apostolischen, Römischen Religion" gegen den „aygenwilligen Libertetischen Glauben (als welchen ein jeder nach seinem vermainten gewisen, willen und Gefallen regulirn köndt oder möge)". Herberstorff hat allerdings die Rebellion der Stände

1619/20 in dieser Einleitung sehr heftig getadelt, so daß man dies sogar später in Wien für zu weitgehend hielt[132]. Die „gemain durchgehende Reformation zu der catholischen Religion" sollten die Kommissäre Herberstorff, Abt Falb, Johann Baptist Spindler und der Mautamtmann zu Linz Konstantin Grundemann, nun zu Ende führen. Das Patent hatte zwölf Punkte, in denen alle Verbote und die nunmehr sehr zahlreichen Gebote enthalten sind. Die Bestimmungen des Patentes gehen weit über die des Patentes von 1624 hinaus und bedeuten de facto die totale Gegenreformation. Zunächst wird die Ausweisung der evangelischen Prediger bestätigt, jeder Privatgottesdienst, Bibellesen, Singen, Predigen in den Häusern und Schlössern verboten. Weiters wird der Auslauf zu fremden unkatholischen Predigern und jede kirchliche Handlung der Protestanten, wie Trauungen, Taufen und Kommunion, strengstens untersagt. Die Teilnahme am katholischen Gottesdienst und an katholischer Predigt an Sonn- und Feiertagen, und zwar vom Anfang bis zum Ende, wird allen zur Pflicht gemacht, die kirchlichen Fastengebote sollten strikt eingehalten werden, die Zünfte mußten ihre Gottesdienste in den katholischen Pfarrkirchen wieder aufnehmen und mit ihren Kirchenfahnen an der Fronleichnamsprozession teilnehmen, an Sonn- und Feiertagen durfte während des Gottesdienstes in den katholischen Kirchen nicht in den Gasthäusern ausgeschenkt werden, und auf den Jahrmärkten mußten zu dieser Stunde alle Tätigkeiten ruhen. Die Magistrate mußten innerhalb von sechs Wochen Listen der Bürgerkinder, die in der Fremde weilten, anfertigen, und falls diese an unkatholischen Schulen studieren sollten, mußten sie binnen sechs Monaten bei Strafe der Enterbung und des Verlustes der Erbgüter zurückgeholt werden. Alle unkatholischen Privatlehrer und Präzeptoren mußten abgeschafft und anstatt deren katholische angestellt werden. Der Adel und auch die Intelligenzschicht durften ihre Kinder ohne kaiserliche Genehmigung nicht mehr in andere Länder schicken, weder an unkatholische Schulen noch auf Bildungsreisen zum Kennenlernen fremder Länder und zum Erlernen fremder Sprachen. Den Reformationskommissären mußten Listen aller dieser Kinder des Adels, welche sich im Ausland befanden, übermittelt werden. Der neunte Punkt des Herberstorffschen Reformationspatentes aber enthält das Hauptanliegen des Reformationswerkes, wie es schon Kaiser Ferdinand II. Herberstorff in Graz angedeutet hatte: Alle Einwohner Oberösterreichs mußten bis Ostern 1626 katholisch werden. Wer aus Gewissensgründen nicht katholisch werden wolle und sich in diesem Punkte nicht akkommodiere, dem wird unter Berufung auf die Reichskonstitutionen und den Augsburger Religionsfrieden das jus emigrationis zugestanden. Wer „gefährlich und fahrlässig" den Termin verstreichen lasse, wird aus dem Lande ausgeschafft werden. Die Auswandernden sollten zehn Prozent ihres Vermögens als Nachsteuer dem landesfürstlichen Fiskus überlassen und, soweit es sich um Grundholden handelte, auch das übliche Freigeld an die Grundherrschaft zahlen. Wer sich bekehre, müsse ein Zeugnis vom lossprechenden Priester haben, und nach dem Ostertermin, der letzten Frist, müßten die Dechanten Listen der Bekehrten und auch derer, die nicht zur Beichte kamen, an die Reformationskommissäre einsenden, damit man gegen die Ungehorsamen mit Strafen vorgehen könne. Und nun kommt eine spärliche Ausnahme zu dem allgemeinen Bekehrungsgebot: „Die alten würcklichen Herrn und Landleuth, deren Voreltern vor 50 Jahren würckliche Landleuth in diesem Landt gewest und solches zu genügen erweisen köndten (dazu ihnen dann von Dato an sechs Wochen Termin gegeben seyn soll), lassens gleichwolln Ihre kaiserl. Mayst. (allein auff ihre Person zu verstehen) in der bisher gebrauchten Connivenz oder Tolleranz (doch ohne verbündliche Versprechung, Concession oder Privilegien) noch derzeit verbleiben." Diese Toleranz gegenüber dem alten landsässigen Adel war aber noch so eingeschränkt, daß diese Ausnahme auf den engsten überhaupt möglichen Bezirk, gleichsam auf das Herz des Betroffenen, eingeengt wurde. Denn alle sonstigen Bestimmungen gelten auch für sie: Sie durften in ihren Schlössern weder offene noch heimliche Gottesdienste halten lassen, keine evangelischen Beichten, Kommunionen, keine Taufen und Trauungen weder im Land noch außerhalb des Landes vornehmen lassen. Sie wurden verpflichtet, ihre protestantischen Pfleger, Verwalter und Schreiber, Präzeptoren und Hofmeister abzuschaffen und an deren Stelle Katholiken zu setzen, und zwar innerhalb eines halben Jahres. Auch sollte das Verbot, ihre Kinder an unkatholische Orte im Ausland zu schicken, für diese Personen vom Herrn- und Ritterstand voll Geltung haben. Es wurde ihnen streng verboten, durch Singen, Disputieren und Fleischessen an katholischen Fasttagen Ärgernis bei den Katholiken zu erregen.

Und wenn sie sich durch all dies in ihrem Gewissen beschwert fühlen sollten, wird auch ihnen, wie allen anderen Einwohnern, das Recht der Auswanderung auf Grund des Augsburger Religionsfriedens gewährt. Wer sich — „er sei Herr oder Landmann" — den landesfürstlichen Verboten und Befehlen nicht füge, werde als Violator und Turbator quietatis publicae bestraft und aus dem Lande ausgeschafft. Die Toleranz für den alten Landadel Oberösterreichs hatte eine sehr schmale Basis und machte außer dem rein persönlichen Bekenntnis zum Protestantismus jedes Handeln und Leben im Geist evangelischen Christentums unmöglich. So war denn das, was Ausnahme, Begünstigung war, zugleich der größte Schlag und auch eine große Überraschung: Die de facto Einbeziehung des Adels in die Gegenreformation, wie Herberstorff sie am Anfang des Jahres ja angeregt hatte. Für den Adel mußte dies, obwohl der Kaiser sich bei der Submission freie Hand bezüglich der Religion vorbehalten hatte, die letzten Hoffnungen zerstören. Hatte doch während dieser Verhandlungen um die Submission noch der Hofkanzler zu den Abgesandten der oberösterreichischen Stände sich geäußert: „daß die Reformation nit auff den Adel und Landleuth extendiert werde, als mit den (als Cavaglieren) ihr Mayestät nit in Brauch gehabt, weder in Steyr, ja gar in Beheim und Mähren, (die mehr verbrochen als die Stende) also zu procedieren"[133]. Wichtig war auch noch die Bestimmung im Patent Herberstorffs, daß die Beamten der Stände, die alle — wie es im Patent selbst gesagt wird — evangelisch waren, in den kaiserlichen Bekehrungsbefehl mit einbezogen wurden. Wenn diese ständischen Beamten nicht katholisch werden oder durch katholische Männer ersetzt werden innerhalb eines halben Jahres, dann werde der Kaiser selbst diese Ersetzung vornehmen. Im zwölften Punkt des Patentes wird noch die Ablieferung aller ketzerischen Bücher an die Reformationskommissäre befohlen und den Buchhändlern die Einfuhr bzw. der Verkauf aller an unkatholischen Orten gedruckten Bücher verboten, mit Ausnahme juridischer, medizinischer, historischer und philosophischer Bücher, die nichts über die Religion enthalten. Zum Schluß werden noch die Stände an Befehle erinnert, Listen einzusenden, welche geistliche Stiftungen, Pfarren und Benefizien sie innehaben, wobei sie ihre Rechtstitel innerhalb von sechs Wochen nachweisen mußten. Das ist der wesentliche Inhalt dieses großen Dokuments der oberösterreichischen Landesgeschichte, das die Fortsetzung der Gegenreformation und, wenn auch mit beträchtlicher Verzögerung behaftet, die schließliche totale Ausrottung des Protestantismus im Lande in der Folge bewirken sollte[134].

Als am 16. Oktober der ständische Ausschuß in verschiedenen Angelegenheiten beim Statthalter im Linzer Schloß war, da benutzten die ständischen Vertreter die Gelegenheit, um die Sprache auf die Verschärfung der Gegenreformation zu bringen. Sie koppelten auch hier wieder ihre Zahlungsbereitschaft mit der Frage des Entgegenkommens des Kaisers in konfessionellen Dingen, und Herberstorff suchte sich, wie bereits erwähnt, etwas vom Reformationspatent zu distanzieren[135]. Das Patent hatte natürlich die Stände sehr betroffen, zumal nunmehr der Adel unmittelbar, wenn auch durch die große Ausnahmebestimmung gemildert, in den Prozeß der Gegenreformation einbezogen war. Gundaker von Polheim, der schon während der ganzen Submissionsverhandlungen führend für die Stände tätig war, läßt in einem Brief an seinen Vetter Weikhart die Bekümmernis ermessen, die das Patent vom 10. Oktober 1625 hervorrief. Diese Bekümmernis war um so größer, als man keine echte Hoffnung hegen konnte: „Dann ich khen des Kaysers, seiner Räth gemieth und der Jesuiter Anreizung, das Sy von disem werkh nit leichtlich aussetzen werden."[136] Die Stände hatten gewünscht, daß Gundaker von Polheim und andere in Wien weilende Ständemitglieder zur Beratung nach Linz kommen. Da diesen eine Reise nach Oberösterreich damals nicht möglich war, brachten sie ihre Stellungnahme zu Papier und übermittelten diese den Ständen. Diese von Gundaker von Polheim, Job Hartmann Enenkl, Wolf Niklas von Grünthal und Karl Ludwig Fernberger verfaßte Schrift[137] gab Ratschläge für das weitere Vorgehen der Stände, und Gundaker von Polheim hat mit einer gesonderten Schrift ebenso starken Einfluß auf die harte Haltung der Landstände in den folgenden Monaten genommen. Herberstorff hatte sich bei den Ständen ja zunächst den Anschein gegeben, als habe er versucht, das Patent zu verhindern, und alle Schuld auf den Kaiser und die „Geistlichen" geschoben. Gerade er aber war es, der die Idee verfocht, den Adel stärker in den Gegenreformationsprozeß einzubeziehen. Er hatte gegen Jahresende an den Kurfürsten geschrieben, er sehe eine Gefahr, wenn nur Bürger und Bauern von der Gegenreformation betroffen würden, der Adel aber nicht, der „durch den unzeitigen Eiffer ihrer vermainten religion alle passierten Ungelegenheiten verursachet“. Er bedauert es auch nicht, wenn tatsächlich etliche Adelige das Land verlassen, und findet sehr böse Worte über den evangelischen Adel des Landes: „Es hat zwar etwan apparenz, daß etliche von Herrn und Adl das Landt verlassen werden, es ist aber mehr des Landes glück als unglück, angesehen soliche keiner redlichen affection.“[138] Die Abneigung des Statthalters gegen den protestantischen Adel Oberösterreichs war keineswegs einseitig. Gerade damals, als die Gegenreformation nicht mehr aufzuhalten war, hat auch Gundaker von Polheim der Aversion gegen Herberstorff Ausdruck verliehen, als er zum bayerischen Gesandten in Wien, Leuker, sagte: „Wenn sie nur den Statthalter, der ohnedies nichts wert sei, los würden, wollten sie sich gerne zu des Kurfürsten Zufriedenheit akkomodieren.“[139] Herberstorff wußte damals schon, daß die Stände beschlossen hatten, dem Kaiser durch eine große Delegation eine Schrift betreffend die Religion zu übergeben. Diese sogenannte „Religionsschrift“ wurde am 7. Februar 1626 von einer ständischen Gesandtschaft unter Führung des Gundaker von Polheim dem Kaiser überreicht. Es ist als sicher anzunehmen, daß sie vom ständischen Juristen Dr. Abraham Schwarz verfaßt wurde. Denn Polheim hatte in dem erwähnten Brief an seinen Vetter Weikhart vorgeschlagen, daß Dr. Schwarz diese Schrift konzipiere, und dabei auch den Wunsch geäußert, man solle diesen bis zur Fertigstellung dieser Schrift mit keinen anderen Aufträgen behelligen[140].

Das Schreiben der Stände enthielt das Ersuchen an den Kaiser um Aufhebung des Reformationspatents[141]. Es hat den Kaiser sehr erregt und seinen ganzen Unwillen hervorgerufen. Hans Ulrich Fürst Eggenberg hatte zu den Ständen bemerkt, man habe im Gesicht des Kaisers gleich beim Vortrag der Stände den Ärger gesehen, und auch nachher habe sich Ferdinand über die Schrift „also hoch alteriert“, wie er es beim Kaiser noch nie gesehen habe — vor allem wegen „scharfer Anzüg“ bezüglich der „alleinseeligmachenden Religion“, welche den Anschein erwecken, „als ob die Stendt Ihrer Majestät und die nit ihrer Religion seien, die Seelen Seeligkeit absprechen“[142]. Jedenfalls hat der Kaiser in seiner Resolution über die Religionsschrift vom 9. Februar das Reformationspatent voll aufrechterhalten und den Ständen ein perpetuum silentium in Religionsfragen auferlegt, so wie die Namhaftmachung des Verfassers der Schrift verlangt, was die Stände aber doch schließlich vermeiden konnten[143]. In weiteren Verhandlungen erreichten die Stände nur eine Fristverlängerung für den Güterverkauf von Auswanderern auf zwei Jahre und die Zusage für den alten Adel und diejenigen Bürger, welche sich unter einer katholischen Obrigkeit niederlassen, nach Niederösterreich emigrieren zu dürfen, während alle übrigen Auswanderungswilligen von den habsburgischen Ländern ausgeschlossen waren. Am 17. März 1626 hat Ferdinand II. das Reformationspatent vom 10. Oktober 1625 noch einmal vollinhaltlich bestätigt. Die Aktion der Stände blieb ohne wesentlichen Erfolg: Schon Polheim hatte es befürchtet, und eine Äußerung Herberstorffs über seine Audienz bei Ferdinand, in der er über das Reformationswerk in Oberösterreich Bericht erstattete, mag sie in ihrer Hoffnungslosigkeit bestärkt haben. Zum Statthalter soll damals der Kaiser sich geäußert haben: Es sollten die Stände in Religionssachen bei ihm „kein Gnad erlangen, und sollten sie vor Iro sambt Weib und Khindern auf das Gesicht fallen und bitten, wie sie immer wollen“[144]. Eine wichtige Frage für die Stände war auch die vom Reformationspatent geforderte Entlassung ihrer protestantischen Beamten. Hier gab es naturgemäß große Schwierigkeiten, weil die Frist von einem halben Jahr zu kurz war. Die ständischen Beamten waren zum größten Teil oder ausschließlich evangelisch, man hatte keine Katholiken als Ersatz, und es hätte eine Stillegung der ganzen ständischen Verwaltung bedeutet, hätte man abrupt die protestantischen Beamten aus dem Dienst entlassen. Darum haben die Prälaten bei den Reformationskommissären auf Ersuchen der politischen Stände[145] interveniert. Herberstorff und der Abt von Göttweig waren über diese Haltung der Prälaten empört. Der Propst von St. Florian offenbart dies in einem Brief an seinen Wilheringer Amtsbruder: „Herr von Göttweig und Locumtenens haben unsere Intercession ratione reformationis nostrorum officialium hoch empfunden, auch daß dieses ihr kaiserliche Majestät in Ungnaden aufnehmen werden, vermuten lassen ... Sie haben den Bogen ratione reformationis hoch gespannt.“[146] Die Versuche der Stände beim Kaiser selbst, daß sie ihre Beamten behalten dürfen oder daß man mit der Entlassung wenigstens so lange sich gedulden möge, bis sie tauglichen Ersatz hätten, hatten nur geringen Erfolg. Die Frist wurde um vier Wochen über Ostern 1626 hinaus verlängert[147]. Aber noch im April 1626 gab es evangelische Beamte im Dienst der Stände. Denn im Verzögern und im passiven Widerstand war man groß, und selbst Herberstorffs Drohung nach Ostern, die Ämter der Stände selbst provisorisch zu besetzen[148], mag in der Tat noch keine endgültige Bereinigung gebracht haben. Noch Ende 1627 gab es Protestanten im Dienst der Stände, wie das Schreiben der Landstände an Johannes Kepler vom 27. Oktober 1627 zeigt, in welchem sie auf die befohlene Entlassung ihrer unkatholischen Offiziere hinweisen und ihn um eine Erklärung ersuchen, ob er sich akkommodieren wolle[149]. Freilich hatten bald — fast unmittelbar nach dem Reformationspatent vom 10. Oktober 1625 — elf Landschaftsbeamte, darunter Dr. Abraham Schwarz, die Stände um die Entlassung aus dem Dienst gebeten[150]. Kepler ist auf dieser Liste nicht zu finden. Das hängt damit zusammen, daß er — wie er später selbst sagte — zu keinem „publico officio im Landt gebraucht" wurde und auch „mein Stell zu ersetzen unnoth ist", weiter, daß Kepler als Hofmathematikus kaiserlicher Beamter und also nicht allein ständischer Offiziale gewesen war, und schließlich hängt das auch damit zusammen, daß man mit ihm eine Ausnahme machte. Kepler war selbst zum Kaiser gereist, und es wurde ihm gegenüber eine tolerante Haltung eingenommen. Der Astronom spricht ausdrücklich von der Hilfe Herberstorffs, von dessen „aequanimitas", welche es möglich machte, daß ihm die Reformationskommissäre die Erlaubnis gaben, geeignete Personen bis zur Vollendung der Rudolfinischen Tafeln zu beschäftigen, „citra religionis respectum" oder wie Kepler selbst es an anderer Stelle formulierte, „ohne underschaidt der Religion". Es ist nicht zu zweifeln, daß die alte Verbindung Keplers zu Herberstorff hier wirksam war. Es ist aber ebenso sicher, daß auch der Einfluß der Jesuiten zugunsten Keplers sich auswirkte; denn Kepler war mit dem Mitglied der Gesellschaft Jesu, Pater Paul Guldin, in Wien in sehr engem Kontakt. Von anderen Maßnahmen der Reformationskommission blieb allerdings auch Kepler nicht verschont. Am 1. Januar 1626 wurde seine Bibliothek versiegelt, was dem Mathematiker den schmerzlichen Ruf entlockte: „urit nota servitutis tantae", es brenne das Mal einer solchen Knechtschaft. Kepler hat trotz seiner Begünstigung als Hofbeamter („Privilegio conditionis aulicae") darunter gelitten, wie die Gegenreformation andere seiner Mitmenschen traf. Er schrieb im Frühjahr 1626 an seinen Freund Wilhelm Schickard nach Tübingen: „... vivere nobis licet, siquidem vivere licet illi, cui vitae tolerandae subsidia denegantur. Nam pupillis, agricolis, et ut audio, in posterum etiam opificibus exire provincia non licebit."[151]

Die Gegenreformation macht im großen gesehen auch nach dem Patent vom Oktober 1625 nur sehr langsame Fortschritte. Man hat den Eindruck, daß nunmehr der Göttweiger Abt mehr im Vordergrund stand als der Statthalter. Grundemann schrieb an Falb, der Statthalter mache zwar viel für die Gegenreformation, „aber es hat halt keinen rechtschaffenen Nachdruckh, wann nit euer Hochwürden und Gnaden selbst bei der Stell und der fürnembste Befürderer sein". Falb wurde im Frühjahr 1626 vom Papst für die Zeit der Gegenreformation im Land ob der Enns mit besonderen Vollmachten ausgestattet und zum „Locumtenens Generalis" ernannt. Im Januar 1626 hatte Herberstorff selbst den Abt dringend gebeten, sein Wirken wieder aufzunehmen und seine Ankunft nicht zu verzögern. Es sei am günstigsten, die Leute zur kaiserlichen Resolution mit Gewalt zu zwingen[152]. Seit dieser Zeit setzte eine stärkere Aktivität der Reformationskommission ein, es wurden Büchervisitationen vorgenommen, die Städte und Märkte bereist und Protokolle mit den Bürgern aufgenommen, ob sie katholisch werden wollten oder nicht. Größere Erfolge hatte die Gegenreformation erst, als bekannt wurde, daß die ständische Aktion unter Gundaker von Polheim ohne jede Wirkung geblieben war, und als die Resolution des Kaisers vom 9. Februar 1626, welche den Ständen jede Hoffnung in der Frage der Religion nahm, publik wurde. Es ist schwierig, Zahlen über erfolgte Bekehrungen anzugeben. Pfliegl hatte die Bekehrungen bis Mai 1626 später mit 1076 Personen — wohl Familienoberhäupter und Selbständige — angegeben, der Rat von Linz aber gab am 10. Mai 1626 bekannt, seine ganze Bürgerschaft sei katholisch geworden, wenig später tat dies auch die Stadt Wels[153], Abt Falb nennt nach seinen Städtebesuchen gelegentlich Bekehrungszahlen, so z. B. für Enns 150, die auf einen Schlag sich bekehrt hätten. Der Adel tat kaum Schritte zur Bekehrung. Nur von Erasmus von Rödern zu Perg und Georg Achaz von

Losenstein zu Gschwendt und Losensteinleiten ist bekannt, daß sie vor dem Ostertermin katholisch wurden. Herberstorff ließ den Abt von Göttweig jetzt meist allein reisen, schickte ihn z. B. nach Steyregg und nach Grieskirchen, gab ihm wegen der Gefahren kroatische Reiter mit zu seinem Schutz. Auch nach Gmunden rief Herberstorff den Göttweiger Abt, „denn das Volk zu Gmunden ist verstockt und ich findt daß undter allen Stetten in khainer Stadt weniger disposition gemacht worden". Herberstorff selbst war damals krank und konnte auch nach Steyr nicht mitkommen. So stellte er dem Abt Falb frei, nach Freistadt sich zu begeben, wo die Reformationskommission bisher noch nicht gewesen war[154]. Bezüglich der Bekehrung der Bauern meinte Herberstorff: „Wan die Pauern yetzt in die Kürchen gehen, so thuen sie genueg, wann wir mit den Stetten und Märckthen ferdtig, vermain ich, soll man alsdan uf ain Mittl denckhen, wie mit Pauern zu handeln sein wird."[155] Manche Grundobrigkeiten beschränken sich jedoch nicht darauf, auf den Besuch des katholischen Gottesdienstes durch die Bauern zu achten, sondern sie wandten gegen diese Gewaltmaßnahmen an. Das gilt auf alle Fälle für einige Prälaten und für die Jesuiten. Auch Herberstorff selbst ging nicht fein mit seinen Leuten um. Die Affäre der 27 Schiffsleute von Altmünster am Traunsee, also im engeren Herrschaftsbezirk des Statthalters, zeigt dies deutlich, auch wenn später der Vizedom Pfliegl alles etwas zu verniedlichen suchte. Damals — es war 14 Tage vor Ostern 1626 — ließ Herberstorff 27 Schiffsleute, die erklärten, nicht übertreten, aber auch nicht auswandern zu wollen, und welche ihre Anstifter auch nicht zu nennen bereit waren, in seinem Schloß Ort im Krautgewölbe bei Wasser und Brot gefangenhalten, er schmähte sie und drohte ihnen mit dem Henker, ließ diesen sogar holen, der meldete, er habe zu wenig Stricke, sein Knecht sollte noch mehr holen. Die Bauernbeschwerden von 1626 sind ein Spiegel, in welchem die Wirklichkeit der Gegenreformation sich abzeichnet, die von dem Recht, wie es in den kaiserlichen Patenten festgelegt war, weitgehend abwich. Diese Diskrepanz zwischen Wirklichkeit und schönen Worten stellten die Bauern in Herberstorffs Haltung während des Reformationswerkes fest, und sie formulierten dies mit den Worten: „daß die red und das angesicht den werken nit ähnlich gewesen"[156]. Man beschuldigte den Statthalter, daß er untaugliche Personen in die Ämter anstelle der Evangelischen setzte. Man erinnerte daran, wie schmählich man die evangelischen Ratspersonen behandelte, wie das Justizwesen stillstand, „außer was zur Betrangung der Lutheraner gereicht hat". Man warf Herberstorff vor, daß man in den lutherischen Kirchen nach Vertreibung der Prädikanten Epitaphien und Kanzeln zerstörte und Kirchengeräte wegnahm, daß man dem gemeinen Mann durch Schikanen die Emigration erschwerte oder ganz unmöglich machte. Man hielt dem Statthalter vor, daß manchem auch nicht eine Stunde Termin gegeben wurde für seine Entscheidung in der Religion, daß man die Menschen unter schwersten Druck setzte durch Androhung landesfürstlicher Ungnade, durch Ausschaffung von Weib und Kindern, Verlust der Güter und des ehrlichen Namens, durch schreckliche Beschimpfungen und Schläge. Die Bauern brachten vor, daß etliche von kroatischen Reitern klafterweit geschleift wurden, daß man ihnen den Henker an die Seite stellte, sie in Gefängnisse warf, daß man die Evangelischen mit Geld bestrafte, um sie mürbe und zum Übertritt bereitzumachen. Weiters wurde geklagt, daß man den Auswanderern hohe Zahlungen auferlegte, zur Nachsteuer das Freigeld und noch andere hohe Zuschläge zurechnete, hohe Taxen und Schmiergelder verlangte, daß man den Protestanten Soldaten in die Häuser legte. Das sind nur einige Beispiele, wie sie in Bauernbeschwerden angeführt werden und so die Wirklichkeit der Gegenreformation deutlicher sichtbar werden lassen als Patente mit ihren rein rechtlichen Bestimmungen. Sicher mögen in diesen Bauernbeschwerden Einzelvorkommnisse verallgemeinert und die Entartungen und Mißgriffe drastischer in den Vordergrund gerückt worden sein. Aber gegeben hat es diese Art des Katholischmachens. Auch Gundaker von Polheim hat in einem Brief an die Verordneten geklagt, der Kaiser habe sich dahin resolviert, daß niemand in seinem Gewissen beschwert werden sollte, yetzo aber thuen die Reformations Commissarii aufhalten diejenigen, so sich zu rechter Zeit um Paßbrief angemeldt und schicken Reutter und Fueßvolk, daß sie den armen Leuthen das Prott vor dem Maul hinwegessen sollen, bis sie sich accomodieren". Auch zu ihm nach Grieskirchen seien „geharnischte Reformatoren" gekommen mit „Püchsen, Harnisch und Spießen", und er würde sich getrauen, mit diesen Leuten „die geängstigten Gewissen zu aller andern Religion zu bewegen". Die Stände führten über diese Zustände im Zusammenhang mit der Gegenreformation bei Herberstorff heftige Beschwerden[157].

Im Frühjahr 1626 hatte der Statthalter noch einmal in einem Patent den Inhalt des Reformationspatentes vom Oktober 1625 wiederholt und die kaiserliche Resolution vom 9. Februar mit der Ablehnung der ständischen Bitte um Gnade in der Religion sowie Ferdinands Patent vom 17. März, in dem der Kaiser die Bestimmungen des großen Reformationspatentes fast vollinhaltlich aufrechterhalten hatte, den Bewohnern des Landes bekanntgemacht. Er hatte sie neuerlich zur Akkomodierung aufgefordert und zugleich den Schmerz des Kaisers und der Kommissäre unterstrichen, daß bisher „gar wenige“ katholisch geworden, sondern die meisten „verstockt“ dem „gepredigten heiligen Wort Gottes das Gehör nicht gegeben“ haben[158]. Das zeigt, wie schwierig die Aufgabe war, die der Reformationskommission und vor allem dem Statthalter Herberstorff gestellt war, und wie wenig trotz großer Nachteile für die Betroffenen die Gegenreformation noch erreicht hatte. Aber diese Gegenreformation, das große innere Anliegen des frommen Kaisers, sollte zunächst auch nicht vollendet werden. Die große Spannung, die im Frühling des Jahres 1626 über dem Land ob der Enns lag, erwachsen aus vielfältigen Gründen, sollte sich in einem heftigen Ausbruch, dem großen Bauernaufstand des Jahres 1626, entladen. Das bedeutete einerseits einen großen Bruch und einen Aufschub im Prozeß der Rekatholisierung, die siegreiche Niederwerfung der Rebellion hat aber andererseits erst die Voraussetzung geschaffen, das Reformationswerk Ferdinands II. schließlich der Vollendung zuzuführen.

2. Im Bauernkrieg

Der Bauernkrieg von 1626 ist unlösbar mit Persönlichkeit und Wirken des Statthalters Herberstorff verknüpft. Denn der Statthalter war der Exponent jener „Ordnung“, die hier von einer breiten Schichte des Volks gestört wurde. Sein äußerer Verlauf fand bereits eine minutiöse Darstellung, und es kann hier auch nicht darum gehen, die Schilderung all der Ereignisse, die mit diesem großen Aufstand der Bauern des Landes ob der Enns verbunden sind, zu wiederholen. Lediglich Herberstorffs Stellung, sein Verhalten, sein Wirken im Rahmen dieser großen Auseinandersetzung zwischen Untertanen und Obrigkeit soll hier in einer knappen Studie dargestellt werden.

Auch der Bauernkrieg von 1626, durch seine enge Verknüpfung mit dem Geschehen des Dreißigjährigen Krieges hineinreichend in die große Geschichte, ist trotz seiner ganz besonderen Natur ein Glied in der großen Kette sozialer und religiöser Erschütterungen, die seit Beginn des 16. Jahrhunderts die geschichtliche Entwicklung in Österreich und besonders im Land ob der Enns begleiten. Derartige Beben sind immer Signale struktureller Änderungen oder Zeichen für den Tiefgang geschichtlichen Geschehens bis hinein in die Grundlagen menschlichen Seins, die gleichsam wie Stichflammen an die Oberfläche dringen. Otto Brunner hat gemeint, daß diese Bauernkriege stets anzeigen, daß das alte Verhältnis zwischen Herrschaft und Untertan gestört ist, daß die Vorstöße der herrschaftlichen Schutzgewalt von den Bauern als eine Bedrückung empfunden werden[159]. Es hat dieser große Bauernkrieg des Jahres 1626 trotz seiner begrenzten räumlichen Wirksamkeit im kleinen Land ob der Enns die Aufmerksamkeit der großen Geschichtsschreibung erregt, und Jakob Burckhardt sah in ihm, als der Krieg eine bloße Sache der Regierungen gewesen sei, eine der wenigen „populären" Regungen der Zeit, die mächtig von allen anderen durch Frische und Spontaneität abstechen[160]. Die Frage nach den Gründen dieser Bauernerhebung muß hier vor allem ja auch deswegen gestellt werden, weil die Bauern selbst den Statthalter Herberstorff als den eigentlichen Grund dieses Aufstandes nannten. Daß es mehrere, ja einen ganzen Komplex von Gründen und nicht bloß *eine* Ursache gegeben hat, war natürlich auch den Zeitgenossen schon klar. Nun darf man den Zeitgenossen geschichtlicher Ereignisse wohl ein gewisses Maß der Einsicht in die Verhältnisse ihrer Zeit zubilligen, aber dieses Maß ist zweifellos beschränkt. Denn was der Vorteil der Zeitgenossenschaft für die Erkenntnis der eigenen Zeit ist, nämlich die Gebundenheit in dieser Zeit, ist naturgemäß zugleich der große Nachteil. Dennoch ist es bei der Suche nach den Gründen des Aufstandes durchaus zweckmäßig, die Auffassung der Zeitgenossen und hier in erster Linie der Bauern selbst zur Kenntnis zu nehmen. Betrachtet man nun die sogenannten Bauernbeschwerden der oberösterreichischen Bauern von 1626, welche sie den kaiserlichen Kommissären bzw. dem Kaiser Ferdinand II. vortrugen, so sieht man, daß es ein Komplex religiöser, politischer sowie wirtschaftlicher Motive war, der die Bauern bewog, sich gegen die Herrschenden zu erheben. Freilich steht für sie ganz im Vordergrund — gleichsam als Grundübel — die Bedrückung in der Religion, die Gegenreformation. Sie wird von den Bauern keineswegs etwa aus taktischen Gründen, sondern aus voller Überzeugung heraus als der Hauptgrund des Aufstandes bezeichnet. Vielleicht ist es heute etwas schwerer zu verstehen, daß religiöse Motive einen ganzen Stand zur Erhebung bringen können, und es mag als etwas altmodisch gelten, wenn man versucht, dies den Bauern des Landes ob der Enns zu glauben. Aber auch hier gilt wie beim großen deutschen Bauernkrieg von 1525, daß ein Versuch einer Demaskierung des religiösen Faktors als Selbsttäuschung an dem beredten Zeugnis der Quellen scheitern würde[161].

Gewiß nennen die Bauern selbst außer der Gegenreformation auch andere Gründe. Gleich nach der religiösen Bedrückung kommt die bayerische Herrschaft im Land und ihre Auswirkung auf die Bauern, das tyrannische Regime des Statthalters und seiner Räte in Linz, die schwere Belastung durch das Garnisongeld, die Ausschreitungen der Soldateska, die Zerrüttung der Verwaltung unter der, wie sie sagen, „landschädlichsten und unbarmherzigsten Regierung der Welt", die Ungerechtigkeit in der Pflege der Justiz. All dies nennen die Bauern selbst als Gründe ihrer Erhebung. Das bayerische Joch und die Tyrannei — wie die Bauern auf ihren Fahnen stehen hatten — zu überwinden, war also zweifellos ein wichtiges Motiv des Aufstandes. Aber auch einen großen Teil der wirtschaftlichen Zustände sehen sie in engem Zusammenhang mit dem Reformationsprozeß, das Garnisongeld, das schwer auf dem Lande lastete, die Einquartierungen und Musterplätze, wenn sie von den Millionen reden, die zur Unterdrückung des Landes ausgegeben werden, wenn sie hinweisen auf die wirtschaftliche Bedrückung, die ausgesucht auch gegen die evangelische Bevölkerung angewendet werde, etwa die Schikanen bei der Auswanderung, die vor allem das Vermögen der Auswanderungswilligen trafen. Aber die „unerhörten Sachen" im Zusammenhang mit der Münzentwertung, die sie natürlich erwähnen, treten durchaus zurück gegenüber der großen Klage über die Gegenreformation. Selbst Herberstorffs Gewaltherrschaft im Lande erscheint ihnen in ihrer ganzen Härte erst, wenn sie dies alles durch das Prisma der konfessionellen Frage sehen. Sie bescheinigen dem Statthalter sogar, daß er zu Beginn seiner Regierung zu ihrer Zufriedenheit regiert habe. Aber nunmehr, rückblickend auf diese tolerante erste Phase der Regierung Herberstorffs, glauben sie dies nur als Taktik ansehen zu müssen, die den Zweck hatte, schließlich das einzige Ziel, die Rekatholisierung eben, bequemer zu erreichen. Die oft unüberlegten Äußerungen Herberstorffs erbitterten sie jeweils sehr, so etwa wenn er sagte, falls ein Prediger wieder ins Land käme, würde er diesen in Ermangelung eines Henkers selbst aufhängen, sie kreiden ihm sein gutes Verhältnis zu den Jesuiten an und auch seine Bestrebungen, im Lande große Güter zu erwerben, was er mit Hilfe der Reformationsprozesse leichter und billiger erreichen könne, weswegen er auch auf „die Plenipotenz und äußerste Reformationsprosekution gedrungen" habe.

Sozialrevolutionäre Tendenzen suchen die Bauern in ihrer Beschwerdeschrift zu leugnen. Sie bezeugen vor Gott, daß es nicht ihr Ziel sei, „das wier im Stande der Untertanen nit verbleiben, oder ihre kaiserliche Majestät als unsern allergnedigisten Erbherrn und Landsfürsten allerunterthenigst halten und Untertanen lenger nit bleiben wollen". Sie wollen nur verhindern, daß die jetzige Regierung im Lande ihr Vorhaben „gegen uns arme Leute" durchführen könne. Und in evangelischer Solidarität gehört auch zu ihren Beschwerdepunkten, daß die Regierung die Stände unterdrücke und bestrebt sei, sogar „die ältesten Landsmitglieder aus dem Land" zu vertreiben[162]. Stärker als in den offiziellen Beschwerden ist die sozialrevolutionäre Komponente in den sogenannten „Bauernartikel"[163] zu spüren. Hier wird verlangt, daß die Bauern anstelle der Prälaten in den „Rat", „wie in Tirol der Gebrauch ist", d. h. also, daß hier in Analogie zum tirolischen Vorbild die Landstandschaft der Bauern gefordert wird. Auch ist die Einschränkung des Freigeldes und die Rückführung der vertriebenen protestantischen Herren in das Land, denen auch ihre Güter restituiert werden sollten, eine offene Forderung in diesen Bauernartikel. Aber an erster Stelle steht doch auch hier „Gottes Wort", die Religionsfreiheit im Sinne der Religionskapitulation des Königs Matthias von 1609.

Eine weitere Forderung, die in diesen Bauernartikel erhoben wird, ist die ewige Verweisung Herberstorffs und seines Geschlechts und auch der bayerischen Räte aus dem Lande, die Wiederherstellung der verfassungsmäßigen Zustände, d. h., ein im Land angesessener Landeshauptmann solle anstelle des fremden Statthalters treten, der Kaiser sollte wieder Herr im Lande sein und nicht der Bayernherzog. Nun wird man eine ständische Äußerung aus der Zeit nach dem Aufstand mit Vorsicht hinnehmen müssen, weil die Stände daran interessiert waren, nicht ihre protestantische Konfession als Hauptursache des Bauernaufstandes gelten zu lassen. Dennoch ist diese ständische Aussage über den Bauernkrieg und seine allfälligen sozialen Hintergründe von größerem Interesse, als man etwa wahrhaben will. 1627 meinten die oberösterreichischen Landstände in einer Eingabe an den Kaiser, die Bauern hätten die Religion beim Aufstand vorgeschützt, es sei aber auch „eine vermeinte Libertet und Freiheit des schuldigen Gehorsams und Dienstbarkeit, Ausplünderung des Landes und Zerrüttung aller guten Polizei und Ordnung und also gleichsam eine eingebildete Demokratia zu Unterdrück- und Ausrottung des Adels, hoher und nider Obrigkeit gesucht worden“[164]. Wenn man auch diese Formulierungen der Stände als Übertreibung aus taktischen Erwägungen ansehen kann und wenn man die Passagen im sogenannten Fadinger-Lied aus der Zeit nach dem Krieg, wo von dem neuen Herrentum der Bauern, die nunmehr das Land selbst regieren „gleichwie auch die Schweizer“[165], die Rede ist, nicht als Auffassung der Bauern selbst ansehen kann, so ist dennoch nicht zu zweifeln, daß auch die soziale Spannung zwischen den Obrigkeiten und den Untertanen beim Aufstand mit im Spiele war.

Vielleicht war den Bauern bei der Präponderanz der Religion dies nicht einmal bewußt, aber latent war das soziale Moment auch damals wirksam. Waren doch erst dreißig Jahre vorher in dem großen Aufstand der oberösterreichischen Bauern von 1595/97 die sozialen und wirtschaftlichen Beschwerden gegen die Grundobrigkeiten als eigentliche Triebkraft der Aufstandsbewegung viel stärker sichtbar geworden, wobei die konfessionelle Frage nur Anlaß und Kulisse abgab. Diese damals offenen Fragen, welche aus der Kapitalisierung der Grundherrschaften im Sinne einer Umwandlung in Wirtschaftsherrschaften[166] zur Erzielung höherer

Einnahmen entstanden sind, waren am Ende des Bauernkrieges von 1595/97 keineswegs gelöst worden; das sogenannte Interimale Kaiser Rudolfs II., welches das Verhältnis zwischen Obrigkeiten und Untertanen damals regelte, war — wie schon der Name sagt — bloß ein Provisorium. Trotz besserer formaler Rechtsstellung der Bauern im 16. Jahrhundert durch Einführung der Vererbrechtung der bäuerlichen Güter anstelle der Freistift, einer Jahrespacht, war die soziale und wirtschaftliche Situation durch ständige Steigerung der Herrenforderungen, die von seiten der Bauern als unrecht empfunden wurde, und durch erhöhte bäuerliche Leistungen verschlechtert worden. Die Robot und das Freigeld, eine immer mehr — bis zu vierzig Prozent — gesteigerte Veränderungsgebühr, wurden zwar durch das Interimale eingeschränkt, aber die vielfache Überwälzung von Abgaben und Steuern seitens der Herrschaft auf die Untertanen, die den Herrschaften reichen Gewinn einbrachte, ging uneingeschränkt weiter, erbitterte die Bauern und bildete einen steten Zündstoff[167]. Wenn also auch die konfessionelle Leidenschaft 1626 wirtschaftliche und soziale Motive verdrängte, so blieben sie zweifellos als Schubkraft im Aufstande aus der Tiefe her durchaus effizient. Erst jüngst wurde im Zusammenhang mit der Frage der Wirkung der Bauernbewegungen auf die Entwicklung des Absolutismus von der marxistischen Geschichtsschreibung festgestellt, daß hinter bäuerlichen Aktionen keine Kenntnis größerer Zusammenhänge zu finden ist und daß sich die spontanen Bewegungen subjektiv immer gegen die jeweilige Erscheinungsform der „Ausbeutung" und gegen die nächsten Repräsentanten der Unterdrückung richten[168].

Auch der Statthalter Herberstorff selbst suchte natürlich die tieferen Gründe dieser Erhebung der Bauern. Dabei war er schon früher immer darauf bedacht gewesen, die Bauern bei Zufriedenheit zu halten, und im Jahre 1623 hatte er etwa an seinen Herrn in München geschrieben, daß er noch keine Truppen aus ihren gewöhnlichen Quartieren habe führen lassen aus Rücksicht auf die Bauern: „Da dann der Pauersmann nur mehr ergrimmt wird." Er betonte gegenüber dem Kurfürsten damals sein Bestreben, mit den Bauern gut auszukommen: „Denn ob ich ohne Ruemb [Ruhm] zu melden, bishero dahin gesechen, daß dem gemainen Pauersman die Handt in der Justiz undt ander fählen sowoll als den

Vornembsten geboten worden, dadurch ich sie den bishero nit allein bei guetten Willen und Gehorsam erhalten, sondern auch verhoffe mit ihnen wol auszukhommen."[169] Seit Frankenburg ist allerdings, wie wir gesehen haben, die Situation durchaus verändert. Auch Herberstorff sieht schon die Vielfalt der Ursachen der Bauernerhebung. Er hat am Ende des Aufstandes gegen Jahresende 1626 an den Kurfürsten und an Ferdinand II. einen Bericht geliefert, und er ist dabei auch auf die Frage der Gründe des Aufstandes indirekt eingegangen. Und hier ist zweifellos von Interesse, daß er das ganze ständische System in seiner spezifischen Ausformung in Oberösterreich als Hauptgrund der Erhebung sieht. Es fehle, so meint der Statthalter, durch dieses System das „gleiche Recht", die „gleichmäßige Administration der Justitia". Denn die vornehmsten Stände wollten in diesem Lande ob der Enns „sui juris" sein. Sie seien daran auch gewöhnt, da ihnen die Landesfürsten die Zügel lange Zeit hindurch zu locker ließen. Diese Stände hatten durch die hohen Ämter, die sie an sich gebracht, durch ihre Bünde und Korrespondenzen große Macht erworben, sie hätten „alle Herrlichkeiten" der Landgerichte im Land vom Landesfürsten erworben, begründen alle ihre Aktionen mit den Freiheiten und Landsgebräuchen und machen Auflagen gegen die Untertanen. Alle ihre dem Landesfürsten gewährten Geldhilfen und Steuern schlagen sie dem gemeinen Mann dergestalt auf, daß dies ihnen und ihrem Privatsäckel weit mehr einträgt, als dem Landesfürsten zur Defension des Vaterlandes gegeben wurde[170]. Dabei haben sie zahlreiche landesfürstliche Gefälle und Herrschaften teils erblich, teils pfandweise in ihren Händen. Herberstorff verweist auf die Stellung der Grundherrschaften, welche zwischen Fürst bzw. zwischen Statthalter und Untertanen stehen und die Mandate des Landesfürsten und des Statthalters nicht nur nicht beachten, oft nicht einmal publizieren lassen. Dies alles, das ganze System, das einer mächtigen Schicht sozial höher gestellter Inhaber von Herrschaftsrechten ein großes politisches Übergewicht gebe, habe bewirkt, daß die Untertanen „von langen Jahren hero in solcher Furcht und Respekt erhalten, daß sie alles leiden, wann man sie nur mit Erhaltung vermeinter Religion tröst"[171]. So wird hier auch der Religion für den unmittelbaren Ausbruch des Aufstandes eine zentrale Stellung zugewiesen, allerdings eingebettet in die ganze soziale und politische Problematik des Ständestaates in seiner damaligen Erscheinungsform im Lande ob der Enns. Herberstorff ging dabei so weit, im Bauernaufstand eine logische Fortsetzung des Ständeaufstandes von 1618/20 zu sehen[172]. Obwohl er den tieferen Grund des Bauernaufstandes in der sozialen Struktur und in der politischen Verfassung des Landes sah, leugnete er die entscheidende Rolle der gegenreformatorischen Maßnahmen bei der Erhebung der Bauern nicht, und er sprach von der Religion „als umb diese gevährliche Brautt der Tanz allein angefangen“ hat. Aber gerade am Ende des Aufstandes glaubte er dann doch, daß die Bauern, die nach der Resolution des Kaisers vom 9. Februar 1626 kein „Mittel und Weeg mehr ersinnen“ konnten, ihre Religion und damit ihre Seligkeit zu retten, als durch den Aufstand, von einigen Drahtziehern mißbraucht wurden. Er nennt dabei die Steyrer Wolf Madelseder und Dr. Holzmüller, die auch „das böß und güfftige famos Scriptum“ — gemeint sind wohl die Bauernbeschwerden — verfaßt hätten[173]. Hier tritt die Auffassung von der engen Verknüpfung zwischen Bauern und Bürgern in den Städten zutage, wie sie auch von der neueren Forschung unterstrichen wird. Alfred Hoffmann hat ja sehr deutlich auf die Verbindungen zwischen Städtern und Bauern hingewiesen, auf die Tatsache, daß führende politische Köpfe des Bürgertums, wie die eben erwähnten Madelseder und Holzmüller, reiche Kaufleute und Kapitalisten in anderen oberösterreichischen Städten am Bauernaufstand mitwirkten, wobei wohl auch ökonomische Interessen des Bürgertums, das durch das Verlagssystem mit ländlichen Gewerben enge verbunden war, mitspielten. Ganz allgemein weist auch die marxistische Geschichtsforschung dem Verhältnis von Bürgertum und Bauerntum in der Entwicklung zum fürstlichen Absolutismus ein bestimmendes Gewicht zu, wobei unter Umständen ein starkes Bürgertum das Bauerntum in seiner Existenz zu stärken geneigt sei[174]. Herberstorff hat am Beginn und während des Aufstandes die Gegenreformation als Ursache stärker betont als später. Er hat allerdings bestritten, daß die Art der Durchführung des Reformationsprozesses durch ihn und seine Beauftragten zur Erhebung beigetragen habe, bzw. er hat die ihm zur Last gelegten Schikanen bei der Gegenreformation strikt geleugnet[175]. Ja als der Aufstand beginnt und er dem Kurfürsten berichtet, die Bauern „sagen offentlich, sie wollen alle Catholische in dem Land erschlagen oder sie wollen sterben, was sie thuen, das theten sie zur Rettung ihres Glaubens“, da meint er, die Bauern seien doch „der Religion halber noch nie angefochten oder angestrengt worden“. Daß aber Herberstorff die Religionsfrage für sehr entscheidend hielt, zeigt ja auch die Tatsache, daß er — wie wir später sehen werden — durch Zugeständnisse an die konfessionellen Forderungen der Bauern dem Aufstand den Hauptgrund entziehen und so eine Befriedung herbeiführen wollte.

Wie Herberstorff durchaus erkannte, daß auch wirtschaftliche Motive bei der Erhebung mit wirksam waren, sieht man aus seinem Bericht an den Kurfürsten, den er knapp vor Beginn des Aufstandes erstattet hatte. In diesem Bericht spricht der Statthalter davon, der gemeine Mann könne nicht mehr die Herrengefälle, geschweige denn das Garnisongeld aufbringen, viele Untertanen hätten schon heimlich Haus und Hof verlassen[176]. Er hat den Druck, der durch Steuern und Garnisongeld auf den Untertanen lastete, nicht unterschätzt und in diesem mit eine der Ursachen des Aufstandes gesehen. Im Patent vom 15. April 1626 hat er die wirtschaftlichen Leistungen der „Bürger und vorzüglich der Bauern“ hinsichtlich Steuern, Kriegsrüstung, Musterplätzen, Durchzügen und Garnisongeld betont und darauf verwiesen, daß daher der Bauer „von Vermögen zugrund gerichtet, daß man augenscheinlich verspürt, daß er es nicht erdauern und ausstehen könne“. Ein zweifellos unverdächtiger Zeuge, der Göttweiger Benediktiner Pater David Korner, nannte die Methode, die in der Verwaltung des Landes angewendet wurde, „eine Ausraubung des Landes“[177]. Auch die dritte starke Komponente im Bündel der Ursachen des Aufstandes, der Haß gegen die bayerische Besatzung, gegen ihn selbst und das Bestreben der Bauern, wieder „österreichisch“ zu werden, ist Herberstorff durchaus bekannt: „Dann so viel noch offenbar sie [die Bauern] allein Euer churfürstlichen Durchlaucht Ir Pfandschaft nemen, mich und alle andere Ire treue Offizir allda, wie sie konden, totschlagen, I. Majestät aber selbiges [das Land] widergeben wollen.“ Dieser Haß gegen die bayerische Besetzung und gegen ihre Exponenten, den Statthalter und seine Räte, kann man auch aus Herberstorffs folgenden Worten spüren, die er leidenschaftlich erregt in den ersten Tagen des Aufstandes niederschrieb: Es ist „das ganze

Land wider uns, ... die Paurn troen mir als wie einer feisten Gaiss“[178].

Sieht also auch der Statthalter ein ganzes Bündel von Gründen der Erhebung, so hat es bei den Zeitgenossen aber auch schon Stimmen gegeben, die nur in einer einzigen Ursache die Quelle der Erhebung sahen, wobei allerdings oft stark taktische und propagandistische Tendenzen die Feder führten. Dies gilt namentlich hinsichtlich der offiziellen bayerischen und österreichischen Versionen. Denn die Bayern waren aus sehr naheliegenden Gründen bestrebt, die Gegenreformation als alleinige Ursache des Bauernaufstandes hinzustellen, weil diese auf Konto des Kaisers ging; am Wiener Hof aber sah man in der bayerischen Verwaltung des Landes und in der Bedrückung der Bevölkerung, auch im Modus der Durchführung der Gegenreformation durch den Statthalter die Quelle des Bauernaufruhrs. Schon im Juni 1626 hatte Gerhard Questenberg an Franz Christoph Khevenhiller nach Madrid geschrieben: „Das, obwol von etlichen die ursach dieses aufrur der religionsreformation, daran gleichwohl nichts unrechts beschehen, sondern vielleicht am modo und das unordentliche passiones und privatinteresse mer dan guet mit untergeloffen, exorbitiert worden, zugemessen werde, gleichwol das üble regiment, unleidliche exaktionen, auflagen und dergleichen betrangnussen alsolche verzweiffelte zusammensetzung herausgepreßt habe, es mögen an seiten Baierns und vom herrn Stathalter zu Linz die sachen vorgebracht werden, wie sie wöllen.“[179] Die Kaiserlichen hielten diese These von der alleinigen Schuld Bayerns am Aufstand auch später fest, weil sie ihnen als Handhabe gegen Forderungen Maximilians diente, der Kostenersatz vom Kaiser begehrte für alles, was er zur Niederschlagung des Aufstandes aufwendete[180].

Wenn einer der prominentesten Zeitgenossen, nämlich Wallenstein, in bezug auf den oberösterreichischen Bauernaufstand schrieb: „Von den Jesuiten laßt euch nicht bei der Nase führen, denn ihr seht was sie für feine Händel itzt im Land ob der Ens angerichtet haben; in summa, es geht überall also zu, wo sie einwurzeln“[181], so wollte er damit die Gegenreformation, die er als Werk der Gesellschaft Jesu ansah, als Ursache der Bauernunruhe bezeichnen. Im Gegensatz dazu hat Joachim Enzmilner in seiner Schrift „Apologetische Interimsrelation“ (1626) versucht nachzuweisen, daß die Gegenreformation keinen Grund zum Bauernaufstand abgegeben habe. Enzmillner sieht vielmehr eine der Hauptursachen im Ungehorsam und in der Unbotmäßigkeit der oberösterreichischen Bauern. Ähnliches wollte ja auch Herberstorff andeuten, als er an den Kurfürsten schrieb von der allgemeinen Auffassung, „dies Land leide kein Ordnung“[182].

Die Literatur des späten 19. und frühen 20. Jahrhunderts ist bis zu einem gewissen Grad das Spiegelbild der zeitgenössischen Auffassungen. Streng katholische Historiker, denen die Gegenreformation am Herzen liegt, suchen die Hauptursache in der bayerischen Verwaltung, in Herberstorffs drückender Herrschaft, auch in ausländischen protestantischen Einflüssen; liberale Geschichtsforscher, wie Felix Stieve, suchten das bayerische Besatzungsregime und den Statthalter eher zu entlasten, neigten der Auffassung von der Gegenreformation des Kaisers als der eigentlichen Quelle der Erhebung der oberösterreichischen Bauern zu[183]. Seit Georg Grülls Forschungen zur Geschichte des Bauerntums in Oberösterreich sind wir über die soziale Lage des oberösterreichischen Bauernstandes um 1600 sehr gut unterrichtet, und wir wissen, daß die Verträge zwischen Untertanen und Obrigkeiten, welche im Anschluß an den zweiten Bauernaufstand von 1595/97 vor der kaiserlichen Kommission in Linz abgeschlossen worden waren, auch später nicht eingehalten wurden und daß die Beschwerden der Bauern über das Nichteinhalten dieser Verträge und darüber hinausgehende Forderungen der Herrschaften bis in die Zeit der Statthalterschaft Herberstorffs hinein anhielten, wie etwa das Beispiel des Konfliktes zwischen dem Kloster Mondsee und dessen Untertanen zeigt. Im März 1621 ließ Herberstorff eine Anzahl von Mondseer Untertanen aus dem Linzer Schloßkerker frei, die dort wegen ihres Widerstandes eingekerkert waren, da sie nunmehr zur Erfüllung der Forderungen des Klosters bereit waren. Die soziale Spannung, die 1595/97 zu einer großen Erhebung der Bauern geführt hatte, war also auch zu Herberstorffs Zeiten sicher noch vorhanden. Und die Tatsache, daß auch katholische Bauern — wenn auch in sehr spärlichem Maße — am Aufstand von 1626 teilnahmen, zeigt, daß bei allem Übergewicht des konfessionellen Motivs auch soziale und wirtschaftliche Gründe gegeben waren[184]. Auf der Grundlage der Forschungen Grülls, die allerdings nicht spezifisch dem

Bauernaufstand von 1626, sondern der Situation am Ende des 16. Jahrhunderts gelten, muß man, abgesehen von den religiösen Motiven, auch in der wirtschaftlichen Not des Bauernstandes und in der sozialen Stellung der Bauern einen gewichtigen Faktor als Motiv des Aufstandes sehen. Demgegenüber vertritt Alfred Hoffmann die Auffassung, daß ein schwerer Druck auf der Bauernschaft zwar nicht geleugnet werden könne, daß aber die gespannte Lage auf dem Lebensmittelmarkt in der damaligen Zeit den Bauern sehr gute Verdienstmöglichkeiten sicherte und ihnen im Handel mit bäuerlichen Produkten große Einnahmequellen zur Verfügung standen. Gerade die Inflation von 1622/23 habe eine Zeit der Konjunktur für die oberösterreichischen Bauern bedeutet, und daß die Bauern ja das Land Oberösterreich von Bayern zurückkaufen wollten zeigt, daß sie sich wirtschaftlich dazu in der Lage fühlten. Die soziale und wirtschaftliche Situation des oberösterreichischen Bauernstandes damals sei sogar günstiger gewesen als in den Nachbarländern Böhmen und Niederösterreich. So kommt Hoffmann zu dem Schluß, daß es gerade die „relativ bessere Stellung" der oberösterreichischen Bauern gewesen sei, was ihren Widerstandsgeist genährt und sie zum Aufstand ermutigt habe[185].

Es besteht kein Zweifel, daß alle diese Dinge zusammenwirkten, um die Bauern zur Erhebung zu treiben: Vordergründig — nicht nur als Anlaß, sondern als tiefer Grund — zweifellos die Gegenreformation, dann der ungeheure Druck der Besatzung zusammen mit den Schikanen bei der Durchführung der Gegenreformation durch Herberstorff und seine Beamten, dazu die wirtschaftliche Situation in dieser Zeit erhöhter Abgaben, die man höchst ungern gegeben hat, weil sie nach Auffassung der Bauern eben ein Mittel zur Ausrottung ihres Glaubens waren. Der Haß gegen den Statthalter trug zweifellos das Seine dazu bei, verbunden mit dem tatsächlich gegebenen Geist des Widerstandes der oberösterreichischen Bauern, die sich infolge der Vererbrechtung ihres Besitzes als Eigentümer ihres Bodens fühlten und durchaus selbstbewußt auch gegenüber ihren Herrn waren. Ihre drei Fahnen, die sie im Aufstand führten, zeigen doch sehr deutlich die Motive ihrer Erhebung. Auf der einen stand: „Vom bayrisch Joch und Tyranney und seiner großen Schinderey mach unnß o lieber Herr Gott frey" — also der Kampf gegen die Verpfändung dieses

Landes, gegen das Regime des Statthalters, gegen seine Härten und Ungerechtigkeiten in allen Belangen. Auf der anderen Bauernfahne fanden sich die Worte: „Weilß gilt die Seel und auch das Guet, so gilts auch unser Leib und Bluet, Gott geb unss einen Hölten mueth." Die Bauern verweisen damit auf ihren Kampf um die Freiheit ihrer Religion, um ihre durch Garnisongelder und andere Abgaben immer schmäler werdende wirtschaftliche Kraft. Die dritte Bauernfahne aber drückt den inneren Zwang aus, der sie trieb, um all diese ihre ideellen und materiellen Güter zu kämpfen und Leben und Gut dafür zu riskieren: „Es mueß also sein."[186]

Im Zusammenhang mit dem Frankenburger Aufruhr hatte Graf Herberstorff beabsichtigt, eine Entwaffnung der aufrührerischen Märkte durchzuführen. Er hatte aber Bedenken, weil er — wie er in seinem Bericht an den Kurfürsten Maximilian wörtlich ausführte — Sorge hatte, „die underigen Paurn im Thonau Tall" würden „sich daryber vil ungleichs einbilden und daryber etwas anfangen, das nit guet wehre, weil aber merklich daran gelegen, das alle Paurn disarmiert werden, also will ich nit underlassen, mich hierzu der negsten occasion zu bedienen"[187]. Herberstorff befürchtete also bei sofortiger Disarmierung neue Unruhen bei den Bauern, war aber entschlossen, diese Entwaffnung in einem ihm günstiger erscheinenden Zeitpunkt durchzuführen. Im Frühjahr 1626, nach der Rückkehr von einer Reise nach München, hörte er von Waffenkäufen der Bauern und entschloß sich zur Entwaffnung der Bürger und der Bauern. Er meinte: „Glückts, bin ich vieler Sorgen ledig; widersetzen sich aber die Bauern, so weiß man, warum es geschieht." Es sei dann, meint der Statthalter, besser jetzt, als zu einem Zeitpunkt, „wo etwa auch unsere Nachbarn in Anspruch genommen sind". Am 15. April 1626 erließ der Statthalter ein Patent, welches die Ablieferung der Waffen durch die Bürger und Bauern befahl. Merkwürdigerweise vollzog sich diese Entwaffnungsaktion ohne Schwierigkeiten. Herberstorff schätzte daraufhin die Situation, wie sich später ja zeigen sollte, vollkommen falsch ein. Er hatte wegen des glatten Verlaufes der Entwaffnungsaktion in München sich sogar für eine Verringerung der Besatzung und eine Ermäßigung des Garnisongeldes eingesetzt[188]. Man befürchtete also keinerlei Unruhen, auch am Hof des Kurfürsten in München nicht. Denn noch am 18. Mai 1626 erteilte Kurfürst Maximilian dem Statthalter Herberstorff den Befehl, nach Wien an den Kaiserhof zu reisen. Er sollte dort im Auftrag des Kurfürsten den Kaiser bewegen, Wallenstein zu einer besseren Zusammenarbeit mit Tilly und dem Liga-Heer zu veranlassen[189]. Während Maximilian also der Meinung war, Herberstorff wäre nach Wien gereist, war dieser bereits mit den ersten Maßnahmen gegen die eben ausgebrochenen Bauernunruhen beschäftigt. Der Statthalter weilte in seinem Schloß Ort am Traunsee, wo er sich zur Ader lassen wollte. Dort erreichte ihn die Nachricht von der Erhebung der Bauern, die ihm der Abt von Göttweig, der in Aschach an der Donau Zeuge der ersten Unruhen war, und „einige bayrische Herren" zukommen ließen[190].

Es scheint so gut wie sicher zu sein, daß der Aufstand geplant war. In den Häusern des Stephan Fadinger, Bauer auf dem Gut zu Fatting am Wald bei der Stauff in der Nähe von St. Agatha im Hausruck, und seines Schwagers Christoph Zeller, der Wirt in St. Agatha war, hatten seit längerem Besprechungen stattgefunden, deren Ziel ein allgemeiner Aufstand im Lande gegen die Bayern war, der die Rückgabe des Landes an den Kaiser sowie die Wiederherstellung der alten Landesverfassung unter einem Landeshauptmann bewirken sollte. Mit der Vertreibung der Bayern hofften die Bauern auch die Gegenreformation los zu sein, die sie als Werk des Statthalters Herberstorff ansahen. Es galt also die Erhebung der Beseitigung von Zuständen, die in den Augen der Bauern gegen die Ordnung und gegen das alte Recht waren. Die Verschwörung hatte größere Teile des Landes erfaßt. Zu Pfingsten sollte sich das Land gegen die bayerische Besatzung und gegen Herberstorffs tyrannisches Regime erheben. Es geschieht bei derartig geplanten Unternehmungen aber meist, daß ein unvorhersehbares und unvorhergesehenes Ereignis den Terminplan stört. So war es auch hier. Zwischenfälle zwischen Bauern im Mühlviertel, zu Lembach, mit bayerischen Soldaten am 17. Mai 1626 zwangen die Bauernführer zu einem verfrühten Losschlagen. Trotz des Aufflackerns und der Ausbreitung der Unruhen nördlich der Donau bildete sich der Kern der Erhebung im Gebiet um St. Agatha. Bald wurden die umliegenden Märkte und Herrschaftssitze besetzt, und die dort deponierten Waffen fielen in die Hände der Bauern. Am 20. Mai standen die Bauernscharen vor dem Markt Peuerbach, den sie niederbrannten.

Herberstorff hatte sich auf die Kunde von der Bauernerhebung nach Linz begeben. Er hat zunächst — wie Khevenhiller nach Madrid berichtet worden ist — versucht, die Bauern „in der Güte zur Ruhe zu bringen, aber nichts ausgericht". Abt Falb von Göttweig rühmt ebenfalls Herberstorffs Versuch, die Bauern durch ein Patent zur Ruhe zu bringen, zugleich aber den Mut des Statthalters, der den Bauern nun entgegenzog ohne Rücksicht auf eigene Gefahr und eigenes Leben[191]. Herberstorff rückte mit einer verhältnismäßig bescheidenen Truppe gegen Peuerbach, wo er von einem Bauernheer geschlagen wurde und daraufhin fluchtartig die schützende Landeshauptstadt Linz, die eilig befestigt wurde, erreichte. Von da an — die Peuerbacher Schlacht fand am 21. Mai 1626 statt — war Herberstorff nicht mehr offensiv im Bauernkrieg militärisch tätig. Nach der siegreichen Bauernschlacht vor Peuerbach, die Christoph Zeller gewonnen hatte, wählten die Bauern Stephan Fadinger[191a] zum Oberhauptmann im Hausruck und im Traunviertel, d. h. für das südlich der Donau gelegene Oberösterreich, und Christoph Zeller zum Oberhauptmann der beiden anderen im Norden der Donau gelegenen Viertel des Landes. Zwei Tage nach der Schlacht bei Peuerbach rückten die beiden großen Bauernhaufen von Peuerbach aus[192]. Innerhalb einer Woche — bis Ende Mai — war mit Ausnahme der Stadt Freistadt und des Dorfes Urfahr gegenüber von Linz das ganze Land nördlich der Donau in den Händen der Bauern. Fadinger aber rückte mit seinen Bauernscharen im Süden der Donau vor, nahm Eferding, rückte in Wels ein, besetzte das Stift Kremsmünster. Das Benediktinerstift Lambach und Herberstorffs Schloß Ort am Traunsee wurden geplündert und verwüstet. Gmunden, Ebensee und das Kloster Traunkirchen fielen in die Hände der Aufständischen. Von Kremsmünster zog Fadinger gegen die Stadt Steyr. Wie in Wels verständigte sich auch hier der Rat der Stadt mit den Bauern, und die Stadt öffnete die Tore. Es war von Bedeutung, daß der frühere Stadtrichter von Steyr, Wolf Madelseder, und der Steyrer Advokat Dr. Lazarus Holzmüller nunmehr großen Einfluß auf die Bauern und ihre Aktionen gewannen. Herberstorff, auf der Burg zu Linz keineswegs untätig, suchte Zeit zu gewinnen. Das war nötig, nicht nur wegen der akuten Gefahr für Linz und für ihn selbst, sondern auch, weil zur Niederwerfung des Aufstandes beträchtliche Kräfte nötig waren.

Herberstorff sprach zunächst von 12.000 bis 15.000 Mann. Die militärische Situation in Deutschland aber ließ es im Augenblick nicht zu, Truppen vom großen Kriegsschauplatz in das aufständische Land ob der Enns abzuziehen. Herberstorff bediente sich der oberösterreichischen Landstände, die er gleich nach Beginn des Aufstandes nach Linz berufen hatte, die Bauern für Verhandlungen zu gewinnen, und er drängte den Kaiser und den bayerischen Kurfürsten, Kommissäre in das Land abzusenden. Die Bauern waren nach längeren Bemühungen und verschiedenen Zusagen des Statthalters zum Verhandeln und zu einem Stillstand in den Kriegshandlungen bereit.

Am 4. Juni kamen kaiserliche Kommissäre, der Abt von Lilienfeld, die Reichshofräte Fuchs und Grünthal und der niederösterreichische Regierungsrat Dr. Hafner, in Enns an und begaben sich gleich nach Linz. Sie waren bereit und bevollmächtigt, die Beschwerden der Bauern entgegenzunehmen. Die Gerüchte über bayerische Truppenbewegungen bewogen die Bauern zwischendurch zum Vormarsch auf St. Florian und Ebelsberg, wo sie dann das „Christliche Feldlager" errichteten. Den Einmarsch von neunhundert Bauern in Urfahr betrachtete der Statthalter als Bruch der Stillstandszusagen der Bauern, und die Stände konnten nur mit Mühe ein Scheitern der Verhandlungen verhindern. Als die kaiserlichen Kommissäre sich mit Herberstorff zerstritten, verließen sie die Stadt, wurden von den Bauern, in der Befürchtung, daß sie zurück nach Wien reisen und dann das Kriegsvolk einrücken werde, in Ebelsberg festgehalten und ihnen dann Steyr als Aufenthalt zugewiesen. Auch der Kurfürst von Bayern hatte Kommissäre ernannt, die jedoch in Passau blieben und das Land ob der Enns nicht betraten. Ein Bauernausschuß ist von den Kommissären des Kaisers in Linz empfangen worden. Am 20. Juni traf in Wien eine Bauernabordnung ein, die mit dem kaiserlichen Kommissär Dr. Hafner in die kaiserliche Hauptstadt gereist war. Die Bauern hatten vor, der Kaiserin bei Freigebung der Religion den Rückkauf des Landes ob der Enns anzutragen. Aber sie wurden weder vom Kaiser noch von der Kaiserin empfangen. Der geheime Bericht der Bauerndelegation aus Wien nach Ebelsberg, es sei schlechter Bescheid zu erwarten, bewirkte, daß die Bauern beschlossen, die noch nicht in ihrer Hand befindlichen Städte des Landes mit Waffengewalt zu bezwingen. Freistadt war bereits belagert, ein Teil des Bauernheeres rückte nun gegen Enns, mit der Hauptmacht wandte sich Stephan Fadinger gegen die Hauptstadt des Landes Oberösterreich, wo er am Abend des 24. Juni eintraf. Die Vermittlungsaktion der Stände lief allerdings weiter. Auf eine kaiserliche Interimsresolution verbürgten die Stände die Einhaltung des Stillstandes durch den Statthalter, worauf auch die Bauern einem Stillstand zustimmten. Durch Fadingers Verwundung am 28. Juni vor dem Linzer Landhaus und seinem am 5. Juli erfolgten Tod erlitt die Bauernschaft einen schweren Verlust. Fadinger hatte noch die Eroberung von Freistadt am 1. Juli erlebt. Zu seinem Nachfolger als Oberhauptmann wählten die Bauern des großen Lagers in der Weiberau Achaz Wiellinger, einen jungen Adeligen. Die in Steyr weilenden kaiserlichen Kommissäre wurden nun von den Bauern freigelassen, nachdem sie geschworen hatten, daß kein Kriegsvolk in das Land rücken werde, wenn die Bauern den Waffenstillstand halten. Ständemitglieder, die sich in Steyr wegen der Verhandlung eingefunden hatten, begaben sich nun nach Wels — sie hießen nunmehr in den Aktenstücken stets die Welser Stände —, wo sie am 16. die Beratungen aufnahmen. Dem Statthalter war diese Versammlung von Ständemitgliedern, die nicht seiner Kontrolle unterworfen waren, sehr zuwider. Der Stillstand zwischen dem Statthalter und den Bauern wurde nie längere Zeit kontinuierlich eingehalten. Mehr als dreihundert bayerische Soldaten hatten am 17. Juli die Donausperre der Bauern oberhalb des Schlosses Neuhaus gesprengt und waren mit einer Ladung von Geschützen, Munition und Lebensmittel auf der Donau nach Linz gelangt. Bei dem Scharmützel, das sich in diesem Zusammenhang ergab, fiel der Bauernführer Christoph Zeller. Ein Sturm des Bauernheeres auf Linz am 21. Juli hatte keinen Erfolg.

Die große Wendung trat ein, als am 23. Juli von Niederösterreich her kaiserliches Kriegsvolk in das Land unter Führung der kaiserlichen Obersten Hans Christoph Löbl und Weikhart von Auersperg zur größten Überraschung der Bauern mit 1662 Mann Fußvolk und 536 Knechten eindrang, Enns besetzte, die Bauern vertrieb und St. Florian und Ebelsberg einnahm. Ferdinand II. hatte schon im Juni Wallenstein aufgefordert, Teile seines Heeres gegen die obderennsischen Bauern in Marsch zu setzen. Dieser hatte aber erklärt, daß er diese Truppen selbst dringend benötige, und er verwies den Kaiser auf „genuegsamb Assistenz“, die er vom Kurfürsten von Bayern und vom Salzburger Erzbischof wohl haben könne[192a]. 2000 Bauern unter Achaz Wiellinger brachen nun von der Weiberau auf. Die Verhandlungen — von den Ständen stets betrieben — machten keinerlei Fortschritte. Neue kaiserliche Kommissäre — darunter Graf Leonhard Helfried von Meggau und der Abt Anton von Kremsmünster — richteten von Melk aus Kundmachungen an die Bauern. Aber es kam zu keinem echten Stillstand. Herberstorff drängte auf rasche Hilfe, und der Überfall der Bauern auf fünf Kremsmünsterer Stiftspfarren als Rache wegen der Ermordung bäuerlicher Aufgebotsleute durch die katholischen Untertanen des Stiftes beschleunigte den Beschluß zur Gewalt. Anfang August beschlossen die kaiserlichen Kommissäre einen vereinten Angriff österreichischer und bayerischer Truppen auf die Bauern. Da jedoch bayerische Truppen noch nicht angriffsbereit waren, griffen die unter Löbl und die von Böhmen aus im Norden unter Oberst Breuner eingedrungenen kaiserlichen Kriegsvölker die Bauern an. Breuner eroberte am 16. August Freistadt und große Teile des Landes im Norden der Donau. Wiellinger hatte das Lager bei Neuhofen an der Krems bezogen, wo ihm einen Tag nach der Einnahme Freistadts der Oberst Löbl eine schwere Niederlage beibrachte. Das Wüten des kaiserlichen Kriegsvolkes rief ungeheuren Schrecken hervor und trieb die Bauern zu verzweifelter Abwehr. Als Löbls Kriegsvolk am 22. August Steyr ohne Widerstand besetzt hatte, zog der kaiserliche Oberst dann gegen Wels, wo 2000 Bauern unter Wiellinger lagerten. Löbl bot freien Abzug bei Übergabe der Stadt innerhalb zweier Stunden an. Die Bauern gaben nach, und am 27. August zog Löbl in Wels ein.

Auf die Kunde vom Fall der Stadt Wels zogen die Bauern von Linz ab. Die Landeshauptstadt war am 29. August wieder frei. Waffenstillstandsverhandlungen mit den kaiserlichen Kommissären in Melk und in Niederwallsee waren an der Religionsfrage und an der Weigerung der Bauern, die Belagerung von Linz abzubrechen, bisher gescheitert. Nun nach dem Ende der Belagerung der Hauptstadt und unter dem tiefen Eindruck des Zerfalls der Widerstandskraft der Bauern kam es am 7. September zu einem Waffenstillstand zwischen den Kommissären und den

Bauern für die Zeit vom 10. bis einschließlich 18. September[193]. Innerhalb dieser Zeit sollte weder vom Kaiser noch vom Kurfürsten Kriegsvolk in das Land geführt werden. Der Bauernausschuß mußte in einer Schrift an den Kaiser unter Eid geloben, die Bauern würden sich jetzt und künftig an einem Aufstand nicht mehr beteiligen, und durch Abgeordnete dem Kaiser Abbitte leisten. Die Bauern sollten sich bis zum Ablauf des Waffenstillstands nach Hause begeben, ihre Waffen abliefern, die Rädelsführer, Ausländer und den Briefwechsel mit den Feinden des Kaisers ausliefern, sie sollten sich dem Kaiser auf Gnade und Ungnade ergeben. Am 23. September leisteten hundert Abgeordnete der Bauern, 25 aus jedem Landesviertel, dem Kaiser Abbitte. Am gleichen Tag nahm Ferdinand II. die Bauern in einem Begnadigungspatent wieder in Gnaden auf, wobei die Rädelsführer von der Verzeihung ausgeschlossen wurden. Die kaiserlichen Kommissäre ließen Madelseder, Dr. Holzmüller und auch Achaz Wiellinger in Haft nehmen. Der Krieg schien zu Ende zu sein.

Aber am 18. September, also noch vor Ende des Waffenstillstandes, landeten bayerische Truppen unter dem Herzog von Holstein — es waren 4000 Mann und hundert Reiter — in Wesenufer. Die Bauern sahen sich betrogen und riefen zu neuem Kampf. Bei Neukirchen am Wald überfielen die Bauern das Kriegsvolk des Holsteiners, brachten ihm eine schwere Niederlage bei und zwangen den Herzog zur Flucht. Einen Tag nach der Landung der holsteinischen Truppen überschritt der bayerische Oberst Lindlo mit 3102 Mann Fußvolk und siebenhundert Reitern und Landwehrsoldaten die österreichische Grenze und zog gegen Haag am Hausruck. Bei Korneródt griff Lindlo am 20. September die Bauern an, erlitt jedoch eine schwere Niederlage. Das Glück war weiterhin den Bauern, die verzweifelt kämpften, wieder hold. Der Krieg entbrannte neu in weiten Teilen des Landes, schwere Kämpfe gab es am Traunfall, die Welser Vorstadt brannte ab, die Bauern belagerten Gmunden, und auch im Mühlviertel gab es wieder heftige Kämpfe. Ende Oktober forderte der Kaiser den Kurfürsten von Bayern auf, an der militärischen Niederwerfung des Aufstandes mitzuwirken, und er setzte auch eine Exekutionskommission ein. Die Endphase des großen Bauernkrieges begann. Sie stand im Zeichen des neuen bayerischen

Generalwachtmeisters Gottfried Heinrich von Pappenheim, der nunmehr wieder in die Dienste des Kurfürsten Maximilian getreten war. Pappenheim täuschte die Bauern über die Richtung seines Vormarsches. Am 1. November 1626 überschritt er von Passau kommend im Mühlviertel die Grenzen des Landes, vereinigte sich mit den im Norden der Donau operierenden Kaiserlichen und war am 4. November in Linz. Nach Verstärkung durch kaiserliche Truppen — den Oberbefehl hatte vereinbarungsgemäß Oberst Löbl — zog das bayerisch-kaiserliche Heer am 9. November gegen Eferding, stieß vor der Stadt bei Emling auf die Bauern. Dort fand — wie Pappenheim schrieb — „das wunderbarste Fechten, welches vielleicht in langen Jahren geschehen ist", statt. Pappenheim rühmte den Kampfesmut der Bauern, die aber dennoch den geschulten Truppen Löbls und Pappenheims unterlegen waren. Nach dem schweren Debakel der Bauern bei Eferding wandte sich das Heer gegen die Gmunden bedrängenden Bauern. Bei Pinsdorf fand eine mehr als drei Stunden dauernde Schlacht statt — Pappenheim, ein erfahrener Kriegsmann, hatte nie zuvor ein hartnäckigeres und grausameres Kämpfen gesehen. Auch hier wurden die tapfer kämpfenden Bauern besiegt, 2000 Mann sollen auf der Walstatt geblieben sein. Nun gab es keine Pause mehr für die Aufständischen. Pappenheim zog gegen den Hausruck, das Nest des Aufstandes. Am 18. November schlug er die Bauern bei Vöcklabruck und befreite die Stadt, zwei Tage später schlug er 2000 Bauern bei Wolfsegg, in den folgenden Tagen wurden die letzten Reste des Widerstandes im Hausruckviertel gebrochen. Dann gingen die Truppen in die Winterquartiere: Im Hausruck blieben bayerische Einheiten, Pappenheim nahm in Grieskirchen Quartier, Löbl in Wels, der Herzog von Holstein in Eferding und Auersperg in Enns. Der große Bauernaufstand war zu Ende. Er hatte das Land und seine Städte verwüstet, das Ringen der Bauern um Freiheit des Gewissens und um das Ende der tyrannischen Herrschaft der Bayern war umsonst gewesen. Unendliches Unglück war über das Land ob der Enns gekommen.

Wie hat nun Herberstorff, den die Bauern noch knapp vor Ende des Krieges als „den Urheber des Aufstandes" bezeichneten, sich in diesem großen Ringen verhalten, wie hat er als Militär das Geschehen beeinflußt und welchen Anteil hat er als Statthalter an den Entscheidungen, die sich während des Krieges ergaben, genommen bzw. nehmen können?

Militärisch ist Herberstorffs Wirken zunächst durch die Schlappe bei Peuerbach gekennzeichnet[194]. Er hatte die Gefahr, die ihm und der bayerischen Militärregierung im Lande ob der Enns drohte, an sich nicht unterschätzt und ist darum auch außerordentlich schnell gegen den Aufstand eingeschritten. „Es hat ein gar böses und gefährliches Aussehen", hat er an Kurfürst Maximilian geschrieben, als er sich auf dem Zug gegen die Bauern in Eferding, wo er 3000 Bauern versammelt wußte, befand, die dann allerdings sich gegen Peuerbach zurückgezogen haben. Herberstorff wußte auch, daß der Aufstand keine lokale Angelegenheit war, sondern daß das Ansagen der Bauern und der Aufruf zum Aufstand im „ganzen Land" erfolgte[195]. Sein Gedanke war dabei, durch einen Schlag die Bauern, wie er es nannte, zu „zertrennen" und sie sogleich am Beginn der Erhebung und vor der Ausbreitung des Aufstandes über das Land durch eine militärische Aktion zur Ruhe zu bringen. Falsch war es allerdings, daß er die Kraft der Aufständischen offenbar unterschätzte. Er hatte in Frankenburg erlebt, wie die Nachricht von seinem Erscheinen und die Kunde, daß bayerisches Kriegsvolk an der Grenze sei, Wunder gewirkt hatte, so daß er bei seinem Eintreffen nur mehr die Bestrafung vornehmen mußte.

Vielleicht hat das Frankenburger Erlebnis auf das Unternehmen Peuerbach des Statthalters eingewirkt. Herberstorff mochte auf eine ähnliche Wirkung des militärischen Eingreifens hoffen und mag noch durch das Zurückweichen der Bauern in Eferding gegen Peuerbach in dieser Meinung bestärkt worden sein. Auch die Art, wie er seine Aktion einleitete, war ähnlich wie beim Frankenburger Aufruhr. Er dachte mehr an eine größere Polizeiaktion als an eine ernstliche militärische Auseinandersetzung mit den Bauern. Mit 1000 Musketieren und hundert Reitern sowie drei leichten Geschützen brach er am 20. Mai von Linz auf, und wie auf dem Weg nach Frankenburg, begleitete ihn auch hier der Henker, der bald in Funktion trat, da Herberstorff einige gefangene Bauern, welche Aussagen verweigerten, an der Straße hängen ließ. Herberstorff war zwar seit seinem Weggang von Neuburg Obrist und damit Truppenführer, er war auch im Stabe Tillys und hatte kurze Zeit, wie wir wissen, bei Tillys Abwesenheit das ganze

Liga-Heer unter seinem Kommando, aber bei Peuerbach hat er bewiesen, daß er kein Feldherr gewesen ist. In ungünstigster Situation hat er dort, ohne die wahre Stärke der Bauern zu kennen, den Angriff eröffnet. Er war dem Bauernheer unter Christoph Zeller in eine wohlgestellte Falle gegangen. Während nur eine kleine Bauernschar für den Statthalter sichtbar war, hatte sich das Gros des Bauernheeres auf einer nicht einsehbaren Wiese versammelt und griff den Statthalter aus dem Hinterhalt an, als Herberstorff den Angriff auf die kleine, ihm sichtbare Bauernschar eröffnete. Da der Statthalter in einer engen Mulde operierte, nicht einmal seine Geschütze in Aufstellung gebracht hatte und keine Möglichkeit zu einem geordneten Rückzug hatte, wurde der Angriff der zahlenmäßig weit überlegenen Bauern zur Katastrophe für Herberstorffs Truppe. Seine Soldaten wurden in mörderischem Kampf überwältigt und zum großen Teil — sechshundert bis siebenhundert — in der Mulde zusammengehauen. Die Geschütze des Statthalters konnten nicht in Aktion treten, da die Bauern, die Herberstorff zur Beförderung der Geschütze verwendet hatte, beim Angriff des Bauernheeres die Pferde ausspannten und davoneilten. Die spärlichen Reste von Herberstorffs Truppe flohen — unter ihnen auch Herberstorffs Vetter Walkun — teils über die bayerische Grenze. Der Statthalter selbst erreichte, begleitet von einigen kroatischen Reitern, auf dem dritten Pferd fliehend die Stadt Linz. Die Geschütze, die gesamte Munition, zwei Wagen mit Wein und die Kalesche des Henkers fielen in die Hände der Bauern. Herberstorff, der vom Kampf der Bauern in Peuerbach tief beeindruckt war, meinte, die Furie der Bauern sei so greulich, als er es in seinem Leben noch nie gesehen[196]. Der Statthalter gab die Zahl der Bauern, die ihn bei Peuerbach besiegt hatten, mit 10.000 an, spricht aber auch davon, daß manche meinen, es seien 15.000 gewesen. Dieser Übermacht gab er die Hauptschuld an seiner Niederlage. In Wien glaubte man nicht an solch hohe Zahlen, sondern verdächtigte Herberstorff, er habe weit übertrieben, um damit „große und grobe Errores"[197], die er beim Angriff begangen, zu verschleiern. Herberstorff hoffte, daß seine militärische Niederlage bei Peuerbach ihm nicht die Ungnade Maximilians einbringen werde, denn er habe nur versucht, die Bauern „zeitlich zu trennen", d. h. gleich am Anfang zu schlagen. Daß es nicht gelungen sei, „ist Gott weiß aus kheiner nachlässigkeit geschehen, sondern dem großen Gewalt und Untreu der Leut, so die Stück geführt, das ich derselben kheine gebrauchen khönnen, zuzuschreiben. Was ich gethan, ist aus einem eyfrigen treuen Gemüet beschehen, dahin mich mein Eyd und Pflicht meiner Mainung nach gewisen."[198]

„In Linz ist ein sehr großer Schrecken und Furcht", berichtete ein unbekannter Zeitgenosse nach der Peuerbacher Schlacht aus Freistadt. Das bayerische Vizedomamt habe alles Geld und briefliche Dokumente geflüchtet, Bürger und Handelsleute verbrachten ihre Waren und Güter nach Wien[199]. Als Herberstorff die Hauptstadt erreicht hatte, wo er angeblich erkrankte[200], da schrieb er an Maximilian um Hilfe. Herberstorff hatte die berechtigte Sorge, die Bauern, die im ganzen Land sich erhoben, „würden ihr Hail zu Linz allhier am ersten versuchen, wie sie sich dann vernehmen lassen". Aber er war entschlossen, „dieses Orth zu Lynz solang zu erhalten als immer möglich"[201]. Hier gedenkt er zu „leben und zu sterben und ihr churfürstl. Durchlaucht den Platz solang ich kann zu halten, allein mueß ich bald succuriert sein", schrieb er an Tattenbach in Ried[202]. Der Statthalter bat den Kurfürsten um eine starke Hilfe, denn 6000 bis 8000 Mann seien zuwenig. Er hat sich auch an den Erzbischof von Salzburg um Hilfe gewandt und dem Kaiser berichtet, doch ziehe er bayerische Hilfe vor, aber — so meint er — „es ist kein Stund zu feiern"[203]. Herberstorff riet aber dem Kurfürsten davon ab, die bayerische Landwehr gegen den Aufstand einzusetzen: „Euer churfürstl. Durchlaucht verlassen sich auf ihr Landtvolk allein nit ... es werden Soldaten mit ihnen ze thuen haben." Einen Tag später meinte der Statthalter, Bayern müsse 12.000 oder 15.000 Mann senden. Wenn Salzburg das gleiche mache, werde geholfen sein. „Aber das Land wird ganz verderbt", sagte der Statthalter, und darum habe er den Bauern angeboten, Abgeordnete zu ihm zu senden, damit er ihre Beschwerden vernehme[204]. Herberstorff war in diesen ersten Tagen, da er nach der Peuerbacher Niederlage in Linz den Angriff der Bauern befürchtete, wieder bewußt geworden, wie verhaßt er und die bayerische Verwaltung im Land waren. „Es ist das ganze Land wider unss", schrieb er, und das schon erwähnte Wort „die Paurn troen mir als wie einer faisten Gaiss". Pfliegl aber meinte, Gott habe die Bauern wohl geblendet, sonst müßten sie schon vor Linz stehen[205]. Aber diese kamen noch nicht, es fehlte ihnen die militärische Erfahrung, und sie hielten starr an ihrem Plan fest, zuerst die Bauern und Bürger im ganzen Land zum Anschluß an die Erhebung zu bringen. Das war Herberstorffs Glück. Er konnte die Befestigungen der Stadt erneuern und Vorkehrungen zur Verteidigung treffen. Diese Verteidigung der Stadt Linz war Herberstorffs eigentliche militärische Leistung während des Bauernkrieges.

Der Sukkurs, den Herberstorff für Linz wünschte, blieb zunächst aus. Die Tendenz des Statthalters, vor allem Zeit zu gewinnen, Verhandlungen mit den Bauern einzuleiten, war zweifellos richtig. Die Situation, vor allem seine eigene, zwang ihn dazu, denn er brauchte Zeit, um wenigstens Linz in Verteidigungszustand zu setzen. Aus der Stadt begann zunächst ein großes Fliehen. Herberstorff meinte anfangs, er könne die Stadt höchstens acht bis zehn Tage halten. Die militärische Besatzung war gering, sie dürfte etwa 1200 bis 1400 Mann betragen haben, wozu noch die bewaffneten Bürger kamen[206]. Wenn auch die Bauern sich nicht sofort auf die Landeshauptstadt warfen, so war Herberstorff schon lange bevor die richtige Belagerung begann, wie er es nannte, in der Stadt „blockiert". Sie „zeigen noch kein ander Feintlichkeit, als daß sie jenseits und diesseits des Wassers umb die Stadt in 30.000 stark liegen", berichtete er über die Bauern. Die Stadt litt Mangel an Proviant und hatte nur für kurze Zeit Brot zur Verfügung, und die Munition schwand bald durch das „continuierliche Schießen". Daher seine Bitte an den Kurfürsten, er möge Mittel finden, um den Paß der Zufuhr halber offenzuhalten, „sonst würde er sein Kriegsvolk auch ohne Fechten verlieren". An die kurfürstlichen Kommissäre, die in Passau saßen, schrieb der Statthalter am 18. Juni, er habe für acht Tage noch Lebensmittel, acht weitere Tage werde er fasten und — wenn Gott wolle — fechten, dann müsse ihm geholfen werden[207]. Aus Wien sprach man Herberstorff Mut zu, verwies auf die militärische Stümperhaftigkeit der Bauern und schilderte ihm Beispiele der Standhaftigkeit belagerter Städte von der Antike bis zur Belagerung der Stadt Breda durch Spinola im Jahre 1625: „Euer Gnaden sein verständig und des Kriegswesens wohl erfahren; die werden die Sache schon recht zu thuen und den Feinden ... zu erzeigen wissen", daß Kurfürst Maximilian in ihm, dem Statthalter, einen Mann habe, der seine Tapferkeit zeigen werde in

Anbetracht der Tatsache, daß, falls Linz verlorengehe, die Dinge nicht nur in Österreich, sondern überall, wo man für die Erhaltung der Wohlfahrt der katholischen Fürsten kämpfe, sich schlechter stehen würden[208].

Herberstorff hielt eiserne Disziplin in der Stadt, die zeitweise schwer bedrängt war, und die Bürger von Linz fürchteten sich vor dem Hunger, da der Statthalter die Soldaten bei der Verteilung von Lebensmitteln immer bevorzugte: „Wanns lang wehret", schrieb ein Linzer Kaufmann schon am 15. Juni, „so müssen wir verhungern", und dazu die Bemerkung, „er, Statthalter hat sich auf ein halb Jahr im Schloß verproviantiert, läßt sich stark verschanzen und verpollwerken". Herberstorff hielt die Vorräte in der Stadt zusammen, ließ alles Heu aus der Vorstadt ins Schloß bringen und das in der Stadt selbst lagernde inventarisieren, aus jedem Stall mußte ein Stück Vieh für das Militär geliefert werden, er setzte sparsame Brotrationen für die Truppe, noch spärlichere für die Stadtbewohner fest. Dafür gab es mehr Wein für die Kriegsknechte. Noch zwei Tage vor Beginn der Belagerung ließ er 1000 Eimer Wein, alles Mehl und hundert Kufen Salz in das Schloß bringen[209].

Dieses — hoch über der Donau gelegen — sollte der zentrale Kern der Verteidigung der Stadt sein. Herberstorff war, wie er es ja schon dem Kurfürsten geschrieben hatte, entschlossen, die Stadt zu halten und — wie aus der Zusammenballung aller Vorräte im Schloß zu erkennen ist — notfalls das Schloß bis zum Ende zu verteidigen[210]. Er besaß die nötige Härte zum Durchhalten gegen andere und auch gegen sich selbst und gab trotz größter Sorge bei Beginn der Belagerung seine Hoffnung zu erkennen, die Bauern abwehren zu können. Er sei entschlossen — so äußerte er sich —, „sobald die Bauern schießen oder zu schanzen sich unterstehen werden, wolle er auf sie losbrennen. Getraue sich wohl wider sie zu defendirn ... sei froh, daß es nunmehr zu solchem Corraige komme." Und in seiner derben Landsknechtart meinte er, er „hoffe die Pauern also zu tractirn, das man ihnen noch die Schwänz aus dem Leib schneiden könne". Herberstorff war auf keinen Fall zu einer Kapitulation bereit. Zum nicht geringen Schrecken der in der Stadt weilenden Ständemitglieder hatte er verschiedentlich sowohl zu einzelnen als auch „insgemein" geäußert, was er für den Fall vorgesehen habe, daß die Bauern die Stadt erobern. Er habe „für sich und andere ehrliche Cavagliri ein Sprengwerk im Schloß zu dem Ende zurichten lassen, wann er von den Pauern vergewaltigt werden soll, daß er resolviert sei, sich auf solchen Fall dahin zu begeben und sein Leben daselbst zu enden". Nun war dies allerdings nicht der Grund des Schreckens der Stände, wenn der Statthalter sich beim Fall der Stadt in die Luft gesprengt hätte. Aber Herberstorff hatte vor — und er hat dies auch sehr deutlich geäußert —, daß auch die in der Stadt befindlichen Mitglieder der Landstände sich im Katastrophenfalle ins Schloß begeben sollten und mit ihm und seinen Soldaten das tun sollten, „was ehrlichen Cavalirn gebüret"[211].

Am Abend des 24. Juni 1626 zog Stephan Fadinger mit einem großen Teil des zu Ebelsberg lagernden Bauernheeres vor die Stadt Linz und erschien auf dem Martinsberg gegenüber dem kaiserlichen Schloß. Herberstorff ließ die Blutfahne schwingen zum Zeichen, daß er bereit war, den Bauern zu trotzen. Nach Herberstorffs Schätzung mögen es 6000 bis 8000 Bauern gewesen sein, die um Linz lagerten[212]. Abmahnungsversuche der Stände hatten keinen Erfolg. Fadinger und „eine ganze versammelte Bauernschaft" erklärten, daß ihr Anmarsch auf die Hauptstadt des Landes weder gegen den Kaiser noch gegen andere Menschen, die es mit ihnen väterlich, christlich, treuherzig und wohl meinen, als Offension und Beleidigung gedacht sei. Vor Gott bezeugen sie, die wahre Ursache, daß sie Linz bekriegen, sei, „daß uns Adam von Herberstorff derzeit seßhaft in höchstgedachter Römisch kaiserlichen Majestät Schloß Linz, welcher uns nunmehr in das sechste Jahr in unsern Gewissen mit Abschaffung der evangelischen Prediger, und unserer Personen, dann auch in unseren Gütern mit seiner Person und Soldaten zum Höchsten bedrängt, unchristlich wider Gottes Ehr und Recht gemartert und unaussetzlich gepeiniget". Die Bauern fordern nun die Stände in der Stadt auf, ihnen den Statthalter auszuliefern, die Soldaten abziehen zu lassen und ihnen die Stadt zu übergeben. Sollten sie des Statthalters und seiner Soldaten nicht mächtig sein, dann mögen sie, die Stände, sowie alle Bürger und Einwohner der Stadt diese verlassen und sich nach Ebelsberg oder nach Wels begeben, wo sie salva guardia erhielten. Wenn ihre „christliche Warnung" nicht verfange, protestieren sie vor Gott und der Welt, daß sie am

Ruin unschuldig seien. Die Stände schrieben nun den Bauern, daß sie sich selbst genug daran erinnern müßten, daß der Herzog von Bayern als kaiserlicher Kommissarius, dem sie die Interimshuldigung geleistet haben, den Statthalter Herberstorff einsetzte und diesen ihnen in eigener Person vorstellte und alle mit Gehorsam und Respekt auf den Statthalter gewiesen; die Bauern könnten daraus leicht ersehen, daß es den Ständen nicht gebühren könne, sich eine Jurisdiktion über den Statthalter Herberstorff anzumaßen, „welcher mit dem Land und uns, und nicht hingegen wir mit ihm zu schaffen“[213]. Herberstorff wußte schon früher, daß die Bauern ihn in ihre Hand bekommen wollten. Als am 12. Juni ein Bauernausschuß bei den kaiserlichen Kommissären in Linz war, da erschien der Statthalter bei den Bauern in ihrem Quartier. Er hielt ihnen vor, er habe glaubwürdig vernommen, die Bauern drohen, daß sie, wenn sie ihn in ihre Hand bekämen, „unchristlich mit ihm verfahren wollten“. Dazu sagte Herberstorff den Bauern: „Er wölle sich als ein ehrlicher Cavalier und Soldat umb sein Leben ritterlich wöhren, es werde mancher Paur vorhero auf dem Hintern sizen bleiben, und das Weiße in den Augen über sich kehren, ehe und bevor sie Ihme in ihre Hand bekommen.“[214] Fadinger forderte nochmals ultimativ die Auslieferung Herberstorffs und kündigte sonst den Sturm auf die Stadt an. Die Bauern seien entschlossen, „den Statthalter als Gottes und seines armen Häufleins im Land höchsten Feind nunmehr anzugreifen“. Herberstorff, der die Stadt fest in seiner Hand hatte, war natürlich den Bauern weit überlegen. Als er den angekündigten Sturm auf die Stadt erwartete und Anzeichen wahrnahm, daß die Urfahrer Bauern Musketiere über den Strom setzen wollten, um die Donaubrücke zu nehmen, enthielt er sich nicht mehr, wie bisher, feindseliger Aktionen, sondern suchte die Donaubrücke zu zerstören, um eine Vereinigung der in Urfahr liegenden Bauern mit den Truppen Fadingers am rechten Donauufer zu verhindern. Er ließ in der Nacht zum 28. Juni Pechkränze auf die Brücke schießen und verbrannte die beiden Mitteljoche, was eine heillose Verwirrung bei den Bauern hervorrief. Mit fünfhundert Knechten, meinte damals der Statthalter, hätte man alle Geschütze der Bauern nehmen können: „Ich habe jedoch kein übriges Volk, um mit Sicherheit einen Ausfall zu tun, daher mußte ichs bleiben lassen.“[215]

Ein sehr wichtiges Ereignis während der Belagerung von Linz war die Verwundung Fadingers vor den Mauern der Stadt. Seit die Bauern vor Linz lagen, benahmen sie sich erstaunlich sorglos mit einem naiven Gefühl der Überheblichkeit: „Sonst treiben die Pauern, so sich nunmehr gar in der Vorstatt haufenweis befinden thun, große Insolenz, gehen gar ungescheucht zu der Soldaten Schiltwachen, und reit ihr Oberhaubtmann der Fättinger seines gefallens nach in der Vorstatt und zunächst bis an die Stattmaur mit seinen bei sich habenden Schützen hin und wieder ...“, heißt es in einem Schreiben der ständischen Verordneten vom 27. Juni. Herberstorff — hochmütig und stolz —, der schon früher einmal seine Empfindlichkeit gegenüber Spott und Provokation der Bauern äußerte und dagegen zu tun bereit war, „was einem adeligen Oberst und Cavagliero“[216] gebührt, mag dieses sorglose Herumreiten Fadingers vor seinen Augen als Verspottung angesehen haben. Die Stände bezeugen dies in einem ihrer Schreiben an die Bauern, worin es heißt, die Provokation der Soldaten des Statthalters durch die ganz nah heranreitenden Bauern sowie ihre schimpflichen Reden habe der Statthalter „zum höchsten Spott an- und aufgenommen“. Sie hätten bisher den Statthalter von Feindseligkeiten gegen die belagernden Bauern „mit allen glimpflichen Mitteln“ abhalten können, der Statthalter habe aber nicht länger „an sich halten oder gedulden wollen, daß ihm euer Oberhauptmann der Fadinger, zu unterschiedlichen Malen so nahe vor seinen Augen ganz trutzigerweis fürgeritten“[217]. So mag der Statthalter in Erwägung gezogen haben, beim nächsten Mal auf den Bauernführer zu schießen. Aber nicht nur sein verletztes Standesgefühl, die Verhöhnung des adeligen Statthalters durch den Bauern, hat dabei mitgespielt, sondern der sehr realistische Gedanke, dem Bauernheer gleichsam den Kopf abzuschlagen. Herberstorff dürfte bestehende Bedenken wegen des bisherigen Schweigens der Waffen, das von den Ständen jeweils vermittelt wurde, bald beseitigt haben. Hatten doch die Bauern selbst ihren militärischen Angriff auf die Stadt angekündigt und im Zuge der Vorbereitungen dazu dauernd feindliche Handlungen gesetzt. Die ganze Zeit der Belagerung von Linz war ja gekennzeichnet durch das Wechseln ständiger Verhandlungen, kleiner Stillstände, die nie eingehalten wurden, und größeren und kleineren militärischen Aktionen. Am 27. Juni hatte

Herberstorff Berichte erhalten, daß die Bauern am folgenden Tag einen Sturm auf die Stadt versuchen wollten. Außerdem hatte ihm der Herr von Zelking vom Aufruf der Bauern an den Adel zum „Zuzug" erzählt. Der Statthalter mußte also den Eindruck gewinnen, „daß die Sachen je länger je gefährlicher werden". Also „hab ich mich resolviert, einen Anschlag auf ihren General Obrist, den Fattinger zu machen", schrieb Herberstorff später nach München. Es waren also weniger emotionelle Gründe, als durchaus reale Erwägungen, die ihn bewogen, den Bauernführer abschießen zu lassen. Der Anschlag auf Fadinger war durchaus geplant. Am 28. Juni ritt Stephan Fadinger wie an den Tagen vorher unmittelbar am Landhaus mit seinem Leibschützen vorbei. Herberstorff verwendet in seinem Bericht nach München die Worte „vorüberprangte". In diesem Wort liegt etwas von Feierlichkeit, aber auch von Protz und von Herausforderung, das diesem Vorüberreiten des Bauernführers in Herberstorffs Augen anhaftete und das er als Spott und als Beleidigung empfinden mußte. An diesem Tage ließ nun Herberstorff — es war etwa um vier bis fünf Uhr Nachmittag — aus dem Landhaus durch zwei Musketiere auf den Bauernhauptmann schießen. Fadingers Pferd wurde tödlich getroffen, ihm selbst wurde ein Schenkel verwundet[218].

Herberstorff mag sich über den Erfolg gefreut haben, denn er ließ den Soldaten, die hinausgeeilt waren und dann dem Statthalter Pistolen und Schwert des Oberhauptmanns als kostbare Beute brachten, hundert Taler geben[219]. Die Bauern waren durch Fadingers Verwundung schockiert, und Herberstorff benutzte die Gelegenheit, mit Kanonen und Musketen auf die Belagerer zu schießen und einen Ausfall zu machen, bei welchem die Bauern unter schweren Menschenverlusten auch Geschütze einbüßten. Es kam auch in den folgenden Tagen zu heftigen Kämpfen, zu einem großen Brand in der Vorstadt, Pulvervorräte der Bauern gingen in die Luft, Ausfälle der Soldaten des Statthalters in die Vorstadt brachten zusätzlichen Proviant für die Belagerten. Als die Bauern in der Nähe des Kapuzinerklosters im Weingarten eine neue Schanze anlegen ließen, durch welche Herberstorff sich im Schloß unmittelbar bedroht fühlen mußte, ließ er sie beschießen.

Am 5. Juli erlag dann Fadinger in Ebelsberg seinen Verletzungen; er war ein Mann, der als der Urheber des Aufstandes großes Ansehen bei den Bauern genoß, der aber weder die militärische Erfahrung hatte, wie sie zur erfolgreichen Führung des Aufstandes nötig gewesen wäre, noch auch in seinem politischen Denken seine Standesgenossen irgendwie überragte. Er war einer von ihnen, dem sie vertrauten und gläubig folgten. Das Charisma, das seiner Person wohl anhaftete, mag manche Schwächen seiner Führungsqualitäten überdeckt und ersetzt haben. Dennoch darf die Wirksamkeit dieses schlichten Bauern vom Gut zu Fatting am Walde nicht unterschätzt werden. Wenn auch die Bauern während des Aufstandes zu keiner einheitlichen Führung in ihren militärischen Maßnahmen gelangten und Fadinger stets stark von seinen Beratern abhängig war, so ist dennoch auch die militärische Leistung des ungeschulten Bauernheeres und ihres Führers Fadinger allein schon bei dem mächtigen Aufgebot an Menschen nicht gering zu achten. Fadingers Name band die Bauern innerlich zu einer Einheit zusammen. Die Lauterkeit seiner Absichten, sein Kampf gegen die bayerische Bedrückung und gegen den Gewissenszwang machten ihn für die Bauern zum Symbol dieses Aufstandes. Und auch für die späteren Generationen ist dieser einfache Bauer aus dem „Rebellenwinkel" eine Symbolfigur von erstaunlicher Strahlkraft geblieben. Sein Name steht noch heute für Widerstand gegen als Unrecht empfundene Herrschaft und gegen die Mißachtung der Freiheit des Gewissens. Sein Auftreten in der Öffentlichkeit dauerte kaum sieben Wochen, und in dieser kurzen Zeit war er der Widerpart des Statthalters. Aber diese wenigen Wochen haben seinen Namen in der Geschichte Oberösterreichs verewigt und ihn darüber hinaus zu einer jener lichten Gestalten der Geschichte gemacht, die sie als Vorkämpfer für Freiheit und Recht feiert.

Mit Fadingers Tod hatte der Statthalter eine gewaltige Bresche geschlagen in die bäuerliche Festung. Es mag ihm eine Genugtuung gewesen sein, wenn er es auch nicht aussprach, den bäuerlichen Rebell zur Strecke gebracht zu haben, der ihn brüskierte und ihn zwang, in der festen Stadt belagert zu sitzen. Und wenn — stets im Einvernehmen mit dem Statthalter — die adeligen Herren der Landstände immer im brieflichen Kontakt mit den Bauern standen, wenn man Briefe schrieb, die mit „Euer Gnaden" und „Lieber Herr Vättinger" begannen, so sah doch das

Stephan Fadinger

Bauernkriegsflugschrift 1626

adelige Standesgefühl im Oberhauptmann des christlichen Bauernheeres in erster Linie nur den rebellischen Untertan, mit dem man sich höchstens in der Not akkommodieren konnte und mußte. Dem ganzen Wesen Herberstorffs nach muß er Fadinger gehaßt haben. Für ihn war er — wie Herberstorff auch Christoph Zeller nannte — nur ein „Schelm". Dieser Haß des Statthalters reichte über den Tod des Bauernführers, den die Bauern in Eferding bestattet hatten, hinaus. Nach dem Ende des Aufstandes ließ Herberstorff Fadingers Leichnam exhumieren und ihn im Seebacher Moos bei Pupping als Aufrührer verscharren. Der Fattingerhof aber wurde auf Herberstorffs Vorschlag bis auf den Grund niedergebrannt. Weib und Kinder des Bauernhauptmanns wurden des Landes verwiesen[220].

Der Belagerungsring um die Stadt war dicht, und die Not in dieser wurde immer größer. Herberstorff empfand es als unerträglich, daß er ohne alle Nachricht von München blieb und nicht einmal wußte, ob seine Aktionen beim Kurfürsten gut oder schlecht aufgenommen werden. Die Lebensmittelknappheit war schon groß, und man begann, Pferdefleisch, Hunde und Katzen zu essen[221]. Johannes Kepler, der im Landhaus wohnte, in welchem ein ganzes Fähnlein Soldaten des Statthalters einquartiert war, sah nun nicht mehr, wie ein Jahr vorher, eine Wohltat darin, daß ihm die Stände Quartier in ihrem Landhaus gewährt hatten. Er litt unter dem Lärm des Schießens, dem Gestank und den ausbrechenden Bränden. Dies alles störte nachts den Schlaf des Gelehrten, tagsüber machte es jede geistige Arbeit unmöglich. Kepler zählte sich zu den wenigen, die, wie er selbst sagte, nicht Hunger litten und kein Pferdefleisch essen mußten[222]. Einen Monat nach Beginn der Belagerung, am 18. Juli, kam für die Besatzung von Linz Nachschub aus Bayern auf der Donau. Die bayerischen Schiffe, die am 17. Juli die Ketten über die Donau zwischen Passau und Neuhaus zerstört hatten, kamen am folgenden Tag gegen Mittag in Linz an. Es kam zu Kämpfen, aber Herberstorff erwies sich als der Situation durchaus gewachsen, er belegte die Urfahrer Bauern mit Geschützfeuer und hinderte durch Ausfälle die Bauern in der Linzer Vorstadt am erfolgreichen Eingreifen. Die Ankunft des bayerischen Kriegsvolkes, das mit Kriegsausrüstung und Proviant angekommen war, hat nach Herberstorffs eigenen Worten bei den Bauern „ein solichen Schrecken gemacht, daß nit zu schreiben". Der Statthalter hielt es für ein großes Glück, daß Christoph Zeller „durch den Leib geschossen worden, darauf alle davongelofen". Herberstorff meinte bei dieser Gelegenheit, die Zeit sei nun reif, die Bauern offensiv anzugreifen, sie seien uneins und bald zu meistern. Die Bauern waren erbittert, da sie ihren Plan, Linz auszuhungern, als gescheitert betrachteten. Herberstorff wußte von der Absicht der Bauern, einen Großangriff auf Linz zu unternehmen, und meinte dazu: „Ich erwart ihres assalto mit verlangen ... ich werd sie also entpfangen, daß sie es das ander Mal sollen bleiben lassen."[223] Die Bauern forderten noch am Tage, als der bayerische Schiffskonvoi die Belagerung von Linz durchbrochen hatte, alle mehr als 16 Jahre alten Bewohner Oberösterreichs zu den Waffen, und Achaz Wiellinger, der neue Kopf der aufständischen Bauern, befahl allen Bauernhauptleuten der vier Viertel des Landes, ihre Kerntruppen zum Sturm auf die Stadt nach Linz zu senden[224]. Ein eiserner Ring schloß sich um die Stadt, nach Herberstorffs eigenen Worten wäre es nicht möglich gewesen, einen Hund, geschweige denn einen Menschen aus der Stadt zu bringen. In der Nacht zum 21. Juli suchten die Bauern Linz im Kampf zu nehmen. Der Sturm dauerte von zehn Uhr abends bis zum Morgen des 22. Juli. Der Angriff erfolgte namentlich gegen das Schloß und beim sogenannten Schulertörl. Herberstorff schätzte die Zahl der Angreifer auf 24.000 Mann. Die Stadt hielt dem Sturm stand, die Bauern mußten beträchtliche Verluste hinnehmen. Etwa fünfzig Bauern fielen verwundet in Herberstorffs Hand. Zu ihrer Verblüffung ließ er sie verbinden und laben, und am andern Tag ließ er sie wieder frei. Der Zweck, den er damit verfolgte, war propagandistischer Art. Fürs erste sollten die Bauern von den riesigen Verlusten, welche sie der Angriff auf Linz gekostet hatte, erfahren, und die Freigelassenen konnten die Rede der Bauernführer Lügen strafen, welche nur von hundert gefallenen Bauern sprachen. Zweitens aber sollten die Bauern sehen, daß der Statthalter nicht so tyrannisch sei, wie man ihn schildere. Aber das Mißtrauen bei den Bauern blieb trotz derartiger Gesten des Statthalters bestehen. Herberstorff selbst berichtet, daß einige der in seiner Hand befindlichen Bauern meinten, der Statthalter „tue es auf ein Schelmenstück", ... „sei mir nit zu trauen, es sei besser sie stürben da, sonst erschlage man sie in den Häusern"[225]. Der Statthalter war froh, daß er den Bauernsturm bestanden hatte. Herberstorff hatte den Eindruck gewonnen, daß die Bauern das „Herz ... verloren" hätten, und er sagte: „wen ein wenig Volk ins Landt kommtt, so ists gethan". Herberstorff war nun gegen jeden Stillstand, wenn die Bauern nicht von Linz abziehen. Doch diese hofften immer wieder, die Stadt aushungern zu können. Noch einen Monat später, am 24. August, hatte Achaz Wiellinger gemeint, die Bauern ließen sich lieber wie Hunde erschlagen, ehe sie dem verhaßten Statthalter auch nur einen Bissen Brot zukommen ließen[226]. Die am 18. Juli eingetroffenen Lebensmittel konnten nur die Not lindern. Schon am 2. August hatte Herberstorff berichtet: „Mir wird das Volk an der Ruhr häufig krank", und er hatte in der Stadt bereits fünf leere Häuser ausgewanderter Bürger als Lazarette eingerichtet[226]. Der Statthalter war über die Erfolge der kaiserlichen Truppen, die ins Land gekommen waren, nicht genau informiert. So war es verlockend, eine Bauerndeputation, deren freies Geleit nicht eindeutig war, am 22. August festzunehmen. Die Gefangenen wurden in Anwesenheit des Statthalters einem eingehenden Verhör unterzogen. Dabei erfuhr Herberstorff auch erst — von Balthasar Mayr, gewesener Gerichtsschreiber zu Steyr — etwas über den Inhalt der Bauernbeschwerden, und es ist von Interesse, daß Mayr ihm den Passus zitierte, als Herberstorff ins Land gekommen sei, habe er sich „gegen menniglich also verhalten, daß jedermann sich seiner erfreut, aber zue Zwiespalten hab er ein anders zeigt". Wichtiger aber waren für den Statthalter die Aussagen über die Situation bei den Urfahrer Bauern, über die Kriegshandlungen und Erfolge der kaiserlichen Truppen. Als er erfuhr, wie schwach Urfahr von den Bauern besetzt war, ließ er durch dreihundert Soldaten, die er über die Donau setzte, am 24. August Urfahr erfolgreich angreifen. Herberstorff nahm einen Vorschlag der kaiserlichen Kommissäre zur Erreichung eines Stillstandes, mit den Bauern Waffenruhe zu halten, positiv auf, stellte jedoch die Forderung, die Bauern müßten die Bedingungen, keine militärische Aktion gegen die Stadt zu unternehmen und Zufuhr von Proviant nach Linz nicht zu hindern, annehmen. Zu diesem Zweck hat er dem Grafen Meggau auch seinen Bedarf gemeldet: 5000 Pfund Brot und 2500 Pfund Fleisch, dazu zehn Zentner Schmalz und fünf Muth

Hafer[227]. Doch nahte bereits die große Wende. Wenige Tage später, in der Nacht zum 29. August, nach der für die Bauern bedrückenden Nachricht vom Falle der Stadt Wels, zogen sie dann von Linz ab. Überblickt man diese neun Wochen dauernde Belagerung der Landeshauptstadt Linz durch die Bauern, so wird man mit Recht sagen können, daß es wirklich große militärische Ereignisse dabei nicht gab, daß die Bauern vielmehr darauf abzielten, die Stadt durch die Dauer der Einschließung reif für die Kapitulation zu machen. Herberstorffs Hauptaufgabe war es vor allem gewesen, diese lange Zeit durchzustehen. Hiezu besaß er die nötige Härte und Zähigkeit, er bewies aber auch großes Geschick in diesen zwei Monaten, da er in Linz festsaß, jede sich bietende günstige Gelegenheit blitzartig zu ergreifen und die Stunde zu nützen. Auch im Falle eines größeren Angriffes, wie am 21. Juli, erwies er sich als der Situation voll gewachsen. Er hat dadurch, daß er Linz zwei Monate hielt, nicht nur beträchtliche Kräfte der Bauern gebunden, sondern seinem Herrn, dem Kurfürsten von Bayern, die nötige Zeit gewonnen, sich zur militärischen Niederwerfung des Aufstandes zu rüsten.

Mit der Verteidigung von Linz ist Herberstorffs militärische Wirksamkeit im Bauernkrieg abgeschlossen. Als er nach dem Ende der Belagerung gegen die in Eferding liegenden Bauerngruppen offensiv werden wollte, hinderten ihn daran die kaiserlichen Kommissäre. Er hat aber noch bei der militärischen Planung der Niederwerfung des Aufstandes mitgewirkt. So hat er im September zum Einfall bayerischer Truppen in das Land geraten, und als es sich um die Taktik des Vorgehens handelte, empfahl er, daß die Infanterie auf der Donau nach Linz gebracht werden sollte, daß die Reiterei aber ihren Weg durch das Mühlviertel nehmen solle. Später allerdings hatte er dann vom Marsch durch das Mühlviertel wieder wegen der Gefahr eines neuen Aufstandes abgeraten. Aber die Offensive der Kaiserlichen und der Bayern im November-Feldzug erfolgte ganz ohne den Statthalter. In der Tiefe hat es ihn geschmerzt, daß sein Stiefsohn und nicht *er* das Kommando über die militärischen Operationen führen konnte, und er hat dies später deutlich nach München zu verstehen gegeben[228]. Es ist dies durchaus für seine Empfindlichkeit charakteristisch. Auch Rangfragen spielten dabei mit, da er ja doch als Generalwachtmeister des Liga-Heeres rangälter war als Pappenheim. Die ganze Grausamkeit der letzten Schlachten des Bauernkrieges geht daher keineswegs auf Herberstorffs Verantwortung, sondern vor allem auf die seines Stiefsohnes Pappenheim. Dieser hat jedoch seinen gekränkten Stiefvater stets über die Operationen informiert. Berühmt ist sein Brief an Herberstorff vom 10. November 1626, in dem er dem Statthalter über die „schöne Viktorie" bei Eferding berichtete, die Gott „wohlgedisponierter und ohne Schaden verliehen hat". Pappenheim meinte in seinem Bericht an seinen Stiefvater Herberstorff, die Bauern hätten sich nicht wie Menschen, „sondern wie die höllischen Furien gewehrt". In Pappenheims Schlachtbericht an den Kurfürsten Maximilian aber heißt es über die Schlacht im Emlinger Holz: „Da sollten Euer churfürstlichen Durchlaucht das wunderbarlichste Fechten von beiden Teilen gesehen haben, so vielleicht in langen Jahren geschehen, kein Bauer hat seine Waffen verworfen, viel weniger davongelaufen, sondern obwohl sie sich retirieren müssen, so ist es doch nur Fuß für Fuß geschen."[229] — Ein Dokument der Tapferkeit der oberösterreichischen Bauern in diesem Kriege.

Auf Zeitgewinn zielte nicht nur die Verteidigung von Linz in diesem Kriege, sondern überhaupt die ganze angewandte Taktik der Herrschenden. Denn im Ernst hatte niemand die Absicht — weder der Kaiser noch der Kurfürst —, den Bauern echte Zugeständnisse in der Kernfrage, nämlich der Freiheit der Religion, zu machen. Herberstorff mußte dies wissen. Alle seine diesbezüglichen Vorschläge, mit den Bauern zu einem Akkord zu kommen, konnten nur taktischer Natur sein und hatten stets auch nur das Ziel, zunächst mit den rebellischen Bauern zu einem Stillstand zu kommen. Sollte dieser aber ohne Konzessionen nicht aufrechterhalten werden können, dann sollte wenigstens bei möglichst geringen Verlusten so viel Zeit verstreichen, bis genügend Kriegsvolk vorhanden sei, das dann diesen Aufstand niederwerfen konnte. In Herberstorffs Augen war die Gegenreformation die Hauptquelle des Aufstandes verbunden mit den drückenden Besatzungslasten, wie etwa dem Garnisongeld. Man kann ermessen, wie sehr die Niederlage bei Peuerbach ihm in die Glieder gefahren ist, wenn er fast unmittelbar nachher in Erkenntnis der ungeheuren Gefahr für die bayerische Pfandschaft des Landes sich entschloß, in der Religionsfrage Konzessionen zu gewähren bzw. dem Kurfürsten zu solchen zu raten. Auch glaubte er hier in den Landständen außerordentlich geeignete Vermittler zu den Bauern zu haben. Daher hat er die oberösterreichischen Landstände, vor allem die in Linz weilenden Verordneten und Ständemitglieder, in seine Ausgleichsbestrebungen geschickt eingespannt. Hier in Linz hielt er sie wie in einer Mausefalle gefangen, und sie waren seinem Willen in der besetzten Stadt weitgehend ausgeliefert. In der Tiefe seiner Seele hegte er immer Mißtrauen gegen sie, verdächtigte sie in gewissen Augenblicken sogar der Urheberschaft des Aufstandes. Aber in seiner Hand und von ihm abhängig konnten sie ihm bei Verhandlungen mit den Bauern große Dienste leisten. Sie waren als Grundobrigkeit ja in ganz anderem Kontakt mit den Untertanen als der fremde Statthalter und seine Regierung, und als Evangelische hatten die Stände viel eher Zugang zu den Stimmungen der Bauern. Das wußte Herberstorff, darum lief ein Großteil der Ausgleichsverhandlungen mit den Bauern über die Landstände, die sich bereitwillig zur Verfügung stellten.

Schon am 22. Mai 1626 veranlaßte er die Stände zu Verhandlungen mit den Bauern unter dem Versprechen, er wolle ihnen Sicherheit geben, nicht nur ihren Beschwerden abzuhelfen, sondern auch die Zwangsbekehrung während der bayerischen Pfandschaft einzustellen; er versprach das zum Einrücken in das Land bereitstehende Kriegsvolk zurückzuhalten, er stellte Straffreiheit in Aussicht, wenn sich die Bauern wieder nach Hause begeben. In einem offenen Schreiben an den Kurfürsten wolle er diesen um die angeführten Zugeständnisse ersuchen, und er hat dies auch getan[230]. Herberstorff hat dem Kurfürsten mitgeteilt, daß er das Mittel der Traktation in die Hand genommen habe, um die weitere Verheerung und das Verderben von Land und Leuten zu verhindern. Und weil die Bauern vorgeben, daß ihr Aufstand deswegen erfolge, weil sie von ihrer Religion nicht lassen wollen, so sei er bereit, soweit ihm dies möglich sei, ihre Beschwerden zu remedieren. Er betonte dabei, daß die Gegenreformation nicht auf des Kurfürsten Befehl durchgeführt werde. Daß Herberstorff bei dieser überraschenden Bereitschaft zu konfessionellen Zugeständnissen durchaus an Zeitgewinn dachte, sieht man aus einem Postskriptum zu seinem Schreiben an Maximilian vom 22. Mai, wo es heißt, wenn man die Bauern zur Traktation bewege, gewinne man so viel Zeit, bis Maximilian sich mit dem Erzbischof von Salzburg wegen gemeinsamer militärischer Operationen geeinigt haben werde[231]. Herberstorff war mit seinen Räten zu Linz über die Aktion, Zugeständnisse in der Religion zu versprechen, durchaus einer Meinung. Am 25. Mai meinten sie, es bestünde höchste Gefahr und sie wüßten kein anderes Mittel, die Gefahr für Land, Leute, Leben und Gut zu bannen, als wenn der Kurfürst die Bauern abmahne und sie — da er ja mit der Religionsreformation nichts zu tun hätte — „in Zeit ihrer Pfandschaft wider ihr Religion nit beschweren lasse". Auch die Bestellung kaiserlicher und kurfürstlicher Kommissäre verlangten Herberstorff und seine Räte zur Führung von Unterhandlung und zur Entgegennahme der Beschwerden der Bauern. Der Statthalter drängte den Kurfürsten, einen Vergleich zu versuchen, „gesetzt es gleich die Religion antreffen soll", denn bei so großer Macht der Bauern und ihrer „ergrimmten Einbildung, ihren Content zu haben oder zu sterben, befünt ich auf der Welt in solicher Eil, da summum periculum in mora, kein ander Mittel als zu accordieren"[232]. Aber so sehr Herberstorff Verhandlungen durch den Kurfürsten in dieser Angelegenheit betrieb, so war er doch vorsichtig genug, nicht von sich aus in konfessioneller Hinsicht konkrete Maßnahmen zu setzen.

Als die Bauern noch vor Beginn von Verhandlungen gleichsam als Beweis des guten Willens verlangten, daß man ihnen einen lutherischen Prädikanten sende, der in Wels oder in ihrem Lager predigen sollte, da meinte der Statthalter, „daß er ohne Befelch der kaiserlichen Majestät oder churfürstlicher Durchlaucht weder ein noch mehr Prädicanten nicht fordern noch solche in das Landt mit seinem Willen zu bringen, consentieren mag, soll oder will, sondern eher das Leben zu verlieren, einmal vor allemal resolviert" sei. Er lehnte also ab, er gab nicht seine Zustimmung. Aber wollte der Statthalter das Gesicht nicht gleich vor Beginn der Verhandlungen verlieren, so konnte er die an sich bescheidene Forderung der Bauern nicht ignorieren und mußte eine Lösung finden. Sein Versuch, die Bauern auf die Verhandlungen zu vertrösten, verfing bei diesen nicht. Herberstorff zog sich nun aus seiner Verlegenheit, indem er wohl ablehnte, aber die Stände vorschob und diesen die Verantwortung für die Zulassung eines evangelischen Predigers auflud. Er könne es nicht verwehren, wenn die Stände zur Verhütung des Verderbens des Landes, da es kein anderes Mittel gebe, den Bauern einen lutherischen Prediger schickten, der die Bauernschaft beruhige. Herberstorff erklärte sich auch bereit, den Ständen bei Kaiser und Kurfürst zu helfen, dieses Vorgehen zu entschuldigen, damit diese und der Prediger nicht die Ungnade der beiden Fürsten zu entgelten hätten[233]. Herberstorff hatte sich salviert: Er hatte den Prediger nicht gerufen, durch die Stände aber erhielten die Bauern einen Prediger, der Statthalter war jedoch bereit, wenn es Schwierigkeiten gebe, den Ständen seine Unterstützung zu gewähren. Die Berufung des Predigers Andreas Geyer, der früher in Ottensheim und dann in Ennsdorf gewirkt hatte, zu den Bauern war das einzige konkrete Ergebnis der auf Größeres zielenden Aktion des Statthalters, in konfessioneller Hinsicht Zugeständnisse zu machen — wenn auch nur, um die Bauern zunächst zu beruhigen und um Zeit zu gewinnen.

Denn sowohl in München als auch in Wien erregte der Statthalter durch seine Vorschläge Widerspruch. Für den Kurfürsten war es peinlich, in einer Sache, die dem Kaiser nicht nur sehr am Herzen lag, sondern für die auch der Kaiser allein verantwortlich war, sich einzumischen, und er hielt es für voreilig, daß Herberstorff Versprechungen machte. Maximilian hat daher Herberstorff angewiesen, weder für sich noch in seinem, des Kurfürsten Namen, sich in Verhandlungen wegen der Religionsfreiheit einzulassen, sondern diesbezüglich die Befehle des Kaisers unbedingt abzuwarten. Und in Wien desavouierte der bayerische Kurfürst seinen Statthalter und betonte, daß dieser ohne sein Wissen und seinen Willen seine Zusagen gemacht habe. Ferdinand II. war über Herberstorffs Haltung verärgert und hielt dessen Versprechungen für eine Zaghaftigkeit und Unvorsichtigkeit des Statthalters. Die Berufung Geyers schien am Wiener Hof das begonnene Reformationswerk zu stören. Mochte vielleicht auch in Wien der Gedanke aufgetaucht sein, „man solle den Bauern wieder eine Zeit lang die Predigt gestatten“, so wußte es Fürst Eggenberg besser, der meinte, der Kaiser werde „vor allen Dingen Gott vor Augen haben und niemalen [sich] dazu verstehen“[234].

Es ist erstaunlich, daß man in Wien Herberstorffs Zusagen in der Religionsfrage ganz ernst nahm und sie nicht in ihrer taktischen, aus der Not des Augenblicks geborenen Begründung erkannte oder erkennen wollte. Aber man war eben gerade in dieser Frage am kaiserlichen Hof sehr empfindlich, nicht nur weil die Religion des Kaisers persönlichstes Anliegen betraf, sondern weil durch Herberstorffs Taktieren die Schuld am Aufstand gleich von vornherein auf die Gegenreformation und damit auf den Kaiser gewälzt wurde. Herberstorffs Vorschlag, die Rekatholisierung für die Dauer der bayerischen Pfandschaft einzustellen, läßt darauf schließen, daß er neben dem augenblicklichen Zeitgewinn auch die Sicherung der Pfandschaft erreichen und außerdem demonstrativ ausdrücken wollte, daß die Hauptquelle des Aufstandes, die Gegenreformation, nicht seine und der Bayern Sache, sondern ausschließlich die des Kaisers sei. Herberstorffs Verhalten in der konfessionellen Frage hat zweifellos dazu beigetragen, die Animosität in Wien gegen ihn, wo man sein „übles Regiment" als Quelle des Aufstandes sehen wollte, zu steigern. Wien hat mehrmals während des Bauernaufruhrs die Absetzung Herberstorffs als Statthalter verlangt. Schon im Juli hat der niederösterreichische Kanzler Hans Ruprecht Hegenmüller, als kaiserlicher Gesandter, beim Kurfürsten in München die Forderung erhoben, wenn die Bauern nicht zur Ruhe zu bringen seien, möge er Herberstorff und den Vizedom Pfliegl, die außerordentlich verhaßt seien, von ihrem Amt abberufen. Und in Wien hat Graf Trauttmansdorff dem bayerischen Gesandten Dr. Leuker ebenfalls die anderweitige Verwendung Herberstorffs empfohlen, da er und seine Beamten wegen der Erbitterung der Bauern gegen sie einer gütigen Vereinbarung im Wege stünden. Später hat sich auch der Abt von Kremsmünster für Herberstorffs Entlassung eingesetzt, und der Kaiser selbst schrieb in diesem Sinne nach München. Die Stände Oberösterreichs, und zwar jene Gruppe, die in Wels war und daher Herberstorffs Einfluß entzogen war, wollten ebenfalls Ende Juli 1626 durch ihren Gesandten Karl Christoph von Schallenberg beim Kurfürsten verlangen, daß Herberstorff das Land verlassen müsse, kamen aber dann von ihrem Vorhaben wieder ab. Die Bauern aber baten noch Ende August 1626 den kaiserlichen Kriegsoberst Löbl, „ine Statthalter aus dem Land zu bringen". Sie warfen Herberstorff vor, er habe sich „mehrers understanden, als ime von I. Mt. und chfl. Dt. in Baiern anbevolchen ... in dem das er dem gebettnen stillstand nit gelebt, sondern sich mit schüssen, sengen und brennen ... widerwärtig erzaigt". Der Kurfürst aber hielt Herberstorff und war nur bereit, ihn abzuberufen, wenn er einer Schuld überwiesen würde[235]. Herberstorff stand jetzt wieder, wie auch früher schon, im besonderen Maß im Spannungsfeld zwischen Habsburg und Wittelsbach. Die Monate, in denen der Aufstand der Bauern tobte, sind gekennzeichnet vom Mißtrauen zwischen München und Wien, und das häufig wechselnde Vorhaben, den Krieg gütlich oder mit Waffengewalt beizulegen, ist mit Ausdruck dieser habsburgisch-wittelsbachischen Uneinigkeit. Maximilian hat im Versuch der Kaiserlichen, mit den Bauern zu einer Vereinbarung zu kommen, nur das Bestreben einiger hoher kaiserlicher Würdenträger gesehen, an ihren im Land ob der Enns gelegenen Gütern keinen Schaden zu erleiden. Maximilian meinte von diesen Herren, daß sie „das Absehen allein auf das privatum haben, es gehe darneben dem publico wie es wölle". Bei allem Bemühen des Wiener Hofes zur Bereinigung des Aufstandes hatte er stets Angst um seine Pfandschaftsrechte. Andererseits wollte der Kaiser selbst das Generalkommando in Oberösterreich haben[236]. Auch Herberstorff war namentlich seit seiner Niederlage in der Frage der konfessionellen Zugeständnisse wieder voll Mißtrauen gegen Wien. Auch seine Haltung gegenüber den kaiserlichen Kommissären ist Ausdruck dieses bayerischen Mißtrauens gegen alle Aktionen Wiens während der Bauernerhebung. So hat Herberstorff die in Linz weilenden kaiserlichen Kommissäre in ihrer Freizügigkeit beschränkt, ließ sie nicht aus der Stadt und geriet mit diesen in eine Auseinandersetzung, die schließlich zum Exodus der kaiserlichen Kommissäre aus der belagerten Stadt führte. Auch hier war der Verdacht Herberstorffs mit im Spiele, die kaiserlichen Kommissäre könnten sich mit den Bauern auf Kosten Bayerns einigen[237].

Auch Herberstorffs Verhältnis zu den Landständen ist durch das große Mißtrauen bestimmt, das zwischen Bayern und Österreich gerade während des Bauernaufstandes herrschte. Denn innerlich standen die Landstände vor allem in konfessioneller Hinsicht auf seiten der Bauern und die Gegnerschaft gegen Herberstorff und die bayerische Verwaltung verband Landstände und Bauern ebenfalls miteinander. Der Gedanke also, die Stände, die trotz ihrer konfessionellen Haltung, wie wir wissen, die Herrschaft des Kaisers der drückenden Tyrannei des bayerischen Statthalters vorzogen, könnten ein doppeltes Spiel treiben und insgeheim die Sache der Bauern und die österreichischen Tendenzen begünstigen, hatte ihn stets beängstigt und in seinem Handeln unsicher gemacht. Er konnte ja obendrein überhaupt kein rechtes Verhältnis zu den Landständen gewinnen, und er war im Prinzip gegen das ganze ständische System. Es ist erstaunlich, daß der Mann, der ja selbst aus dem feudal-ständischen Bereich kam, den ganzen inneren Kontakt zum Partner des Fürsten in diesem dualistischen Ständestaat, zu den Landständen, verloren hatte. Von Kindheit an aus der ständischen Atmosphäre seiner steirischen Heimat hinausgewachsen, war Herberstorff zum reinen Fürstendiener im absolutistischen Fürstenstaat seiner Zeit geworden, dem jedes Verständnis für das Ständetum und seine Funktion abhanden gekommen war. Was ihm geblieben ist, war ein starkes adeliges Standesbewußtsein, das aber keineswegs soweit ging, daß er sich mit seinen in den Landständen zur Korporation verbundenen Standesgenossen identifizierte. Die besondere Situation im Land ob der Enns hat diese Distanzierung Herberstorffs von den oberösterreichischen Ständen noch gesteigert. Dies kann man wohl sagen, obwohl er damals ja selbst schon Mitglied der oberösterreichischen Stände geworden war.

Er hat im Bauernkrieg die Stände wohl benützt, um die Bauern zu beruhigen, um Kontakte zu ihnen herzustellen und sie für einen Stillstand zu gewinnen, er hat ihre Beziehungen zu den Bauern und zum Wiener Hof für seine Tendenzen ausgenützt, aber er kam ihnen keineswegs innerlich näher. Er hatte die Verordneten der Stände und diese selbst in die vor der Belagerung stehende Stadt Linz zitiert, aber nur ein Teil war seinem Ruf gefolgt. Diese in Linz weilenden ständischen Mitglieder hatte er ganz in seiner Hand, und daher glaubte er, ihrer auch sicher zu sein. Da jedoch später sich eine Ständegruppe außerhalb der belagerten Stadt zuerst in Steyr, dann in Wels versammelte und in das ganze Netz der Verhandlungen eingeschaltet war, wurde er über die Haltung der Stände beunruhigt und fühlte sich ihrer keineswegs mehr ganz sicher[238]. Sein Verhalten gegen die Stände während der einzelnen Phasen des Aufstandes spiegelt die Unsicherheit und das Mißtrauen des Statthalters wider, und bei seiner cholerischen Natur brach der Zorn über die Stände, die ja zweifellos weitgehend für eine friedliche Beilegung der Unruhen sich einsetzten, bei jeder Gelegenheit, da er ihrer unsicher wurde, mit voller Wucht durch. In Beleidigungen und bösen Worten äußerte der Statthalter offen seinen Unmut gegen die Landstände, wie er in Augenblicken, da er sie seinen Tendenzen gefügig wußte, auch mit großem Lob nicht sparte. Seiner Einberufung nach Linz war Ende Mai zwar nur eine kleine Schar Ständemitglieder gefolgt, aber ihren Bemühungen um den Frieden hat der Statthalter beim Kurfürsten Maximilian volles Lob gezollt und gemeint, ohne den Eifer der Stände „wäre der Pauernschaft Furia soweit vorbrochen, daß alle Mittel zur güetigen Handlung vergebens gewesen wären". Ja er bat den Kurfürsten, er möge den Ständen des Landes seine Anerkennung aussprechen: „Sie haben an den bisher noch erwiesenen Actionen ein soliche Demonstration gethan, deren Euer churfürstl. Durchlaucht sie und jeden in particulari zu seiner Zeit mit Gnaden wohl werden genießen lassen kindten."[239] Aber es gab auch ganz andere Töne. Als etwa ein ständischer Sekretär am 8. August, also während der Belagerung, beim Statthalter im Schloß war, da äußerte sich dieser über die Klagen der in Linz weilenden Stände hinsichtlich des Mangels an Lebensmittel: sie mögen wissen, daß noch mehr ehrliche und redliche Leute in der Stadt seien, die auch Hunger leiden müssen. Man werde ihnen, den Ständen, „kein Kuchl backen, müssen neben ihme und anderen Schwarzbrot essen und damit Vorlieb nehmen". Und wenn sie schon von ihren Klöstern und Schlössern etwas für sich in die Stadt hereinbringen könnten, würde er es ihnen nicht einmal ausfolgen lassen. Ihr Hauptintent sei nur, daß ihre Güter verschont blieben. Wenn aber heute oder morgen das kaiserliche Kriegsvolk über sie käme und sie von ihm, Herberstorff, einen Schutzbrief möchten, so würden sie von ihm nichts erhalten; „wollt wünschen, es wär einem oder andern aus den hiesigen Landsmitgliedern so großer Schaden geschehen als denen Catholischen in der Freistadt widerfahren". Wenn sie — die Stände — selbst in dieser Angelegenheit ins Schloß kommen wollten, „wolle er ihnen die Meinung noch teutscher sagen"[240]. Als die Stände ihn baten, davon abzusehen, sie gleichsam in Linz zu internieren, und er ihnen dies zusagte, beleidigte ihn die Formulierung, welche die ständischen Verordneten in der Ausschreibung zur Zusammenkunft der Stände in Linz gewählt hatten. Er meinte erregt, wenn sie die betreffende Stelle nicht fortließen in ihrer Ausschreibung, werde er die Stände selbst berufen. „Wer dann das gemeine Wesen dem privaten nachsetze und nicht als treuer Patriot dasjenige leiste, was andere ehrliche Leute in Linz mit Gefahr für Leib und Leben täten, dem werde er selbst das Haus anzünden und wisse er denselben mit den Vögeln, welche ins Land kommen würden, schon zu finden."[241] Einen ähnlichen Ausbruch seines Zornes hatte Herberstorff, als am 2. September der Hofmeister des Herrn von Jörger dem Statthalter melden ließ, daß Soldaten in den Auen donauabwärts von Linz Vieh zusammentreiben, das sie auch über die Donau setzten, und zwei Urfahraner Bauern auf dem Feld die Pferde nahmen. Er meinte damals nur: Sie sollten das Vieh selbst in die Stadt bringen lassen, dann brauchten es die Soldaten nicht holen. „Ich wollt, sie plünderten Ihnen ihre Schlösser auch." Und der ständische Sekretarius, der über diesen Vorfall berichtet, notiert dazu: „Geschehen in der Tafelstuben im Beisein etlicher Herrn Hauptleute und Befehlshaber als Herr Statthalter gleich wollen zur Tafel gehen."[242] Als es galt, eine ständische Abordnung zu den kaiserlichen Kommissären nach Melk zu senden und Herberstorff zustimmen sollte, da sagte er den bei ihm zum Mittagessen im Schloß weilenden Ständevertretern, er traue auch dem Prälaten von St. Florian, der zu dieser Absendung vorgeschlagen worden war, nicht. Dem Florianer Propst Zehetner mißtraute Herberstorff, da dieser bei den Bauern sehr beliebt war. Während der Belagerung von Linz ging das Gerücht, der Statthalter habe den Prälaten in Linz in den Turm werfen lassen. Das stimmte natürlich nicht, aber es zeigte, wessen man den Statthalter für fähig hielt[243]. Der Statthalter versuchte jeden Kontakt der Stände mit den kaiserlichen Kommissären in Melk zu verhindern. Er sowie auch die Stände waren vom Kaiser über die Bestellung der kaiserlichen Kommissarien zur Friedenstraktation informiert und ihnen „Assistenz" und „Korrespondenz" befohlen worden. Herberstorff hatte sich dem Kaiser gegenüber natürlich bereiterklärt, seinen Befehl zu befolgen, er sei jedoch durch die Belagerung der Stadt durch die Bauern, welche sich an das kaiserliche Abmachungspatent nicht halten, daran gehindert. Als die Stände sich bezüglich der Absendung nach Melk auf den Befehl des Kaisers berufen hatten, meinte er, sie seien ebenso wie er selbst entschuldigt: „Die Pauern verhinderns."[244] Herberstorff ließ die ständischen Vertreter im Schloß manchmal stundenlang warten, während er oft den ganzen oder halben Tag schlief[245]. Das mag mit Erschöpfungszuständen des zweifellos kränklichen Statthalters zusammenhängen, war aber doch zugleich Brüskierung der Stände und Hervorkehren der Dominanz des fürstlichen Statthalters gegenüber den Landleuten. Herberstorffs Mißtrauen gegen die Stände stieg, als er Nachrichten erhielt, welche besagten, daß eine Anzahl Adeliger dem Aufgebot der Bauern Folge leistete, und als die in Steyr versammelten Stände Herberstorffs Aufforderung auseinanderzugehen mißachteten und nach Wels zogen. Diese leisteten auch Herberstorffs Befehl, nach Linz zu kommen, nicht Folge, sondern blieben in Wels, erklärten sich aber bereit, ihre Arbeit der Vermittlung zu widmen[246]. Während der Linzer Stillstandsverhandlungen hatten die Linzer Stände vorgeschlagen, die Welser Stände sollten einen Herrn und einen Ritter nach Linz senden, welche die Vermittlung eines Stillstandes mit den Bauern übernehmen sollten. Als nun zwei Abgeordnete der Welser Ständeversammlung nach Linz kamen, ließ Herberstorff sie nicht in die Stadt. Als sie nach Straßfelden ritten, wurde vom Schloß aus auf sie geschossen. Die beiden Welser Abgesandten waren Sigmund Rudolf von Polheim, Sohn Gundakers von Polheim, und Ludwig von Schmelzing. Als die Linzer Stände den Statthalter ersuchten, die Welser Abgesandten in die Stadt einzulassen, gab er vor allem seiner Verärgerung über die Personen, welche abgeordnet worden waren, Ausdruck. Er meinte — nicht ganz zu Unrecht —, er wisse nicht, wie er es von den Welser Ständen aufnehmen solle, daß sie ihm so junge Leute in dieser wichtigen Angelegenheit senden. Ganz besonders ärgerte ihn, daß der junge Polheim delegiert wurde, mit dessen Vater er schon Auseinandersetzungen hatte, als er wegen verbotenen Predigtlesens mit fünfhundert Talern abgestraft werden sollte. Herberstorff sagte, er hätte als Delegierte der Welser Stände Männer begehrt und solche namentlich genannt, mit denen man im Vertrauen hätte reden können. Polheim wäre da zweifellos nicht gemeint gewesen. Herberstorff sah auch, daß zwischen den Ständen und dem Bauernausschuß eine, wie er es nannte, „Conjunktion" gesucht werde, dazu komme noch, daß die Welser Stände die Bürgerschaft, die wider ihren Eid sich den

Bauern angeschlossen habe, ihren Beratungen zuziehe. Herberstorff hielt die Vertreter des vierten Standes der landesfürstlichen Städte für meineidig. Er hatte Bedenken, „mit denen Leuten, die sich in Gesellschaft solcher meineidiger Puben finden", zu verhandeln. Der Statthalter meinte auch, er sehe keinen Vorteil solcher Verhandlungen; wenn er die Ausschüsse in die Stadt lasse, werde alles ausspioniert. So blieb den Welser Abgesandten nichts anderes übrig, als wieder nach Wels zurückzukehren[247].

Herberstorff bangte damals um seine Sicherheit in der Stadt und befürchtete Verrat im Zusammenhang mit den ständigen Kontakten der Landstände durch ihre Diener und Abgesandten zu den Bauern. So ließ er den ständischen Trompeter Hoy und einen Bediensteten der Stände namens Tamper zunächst durch die Stände selbst im Landhaus konfinieren, wobei die Stände dem Wunsch des Statthalters nachgekommen sind. Der Statthalter schickte aber seinen Profos in das befreite Landhaus, ließ mitten in der Nacht die beiden holen sowie den Landschaftsdiener Ruprecht Grienauer und den Bürger Mitterhofer aus ihren Häusern abführen und sie alle ins Schloß bringen, wo sie in den Kerker geworfen wurden. Eine ständische Intervention zugunsten der Eingekerkerten blieb erfolglos. Herberstorff äußerte sich zu Hans Andreas von Grünthal, der zum Statthalter ins Schloß kam und um Freilassung der Arrestierten bat, er könne über deren Verbrechen noch nichts aussagen. Er traue jedoch keinem Menschen mehr, er sei durch sein allzuvieles Vertrauen verführt worden: „Schuldigem Mann gehe Grausen an", meinte der Statthalter, „es werde sich zu seiner Zeit schon finden." Andreas von Grünthal erwiderte dem Statthalter, es schmerze die Stände das Mißtrauen des Statthalters gegen sie, und sie wüßten sich durchaus unschuldig. Er schlug vor, die Gefangenen freizulassen, da sie ja doch die Stadt, die ja vollkommen gesperrt sei, nicht ohne Herberstorffs Wissen und Willen verlassen könnten. Aber der Statthalter blieb unnachgiebig, er lasse keinen Gefangenen frei, es werde niemand mehr aus der Stadt, aber auch niemand mehr hereingelassen, „solang bis sein Erlösung geschehe". Selbst wenn die Bauern Proviant in die Stadt ließen, würde er es nicht zulassen, „dann er befürchte, daß dadurch allerlei Verräterei und Ausspähen geschehe; es solle einem wie dem andern gehen und zugleich Hunger und Not leiden"[248]. Bezüglich der ständischen

Gefangenen im Schloß höhnte der erboste Statthalter, er wundere sich, daß die Stände sich für die Verhafteten einsetzen; wenn diesen „die Losament zu eng und die Luft nicht mehr annehmlich, kann es sich leicht schicken, daß er ihnen mehr Luft verschaffe und sie an die Bäume knüpfe“[249]. Wenn nun Herberstorff gegen Ende des Aufstandes wieder — wie am Beginn der Ausgleichsverhandlungen — Lob für das Verhalten der Stände in der Zeit der Bauernrebellion fand und zu Herrn von Grünthal sich erklärte, die Linzer Stände hätten das Ihrige getreu und eifrig getan, „dessen er ihnen selbsten könnde gegen ihr Majestät Zeugnis geben“, wenn er außerdem die Furcht der Welser Stände, seinem Ruf zu einem Landtag nach Linz zu folgen, mit den Worten, er wolle ihnen nur „Liebes und Gutes erweisen“, beschwichtigte, so war er dennoch innerlich immer noch von der Mitschuld des protestantischen Adels am Aufstand überzeugt, und auch die kaiserlichen Kommissäre forschten ja bei Ende des Krieges nach der Beteiligung der Landstände am Aufruhr[250].

Es ist verständlich, daß die Bauern, die in der Person des Statthalters den Urheber ihrer Bedrückung sahen, dessen Schloß Ort im Traunsee, wo Herberstorff mit seiner Familie sich gerne — auch bei Beginn des Aufstandes — aufhielt, besonders aufs Korn nahmen. Wenn er daher die Bauern gleich zu Beginn der Erhebung durch die Stände abmahnen ließ, das kaiserliche Salzkammergut zu bedrängen, so mag dabei die Sorge um sein Schloß Ort, das gleichsam an der Pforte des Salzkammergutes liegt, keine geringe Rolle gespielt haben. Als der Aufstand ausgebrochen war, hatte sich der Statthalter in Ort befunden. Während er sich sofort nach Linz begab, war seine Gattin Maria Salome noch in Ort geblieben. Man hatte dort zunächst daran gedacht, Widerstand zu leisten. Doch bereits in der Nacht vom 25. auf den 26. Mai floh Herberstorffs Pfleger und Landgerichtsverwalter von Ort Elias Hackl mit seinen Beamten unter Mitnahme wichtiger Urbare und Dokumente nach Aussee, wo er bis August blieb[251]. Herberstorffs Gemahlin konnte mit Mühe den Bauern entkommen. Erst zwei Stunden vor deren Ankunft in Ort, wo sie mit der Gattin des Weikhart von Polheim weilte, floh sie. Der bayerische Gesandte in Wien, Leuker, hat die Frau von Polheim beschuldigt, Herberstorffs Gattin absichtlich so lange in Ort hingehalten zu haben[252]. Jedenfalls ent-

Gottfried Heinrich von Pappenheim

Abt Anton Wolfradt von Kremsmünster

kam Maria Salome den Bauern und weilte dann in Schloß Adldorf bei Landau an der Isar bei ihrer Schwester Gertraud von Franking[253]. Der Pfarrer Kaspar Mayer von Altmünster meinte, es würden die Leute des Statthalters in Ort „übel ankumben sein", wenn sie nicht geflohen wären. Die Bauern, die sich „in das Statthalterlandl" — wie sie die Herrschaft Ort spöttisch nannten — wandten, haben nach dem Bericht des Altmünsterer Pfarrers das Schloß übel zugerichtet und ausgeplündert, schossen die Fenster ein, führten alles militärische Gerät, Gewehre, etliche „Feuerschlünd", Pulver, Lunten, Strick und Munition weg, zerrissen die Dokumente des Archivs, soweit sie noch vorhanden waren, und zündeten sie an. Schließlich schossen sie Pechkränze auf das Dach des Schlosses und setzten es in Brand. Auch der Wirtschaftshof brannte ab. Ein Unwetter mit heftigem Regen hat den Brand schließlich gelöscht. Abgesehen von den Zerstörungen in Ort mag es für Herberstorff bitter gewesen sein, daß die Bauern, die sich in der Gegend von Gmunden festsetzten, in seinem Schloß ihr Hauptquartier einrichteten. Vor allem dürfte ihn geärgert haben, daß dort Dr. Lazarus Holzmüller, einer der großen „Verführer" der Bauern, zeitweise residierte und Verhandlungen mit dem Gmundner Magistrat und dem Salzamt führte. Das mußte seinen Stolz empfindlich verletzen, und er haßte den Steyrer Advokaten vielleicht gerade deswegen ganz besonders. Daß die Bauern in Gmunden Herberstorffs Kellerer fingen und bedrohten, die zwei in der Stadt befindlichen Keller des Statthalters aufsuchten und seinen Wein tranken, mag auch ins Gewicht gefallen sein[254]. Herberstorff sollte später, wie wir noch sehen werden, bittere Rache an seinen Untertanen nehmen für die Zerstörungen in Ort.

Am Ende des Kriegsjahres 1626 hatte Statthalter Herberstorff dem Kurfürsten von Bayern die Schwierigkeiten im Land geschildert. Er mußte dies brieflich tun, da er vom Kurfürsten Maximilian nicht die gewünschte Zustimmung zu einer Reise nach München erhielt. Maximilian vertrat die Meinung, daß Herberstorffs Anwesenheit in Oberösterreich notwendig sei, daß im Land Ordnung zu machen sei, er hatte sich gegen den Austrieb von Vieh und gegen die Verschwendung des Getreides gewendet und befohlen, daß beim Kriegsvolk die Disziplin wieder hergestellt werde. Mit den Landständen war der Statthalter auch in Konflikt geraten wegen einer von ihm geplanten Getreidevisitation. Er war im übrigen der Auffassung, daß nur die Ernte des Jahres 1626 vorhanden sei, die aber zum Teil noch ungedroschen lagere; er klagte dem Kurfürsten über das üble Hausen der Soldateska, vor allem der kaiserlichen, und über seine Machtlosigkeit, dies abzustellen. Er habe die Ausfuhr von Lebensmitteln aus dem Land streng verboten, aber die Kaiserlichen „spielen den Meister" — sie führen haufenweise das Vieh aus Oberösterreich nach Böhmen und Ungarn. Herberstorff vertritt gegenüber dem Kurfürsten die Notwendigkeit einer strengen Bestrafung aller notorischen Rebellen, denen man ihren Prozeß, wie sie es verdient hätten, machen müsse, „ohne Gnad des Lebens, Hab und Güeter", ... auch ohne Ansehen des Standes. Hatte er doch schon im September unmittelbar nach dem Ende der Belagerung von Linz an Maximilian geschrieben, für Wiellinger, Madelseder und Dr. Holzmüller dürfe es keinen Pardon geben[255]. Der Statthalter schlug neuerdings vor, daß Bauern und Bürger im Lande ganz entwaffnet und zum Gedächtnis an diese große Rebellion auf ewig ohne Wehr bleiben müßten, es sollten zudem Befestigungen im Land errichtet werden, da das oberösterreichische Landvolk „zur Rebellion also unerhört vor allen andern Völkern teutscher Nation neiget". Der Statthalter schlägt auch eine neue „Landberaitung" vor und hält die Aufrechterhaltung der Ruhe für nötig, um dem Kurfürsten die Einnahmen aus dem Pfandbesitz zu sichern. Daher müßten an sich die 12.000 Mann Truppen hier im Lande bleiben. Da aber dies bei der Disziplinlosigkeit der Soldaten den Ruin des Landes bedeuten würde, machte er den Vorschlag, nur 5000 im Lande zu stationieren. Herberstorff ging im Lande scharf vor gemeinsam mit den Kommissären des Kaisers — „conjunctis viribus" —, wie er es gewünscht hat. Er war für hartes Vorgehen auch bezüglich Einziehung der Rebellengüter, wobei er nicht die volle Zustimmung des Kaisers fand[256]. Noch Anfang März 1627 hatte der Statthalter die Bevölkerung aufgefordert, Rädelsführer und Helfer des Aufstandes anzuzeigen und festzunehmen, und er hatte dafür ein Drittel des Vermögens der Festgenommenen als Belohnung in Aussicht gestellt[257]. Eine Verhaftungswelle — Herberstorff hatte Kopfpreise ausgesetzt — hatte zahlreiche Rebellen in die Hände des Statthalters und der kaiserlichen

Kommissäre gebracht. Der Kaiser hat dem Statthalter allerdings verboten, auf eigene Faust Konfiskationen durchzuführen und eine neue Beschreibung der Untertanen und Inwohner des Landes vorzunehmen. Er hat auf diese Weise ständischen Befürchtungen Rechnung getragen[258]. Denn die Unterlagen etwa über die Feuerstätten im Lande waren vollkommen veraltet, und bei einer Neuaufnahme hätte sich vielleicht der Verdacht bestätigt, den der Statthalter gelegentlich ausgesprochen hatte, daß die Stände von den Untertanen viel mehr Garnisongeld eingehoben haben, als sie tatsächlich dem Kurfürsten ablieferten.

Am 26. März 1627 fanden auf dem Linzer Hauptplatz die Hinrichtungen der Führer des Aufstandes statt: Achaz Wiellinger wurde enthauptet, Wolf Madelseder wurde die rechte Hand und das Haupt abgeschlagen, dann wurde sein Leichnam gevierteilt. Dr. Lazarus Holzmüller war kurz vorher gestorben, man führte die Strafe am Leichnam aus. Nach Ostern gingen die Exekutionen weiter — am 23. April wurden zehn Personen hingerichtet —, nur einem Teil wurde die Einziehung der Güter erlassen. Die Hinrichtungen zogen sich lange Zeit hin und dauerten bis in den Juli 1628. Herberstorff mochte trotz seiner Härte und trotz seiner Forderung nach strengen Bestrafungen kein gutes Gefühl bei diesen Exekutionen gehabt haben. Er wollte nicht im Lande sein, wenn die Köpfe der Bauernführer rollten. Er fürchtete, man werde ihm, und zwar ihm allein, die Schuld an diesem Blutgericht geben. Darum suchte er die Erlaubnis des Kurfürsten zu einer Reise nach Böhmen nach, die ihm jedoch Maximilian verweigerte[259]. Der Kurfürst wollte nicht, daß während der Abwesenheit Pappenheims keine geeignete Person im Lande sei, welche das militärische Kommando führen könne. Er versprach Herberstorff, daß er ihm bei nächster Gelegenheit die Möglichkeit geben werde, seinen „Privatgeschäften“ nachzugehen. Wenn er während der Exekutionen nicht in Linz sein wolle, solle er auf seine Güter im Land sich zurückziehen. Der Kurfürst schrieb, er verstehe nicht ganz Herberstorffs Angst, man werde ihm die Schuld an diesen Exekutionen beimessen, wo doch jeder wisse, „durch was Personen Befelch und Verordnung“ das geschehe. Herberstorff war überhaupt bestrebt, das bayerische Regime nicht unnötig zu belasten, und hatte darum bei Rebellen, die kaiserliche Gnade erhalten haben, keine Geldstrafen verhängt, um dadurch ein „Geschrei“ über „bayrische Schinterei“ zu vermeiden[260].

Mit der Hinrichtung der Haupträdelsführer des Bauernaufstandes auf dem Linzer Hauptplatz im Frühjahr des Jahres 1627 war das blutige Zeichen für das Ende dieser Erhebung der oberösterreichischen Bauern gesetzt worden. Herberstorff hat im Bauernkrieg militärisch eine verhältnismäßig bescheidene Rolle gespielt, wenn er auch durch die Verteidigung von Linz indirekt sehr wesentlich mitgewirkt hatte an der Niederlage des Bauernheeres. Er hatte aber durch sein Taktieren, durch das Einspannen der Landstände zu den Verhandlungen mit den Bauern, durch seine Bereitschaft konfessioneller Zugeständnisse zur Abwendung der Gefahr und zur Bewahrung des Landes vor der Katastrophe politisch das Geschehen während des Aufstandes doch entscheidend mitbeeinflußt. Die Niederwerfung und siegreiche Beendigung des Krieges aber schuf nun freie Bahn, das Land zu „akkomodieren“, d. h., in politischer Hinsicht eine Beruhigung und Normalisierung der Lage herbeizuführen und schließlich Maßnahmen zu setzen, deren Ziel die Wiedervereinigung des Landes ob der Enns mit den anderen Ländern des Kaisers gewesen ist. In konfessioneller Hinsicht aber — enge mit dem politischen Geschehen verknüpft — bot sich nun die Möglichkeit, die durch den Aufstand unterbrochene Gegenreformation fortzusetzen und im Sinne des Kaisers die Einheit der Religion herbeizuführen. Herberstorff hatte sich im Bauernkrieg voll engagiert. Den Haß der Bauern trug er — wenn auch mit Unbehagen und Verbitterung. In ihren Augen war er der Grund des Aufstandes gewesen, und er war in aller Welt als der grausame Tyrann von ihnen gebrandmarkt und bekanntgemacht worden. Das Bild, das von ihm nach Frankenburg und nach dem Bauernaufstand lebendig war, blieb gleichsam erhalten. Herberstorff blieb das Symbol ungerechter Herrschaft, die nunmehr einen blutigen und grausamen Sieg errungen hatte.

3. Die Zeit nachher

Am Ende des Jahres 1626 hatte Herberstorff einen persönlichen Brief an Kaiser Ferdinand II. gerichtet, in welchem die ganze Bitternis, die ihn zu dieser Zeit erfüllte, zum Ausdruck kommt. Die innere Vergrämung hatte ihre Wurzeln darin, daß man ihn als den Urheber des Aufstandes deklarierte, der durch seine Härte in der Durchführung der Gegenreformation die Flamme des Aufruhrs entfacht habe, daß man gleichsam alles den Untertanen widrige Geschehen in seiner Person zentrierte. Es schmerzte und beleidigte den hochmütigen Statthalter, daß man, wie er selbst es formulierte, „gleichsam in das ganze Reich spargiert", er habe das Land als Tyrann verwaltet, er habe „übel guberniert"; es verletzte ihn tief, daß man verbreitete, er habe getrachtet, die Landstände mit „Stamm und Wurzel" auszurotten, und daß er sich mit Hilfe der Gegenreformation bereichern wollte. Man habe ihn — einen Mann von Ehre —, so schrieb er an den Kaiser, und seine Familie auf das abscheulichste angegriffen, man habe ihn in Wien und München schlecht gemacht und habe „ohne einiges vorhergehendes Gehör die Amotion gesucht", d. h. seine Entfernung vom Amt des Statthalters betrieben. Er sei innerhalb und außerhalb des Reiches diffamiert worden, meinte Herberstorff zum Kaiser. Er wolle aber „lieber sterben", als, so heißt es in seinem Brief, „daß ich dergestalt leben und dienen solle oder müeßte". Herberstorffs Begehren an den Kaiser ist nun gewesen, daß die kaiserlichen Kommissäre im Land eine Untersuchung gegen ihn und seine Regierung durchführen sollten. Wenn sich die Vorwürfe, die man gegen ihn erhob, bewahrheiten, „so will billich in Euer kaiserlichen Majestät Ungnad gefallen sein". Wenn sich aber herausstelle, daß seine „Actiones" redlich, treu und aufrecht waren, wessen er mit gutem Gewissen sich rühmen könne, so bittet er Ferdinand II., er möge ihm dann „öffentliche gebührende Satisfaktion verschaffen". Ob Kaiser Ferdinand II. auf Herberstorffs Schreiben reagierte, ist nicht bekannt[261]. Jedenfalls ging das Paket der Bauernbeschwerden an den Kurfürsten von Bayern, dem eine Remedierung der Beschwerden bzw. eine Untersuchung anheimgestellt wurde.

Herberstorff hatte sich auch an den Kurfürsten selbst mit der Bitte gewendet, eine Untersuchung gegen sich und die bayerische Regierung in Linz durchzuführen[262]. Das mag auch damit im Zusammenhang stehen, daß bei den österreichisch-bayerischen Beratungen, die in Linz in den ersten Monaten des Jahres 1627 über die Probleme des Landes ob der Enns abgehalten wurden, von kaiserlicher Seite verlangt wurde, der „Statthalter und Vizedom mechten künftiger Zeit verändert werden, wegen großen Mißtrauens". Der „Rigor nimius" sollte aufhören und die „Manier zu tractiern" sei zu mildern. Die kaiserlichen Räte fassen die Beschwerde gegen Herberstorff noch einmal zusammen, wobei sich auch findet, der Statthalter werfe in fast allen Dekreten dem Land und den Ständen die Rebellionen und Untaten vor, was die gehorsamen und katholischen Stände schwer treffe. Es wird dem Statthalter auch das Darniederliegen der Justiz vorgeworfen, „alte und neue Prozesse stocken, die Landrechte werden nicht mehr besuecht noch gehalten". Es wurde auch bemängelt, daß Herberstorff dem Rate fast nie beiwohne und daß in seiner Hand auch die Militärverwaltung liege, so daß er immer die Soldaten begünstige. Am 20. Februar hat dann der Kurfürst befohlen, daß Maximilian Kurz von Senftenau und Dr. Peringer den Informationsprozeß gegen den Statthalter und die Linzer Räte vornehmen sollen, „doch mit ausdrücklichem Vorwissen sein Statthalters selbst, und solcher Gestalt, damit ihm einiger Unglimpf oder Verkleinerung hieraus nit erfolge, sondern alles fürderlichst und allein zu seiner Defension"[263]. Das zeigt, daß der Kurfürst weitgehend seinen Statthalter in Schutz nahm. Wohl sollte dem Begehren nach einer Untersuchung stattgegeben werden, aber es mußte behutsam vorgegangen werden, und Ehre und Ansehen Herberstorffs durften auf keinen Fall einen Schaden nehmen. Als Kurz von Senftenau nach Linz kam, suchte er den Statthalter auf und besprach mit ihm den Modus procedendi, wobei Herberstorff bemerkte, er freue sich, daß man seinen Wunsch nach einer Untersuchung erfülle, er scheue diese nicht, je eher es geschehe, desto besser[264]. Die Untersuchung wurde eingeleitet durch ein Patent der kurfürstlichen Kommissäre an alle Obrigkeiten und Untertanen des Landes ob der Enns, welches am 5. März 1627 erlassen wurde. Es wurde darin auf die in den Bauernbeschwerden vorgetragenen Gravamina und Vorwürfe gegen Herberstorff und die bayerische Regierung in Linz Bezug genommen, und alle, welche gegen den Statthalter, den Vizedom und die Räte insgesamt oder gegen einzelne von ihnen Klage vorzubringen hatten, wurden aufgefordert, innerhalb von drei Tagen, und zwar am 18., 19. oder 20. März, bei den kurfürstlichen Kommissären in Linz in ihrer Residenz im Hause des Linzer Bürgers Anton Eckhart zu erscheinen und ihre Klage vorzubringen. Diejenigen, welche selbst des Schreibens kundig seien, sollen gleich eine schriftliche Formulierung ihrer Beschwerden und Klagen vorlegen. Die drei angeführten Tage im März sollten so verstanden werden, daß, wer an diesen Tagen seine Beschwerde nicht vorbringe, später nicht mehr angehört werde. Schon am 21. März wußte der Statthalter, daß niemand gegen ihn Klage erhoben habe: „Ist meines Wissens kein einziger einkomben." Maximilian Kurz und Dr. Peringer haben am gleichen Tage dieses Ausbleiben jeder Beschwerde über den Statthalter dem Kurfürsten offiziell berichtet. Maximilian glaubte es nun bei diesem Ergebnis bewenden lassen zu können[265]. Diese Entlastung, welche Graf Herberstorff durch das Schweigen aller, die sich durch sein Regime beschwert fühlten, zuteil geworden war, mußte zunächst seine Position als Statthalter festigen, wenngleich dieses undurchdringliche Schweigen eigentlich eine sehr deutliche Sprache spricht. Wer hätte es, namentlich von den Untertanen, gewagt, mit Namen und Handschrift gegen den Statthalter Zeugnis zu geben, jetzt nach dem großen Sieg, den man über die Bauern errungen hatte? Das Schweigen bot größeren Schutz als das offene Wort.

Nun betraf dieses Ergebnis der Untersuchung gegen den Statthalter Herberstorff nicht die Vorwürfe, die ihm von seiten der kaiserlichen Räte gemacht wurden. Herberstorff hatte gegenüber den kurbayerischen Kommissären Preysing und Dr. Peringer zu einigen dieser Vorwürfe sich geäußert und erklärt, er könne sich eines „absoluti dominatus, oder das er die majora breche nit erinndern". Er gab aber zu, daß er den Rat selten besuche, er könne dies aber wegen seiner militärischen Aufgaben und wegen der zahlreichen Audienzen auch nicht tun[266]. In Wirklichkeit lag seinem Wesen ein geregeltes Verwalten nicht. Er war kein Mann, dem beamtenhaftes ruhiges Arbeiten eine Freude bereitete. Die regelmäßigen Sitzungen des Rates werden ihm eine Qual gewesen sein, daher mied er sie, er hatte zweifellos genug Aufgaben, um nicht untätig sein zu müssen. Aber er war zugleich herrisch genug, um seinen Willen durchzusetzen, wenn er einmal den Rat besuchte — daher das Klagen, er breche die Majora, d. h., er setzte sich gelegentlich über Mehrheitsbeschlüsse im Rate hinweg. Die Klagen über Herberstorffs Nachlässigkeit in dieser Richtung hörten auch dann nicht auf. Im Oktober 1627 gibt es die alten Klagen gegen ihn, und Kurfürst Maximilian selbst scheint zu einer härteren Sprache gegen seinen halsstarrigen Statthalter in Linz geneigt gewesen zu sein. Er klagte gegenüber dem Fürsten Johann von Zollern, Herberstorff besuche den Rat selten, beachte seine, des Kurfürsten, Instruktionen nicht und handle ohne Rücksicht auf die Meinung der anderen Räte. Maximilian hatte eine Mahnung an Herberstorff vorliegen, der Zollern seine Zustimmung gab. Bei Nichtbeachtung dieser Mahnung sollte mit Herberstorff eine „andere Ordnung" getroffen werden. Herberstorff hat das Schreiben aus München erhalten, es hat ihn etwas gereizt, und er hat dem Kurfürsten auch mitgeteilt, es schmerze ihn von Herzen, daß er mit seinem Wirken nicht zufrieden sei, und er könne mit Gott bezeugen, daß er in diesem schweren, mühsamen und auch gefährlichen Amt dem Kurfürsten stets treu gedient habe. Der Statthalter führte alles auf „ungleiche Relationen" zurück, und er hoffte, daß er diese mißgünstigen Berichte über ihn nicht zu entgelten habe. Er erwarte auch, so schrieb er an den Kurfürsten, daß dieser als ein „gerechter und christlicher Herr" ihn anhören möge, er werde ihm aber wie bisher treu dienen und werde auch im Rat und anderen vorfallenden Geschäften, so viel er dazu die Möglichkeit habe, das Seinige tun. Maximilian bezeugte dem Statthalter, daß er ihm seit seinem Eintritt in bayerische Dienste „aufrecht, getreu und redlich" gedient und dadurch seine Gnade verdient habe. Die Berichte, von denen Herberstorff sprach, kämen auch vom Kaiser, und es werde vor allem über Herberstorffs schlechte Verwaltung der „heilsamen Justici" Klage geführt. Maximilian erinnert auch an die diesbezüglichen Vorhaltungen, die man dem Statthalter in München und in Linz schon gemacht habe. Wenn Herberstorff nun die Administration nach den Richtlinien, die er von München habe, führe, so werde es künftig keine Beschwerde geben, meint der Kurfürst[267]. Damit scheint auch diese Angelegenheit bereinigt worden zu sein.

Der Bauernkrieg hinterließ eine Fülle von Problemen größerer und kleinerer Art, die es zu lösen gab. Herberstorff stand wie immer im Bereich der Spannungen zwischen dem Kaiser und dem Kurfürsten, und diese Schwierigkeiten im Verhältnis zwischen Bayern und Österreich waren durch den Bauernkrieg keineswegs geringer geworden. Maximilian selbst äußerte sich über die Atmosphäre, die zwischen den Bayern und den Kaiserlichen herrschte, im Frühjahr 1627 ziemlich pessimistisch, und er meinte, daß besonders seit dem Bauernaufstand das Verhältnis sich verschlechtert habe, wobei er den kaiserlichen Ministern die Schuld gibt, die seine „getreu und aufrechte Actiones und Intention ungleich interpretieren". Diese getrübte Stimmung wirkte sich nach des Kurfürsten Worten auf die Linzer Konferenz aus, wo man sogar „der Billichkeit zuwiderlaufende Sachen" den Bayern zumutete. Die Bayern empfanden das Verhalten Wiens als undankbar, und Herberstorff hatte schon im September 1626 von des „Teufels Dank aus Wien" gesprochen[268]. Diese Linzer Besprechungen wurden von bayerischer Seite von dem kurfürstlichen Hofratspräsidenten Johann Christoph von Preysing und dem Geheimen Rat Dr. Peringer geführt, von kaiserlicher Seite waren es der Abt Anton Wolfradt von Kremsmünster und der Vizestatthalter der niederösterreichischen Regierung Georg von Teufel. Am 23. Januar haben diese Traktationskommissäre, wie man sie bezeichnete, die Beratungen aufgenommen. Statthalter Herberstorff wurde gelegentlich zu diesen Beratungen beigezogen[269]. Die Landstände mögen sich bemüht haben, die Stimmung zu bessern. Sie luden die kaiserlichen und die kurfürstlichen Kommissäre und den Statthalter Herberstorff als Gäste für den 14. Februar ins Landhaus und meinten dazu, es sei dies „dem ganzen Land zum Besten vermeint", und man tat sich procul a negotiis bei Wild, Rebhühnern, Hasen, Kapaunen und „indianischen Hühnern" gütlich[270].

Die wichtigsten Fragen, mit welchen sich diese gemischte bayerisch-österreichische Kommission befaßte, galten, abgesehen von dem Rebellenprozeß und der erwähnten Untersuchung gegen den Statthalter und seine Regierung, vor allem der militärischen Kommandofrage, dem Problem der Disarmierung der Landstände, der Abführung der Besatzungstruppen, der Verbesserung des Justizwesens sowie der Fortsetzung der Gegenreformation. In einem Tagebuch des bayerischen Kommissärs Johann Christoph von Preysing spiegelt sich das bayerisch-österreichische Feilschen vor allem um die Frage des Oberkommandos, das die Kaiserlichen auch über das im Land liegende bayerische Kriegsvolk beanspruchten, was die Bayern aber nicht hinnahmen. Man einigte sich schließlich auf einen Kompromiß: Im offenen Feldzug sollen die Kaiserlichen, d. h. Oberst Löbl, das Kommando auch über die bayerischen Truppen haben, sonst aber bleibe das Kommando dem jeweiligen Kommandanten eines jeden Truppenkörpers. Auch bezüglich der Disarmierung der Stände gab es Differenzen. Während Bayern grundsätzlich evangelische und katholische Stände entwaffnen wollte, gedachten die Kaiserlichen, die katholischen Stände von dieser Entwaffnung auszunehmen, was Bayern schließlich unter Protest auch annahm. Die Bayern waren bereit, zur Besserung der Justizpflege im Lande das Ihrige zu tun und das Landrecht mit tauglichen Personen zu komplettieren, wogegen die Kaiserlichen die Forderungen der Prälaten nach Aufnahme in den Rat und in die Rechte vorbrachten. Die Notwendigkeit, das Kriegsvolk aus dem ausgesaugten Land abzuführen, wurde von beiden Seiten betont, aber es gab auch hier Differenzen, da Bayern unbedingt verlangte, daß die Kaiserlichen zuerst das an Bayern verpfändete Land wieder verlassen sollten, damit die Pfandschaft „integre“ bleibe, wogegen die Kaiserlichen mangels anderer Quartiere nur bereit waren, erst allmählich die bayerische Forderung zu erfüllen. In der Frage der Gegenreformation war man grundsätzlich über deren Fortsetzung einig[271].

Mit allen diesen Dingen und mit manch anderen Fragen, die sich aus dem Verkehr mit den Landständen unmittelbar ergaben, wurde naturgemäß auch Herberstorff konfrontiert. Schon wegen der von ihm angeordneten Visitation der Getreidevorräte im Lande war es mit den Landständen, wie wir gehört haben, zum Konflikt gekommen, noch härter war die Auseinandersetzung zwischen den Ständen und dem Statthalter in der Frage des vierten Standes, der sieben landesfürstlichen Städte. Herberstorffs leidenschaftliche Abneigung gegen die Städte zeigte sich schon während des Bauernkrieges, weil er erkannt hatte, daß sie nicht nur der Gewalt wichen, als sie den Bauern ihre Tore öffneten — wie Wels und Steyr etwa —, sondern daß sie die Rebellion der Bauern eigentlich mitmachten und diesen Führer und Ratgeber, wie Madelseder und Dr. Holzmüller, stellten. Hatte er sie schon damals als Meineidige bezeichnet, mit denen er nicht verhandeln wolle, so gedachte er nunmehr, sie vom Landtag auszuschließen, und verbat den Ständen, etwas mit den Städten „gesamt“, also als Korporation zu traktieren und zu handeln[272]. Er meinte, nach dem Verhalten der Städte im Aufstand dürften sie nicht mehr so „libere“ wie früher zum Nachteil des Kaisers handeln. Er erklärte, er könne nicht schweigend zusehen, sondern müsse ein besonderes Auge auf alle Aktionen der Städte haben. Das aber berührte die Verfassung des Landes, und der Kaiser stellte sich nun ganz auf die Seite der Landstände. So wie er den Ständen hinsichtlich der ungewöhnlichen Getreidevisitation den Rücken stärkte und die kaiserlichen Kommissäre aufforderte, jede Zusammenführung des Getreides zu verhindern, so sah er in der In-Frage-Stellung der Rechtsfähigkeit der sieben landesfürstlichen Städte als Körperschaft durch den Statthalter eine Beeinträchtigung seiner Souveränitätsrechte im Lande und befahl den Kommissären, sie sollten „den Statthalter mit gueter Manier dieses zu verstehen geben . . ., daß er derley Alteration im Lande zu nehmen hinfüro unterlassen solle“[273]. Herberstorff zeigte gerade in dieser Frage der Landstandschaft der sieben Städte, wie wenig ihm die Landesverfassung bedeutete, die er ja, wie wir wissen, als Hauptschuld an den Zuständen im Lande betrachtete. Er dachte lediglich als fürstlicher Beamter und konnte sich kaum in ständisches Denken einfügen, obwohl er ja selbst damals Mitglied der Stände war.

Die Entwaffnung der Landleute, und zwar nur der evangelischen, hatte naturgemäß der Statthalter im Auftrage der gemischten Kommission durchzuführen. Die evangelischen Stände haben dies als eine Diskriminierung betrachtet, und sie sahen darin eine ungerechte Beschuldigung, als seien sie am Bauernaufstand mitschuldig. Hatten Disarmierungskommissäre evangelischen Adeligen sogar die persönlichen Waffen beschlagnahmt, was die Stände beanstandeten, da sie als adelige Kavaliere dann nicht einmal in der Lage wären, ihre Ehre und ihr Leben zu verteidigen, so beruhigte sie der Abt von Kremsmünster, daß die Landleute persönlich im Disarmierungspatent nicht gemeint seien[274]. Daß man trotz solcher Entwaffnungsaktionen, die sogar den Adel einbezogen, auch später befürchtete, es könnten Waffen in der Hand von Untertanen sein, zeigt ein Dekret Herberstorffs, worin die Obrigkeiten aufgefordert wurden, alle Untertanen vor sich zu rufen, sie einen neuen Eid der Treue schwören zu lassen und ihnen alle Waffen abzuverlangen. Wie sehr Herberstorff entschlossen war, jeden Keim eines neuen Aufruhrs zu ersticken, zeigt sein Befehl an die Grundobrigkeiten: falls einzelne, wie er sagt,

„desperierte Pueben“ zu einer neuen Rebellion „auftreiben“, solle die Herrschaft sie gefänglich einziehen oder „ohne alles Fragen totschlagen“[275].

Das Hauptproblem, von dessen Lösung eine Verbesserung der Verhältnisse im Land abhängig war, war die Abführung des im Lande einquartierten Kriegsvolkes. Es ging dabei nicht nur um die aufzubringenden Kosten, die durch die Anwesenheit des ganzen Heeres, das nach dem November-Feldzug gegen die Bauern im Lande blieb, verursacht wurden, sondern um die desolaten Zustände, welche das ungezügelte Hausen der Soldaten im Lande verursachte. Herberstorff war bestürzt über die Disziplinlosigkeit der Truppen, und wenn er auch meist das kaiserliche Kriegsvolk nennt und dieses aller Untaten beschuldigt, so kann man auch bei den bayerischen Verbänden kaum eine viel bessere Disziplin annehmen. Herberstorff hat selbst diese üblen Zustände gelegentlich geschildert, so, wenn er am 16. Dezember 1626 schrieb, im Lande gehe es zu, „daß es zu erbarmen ist; man hält an keinem Ort Regiment und es ist nicht möglich, daß es so bestehen kann; sehn die bayrischen Soldaten, daß es den kaiserlichen hingeht, was sie tun, so machen sie es auch mit; ich weiß und kann keinem Menschen Rede und Antwort geben wegen des jetzigen Hausens. Der Herzog von Holstein machts gar aus der Weise; ich kann hier nichts nützen, denn man laßt mich schreiben und jedermann tut, was ihm gefällt.“ Auch Schilderungen anderer Zeitgenossen zeigen das düsterste Bild. Man sieht also, daß der Statthalter dem Problem hilflos gegenüberstand, ein Unvermögen, das in zahlreichen Briefen Herberstorffs sich zeigt. Es waren also nicht nur die Landstände höchst interessiert an der Abführung der Soldateska aus dem Land und haben in Absendungen nach München den Kurfürsten darum inständig gebeten[276]. Auch der Statthalter mußte sich um eine Reduzierung des Kriegsvolks bemühen, weil dies durchaus auch in seinem persönlichen und wegen des Verderbens des verpfändeten Landes im bayerischen Interesse gelegen war. Herberstorff hatte schon in seinem großen Bericht an Maximilian Mitte Dezember 1626 geschrieben, wenn das ganze Heer, dessen Stärke er auf wenigstens 12.000 Mann schätzte, nur zwei Monate im Land bleibe, so wäre dieses „durch und durch ruiniert“. Führe man aber zuviel Soldaten bald aus dem Land weg, so sei man bei den verzweifelten Bauern und ihren Anhängern vor einer neuen Unruhe nicht sicher. Er hatte daher vorgeschlagen, ehest das holsteinische Volk und noch so viel anderes Kriegsvolk abzuführen, daß nur 5000 Mann Infanterie und fünfhundert Reiter im Lande verbleiben. Auch Herberstorff war im übrigen schon früher ähnlich wie dann die bayerischen Kommissäre der Meinung gewesen, daß zuerst das kaiserliche Volk abgezogen werden solle. Ihm schien also auch nach dem siegreichen Niederwerfen des Bauernaufstandes die Ruhe im Lande noch keineswegs gesichert. Als daher Karl Christoph von Schallenberg, der Anfang des Jahres 1627 am Münchner Hof weilte, wo ihm bzw. den oberösterreichischen Ständen eine Welle des Mißtrauens entgegenschlug, den ebenfalls in München weilenden Statthalter bat, „des Lands Not ihrer churfürstlichen Durchlaucht zu Gemüt zu führen und so viel möglich die Enthebung des schweren Lasts zu befürdern", da antwortete ihm Herberstorff, „es seien ihre kaiserliche Majestät und ihre kurfürstliche Durchlaucht willig dazu, mangel allein an Versicherung künftigen Aufstands"[277].

Die Masse des Kriegsvolkes blieb also bis in das Jahr 1627 im Land, und die Erfordernisse des Krieges in Deutschland haben dann die bayerisch-österreichischen Auseinandersetzungen in Linz über die Frage, wer zuerst abzuziehen hätte, beendigt, da am Kriegsschauplatz dringend Truppen benötigt wurden. So verließen die pappenheimischen Truppen am 9. Februar das Land ob der Enns, und das kaiserliche Kriegsvolk wurde im Laufe der folgenden Monate nach Schlesien abgezogen. Dennoch blieben noch immer größere Kontingente von Besatzungstruppen im Lande[278]. Die Stände trachteten weiterhin, eine Verringerung der Besatzung zu erwirken, und Herberstorff half hier durchaus mit. Er hat Ende des Jahres 1627 den Ständen gegenüber sich gerühmt, wie sehr er mit Fleiß, Wohlmeinung und Vorsorge bei Kaiser und Kurfürst und bei dessen Räten zu den Entschlüssen zur Abführung des Kriegsvolkes beigetragen habe[279]. Die Stände haben bei ihren Gesandtschaften, welche unter den anderen Landesangelegenheiten meist die Besatzungslast zum Thema hatte, oft Herberstorffs Hilfe erbeten und auch gefunden. Als nach Weihnachten 1627 der Abt von Garsten am Münchner Hof weilte, da baten die Stände Herberstorff, der in Prag alle diese Fragen mit den kaiserlichen Räten behandelt hatte, sie zu unterstützen, wobei sie sogar an seine ständische Solidarität — „als ein fürnembes wollbeguettes Mitglied" — appellierten[280]. Herberstorff benützte aber die jeweilige Abführung von Truppenkörpern aus dem Lande zu kräftigen Geldforderungen an die Stände. So hat er im Juni 1627 20.000 Gulden Abdankungsgeld gefordert, wobei die Stände sogleich zustimmten. Im Oktober 1627 wandte der Statthalter sich an die Stände um 60.000 Gulden, da nunmehr der größte Teil der plagenden Soldateska abgeführt sei, wobei er meinte, es könne der Erlag dieser hohen Summe nicht schwerfallen, da sie weder im September noch im Oktober Garnisongeld gezahlt hätten. Auch hier waren die ständischen Verordneten bereit zu zahlen, aber es fehlten ihnen die Mittel, die ständische Kasse war leer, und Versuche, beim Erzbischof von Salzburg ein Darlehen zu erhalten, schlugen fehl. So gewährten die Ständeverordneten dem Statthalter Einblick in die Ausstandsregister, und er konnte sich von den mangelnden Geldeingängen überzeugen. Die Zusagen Maximilians an den Abt von Garsten, die Besatzung bis auf fünfhundert Mann Fußvolk abzuführen, scheiterten zunächst an der Geldfrage, da für die Kompagnie Reiter (Kroaten) und für die hundert abzuführenden Mann der Kompagnie des Obersten Walkun von Herberstorff noch beträchtliche Soldrückstände zu bezahlen waren. Herberstorff forderte am 15. Februar 1628 die Stände auf, die nötige Summe im Zahlamt zu erlegen. So war die Besatzung erst im Jahre, als das Land wieder zum Kaiser zurückkehren sollte, auf ein erträgliches Maß zusammengeschmolzen, wobei Herberstorff selbst wesentlich seinen Einfluß zur Verminderung der Besatzungstruppen geltend machte, eine Tatsache, die er gerne unterstrich: Er habe, wie er den Ständen schrieb, immer dazu „inclinirt"[281].

Herberstorff hatte den Schrecken, den ihm die Niederlage bei Peuerbach verursacht hatte, noch lange nicht los, und der Gedanke an die schlechte und verwahrloste Befestigung der Stadt Linz ließ ihn auch im folgenden Jahr stets um seine Sicherheit bangen. Wenn er daher aus Gründen der Vernunft sich zweifellos für die Verringerung der Besatzungstruppe einsetzte, um das Land vor dem gänzlichen Verderben zu bewahren, sich selbst die blamablen Mißachtungen seiner Befehle durch die disziplinlosen Soldaten zu ersparen und seinem kurfürstlichen Herrn doch noch, wenn auch spärliche, Einnahmen aus seiner Pfandschaft zu sichern, so ließ der Sicherheitsgedanke, der in ihm außerordentlich lebendig war, ihn nach einem Ersatz, der dieses militärische Vakuum ausfüllen sollte, suchen. So entstand Herberstorffs Gedanke, größere Befestigungen im Land anzulegen, die in einem neuen Aufstand ihm und seiner Regierung hinreichend erste und sichere Zuflucht bieten konnten. Schon in Herberstorffs großem Bericht an den Kurfürsten, wie künftig ein Aufstand im Land zu verhindern sei, taucht der Gedanke, „daß etliche Festungen in diesem Land erpauet werden", auf. Herberstorff scheint auch den Wiener Hof mit diesen Ideen vertraut gemacht zu haben, denn bei der bayerisch-österreichischen Konferenz in Linz Anfang des Jahres 1627 tauchte von seiten der Kaiserlichen dieser Gedanke der „Fortificatio etlicher Plätz" auf[282]. Im April 1627 schlug Herberstorff dem Kurfürsten konkret die Befestigung von Linz, Enns und Steyr anstelle einer starken Garnison im Lande vor[283]. Im Juli darauf informierte er die Stände über das Projekt, das sowohl dem Kurfürsten als auch dem Kaiser als Sicherung anstelle der Garnison vorgeschlagen worden war, will Meinung und Vorschläge der Landstände kennenlernen, auch hinsichtlich der ja von diesen zu tragenden Kosten. Es sollte — so Herberstorff — nicht jeder „Paurn-Sturmbwind" diese Städte überwältigen, und im Notfall sollten die gehorsamen Landleute samt Hab und Gut dort Aufnahme finden können. Als er von den Ständen im August noch keine Antwort hatte, drängte der Statthalter sie im Auftrag seiner Herrn, wie er sagte, zu einer Resolution, die Mittel zur Fortifikation von Enns und Linz bereitzustellen. Aber die Stände haben sich sowohl am kaiserlichen Hof als auch in München zunächst bei grundsätzlicher Bereitschaft zur Befestigung der beiden Städte wegen Geldmangel entschuldigt[284]. Aber während man am kaiserlichen Hof den Gedanken der Stände, einen Aufschub des Baues dieser Befestigungsanlagen, zurückwies und die Stände warnte, daß sonst neuerdings Militär ins Land gelegt werden müßte, sollten die beiden Städte nicht befestigt werden[285], dürfte man in München die Angelegenheit nicht stärker betrieben haben. Denn der Kurfürst Maximilian war von dem Nutzen dieser Fortifikation nicht überzeugt. Auf Herberstorffs Vorschlag ist die eigenhändige Randglosse des Kurfürsten zu finden: „Wann die Pauern abermal Meister im Feld sein, und den Statthalter in den neuen Füchspauen aushungern werden, so soll man aus dem Bayerland wieder mit Spießen und Stangen zuelaufen. Es wird mit diesem Fortifizieren der Sach nit geholfen sein. Exempla sunt in recenti memoria."[286] Das klingt von seiten des Kurfürsten nicht nur ungläubig gegenüber diesem Projekt, sondern es enthält diese Äußerung auch einen leisen Vorwurf in Erinnerung an Herberstorffs Festsitzen im belagerten Linz. Der Plan des Statthalters scheint dann auch tatsächlich im Sand verlaufen zu sein.

Nach dem Bauernkrieg, der schmerzlichen und tiefen Zäsur in der Entwicklung des Verhältnisses zwischen Ferdinand II. und dem Land ob der Enns, erfolgte durch den Kaiser nunmehr auch eine wenigstens teilweise Bestätigung der alten ständischen Privilegien und Freiheiten, welche die oberösterreichischen Landstände nach der Pardonierung im Jahre 1625 zur Bestätigung in Wien vorlegen mußten. Schon im Dezember 1626 hat eine ständische Gesandtschaft in Wien unter Führung Gundakers von Polheim die Konfirmation der Freiheiten urgiert. Und im Februar 1627 wußte Polheim nach Linz zu berichten, daß die kaiserliche Resolution, die Ständeprivilegien zu bestätigen, bereits erfolgt sei. Im Frühjahr teilte dann ein kaiserliches Dekret den Ständen mit, daß der Kaiser die Privilegien, die alle Stände insgesamt betreffen, konfirmiert habe[287]. Das war auch für Herberstorff von Wichtigkeit, da die Stände nunmehr aus einem bisher bestehenden Ausnahmezustand heraustraten und auch der Statthalter die kaiserlichen Privilegien respektieren sollte. Daher hat der Kaiser den Statthalter informieren lassen, daß er alle Privilegien, welche die Stände in genere betreffen, zu bestätigen beschlossen habe. Wenn die Stände auch die betreffenden Bestätigungsdiplome von den Kanzleien noch nicht erhalten hatten, so kämen sie doch schon in den Genuß dieser Privilegien, und der Statthalter erhielt daher den Auftrag, er sollte den Landständen nichts gegen ihre Freiheiten zumuten, sondern sie „unperturbiert" lassen[288]. Wir wissen, daß diese ständischen Freiheiten trotz ihrer grundsätzlichen Konfirmation durch den Kaiser eine starke Einschränkung erfuhren, nicht direkt, aber durch kaiserliche Interpretation, so daß vieles, was in den vergangenen Jahren ständischer Politik in der Ära Georg Erasmus Tschernembls als ständisches Recht galt, nunmehr eindeutig als Unrecht deklariert wurde, wie etwa die ständische Landesadministration zur Zeit eines Interregnums und die eigene ständische Außenpolitik;

im Zuge dieser Konfirmation der Freiheiten fand der tatsächliche politische Machtverlust der Landstände auch seine rechtliche Fixierung[289]. Daß im Zusammenhang mit Herberstorffs bisherigem Verhalten zu den Ständen die Bestätigung ihrer Freiheiten auch eine praktisch-politische Bedeutung haben konnte, zeigt Ferdinands II. Schreiben an den Kurfürsten von Bayern, wo er darauf hinweist, daß nunmehr durch die Konfirmierung der ständischen Privilegien die Landstände „dahin begnadt worden sein, daß die Kontributionen und Bewilligungen hinfüro außer ordentlichen Landtägen nit gesuecht noch begehrt werden sollen"[290].

Unmittelbar mit der teilweisen Bestätigung der Landesfreiheiten, d. h. der Wiederherstellung der ständischen Verfassung, steht natürlich auch die Reaktivierung des Landrechtes im Zusammenhang, des obersten Gerichtes im Lande, das unter dem Vorsitz des Landeshauptmanns stehen sollte. Seit der bayerischen Besatzung war dieses Landrecht, wie wir wissen, lahmgelegt. Nun sollten die Landräte, welche als Beisitzer in diesem Landrecht zu fungieren hatten, ersetzt werden. Das war eine immer wiederkehrende Forderung der Stände, die stets einen wichtigen Punkt ihrer Beschwerden bildeten. Wenn vom Darniederliegen der Justiz die Rede war, so war meist die Suspension des Landrechtes durch die Bayern gemeint. Noch am 19. Februar 1627 hatten die Stände den kaiserlichen und kurfürstlichen Kommissären eine 19 Punkte umfassende Liste abzustellender Beschwerden überreicht, an deren Spitze die Forderung stand, die Justiz „dem alten Brauch nach zu administrieren"[291]. Nun wehrte sich Herberstorffs Amt gegen die Vorwürfe der Stände. Herberstorff bzw. seine Beamten behaupteten sogar, daß die Justiz seit der bayerischen Pfandnahme „gut, ja besser, schleuniger und unparteiischer administriert worden" sei als vorher. Man habe sich auch bemüht, die Consvetudines, den alten Rechtsbrauch, wo er notorisch war, zu beobachten, man habe aber, wo es Zweifel gab, nach dem „jure communi", d. h. nach dem gemeinen, dem römischen Recht judiziert. Herberstorffs Statthaltereiräte betonten, es seien Prozesse unerledigt vorgelegen, die dreißig und vierzig Jahre zurückreichten, und sie erzählten davon, wie Parteien vom alten Landrecht als vom „Vetter- und Schwagerrecht" gesprochen hätten. Auch drückte das Statthalteramt seine Verwunderung aus, daß sogar die Prälaten sich diesem Beschwerdepunkt angeschlossen haben, die doch zweifellos unparteiischer behandelt wurden, als zu einer Zeit, da ihre Gegner zugleich ihre Richter waren[292]. Die bayerischen Vorwürfe gegen das alte Landrecht mögen nicht ganz unberechtigt gewesen sein. Auch Herberstorff hatte sich ja schon früher, wie wir gehört haben, abfällig über das alte Landrecht geäußert und war gegen die Ersetzung durch einheimische Adelige aufgetreten. Aber es ging letztlich um die Wiederherstellung verfassungsmäßiger Zustände. Daher hatte der Kaiser schon am 28. Januar 1627 eine neue Landrechtsordnung für das Land ob der Enns erlassen, deren wesentliche Änderung gegenüber früher die Zulassung des Prälatenstandes als Beisitzer gewesen ist, eine von den Prälaten schon lange angestrebte, von Rudolf II. 1604 konzedierte, aber gegen die Stände damals nicht durchgesetzte Neuerung. Im Schatten der Niederwerfung des Aufstandes von 1626 erreichten die Prälaten nunmehr ihr Ziel[293], in das Landratskollegium aufgenommen zu werden, wo nun ihrer zwei den Adelsvertretern (je vier) gegenüberstanden. Prinzipiell bildeten sie hier aber nicht einen eigenen Stand, sondern wurden dem Herrenstand zugezählt[294]. Trotz der neuen Landrechtsordnung vom Januar 1627 kam es jedoch noch nicht zur Reaktivierung des alten Landrechtes, obwohl die bayerischen Kommissäre in Linz die Bereitschaft des Kurfürsten zur Ersetzung des Rates „mit mehreren Personen vom Herrn-Adel- und Gelehrtenstand“ bekundeten[295]. Doch scheint diese von Bayern geplante Neuordnung der Justiz der alten Verfassung nicht ganz entsprochen zu haben, denn im November 1627 belehrte der Kaiser den Kurfürsten, der offenbar nur teilweise das Gericht mit Landleuten besetzen wollte, daß das unmöglich sei, daß es sich, wie auch bei den anderen österreichischen Erbländern, um ein allgemeines Landesprivilegium handle. Er habe nunmehr die Privilegien der Stände konfirmiert, wenn jetzt ein anderer Rechtsbrauch eingeführt werde, so würden auch die treu gebliebenen Stände, die nie ihre Rechte verwirkt hatten, dadurch geschmälert. Er könne — so Kaiser Ferdinand II. — nicht einsehen, „warumben dieses Landrecht so in der Landsordnung seinen ausgezeigten modum procedendi hat, auch von andern Instantien ein ganz separiertes und allein unter denen Landleuten gebräuchliches Judicium ist, nit auch von ihnen denen Landleuten ersetzt werden sollte“. Ferdinand drückte dabei seinen entschiedenen Wunsch aus, daß es bei dem alten Herkommen bleibe, doch möge Bayern geeignete Personen aus den Reihen der Landleute vorschlagen[296]. Dennoch mußte die Ersetzung des Landrechtes durch einheimische Adelige weiter auf der Liste der ständischen Wünsche bleiben und ist zur Zeit der bayerischen Pfandschaft nicht mehr durchgeführt worden.

Das größte Problem, das für das Land und seine Bewohner nunmehr der Lösung harrte, war die Frage der Fortsetzung der 1624/25 im Land ob der Enns begonnenen Rekatholisierung. Nun könnte man allenfalls erwarten, daß der Bauernkrieg und die ungeheure Schädigung des Landes aus Gründen der Nützlichkeit den Kaiser bewogen haben könnte, auf die Gegenreformation, die doch weitgehend als Ursache der großen Rebellion bezeichnet wurde, zu verzichten oder sie wenigstens aufzuschieben, bis sichere Gewähr gegeben war, daß die durch die Gewalt der Waffen hergestellte Ruhe nicht wieder gefährdet werde. Aber so wie man in der Wiener Propaganda der bayerischen Bedrückung die Hauptschuld am Aufstand zumaß, war man auch innerlich geneigt, in der Gegenreformation nur einen sekundären Grund der Bauernrebellion zu sehen. Ja man zog daraus sogar den gegenteiligen Schluß: Um in Zukunft derartige Erhebungen der Untertanen zu verhindern, mußte endlich die konfessionelle Einheit im Lande hergestellt werden. Denn die Spaltung im Glauben sah man als Quelle auch der Erschütterungen in politischer Hinsicht. Zudem war es für Ferdinand II. eine innere Pflicht als katholischer Fürst, der Maxime „ein Herrscher, ein Glaube“ zu folgen, und zwar nicht nur aus staatspolitischen Gründen, sondern auch, weil er davon überzeugt war, daß ein christlicher Herrscher nicht nur für das zeitliche Wohl, sondern auch für das ewige Heil seiner Untertanen vor Gott verantwortlich sei. Das religiöse Moment stand für den Kaiser an erster Stelle, er wollte in seinen Ländern Untertanen, die den rechten Glauben hatten, und er wollte nicht einst vor Gottes Richterstuhl treten in dem Wissen, er hätte nicht das Seinige getan, um seine Untertanen zum alleinseligmachenden Glauben zu führen[297]. Nur wenn man diese Auffassung des Kaisers kennt, kann man die ganze Gegenreformation richtig verstehen und sie nicht bloß als reine staatliche Willkür ansehen. Aber bei dieser Einstellung des Kaisers konnte ihn selbst der große Mißerfolg der gegenreformatorischen Maßnahmen von 1624/25, deren Höhepunkt ja die offene Erhebung der Untertanen war, nicht zu einem Verzicht auf die Fortsetzung des restaurativen Programms bewegen. Der Sieg über den Aufstand der Bauern mochte ein Fingerzeig sein, daß jetzt der rechte Augenblick war, nach der großen Katastrophe der evangelischen rebellischen Untertanen nun um so leichter zum Ziel zu kommen. Im übrigen zeichnete den Kaiser ein großes Gottvertrauen aus, das er damals in die Worte kleidete: „Gott dirigiere alles zu seiner Ehre, Nutzen unserer allein seeligmachenden Religion und daß beständiger Friede erlangt werde und nicht Menschliches mitlaufe."[298]

Auch der Statthalter Herberstorff, der große Exponent und Träger der kaiserlichen Konfessionspolitik in den Jahren 1624/25, dachte nicht daran, der Kaiser werde von seinem Vorhaben nun, da der Bauernaufstand bzw. seine Niederwerfung erst recht die Möglichkeit bot, dem Protestantismus im Land endgültig den Garaus zu machen, von seinem großen Programm abstehen. Aber er war wesentlich vorsichtiger geworden, und er hatte manche Lehren aus der Erhebung der Bauern und dem Mißerfolg der Gegenreformation gezogen. Seit Frankenburg war er skeptisch hinsichtlich der Methode, und er wollte nun nicht mehr als der Kopf der ganzen gegenreformatorischen Aktion in Erscheinung treten. Wir werden aus manchen seiner Äußerungen diese Auffassung bestätigt finden. Als er nach dem Ende des Aufstandes Kurfürst Maximilian ein Gutachten abgab, wie künftig ein Aufstand in Oberösterreich zu verhindern sei, befaßte er sich auch mit der Frage der Rekatholisierung. Er war eindeutig der Meinung, daß diese, solang genügend Kriegsvolk im Lande sei, fortgesetzt werden müßte. Er meinte, man könnte das Reformationspatent von 1625 grundsätzlich weiter in Geltung lassen. Er war aber dafür, dem Adel einen Termin von zwei oder mehr Jahren zur Bekehrung und zum Verkauf seiner Güter zu lassen, dafür aber — das ist zwar in seinem Gutachten nicht direkt ausgesprochen — will er auch die alten Geschlechter, denen man 1625 eine beschränkte Toleranz gewährte, in die Gegenreformation mit der Alternative katholisch zu werden oder auszuwandern, einbezogen wissen. Herberstorff meinte damals, daß die wenigen alten Herrengeschlechter, von denen er besonders die Starhemberg, die Polheim und die Schifer nannte, und die stark reduzierten evangelischen Ritter nach der bereits erfolgten Auswanderung der ständischen Führer, wie des Georg Erasmus Tschernembl und des Andre Ungnad, keine Gefahr mehr darstellen, wenn man ihnen katholische Pfleger aufzwingt, solange sie noch ihre Güter im Lande besitzen. Und er vertrat die Auffassung, daß es durchaus gut sei zum Schutze der Klöster und der katholischen Herrschaften, wenn dann fünf oder sechs alte Geschlechter aus dem Lande weichen müßten. Den Bürgern müßte man, so war Herberstorffs Vorschlag, einen fixen Termin zur Bekehrung und Auswanderung stellen. Wenn dann die Religion in den Städten stabilisiert und die Prinzipales der Stände ausgemustert seien, wenn es überall nur katholische Obrigkeiten, Pfleger und Beamte gäbe, dann könne es nicht so leicht wieder gefährliche Konspirationen geben. Die Haltung der Bauern respektiert der Statthalter, er fürchtet sie mehr als den Adel, und darum tritt er, wie schon früher einmal, für eine weniger intransigente Haltung gegen die Bauern ein: denn „Pauersmann und gmeinem Pöfel, die sollen angehalten werden, daß sie neben ihrem Weib, Kindern und Gesind, den Gottesdienst an Sonn- und Feiertagen fleißig besuechen, mit keinem Termin graviert, sondern im übrigen freigelassen werden, sich zu bekehren oder zu lassen, im Land zu bleiben, oder mit seiner Gelegenheit auszuziehen“[299]. Herberstorffs Vorschläge im Sinne einer beschränkten stufenweisen Gegenreformation, die die Bauern zunächst tolerierte, fanden nicht die Zustimmung des Kurfürsten, der die Ansicht vertrat, daß die Gunst der Stunde nach der Niederschlagung des Aufstandes genützt werden müsse, um ganz Oberösterreich, Adel, Bürger und Bauern nunmehr katholisch zu machen[300].

Herberstorff hatte offenbar Angst, daß ihm neuerdings, wie 1625, das ganze Reformationswerk aufgelastet werde, und der Bauernkrieg mochte sein Verlangen, als Caput der Rekatholisierung vor der Öffentlichkeit zu gelten, etwas gedämpft haben. Darum baute er vor. Schon am 22. Februar 1627 schrieb er an Kurfürst Maximilian, da man im Volk alles Unangenehme ihm, dem Statthalter, zuschreibe, so möge bei Fortsetzung der Gegenreformation diese offiziell durch die kaiserlichen Kommissäre erfolgen, denen er nur beigeordnet sein möge[301]. In die Zeit vor den endgültigen Reformationsbeschlüssen der bayerisch-österreichischen Kommission in Linz, bevor Herberstorff noch von der Absicht Maximilians zur totalen Gegenreformation wußte, scheint ein sehr aufschlußreicher Brief zu gehören, den der Statthalter an den Abt von Göttweig, seinen ehemaligen Reformationsmitkommissär von 1625, schrieb[302]. Herberstorff hatte von einem Besuch Falbs in Oberösterreich vernommen und gehört, daß dieser neuerdings eine Kommission im Lande zur „Reformation" erhalten werde. Herberstorff wendet sich nun unverblümt gegen die Absicht einer — wie er es selber nennt — „Totalreformation", die man ohne Verletzung des Gewissens unterlassen könnte. „Zu einer total reformation hett ich mich, wan ich gefragt worden, derzeit nicht verstanden, sondern hett zuvor Ihr kaiserlichen Majestät Unserem allergnedigsten Herrn den Statum des Landts demonstrirt, und den Nutzen, dann auch die Gefahr, so davon zu gewartten vorgestellt"; leidenschaftlich fährt Herberstorff dann fort: „Was ist das vor ein Nutz, wenn man den gemeinen Mann zu der Religion zwingt und treibt, da er kein Information, Sinn oder Willen hat; accomodiert er sich solcher gestalt? Ist der Landesfürst seiner Treu versichert oder welcher Geistlicher kann sagen, daß eines solchen sein Seel gewunnen? Versichert man sich den hiedurch der Landsunterthanen Treu nicht und erhält noch weniger die Seel! Wo bleibt dann der Nutzen? Khombt man hiedurch zu dem Zweck, dahin es von ihrer kaiserlichen Majestät heilig und gut angesehen? Hergegen steht die Gefahr vor Augen so uf den Fall des nit accomodierens, so groß, daß ich dafür halt . . ., daß wer derzeit zu einer total reformation im Land ob der Enns räth, der versteht es nit oder will es nit verstehen." Herberstorff hätte diese heftigen Worte gegen Wien nicht gesprochen, wäre ihm Maximilians Wunsch nach einer totalen Gegenreformation im Lande schon bekannt gewesen. Der Statthalter war keineswegs plötzlich toleranter geworden, für ihn waren praktische Momente maßgebend, um nicht neue Unruhen zu provozieren. Er hatte es ja erfahren und mag seine Hilflosigkeit gegenüber der großen Rebellion schwer getragen haben, und er wollte ein solches Debakel nicht ein zweites Mal erleben. Denn solange er die Statthalterschaft innehatte, war in erster Linie unmittelbar er selbst derartigen Folgen einer unüberlegten Beschleunigung des Reformationswerkes ausgesetzt. Es wirkt irgendwie merkwürdig, wenn er, der leidenschaftliche Vorkämpfer der Gegenreformation, der auch durch seine harte Art die Komplikationen mit verursacht hatte, nunmehr mäßigend wirkt und den Schein von religiöser Toleranz hervorruft. Aber er wollte diesen Schein auch gar nicht erwecken. „Ich improbir die Reformation nit", schrieb er an Abt Georg Falb, „allein der Modus und Progreß, wie man eine Zeit hergangen, daucht nichts." Also eine späte Verurteilung dessen, was er selber 1625/26 tat. Denn gerade dieser Modus und Progreß war es ja, der das Feuer mit entzündete. Herberstorff war es durchaus ernst mit seinen Bedenken, und mit der Zielstrebigkeit des unmittelbar Betroffenen suchte er über den in konfessionspolitischer Hinsicht einflußreichen Göttweiger Abt das Ohr des Kaisers zu erreichen. Herberstorff meint, in Wien habe man nicht alles, was notwendig gewesen wäre, hinreichend bedacht. Wenn man ihn fragte, so würde er eine andere Art der Reform, die weniger Gefahr und mehr Nutzen brächte, vorschlagen, und der Kaiser würde doch im Laufe der Zeit zu seinem Ziel kommen. Herberstorff stellte es dann dem Göttweiger Abt anheim, diese von ihm vorgetragene Meinung nach Wien gelangen zu lassen. Er hoffte, daß dort seine Bedenken die Pläne zur Gegenreformation beeinflussen würden. Er wußte noch nicht, wie weit er wieder mit der Kommission zur Rekatholisierung zu tun haben werde. Da er aber gehört hatte, er solle dem Abt dabei adjungiert werden, ersuchte er ihn, bei Ausfertigung von Patenten seinen, Herberstorffs, Namen nicht zu gebrauchen. Es ärgerte ihn sicherlich, daß man von seiner Adjungierung schon sprach, obwohl man ihn selbst noch nicht informiert hatte. Darum sagte er, „denn wovon ich nit weiß, dazu ich mich auch um Gewissens und erheblichen Respekts willen vielleicht nit verstehen könnt, da will ich meinen Namen nicht spendiert haben und sonderlich in der Materi, da es ein absonderlich Verantwortung uf sich tragt ...". Vielleicht steht mit diesem Schreiben Herberstorffs an den Göttweiger Abt in Zusammenhang, daß der Kaiser am 20. Dezember 1626 von Herberstorff verlangte, er solle ihm, „wie nemblich und welcher Gestalt solche Reformation im Land durch gebührende glimpfliche Mittel weiter fürzunehmen und vollkommentlich verrichtet werden möchte", seine „wohlfundierte räthliche Meinung ganz förderlich eröffnen". Man kann annehmen, daß Herberstorff sich an die Vorschläge hielt, die er eben kurz vorher dem bayerischen Kurfürsten in dieser Frage gemacht hatte[303]. Jedenfalls ist es bezeichnend, daß man am Wiener Hof beschlossen hatte, die Bauern zunächst von der Gegenreformation auszunehmen. Die Bayern hätten zwar „gern gesehen, daß auch die Paurschaft reformiert würde, da es aber nit gesein kann, müessen sie es dabei verbleiben lassen", meinten die bayerischen Kommissäre in Linz[304]. So hat eigentlich Herberstorffs Vorschlag sich — zum Teil ja gegen seinen bayerischen Herrn — durchgesetzt: Die Bauern sollten in konfessioneller Hinsicht nicht bedrängt werden, man wollte versuchen, sie echt zu bekehren, und das Passauer Offizialat wurde sogar ersucht, für gute Seelsorger zu sorgen und die im Lande sehr hohen Stolgebühren herabzusetzen.

Worauf sich Bayern und Österreich schließlich einigten[305], wurde bald offenbar. Schon am 26. März 1627 hat der Kaiser den evangelischen Ständen mitgeteilt, daß nunmehr das Reformationswerk, das durch den Bauernkrieg unterbrochen worden war, durch von ihm bestimmte Kommissäre fortgesetzt werden sollte. Den Ständen wird nun aufgetragen, den Weisungen der Kommissäre Folge zu leisten: Es hätten demnach alle unkatholischen Pfleger, Verwalter, Schreiber und Herrendiener, Bürger und Inwohner in den Städten, die bisher nicht katholisch waren und nun über den im Jahre 1625 gesetzten Termin im Land geblieben seien, entweder zur katholischen Religion sich zu erklären oder binnen vier Wochen das Land zu verlassen. Damit war das Personal der Grundobrigkeiten getroffen, aber auch alle Einwohner der Städte, sowohl Bürger als auch Inwohner, hingegen wurden die Bauern nicht erwähnt. Drei Tage nachher informierte der Kaiser die Landstände, er habe dem Abt von Kremsmünster, Anton Wolfradt, und dem Vizestatthalter der niederösterreichischen Regierung, Georg Teufel Freiherr zu Gundersdorf, die er zu Reformationskommissären[306] ernannt hatte, aufgetragen, ihnen einen mündlichen „Fürhalt" zu tun, sie sollten den kaiserlichen Kommissären nicht nur glauben, sondern auch deren Befehle befolgen[307].

Am 22. April 1627 war es soweit. Die beiden kaiserlichen deputierten Kommissarien Abt Wolfradt und Herr von Teufel luden die Landstände in das Linzer Landhaus vor, wo sie ihnen die Resolution des Kaisers mündlich mitteilten. Da die Ausweisung der Bürger bereits bekanntgemacht worden war, handelte es sich hier lediglich um den Adel. Den Ständen wird hier neuerdings — was man einst dem bayerischen Statthalter verargt hatte — ihre Rebellion und die damit zusammenhängenden Verbrechen sowie der durch die Empörungen verursachte üble Zustand des „zuvor so schön florierenden und von Gott zuvor aus gesegneten Erzherzogtum Österreich ob der Enns“ vorgehalten. Die Überzeugung des Kaisers, daß an allen Empörungen, die es in den vergangenen Zeiten in Oberösterreich gegeben habe, der „Unterschied und Disparität in religione“ schuld sei, wird sehr deutlich zum Ausdruck gebracht. Der Kaiser habe sich daher, so verkündeten die beiden Kommissarien den Lauschenden, entschlossen, daß die zwei politischen Stände von Herren und Ritterstand Augsburgischer Konfession sich entweder zur katholischen Religion bequemen oder innerhalb drei Monaten ihren Abzug aus dem Lande zu nehmen und anderswo ihr Domizil zu suchen hätten. Hier ist also die große Ausnahme von 1625 nicht mehr gegeben, der zufolge den alten, mehr als fünfzig Jahre im Land weilenden Geschlechtern eine religiöse Toleranz wenigstens im beschränkten Ausmaß gewährt wurde. Der Kaiser — erklärten die Kommissäre den Ständen — würde nichts lieber sehen und wünschen, als daß die alten vornehmen Geschlechter, die sich von alters her „unter des Haus Österreich sanftem Joch, Protektion und Regierung so lang in Einigkeit der Religion wohl befunden“, in der „Conformität gleichmäßiger Religion nunmehr zu erhalten“ seien. Die Stände mögen alles reichlich erwägen, „die passiones und menschliche Respekt auf die Seiten setzen, damit sie nicht neben Verlust des Ewigen, ihr liebes Vaterland und Erbschaft verlassen, und in all zu späte Reu, wie vielen anderen begegnet, geraten“. Wer vom Adel aber emigriere, dem solle, damit man sehe, daß es dem Kaiser nicht um das Geld gehe, die Nachsteuer erlassen sein. Die Landleute aber, die bereits in Niederösterreich Güter besitzen, dürften diese ohne eine Betätigung in ihrer protestantischen Religion weiter besitzen. Für den Verkauf der Güter in Oberösterreich wird dem Adel die Frist von einem Jahr gestellt, jedoch unter der Bedingung, daß die emigrierenden Herren und Ritter sogleich katholische Pfleger für ihre Güter im Lande bestellen sollen[308]. Durch diese kaiserlichen Akte gegen Bürger, Beamte und den evangelischen Adel war die nächste Welle der gegenreformatorischen Maßnahmen umrissen. Sie zeigen weitgehend Herberstorffs Einfluß: Die Tolerierung der Bauern, die Einbeziehung auch des alten Adels in die Gegenreformation und die sofortige Abschaffung des evangelischen Personals der Grundherrschaften. Für den Güterverkauf wollte Herberstorff freilich eine längere Zeit für den Adel haben, wie ja auch die bayerischen Kommissäre auf den Güterverkauf des Adels nicht drängen wollten, wenn der Besitz durch katholische Pfleger verwaltet werde[309].

Herberstorff mußte naturgemäß als Statthalter mit der Vollziehung der kaiserlichen Befehle zu tun haben. Er reiste daher am 2. Mai nach Wien, sicherlich um die mit der neuen Welle der Gegenreformation zusammenhängenden Fragen zu besprechen. Unmittelbar vorher hatte er den Göttweiger Abt Falb zu einer Unterredung nach Linz gebeten. In einem Patent vom 20. Mai machte dann der Statthalter die Befehle des Kaisers im Lande bekannt, wobei den Bauern befohlen wurde, den katholischen Gottesdienst in ihrer Pfarrkirche zu besuchen[310]. Herberstorff war auch während der anhebenden Periode zäher ständischer Bemühungen, die kaiserliche Resolution zu mildern, immer mit im Spiele. Dieses Ringen der Landstände evangelischen Glaubens ist noch immer von erstaunlicher Kraft. Aber ihr Streben wurde immer aussichtsloser, und schließlich sollte sich ihre Mühe nur mehr darauf beschränken, den Emigrationstermin hinauszuzögern. Schon im Mai ging eine ständische Gesandtschaft unter Weikhart von Polheim und Heinrich Wilhelm Starhemberg nach Wien. Sie sollte eine mildere und erfreulichere Resolution des Kaisers in der Religionsfrage erwirken, sollte den König von Ungarn um Intervention bitten, sollte vor dem Kaiser einen Fußfall tun und den ebenfalls nach Wien geeilten Herberstorff um seine Hilfe bitten, dessen er sich „guetwillig erboten". In Wien hatte der Hof keine Eile. Während der Kaiser zunächst den ständischen Gesandten eine Audienz verweigerte, wurden sie am 2. Juli dann doch vorgelassen. Aber die Resolution ließ auf sich warten. Die Auswanderungsfrist begann allmählich abzulaufen, und die Stände sprachen beim Statthalter vor: Es sollte nicht als Ungehorsam ausgelegt werden, wenn der Emigrationstermin verstreiche. Aber Herberstorff war wohlwollend und meinte, es bestehe keine Gefahr, solange die Stände mit dem Kaiser in Unterhandlungen stünden, ja er erklärte sogar etwas später, daß er „wie bishero das Seinige treulich bei der Sachen tun wolle". Der Statthalter trat tatsächlich für eine Milderung der kaiserlichen Resolution ein, und sein Gutachten, das Ende Juli nach Wien ging, enthielt diesbezügliche Vorschläge. Der Statthalter schilderte die üble Stimmung im

Land ob der Enns und die Gefahr neuer Unruhen. Er sprach von bösen Reden der Bauern mit Solidaritätserklärungen für ihre Herren, denen sie lieber in die Emigration folgen oder für sie leben oder sterben wollten, da sie wohl wußten, daß es ihnen später nicht besser als ihren Herrn gehen würde. Herberstorff versuchte also den Kaiser hinsichtlich der Bitten der Stände nachgiebiger zu machen. Er meinte, der Kaiser könne vielleicht einen anderen Weg wählen, durch den er mit weniger Ungelegenheit zu seiner „heiligen" Absicht kommen könne. Der Kaiser möge sich begnügen, daß die evangelischen Adeligen sich zur Treue verpflichten, daß alle, die im Lande bleiben wollen, schriftlich geloben sollten, sich dem Reformationspatent gemäß zu verhalten und daß sie sich dieser Toleranz nur so lange bedienen sollten, so lange es dem Kaiser gefalle. Der Statthalter erklärte, die, wie er es formulierte, allzu Passionierten würden dann doch auswandern, die übrigen sich allmählich gewinnen lassen. Die Städte könne man völlig reformieren, und die heranwachsende Bauernjugend würde durch die Seelsorger gewonnen und allmählich in den wahren katholischen Glauben hineinwachsen.

Man sieht, daß Herberstorff wegen seiner Angst vor neuen Unruhen für eine allmähliche Gegenreformation eintrat, die dem Adel etwas Zeit läßt und die Möglichkeit einer plötzlichen Auswanderung aller evangelischen Stände, deren Einwirkung auf die Untertanen Herberstorff befürchtet, beseitigt. Eine Modifizierung seiner Reformationspläne, die aus der Praxis erwuchs und ihm vorteilhafter schien als schlagartiges Handeln und plötzliche Abwanderung, wie es die Resolution des Kaisers vorsah. Aber Herberstorffs Vorschläge und Eintreten für die evangelischen Stände fruchteten nichts. Der Kaiser antwortete dem Statthalter, alle diese Dinge habe man ihm schon vorgetragen, jedoch die gegenteiligen Erwägungen haben ihn zur strikten Fortsetzung der „Reformation" bewogen, und es bleibe daher bei seiner Entschließung für das Land ob der Enns, „weil sonst niemals aufrechtes Vertrauen, Ruhe und Frieden im Land einkehren werden und die Untertanen nicht zum Katholizismus gebracht werden können, bevor die Stände bekehrt oder ausgeschafft worden sind". Auch Kurfürst Maximilian von Bayern hat Herberstorffs Vorstellungen wegen der gefährlichen Stimmungen im Lande beim Kaiser ohne Erfolg unterstützt. Herberstorff war enttäuscht! In Wien sah man in seinem Verhalten bloß Verzagtheit und Ängstlichkeit und kümmerte sich um seine Ratschläge nicht weiter[311]. In lapidarer Kürze ließ der Kaiser am 5. August 1627 den Ständen des Landes mitteilen, Abt Anton von Kremsmünster und Georg Teufel hätten den Ständen zur Genüge die Gründe seines Entschlusses zur Reformation mitgeteilt, er lasse es daher bei diesem verbleiben. Herberstorff aber befolgte einen kaiserlichen Befehl und erinnerte die Stände an den „mündlichen Fürhalt" vom 22. April. Zunächst wurde der Statthalter gebeten, das Reformationspatent nicht zu vollziehen, so lange die Landschaft mit dem Kaiser verhandelte[312]. Das einzige kleine Zugeständnis, das die Stände beim Kaiser erreichten, war ein Befehl Ferdinands an den Statthalter, daß jene emigrierenden Beamten, Pfleger und Diener der Stände, die nur von ihrer Besoldung lebten und keine Güter im Lande besaßen, keine Nachsteuer bezahlen mußten[313].

Im Zuge dieser Ausweisung der ständischen und obrigkeitlichen Beamten hatten die Landstände sich auch an Johannes Kepler gewandt, der unmittelbar nach den kriegerischen Ereignissen von 1626 die Stadt Linz verlassen hatte, aber noch immer im Dienst der Stände ob der Enns stand, hatten ihm Dekrete der Reformationskommissäre wegen der Bekehrung bzw. Emigration gesandt und ihn um eine schriftliche Erklärung gebeten. Erst im Februar des folgenden Jahres antwortete der Mathematiker seinen Dienstgebern in Linz. Das war keine Mißachtung der Stände des Landes ob der Enns, vielmehr wurde der Brief der Stände nach Ulm gesandt, von dort erst am 10. Februar durch einen Boten nach Prag gebracht und wurde dort von dem in Prag weilenden ständischen Abgesandten Karl Christoph von Schallenberg an Kepler ausgehändigt. Der Astronom hat nun die Schwierigkeit einer eindeutigen Erklärung seines „durch die Gnad Gottes, des heiligen Geist bis dahero ergriffenen und bestrittenen Christentums" vor sich gesehen, und er ging eigentlich auf den Kern der Frage, die man ihm stellte, gar nicht ein. Er meinte, er habe sich bezüglich seines Linzer Aufenthalts immer auf Wunsch des Kaisers „accommodiert". Er verweist auf die Sondergenehmigung, die er bezüglich der Reformation 1625 erhielt, und er vertrat die Ansicht, daß das neue Reformationsdekret ihn nicht unmittelbar betreffe, da er in keinem publico officio im Land gebraucht werde. Wenn der Kaiser es für notwendig halte, daß er wieder in Linz arbeite, werde er sich diesbezüglich akkommodieren. Was Kepler den Ständen nicht sagte, offenbarte er voll innerer Erregung dem Jesuiten Paul Guldin und nannte ihm alles, was ihn von einer Konversion zur katholischen Religion abhalte: Er beharre auf Ablehnung alles dessen, das er nicht als apostolisch anerkennen könne, und sei dafür bereit, alle Vorteile, sogar die Astronomie, zu opfern. Kepler kam nicht mehr nach Oberösterreich zurück, und so blieb ihm die echte Entscheidung: akkommodieren oder emigrieren, erspart[314].

Die Stände aber begnügten sich nicht mit der kaiserlichen Resolution vom 5. August, sie wollten weiter verhandeln. Sie waren dieses Taktieren mit dem Landesfürsten durch Jahrzehnte gewohnt, auf eine ungünstige Resolution des Herrschers folgte eine ständische Duplik und notfalls eine Triplik. Aber vor fünfzig oder mehr Jahren — unter wesentlich anderen politischen Konstellationen — war diese ständische Taktik ein oft sehr erfolgreiches Instrument der ständischen Politik; damals waren die Stände Herren, die dem fordernden Landesfürsten Gegenforderungen stellen konnten, die ein Nachgeben des Herrschers durchaus zu erzwingen in der Lage waren. Aber die Zeiten ständischer Herrlichkeit waren vorbei, und Ferdinand II. war kein „papierener“ Landesfürst. Nun mußten die einst so stolzen Herren und Ritter des Landes ob der Enns flehen und bitten und wußten dabei doch, daß sie im Grundsätzlichen beim Kaiser nichts erreichen würden. Dennoch taten sie es. Freilich konnte ihnen dabei wenig helfen, daß sie an einflußreiche Männer Geschenke gaben — der Oberstkämmerer des Kaisers, Graf Kißl, erhielt 6000 Gulden Ehrengabe, und Georg Teufel erhielt eine kostbare Augsburger Silbertruhe — und daß sie große historische Dokumentationen zusammenstellten, die ihre Rechte, das evangelische Exerzitium zu üben, bestätigen sollten[315]. Der Ritterstandsverordnete Simon Engl von Wagrain, welcher in Wien weilte, hatte die Aufgabe, die Replik auf die kaiserliche Resolution vom 5. August zu verfassen. Da Ferdinand II. am 27. September mit dem Hof nach Prag aufbrach, folgte ihm Engl dorthin — er hatte vom Kaiser hiezu die Erlaubnis erhalten. Das Ergebnis war zunächst die kaiserliche Entschließung vom 16. November 1627, welche die ständischen Konfessionswünsche neuerdings ablehnte und „semel pro semper“

die Alternative Bekehrung oder Auswanderung feststellte, wobei es hieß, die evangelischen Stände mögen den Kaiser ferner nicht mehr mit dieser Frage „molestieren“, eine Resolution, welche die Stände mit ganz bedrücktem Herzen vernommen haben[316]. Sie baten den Kaiser, er möge sich ihre Not zu Herzen gehen lassen „und uns bei dieser höchsten Winterszeit, von dero väterlichen und landesfürstlichen Schutz nicht verstoßen“, sondern ihnen einen ferneren Emigrationstermin bewilligen. Wiederum ging eine Gesandtschaft der Stände nach Prag mit dem Freiherrn Joachim Aspan zu Haag, Karl Christoph von Schallenberg und Simon Engl von Wagrain, um den Kaiser dennoch umzustimmen. Auch hier sollte Herberstorff seine Hand bieten, da er eben in der böhmischen Hauptstadt weilte[317]. Karl Christoph von Schallenberg, der Sohn des Dichters Christoph von Schallenberg, war bei der Audienz der Sprecher der Stände. Er erreichte vom Kaiser einen gewissen Aufschub des Termins zur Auswanderung, und zwar bis 1. März 1628, wobei Ferdinand der Hoffnung Ausdruck gab, „sie würden den rechten Weg zur Seeligkeit ergreifen“, d. h. katholisch werden und im Lande bleiben. Zugleich erhielt Herberstorff den Auftrag, der Sache seine größte Aufmerksamkeit zu schenken[318].

Herberstorff, der in der Moldaustadt weilte, stand dort offenbar in gutem Kontakt mit Schallenberg. Er brachte die kaiserliche Resolution und nähere Informationen Schallenbergs auch mit nach Linz. Schallenberg zeichnete den Ständen ein trauriges Bild der Situation. Mit der Verlängerung des Termins habe man der Jahreszeit wegen für die Emigranten nicht viel gewonnen, und bezüglich des Verkaufes der Güter sei nichts ausdrückliches festgelegt worden. Aber Herberstorff habe ihm gesagt: Es „steht alles im letzten Sause“, der Kaiser lasse es bei der alten Resolution bleiben, es bestehe also die Gefahr der angedrohten Exekution. Man habe, so berichtet Schallenberg, ihm bei Hof empfohlen, jeder einzelne der evangelischen Stände solle ein Gesuch an den Kaiser richten. Herberstorff will von sich aus nichts erlauben. Schallenberg weiß auch, daß Fürst Eggenberg sich äußerte, es sei nicht möglich, jetzt im Winter zu emigrieren — aber in der kaiserlichen Resolution stünde nichts davon. Doch hofft der Schallenberger — Graf Trauttmansdorff habe ihm dies angedeutet —, es sei bei beweglicher Bitte noch eine Frist von weiteren 14 Tagen für die Auswanderungen wegen der kalten Jahreszeit zu erhalten. Hier hakten nun die Stände ein und machten neuerdings einen Vorstoß. Am 12. Februar gewährte Ferdinand II. neuerdings eine Erstreckung der Frist zur Auswanderung aus dem Lande bis zum Sonntag Judica, das ist bis zum 4. April des Jahres 1628. Die Frist für den Verkauf der Güter wurde um ein halbes Jahr verlängert. Die Stände meinten, es sei noch nicht Ferdinands letztes Wort. Sie hatten nun erlebt, daß der Kaiser wenigstens hinsichtlich der Auswanderungsfrist sich durch zähes Drängen einige Monate und Wochen stückweise abringen ließ. Schallenberg sollte es weiterhin versuchen[319]. Dieser war jedoch pessimistisch, am Hof machte man ihm keinerlei Hoffnungen mehr, denn der Kaiser richte sich in dieser Sache nicht nach seinen Räten, sondern mehr nach seinem „Beichtvater und Theologis". Schallenberg meint, es sei daher unnötig, den Kaiser weiter zu belästigen, sondern es sei Zeit, „zum Auszug uns fertig zu machen". Auch bezüglich Ein- und Ausreise der Emigrierten ins Land zu Verwandten oder zu Märkten sahen die kaiserlichen Räte keine Aussicht auf eine generelle Bewilligung. Der Hofkanzler meinte zum Ganzen: „Ihr Majestät wollen dem feindseligen Werk einmal ein Ende machen." Dies drückte der Kaiser auch in seiner Entschließung vom 18. März aus, als er den Termin für die Auswanderung nicht mehr verlängerte, aber für den Grundverkauf neuerdings ein halbes Jahr zusätzlich gewährte[320]. Nun mußten auch die evangelischen Verordneten im Lande abtreten und den neuen katholischen Platz machen. Anstelle von Weikhart von Polheim und Wolf von Gera als Herrenstandsverordnete traten Erasmus von Gera und Dietmar Schifer, die evangelischen Verordneten des Ritterstandes Wolf Hektor Jagenreuter und Simon Engl mußten Erasmus von Rödern und Christoph von Thürheim weichen. Am 3. März 1628 empfing der Statthalter die alten und die neuen Verordneten im Schloß. Herberstorff kam damals in einen inneren Konflikt. Die emigrierenden Stände hatten noch Ausstände. Er suchte sie daher zu genauer Abrechnung zu zwingen, und da sie Ausflüchte hatten, wollte er sie arretieren. Da der Auswanderungstermin jedoch vom Kaiser festgelegt worden war, scheute er davor zurück. Kurfürst Maximilian aber befahl ihm, die emigrierenden Stände so lange im Lande festzuhalten, bis sie ordentliche Abrechnung ihrer Ausstände gemacht haben[321].

Den Ständen war es nun doch noch gelungen, etwas Zeit zu gewinnen, aber mehr nicht. Die Entscheidung war gefallen, daran änderte nichts, daß es auch jetzt noch ständig Verzögerungen gab, daß später immer wieder Fristerstreckungen gewährt wurden und daß noch nach dem Tode Ferdinands II. manche der Emigrierten Güter in Oberösterreich besaßen[322]. Das konfessionelle Einigungswerk des Ferdinandeischen Österreich erfaßte unbarmherzig das Land ob der Enns, das einst die Hochburg des Protestantismus und ständischer Freiheit in Österreich gewesen war. Wir sind über das Ausmaß der Emigration des evangelischen Adels nicht genau informiert. Jedenfalls dürfte sie ganz beträchtlich gewesen sein[323]. Ebensowenig wissen wir Genaueres über die damit im Zusammenhang stehenden Besitztransaktionen. Manche Veräußerungen von Gütern emigrierter Adeliger in Oberösterreich erübrigten sich durch das „Akkommodieren", und während Teile einer evangelischen Familie auswanderten, wurde einer von ihnen katholisch und rettete so den Besitz für das Geschlecht. So wurden etwa Heinrich Wilhelm von Starhemberg und Kaspar von Starhemberg, Söhne des Calviners Reichard Starhemberg, katholisch und konnten auf diese Weise Besitz der Familie halten, während deren Bruder, Erasmus der Jüngere, nach Regensburg emigrierte. Ähnlich war es bei den Herren von Gera, wo Erasmus von Gera Güter seiner emigrierten Brüder Wolf und Wilhelm erwarb, bei den Schifer von Freiling, bei den Herren von Polheim und bei Wolf Dietmar von Grünthal[324]. Eine vorliegende Liste[325], in der nur „etliche" Emigrantengüter (1633) angeführt sind, gibt nur einen schwachen Begriff von der Besitzverschiebung im Lande ob der Enns. In diesem Verzeichnis allein sind insgesamt 41 Herrschaften und Güter angeführt, die Emigrierten gehörten und in katholische Hände übergingen, wobei ersichtlich ist, daß alle konfiszierten Güter der ersten Stunde, wie die Besitzungen Tschernembls, Ungnads und die Jörgerischen Güter, gar nicht erwähnt werden, daß aber auch andere, deren Verkauf bekannt ist, nicht aufscheinen. Da es im Lande ob der Enns damals insgesamt 167 Herrschaften und Güter gab[326], kann man aus diesen angeführten „etlichen" veräußerten Emigrantengütern schon ersehen, daß es beträchtliche Verschiebungen im Besitz des Adels gegeben hat. Herberstorff mußte allen Emigrationswilligen einen Paß ausstellen, da ohne seine Bewilligung niemand das Land verlassen durfte[327]. Daß trotz aller Verbote in Adelskreisen noch lange nach der Emigrationsfrist sogar noch evangelischer Gottesdienst mit Predigt, Bibellesen und Singen gehalten wurde, zeigt Herberstorffs Verweis an Frau Juliane Starhemberg, die Witwe Reichards von Starhemberg und Mutter Heinrich Wilhelms, welcher der Statthalter vorwarf, dieses Exerzitium nicht nur für sich zu betreiben, sondern sogar die Untertanen teilnehmen zu lassen. Herberstorff verbietet ihr dies nicht nur, sondern will auch wissen, mit was für Erlaubnis und Termin sie sich noch im Land aufhalte[328].

Während die evangelischen Bürger in den Städten den für sie besonders knapp gesetzten Ausweisungstermin zunächst verstreichen ließen, fügten sie sich nach und nach den Wünschen und Befehlen des Kaisers[329]. Herberstorffs Mitkommissär von 1625, Konstantin Grundemann, konnte am 26. Januar 1628 an den Göttweiger Abt berichten, daß die Gegenreformation in Linz großen Fortschritt mache. Am vergangenen Freitag seien, so berichtet Grundemann, fast alle „unkatholischen Weiber", auch die „Stadtrichterin", zur Beichte und Kommunion gegangen; es werde nur mehr ein kleiner Überrest an Unkatholischen übrigbleiben. Die Entwicklung in den Märkten und Dörfern verlaufe ähnlich. Auch an den päpstlichen Nuntius war schon im August 1627 berichtet worden, in Gmunden, Steyr, Frankenmarkt und Vöcklabruck seien die Häretiker überwunden worden. Und Ende des Jahres 1628 glaubte Grundemann, „außer etlicher gottloser, halsstarriger, böser Weiber" sei nun in den Städten alles katholisch und ziemlich eifrig[330]. Versuche von Bürgern, durch Übersiedlung auf das Land sich der „kaiserlichen Gnad und Nachsehung, so dem gemeinen Bauersmann der Religion halber beschehen", zu erfreuen, suchte Herberstorff zu verhindern[331]. Die Toleranz gegenüber den Bauern hielt über Herberstorffs Wirksamkeit hinaus an. Erst mit dem Mandat Kaiser Ferdinands II. vom 19. März 1631 wurde die Reformation des „gemeinen Mannes" in Angriff genommen. Diese nun beginnende Reformation der Bauern kannte die harte Alternative Bekehrung oder Auswanderung nicht in voller Konsequenz. Die Obrigkeiten sollten alles tun, um die Bauern echt zur katholischen Religion zu bekehren. Wenn aber einer von ihnen auswandern wolle, dann soll man bei Erlegung des zehnten Pfennigs von seinem Vermögen ins Vizedomamt ihm dies gestatten, dazu man es aber ohne hohe Ursache, wie es im Mandat hieß, nicht kommen lassen solle. Es vergaben sich jedoch in der Praxis bei den hartnäckigen und verstockten Bauern solche Schwierigkeiten, daß der Kaiser bereits am 4. Mai 1631 „pro nun" die Einstellung der Reformation der Untertanen befahl[332].

Im Zusammenhang mit der Gegenreformation steht auch die Wiedererrichtung der ehemaligen Landschaftsschule in Linz. Diese mußte — damals noch lutherisch — im Zusammenhang mit dem Reformationspatent von 1624 ihre Pforten schließen, und bei der Pardonierung der Stände im Jahre 1625 hatte sich der Kaiser die Verfügung über die Schulkasse und die Stiftungen vorbehalten. Wir wissen, daß aus dem Vermögen dieser Schulkasse die Herrschaft Ottensheim durch den Statthalter im Auftrag des Kurfürsten von Bayern dem Linzer Jesuitenkolleg eingeantwortet worden war[333] und daß Statthalter Herberstorff schon vorher im März 1625 angeregt hatte, das ständische Schulwesen und das dafür gestiftete Vermögen den Jesuiten zu übergeben. Er war damals mit diesen Vorschlägen nicht durchgedrungen. Am 1. Dezember 1626 verglichen sich nun die drei oberen Stände von Prälaten, Herren und Rittern des Landes ob der Enns, die Schule wieder zu errichten und den Kaiser um die Konfirmation ihres Vergleiches zu bitten. Die kaiserliche Resolution erfolgte am 16. November 1627: Ferdinand II. bestätigte den Vergleich der Landstände, die Schule mußte natürlich katholisch sein, die Sperre der Schulkasse wurde aufgehoben, das Vermögen, mit Ausnahme der Herrschaft Ottensheim, die den Jesuiten verbleiben sollte, wurde restituiert. Herberstorff hat von Anfang an gleich Einfluß auf diese Wiedererrichtung der Schule genommen. Er hatte Mitte Januar 1628 ein Schreiben des Kaisers erhalten, welches ihn über die Wiedererrichtung der Landschaftsschule informierte und auch den Befehl enthielt, die unter Sperre stehende Schulkasse der Stände diesen wieder zu öffnen und ihnen so die für die Schule gemachten Stiftungen mit Ausnahme von Ottensheim wieder einzuräumen. Herberstorff übermittelte Ferdinands Schreiben an Kurfürst Maximilian, der noch am 14. Januar 1628 einer ständischen Gesandtschaft erklärt hatte, er habe diesbezüglich vom Kaiser noch keine Nachricht[334].

Hinter den Kulissen aber hatte bereits das Tauziehen um die Schule begonnen. Die beiden Konkurrenten waren der oberösterreichische Prälatenstand und die Linzer Jesuiten. Herberstorff wußte von den Bemühungen der oberösterreichischen Prälaten, für die neue Landschaftsschule Benediktiner aus Salzburg, wo ja 1623 die neue Benediktineruniversität gegründet worden war, als Professoren zu gewinnen und so die Patres societatis Jesu „auf die Seiten“ zu stellen — wie er es formuliert hat. Herberstorff machte nun seinen Einfluß bei Kurfürst Maximilian geltend, dies zu verhindern. Er, der große Freund der Jesuiten, wollte die Schule in die Hände der Gesellschaft Jesu bringen, und er führte als ein wichtiges Argument an, man könne auf diese Weise Professoren für die Schule erhalten, die keine zusätzlichen Kosten verursachten. Das Jesuitenkollegium in Linz sei vom Kaiser wohlfundiert und mit Einkommen versehen, während man die Benediktiner mit großen Unkosten werde erhalten müssen. Herberstorff berichtet dem Bayernherzog auch, daß die Jesuiten durchaus bereit seien, die Schule mit ihren Patres zu besetzen. Sie hätten Herberstorff wohl um seine Intervention in München gebeten, weil sie der Meinung waren, die Besetzung der neuen Schule mit Benediktinern sei ihrem Institut zuwider, es könnte eine üble Nachrede entstehen, wenn man sie, die Patres der Sozietät Jesu, vom Schulvorhaben ausschließe. Herberstorff ist sicher, daß der Rektor auch direkt sich an den Herzog wenden werde[335]. Diese Aktion zugunsten der Jesuiten, die sich wohl auch an den Kaiser wandten, verhinderte nicht nur das Benediktinerprojekt, sondern überhaupt das Entstehen einer autonomen neuen Landschaftsschule. Zunächst mag sich durch diese Angelegenheit die Realisierung des Schulprojektes verzögert haben, und erst im Juni 1629 hat der Kaiser die Stände an seine Resolution über die Wiedererrichtung der Schule erinnert und sie aufgefordert, nun die Neuerrichtung der Schule endlich in die Hand zu nehmen. In diesem Befehl ist der Passus enthalten, daß sie die Angelegenheit in Anwesenheit des Pater Rektors der Linzer Jesuiten traktieren sollten. Am 5. September 1629 konnten die drei oberen Stände Herberstorff über die am 11. August erfolgte Einigung mit den Jesuiten über die neue Landschaftsschule berichten, und im November 1629 begann dann der Schulbetrieb. Aus der Übertragung des Unterrichtes an die Jesuiten ergab sich nun, daß die Landschaftsschule mit dem Jesuitengymnasium fusioniert wurde und lediglich als eine Art Konvikt zur Aufnahme der adeligen Zöglinge und zur

Ausbildung in adeligen Tugenden und Fertigkeiten ein bescheidenes Eigendasein führte. Im Jahre 1635 wurde die Landschaftsschule dann aufgelassen[336].

Die Gegenreformation griff nun auch in Herberstorffs eigene Familie. Der Kaiser hatte an den Statthalter schon im Juli 1627 geschrieben, er sei entschlossen, nicht nur im Land ob der Enns, sondern auch in Böhmen, Mähren und in Innerösterreich die Gegenreformation beharrlich und „mit gnädigem wohlmeinenden Eifer" fortzusetzen[337]. Am 1. August des folgenden Jahres stellte der Kaiser den steirischen Adel vor die große Entscheidung der Bekehrung zur katholischen Kirche oder der Auswanderung. Herberstorffs Familie wurde davon schwer betroffen. Sein Bruder Franz Freiherr von Herberstorff, der Kalsdorf besaß, samt seiner Gattin Maria, einer geborenen von Teuffenbach, sowie Herberstorffs Schwester Elisabeth von Ratmannsdorf, eine Witwe, ferner Katharina Globitzer, Witwe nach Wolf Globitzer, Herberstorffs zweite Schwester, verließen die Steiermark und wanderten ins Reich aus. Durch ihre Emigration wurde Herberstorff unmittelbar berührt. Denn Katharina Globitzer hatte zu erreichen versucht, daß die zwei älteren ihrer vier Kinder in Oberösterreich bei Herberstorff bleiben sollten, die beiden jüngeren aber wollte sie nach Regensburg mitnehmen[338]. Sie versprach, die Kinder auf Anforderung jederzeit wieder in die Erblande zu bringen, und ihr Bruder Adam würde eine schriftliche Kaution und Bürgschaftsverschreibung einreichen. Ob es nun richtig ist, daß Herberstorff sich weigerte, die Bürgschaft zu übernehmen, ist zweifelhaft. Viel eher war es wohl so, daß es wegen des frühen Todes des Statthalters Herberstorff zu dieser Aktion zugunsten der Katharina Globitzer nicht mehr gekommen ist. Denn der Revers von Herberstorffs Schwester stammt erst vom 17. August 1629, desgleichen ein Mandat an Herberstorff, worin er aufgefordert wird, falls er Bedenken zu dieser Bürgschaft und überhaupt gegen eine Auswanderung der Globitzer-Kinder habe, solle er sie bis auf einen kaiserlichen Befehl bei sich in Linz behalten und nicht gestatten, daß zwei von ihnen nach Regensburg verbracht werden. Nicht einmal einen Monat später war Herberstorff bereits tot, und diese persönliche Konfrontation seiner Verwandtschaft mit der Gegenreformation wird ihn wohl nicht mehr tangiert haben[339].

Der Statthalter Herberstorff war in dieser zweiten Phase der

Ferdinandeischen Gegenreformation nicht mehr der leidenschaftliche Motor, der er vor der Bauernerhebung gewesen ist, und er hatte es erreicht, daß er auch nicht mehr die Hauptfigur in diesem Drama spielen mußte. Etwas vorwurfsvoll hat daher Konstantin Grundemann am 7. März 1628 bemerkt, nicht der Statthalter, sondern der Kaiser habe das Land gerettet[340]. Dieser stille Vorwurf kam aus dem Lande selbst, von einem Mann, der mit Herberstorff nach dem Reformationspatent von 1625 das Land reformieren half und nunmehr das Schwinden des Eifers beim Statthalter zu bemerken glaubte. Daß der Kaiser selbst, obwohl der Statthalter auch ihm gegenüber seine Meinung über den Modus der Gegenreformation geäußert und seine differierende Auffassung in manchen Belangen geäußert hatte, Herberstorff deswegen keineswegs ungnädig war, zeigt der Aufenthalt des Statthalters in Prag im Herbst 1627. Herberstorff wollte — wie wir wissen — schon im Frühjahr zu seinen Gütern nach Böhmen reisen, was ihm damals aber der Kurfürst von Bayern wegen der Situation im Land ob der Enns nicht gestattete. Nun im Herbst 1627 hatte der Statthalter sein Ersuchen erneuert, er wollte auf einige Monate nach Böhmen und meinte, ohne einen großen Nachteil für ihn wäre diese Reise nicht zu verschieben. Maximilian machte diesmal auch keine Schwierigkeiten und stimmte dem Vorhaben seines Statthalters zu[341]. Am 17. Oktober machte sich Herberstorff auf die Reise zu seinen böhmischen Besitzungen. Er wußte zweifellos, daß der kaiserliche Hof sich nach Prag begeben hatte, und er konnte seine Reise dazu benutzen, am Hof alle Oberösterreich betreffenden Fragen mit den kaiserlichen Räten zu besprechen. Aber auch bei den großen Ereignissen und Festlichkeiten, die in Prag anläßlich der Krönung der Kaiserin zur Königin von Böhmen und des Königs Ferdinand von Ungarn zum böhmischen König stattfanden, konnte sich die für den Statthalter zweifellos erwünschte Gelegenheit zu Kontakten mit dem Wiener Hof, vielleicht sogar mit dem Kaiser selbst, ergeben. Mit Stolz konnte Herberstorff daher dem Kurfürsten berichten, daß er nicht nur zum Krönungslandtag des Königreiches Böhmen „erfordert" worden war, sondern daß er Befehl erhielt, bei den Krönungsfeierlichkeiten des Königs Ferdinand am Hof seine Aufwartung zu machen. Er wußte auch verschiedene Hofnachrichten nach München zu berichten: Daß der Kaiser für acht Tage nach Brandeis an der Elbe zur

Jagd verreist sei, daß der türkische Botschafter beim Kaiser Audienz hatte und die Präsente der Pforte aus Konstantinopel überbrachte. Dabei meinte Herberstorff, es seien schlechte Pferde, die der Sultan dem Kaiser und dem zu krönenden König Ferdinand schickte, und auch die Teppiche, die der Botschafter überbrachte, seien „gar geringschätzig". Auch weiß er vom Fürsten von Friedland zu melden, daß dieser dem Kaiser Mittel zur Fortsetzung des Krieges oder zu einem vorteilhaften Frieden aufzeigen werde, doch meint der Statthalter Herberstorff, daß aus Wallensteins Brief ersichtlich sei, daß dieser „mehr zum Frieden als den Krieg derorten länger zu führen inkliniere"[342].

Im Anschluß an den Krönungslandtag in Prag fand am 15. Oktober mit großem Pomp die Krönung der Kaiserin statt, einen Tag darauf die Königskrönung Ferdinands III. Reiche Geldspenden der böhmischen Stände für Kaiserin und König mögen die Festesfreude erhöht haben, und die großen Feierlichkeiten in Anwesenheit zahlreicher Gäste mochten für einen Augenblick vergessen machen, daß diese Festakte in Prag zugleich das Finale der böhmischen Tragödie waren[343]. Herberstorff hatte an den Feierlichkeiten teilgenommen und berichtete von diesen dem Kurfürsten, vom Karussell und vom Kopfrennen zweier Schwadronen, deren eine König Ferdinand, die andere Graf Khevenhiller geführt habe, und er weiß vom noch bevorstehenden großen Ballett der Kaiserin mit zwölf Kavalieren und ebenso vielen Damen zu berichten. Es mag Herberstorff beeindruckt und ihn an seine Neuburger Zeit erinnert haben, daß auch Pfalzgraf August von Neuburg, der protestantisch gebliebene Bruder Wolf Wilhelms, der zu Sulzbach residierte, an den Feiern teilnahm[344]. Herberstorff, der Freude an allen diesen Feierlichkeiten und den damit zusammenhängenden gesellschaftlichen Ereignissen, Spielen und Turnieren hatte, wird diese Prager Tage, da er am kaiserlichen Hof als Gast geladen war, richtig genossen haben. Die kaiserliche Gnade, die ihm zuteil geworden war, war ihm in diesem Augenblick um so wichtiger, da alle Anzeichen darauf hindeuteten, daß Kaiser Ferdinand und Kurfürst Maximilian bald zu einer Einigung über die Auslösung des Landes ob der Enns aus der bayerischen Pfandschaft kommen könnten und daß dann die Tage der Statthalterschaft Herberstorffs gezählt sein mußten.

IV. Kapitel

LANDMANN UND LANDESHAUPTMANN

1. „Des Grafen von Herberstorff Land"

Als Gottfried Heinrich von Pappenheim dem Kurfürsten Maximilian seinen großen Bericht über die November-Schlachten des Jahres 1626 gegen Oberösterreichs Bauern erstattete, da schrieb er nach seiner Schilderung der Schlacht im Emlinger Holz und der Besetzung der Stadt Eferding, er sei „noch denselben Tag mit der Armada fortgeruckt und also nach verrichter erster Impresa nach Gmunden in des Grafen von Herberstorff Land, so von dem Feind belagert wurde, gezogen"[1]. Auch Herberstorffs Stiefsohn bediente sich also jener Bezeichnung, wie sie auch die Bauern — diese allerdings spottend — für das Gebiet um Gmunden verwendeten. Es hatte sich demnach in kurzer Zeit dieser Begriff für die Herrschaft Ort am Traunsee, die Herberstorff besaß, eingebürgert, und die Vorstellung, daß dort unmittelbar um Gmunden nicht nur regional der Kern des Herberstorffschen Privatbesitzes lag, sondern daß hier die Untertanen in der engsten Herrschaftsphäre der Grundobrigkeit dem verhaßten Statthalter direkt unterworfen waren, mag nicht unwesentlich zu dieser Formulierung beigetragen haben. Hier, wo der Statthalter persönlich gerne weilte, wo er im Schloß Ort Hof hielt, wo seine Familie anwesend war, wo er sich an seinem Marstall mit herrlichen Pferden erfreute, mochte man das Gefühl haben, in seinem Land, im Land des Statthalters, zu leben. Herberstorff, der durch die kriegerischen Ereignisse ins Land kam, hier vorübergehend die Verwaltung führen sollte, hat nach dem Jahre 1621, als das Land verpfändet wurde, erkannt, daß seine Anwesenheit in dem rebellischen Ländchen wohl von längerer Dauer sein werde. Und er hat sich dann sehr bald bemüht, hier festen Boden unter den Füßen zu gewinnen. Es mag nicht nur der Gedanke gewesen sein, die Gelegenheit zu nützen, um in den habsburgischen Erbländern, woher er ja kam, wieder Fuß zu fassen, der „Kairos", die einmalige, die günstige Situation und Gelegenheit, die sich aus der militärisch-politischen Lage ergab, mußte locken zur Besitznahme und Erwerbung von Gütern, die wegen der Rebellion dem Fiskus verfallen und oft billig zu erstehen waren. Es war ja diese Zeit des Dreißigjährigen Krieges eine Epoche, die dem militärischen Kondottiere in seltenem Ausmaß das Tor öffnete zu Reichtum und Besitz, da durch Rebellion und Glaubenszwang große Umschichtungen im Besitz des Adels vor sich gingen. Die Freigebigkeit Kaiser Ferdinands II. erleichterte den Besitzerwerb durch seine militärischen und politischen Helfer, und wer an den Hebeln der Macht saß und es verstand, auf die Gunst der Stunde zu achten, der hatte die Möglichkeit, aus den Trümmern der Herrschaften des protestantischen, rebellischen Adels sich ein „Land" zu schaffen. Was Herberstorff versuchte, konnte sich nicht im entferntesten messen mit dem, was etwa Wallenstein mit dem Herzogtum Friedland gelungen war. Der Versuch Herberstorffs war wesentlich bescheidener, und er hatte auch weniger Erfolg. Aber im Grunde zielte doch auch Herberstorffs Streben darauf hin, nicht nur eine oberösterreichische Herrschaft, sondern einen ganzen Komplex meist aneinandergrenzender größerer und kleinerer Herrschaften im Lande zu erwerben und sich auf diese Weise ein geschlossenes Herrschaftsgebiet zu schaffen.

Die ersten nachweisbaren Versuche Herberstorffs, im Lande durch Erwerbung von Grundherrschaften seßhaft zu werden, finden wir bereits im Jahre 1621. Es war sehr naheliegend, daß der Statthalter zunächst versuchte, eine Rebellenherrschaft zu erwerben, nicht nur, weil sich diese gleichsam durch ihre Konfiskation anboten, sondern weil auch mit einem günstigeren Kaufpreis zu rechnen war. Sein Auge fiel auf die Herrschaften einer der durch die Adelsrebellion am schwersten kompromittierten Familien, der Herren von Jörger. Die Herrschaft Stauff zu Aschach an der Donau, dem Karl von Jörger konfisziert, lag gleichsam vor den Toren von Herberstorffs Amtssitz in Linz. Hier setzte der Statthalter an. Er bat um die Überlassung dieser Herrschaft — ohne die Aschacher Maut. Herberstorff bot für diese Herrschaft, die mit 203.000 Gulden bewertet war[2], insgesamt 40.000 Gulden, die in zwei Raten zu erlegen gewesen wären. Der Abt von Kremsmünster und Johann Baptist Spindler erhielten vom Kaiser den Auftrag, die Sache zu untersuchen, einen Anschlag der Herrschaft und ein Inventar zu verfertigen. Zugleich sollten die beiden

Beauftragten des Kaisers versuchen, Herberstorff zur Zahlung einer größeren Summe zu bewegen. Wegen des Fehlens von Unterlagen konnte jedoch kein Anschlag verfertigt werden, und Herberstorff war offenbar nicht bereit, über sein Angebot hinauszugehen. Zweifellos ein Fehler in dieser Ära der beginnenden Inflation. Dadurch dürfte auch Herberstorffs Versuch gescheitert sein, und die Herrschaft Aschach-Stauff kam schon 1622 an Karl von Harrach[3].

Es ist von einer gewissen Pikanterie, daß der Statthalter bei seinen ersten uns bekannten Bemühungen zum Erwerb einer Herrschaft im Lande die Hilfe eines protestantischen Adeligen suchte, des Herrn Gundaker von Polheim, von dem ihn später eine heftige Gegnerschaft trennte. Polheim, einer der — wie wir gesehen haben — führenden Köpfe des oberösterreichischen protestantischen Ständetums, war im Zuge der Gegenreformation mit Herberstorff in Konflikt geraten. Der Statthalter hatte während des Bauernkrieges dann dessen Sohn nicht in die Stadt gelassen, und der Polheimer war es, der sich einmal zum bayerischen Gesandten Dr. Leuker in Wien geäußert hatte, wenn nur der verhaßte Statthalter, der ohnedies nichts wert sei, verschwinde, werde man sich schon einigen. Aber damals, als Herberstorff eben ins Land gekommen war, hatte Polheim, der Präsident der Wiener Hofkammer gewesen war, noch Einfluß, und der Statthalter suchte seine Hilfe, als er erstmals tastend nach der Herrschaft Ort zu greifen versuchte. Der Statthalter bat mündlich den Polheimer um seine Vermittlung beim Kaiser, und er wandte sich auch schriftlich an ihn: Der Kaiser möge die Herrschaft Ort, von der er nicht einen Pfennig genieße, nicht nur von den Spindlerischen ablösen lassen, sondern diese ihm, dem Statthalter, frei überlassen in der Weise, daß er, wenn die Hofkammer die Herrschaft höher im Wert schätze, als was Johann Baptist Spindler als Hypothek daraufhabe, diesbezüglich sich vergleiche. Herberstorff hoffte, der Kaiser werde um so mehr zustimmen, als er, der Statthalter, die Gelegenheit suche, sich „dergestalt im Land zu akkommodieren, daß Sie [kaiserliche Majestät] meiner zwar wenigen doch treu gemeinten Verdienste sich dadurch versichern khinen“. Herberstorff weist trotz dieser Formel von „geringen Verdiensten“ doch konkret auf solche hin, die er sich durch eine Kommission zu Prag um den Kaiser erworben habe[4].

Nun war es merkwürdig, daß diese Herrschaft Ort, die Herberstorff so ins Auge stach, keineswegs ein Rebellengut war, vielmehr handelte es sich um eine kaiserliche Herrschaft, die am Rande des Salzkammergutes gelegen, für dieses vor allem wegen des zum Salzsieden nötigen Holzes große Bedeutung hatte. Aber als Herberstorff seine Hand danach ausstreckte, hing sie gleichsam in der Luft. Das war so gekommen: Im Jahre 1595 hatte die Stadt Gmunden — in unmittelbarer Nachbarschaft des Schlosses Ort gelegen — diese von Weikhart von Polheim käuflich erworben, acht Jahre später kaufte sie Kaiser Rudolf II. von der Stadt. Als Pfleger von Ort bestellte der Kaiser den Salzamtmann Veit Spindler, der dem Kaiser zum Kauf 20.000 Gulden vorgestreckt hatte. Im Laufe der Jahre hatte sich dieser Betrag durch Zinsen und neuerliche Darlehen auf etwa 100.000 Gulden erhöht, und Johann Baptist Spindler, der Sohn Veit Spindlers, Landanwalt im Lande ob der Enns, wollte sie nun käuflich erwerben[5]. Das Ringen zwischen Spindler und Herberstorff zog sich Jahre hin. Zunächst — 1622 — erreichte der Statthalter sein Ziel nicht. Er mag bei der großen Visitation des Kammergutes, die er im Jahre 1622 durchführte, Gefallen gefunden haben an dem herrlich im Traunsee gelegenen Schloß Ort, und die labilen Besitzverhältnisse dürften in ihm den Gedanken erweckt haben, die Herrschaft zu erwerben. Aber zunächst hieß es warten — doch blieb der Statthalter nicht untätig.

Im Januar 1622 war Joachim von Landau, der die Herrschaft Neydharting besaß, gestorben. Herberstorff suchte nun diese Herrschaft für sich zu gewinnen. Er hat zunächst verhindert, daß die Erben Joachims von Landau das Erbe antreten, weil die Familie in die Rebellion verwickelt gewesen war. Nach Herberstorffs Auffassung war nur Hartmann von Landau erbberechtigt, während die Anteile des Erasmus und des Georg von Landau — sie waren flüchtige Rebellen — dem Fiskus verfallen waren. Herberstorff schlug nun dem Kaiser vor, ihm jenen Teil von Neydharting für seine Verdienste zu überlassen, der dem Kaiser verfallen sei, den Rest wollte er von den Erben kaufen. Es ist zweifellos von Interesse, daß er bei seiner Bitte an den Kaiser sich auf Hans Ulrich von Eggenberg berufen konnte, eine Tatsache, die auch für spätere Bemühungen Herberstorffs festzustellen ist. Alte steirische Beziehungen mögen hier wirksam gewesen sein. Aber auch die Bemühungen Herberstorffs um Neydharting waren vergebens. Die Hofkammer war gegen Herberstorffs Plan, wie sie ja immer viel mehr als der Kaiser bestrebt war, die Verschenkung oder Verschleuderung von Rebellenherrschaften zu verhindern. Herberstorff hatte lediglich kurzfristig die Administration von Neydharting zu führen[6].

Damit waren zunächst alle Versuche des Statthalters, eine Herrschaft im besetzten Land ob der Enns zu erwerben, gescheitert. Sie lagen unmittelbar vor seinem Abgang zum Liga-Heer nach Schwaben. Die mehr als einjährige Abwesenheit vom Lande verzögerte einen Erfolg seiner Bemühungen. Als der Statthalter im Sommer 1623 wieder ins Land zurückkehrte, verstärkte er seine Anstrengungen in dieser Richtung, und wo nur die Möglichkeit eines Besitzerwerbs sich bot, hatte er die Hand im Spiele. Auch jetzt gab es für Herberstorff noch Enttäuschungen, am Ende aber erreichte er sein Ziel. Im September 1623 versuchte er die Herrschaft und Burgvogtei Wels zu erlangen, eine mächtige kaiserliche Herrschaft, mit fast 1000 Untertanenhäusern[7], die pfandweise in der Hand der Erben des reichen Welser Handelsmannes Christoph Weiß war, der außer der Burgvogtei Wels die Herrschaften Würting und Niederwallsee besaß und seit 1615 Mitglied des oberösterreichischen Ritterstandes gewesen war[8]. Ferdinand II. war nicht abgeneigt. Herberstorff aber scheiterte daran, daß Christoph Ludwig Weiß, der 1617 seinem reichen Vater als Burgvogt von Wels gefolgt und am 30. Januar 1623 gestorben war, an der Rebellion von 1618/20 nicht beteiligt gewesen ist und die Weißschen Erben nunmehr nicht bereit waren, auf die Vogtei zu verzichten, sondern vielmehr die „erbeigentümliche Überlassung" der Burgvogtei Wels wünschten. Der anfänglich hoffnungsvolle Beginn, den die Bemühungen Herberstorffs um Wels erreicht zu haben schienen, war eine Täuschung[9].

So wie Aschach den Statthalter wegen der Nähe zu Linz lockte, so begehrlich blickte er auch auf Schloß Ottensheim, das über dem Markte gleichen Namens an der Donau unweit der Hauptstadt Linz sich erhob, und auf die dazugehörige Herrschaft. Sie hatte zur ständischen Schulkasse gehört und war dem Kaiser wegen der Rebellion heimgefallen. Sie war eine mittlere Herrschaft mit etwa 250 Untertanenhäusern (Feuerstätten)[10]. Herberstorff war bereit, für Ottensheim 60.000 Gulden „hiesiger Münz" in bar zu leisten. Das aber war der Hofkammer viel zu wenig, da die Herrschaft viel mehr wert war. Außerdem wollte die Hofkammer nicht die lange Münze, die Herberstorff anbot, sondern sie fragte, ob der Statthalter nicht bereit sei, anstelle des Inflationsgeldes 60.000 Reichstaler zu bezahlen. Das war offenbar das letzte Angebot des Fiskus, das Herberstorff anscheinend zu hoch war[11]. So mußte er auf Ottensheim verzichten, das später, wie wir wissen, in die Hände der Linzer Jesuiten kam. Ende 1623 hatte sich Herberstorff auch bemüht, die dem Hochstift Passau zugehörige Herrschaft Haslach im Mühlviertel käuflich zu erwerben, und er hatte sich in dieser Angelegenheit persönlich an den Erzherzog Leopold in Innsbruck, den Bischof von Passau, gewandt und von diesem zunächst eine Zusage erhalten, so daß er ihm ein sehr herzliches Dankschreiben übermittelte. Aber bald sollte der Statthalter den Widerstand aus Passau spüren, er bedrängte den Erzherzog in Innsbruck, weil er — der sich in Haslach eine „Wohnung ... bauen" wollte — befürchtete, daß von Passau aus die Angelegenheit, wie er es formulierte, auf die „lange Bank" geschoben werde. Er hatte mit dieser Sorge durchaus recht, denn tatsächlich wurde von Passau aus trotz der ursprünglichen Geneigtheit des Bischofs der Verkauf an Herberstorff verhindert. Als der Statthalter sich um Haslach bewarb, da motivierte er sein Vorhaben mit der Bemerkung, „weil ich im Werk, mich in diesen Landen anzukaufen und mir etliche Gelegenheiten in dem Mühlviertel allernächst um Haslach herum fürstehen und mir selbes guet dahero sehr wohl gelegen". Er dachte wohl an die Jörgerschen Herrschaften Pürnstein, Liebenstein und Blumau, die er aber ebenfalls nicht erhielt[12].

Doch waren von Karl Jörgers konfisziertem Güterkomplex im Süden der Donau noch die beiden am Rande der Alpen gelegenen Herrschaften Scharnstein im Almtal, Pernstein im Kremstal unter der Verwaltung der bayerischen Pfandschaft. Die Erben Karl Jörgers bzw. die Vormünder seiner Kinder suchten dem Statthalter Herberstorff nachzuweisen, daß diese beiden Herrschaften zu einem Fideikommiß vereinigt worden seien und daher im Jörgerschen Besitz und unzertrennt bleiben müßten. In Wien war man nicht dieser Ansicht und betrachtete die beiden Besitzungen des Karl Jörger, der im Dezember 1623 in der Haft in Passau starb, als dem Fiskus verfallene Rebellengüter[13]. Schon im Oktober des Jahres 1622 haben Heinrich und Hans Heinrich von Salburg, die an Jörger eine Forderung von 50.000 Gulden hatten, den Kaiser gebeten, ihnen Pernstein und Scharnstein zu überlassen, sie waren bereit, dazu noch 100.000 Gulden zu erlegen, also 150.000 Gulden für die beiden Herrschaften zu bezahlen. Der Wiener Hof aber mahnte zur Geduld[14]. Inzwischen — am 21. Januar 1623 — waren die beiden Rebellengüter dem Fürsten Hans Ulrich von Eggenberg gegen ein Darlehen von 80.000 Gulden zugeschrieben worden[15]. Im Herbst des gleichen Jahres konnte Graf Herberstorff dem Kaiser mitteilen, daß er durch Zession vom Fürsten Eggenberg dessen Jus auf die beiden Jörger-Herrschaften an sich gebracht und das Darlehen von 80.000 Gulden richtiggemacht habe[16]. Herberstorff bat nun den Kaiser, gegen Erlag von 120.000 Gulden ihm beide Herrschaften zu übereignen. Auch war er bereit, falls die beiden Güter über den von ihm gebotenen Preis von 200.000 Gulden geschätzt würden, den Rest zu bezahlen. Am 5. September nahm der Kaiser diese Zession Eggenbergs an Herberstorff zustimmend zur Kenntnis und gestattete dem Statthalter den Genuß der beiden Herrschaften auf Rechnung dergestalt, daß er sich das Interesse (sechs Prozent) „zahlhaft mache“, das übrige aber dem Hofkriegszahlamt abliefere[17]. Man sieht also, daß es Herberstorff um beide Herrschaften zu tun war, die benachbart waren und in ihrem Herrschaftsbereich vom Gebiet östlich der Krems bis westlich der Alm reichten. Nun war der Statthalter wohl zunächst teilweise im Nutzgenuß der beiden Herrschaften, aber die Frage der Übereignung war noch nicht geklärt. Am Wiener Hof wurde gegen Herberstorff geschürt. Der Kaiser sah sich veranlaßt, Herberstorff zu schreiben, er habe vernommen, daß der Statthalter sich entgegen der kaiserlichen Resolution vom 5. Dezember wie ein „wirklicher Possessor“ in Pernstein und Scharnstein aufführe und dort sogar Veränderungen vornehme. Herberstorff reagierte gereizt und erbittert auf diese kaiserliche Rüge und bedauerte die Intrigen, die man gegen ihn anzettle. Er habe nur den Pfleger Maximilian Ernst Spindler seines Postens enthoben, der zu hoch besoldet war. Die Güter seien derart verwaltet worden, daß er befürchten mußte, von den 80.000 Gulden jährlich nicht die Zinsen erhalten zu können, geschweige denn, daß er etwas in das kaiserliche Kriegszahlamt abliefern könne. Herberstorff verweist bei dieser Gelegenheit auch auf die Rechtslage. Die Rebellengüter seien mit ihren Nutzungen dem Pfandherrn, dem Kurfürsten Maximilian von Bayern „affiziert" worden. Er mußte daher den Überschuß an die bayerische Kammer in Linz abliefern. Da er jedoch vom Kurfürsten den Konsens erhielt hinsichtlich der Zession Eggenbergs und der Kurfürst aus besonderer Gnade sich nunmehr seines Rechtens begeben habe, so müsse er, der Statthalter, es nunmehr verantworten, den allfälligen Überschuß von der Verwaltung der beiden Herrschaften an das Wiener Kriegszahlamt zu leisten. Seine Aktionen in Pernstein und Scharnstein seien also durchaus den kaiserlichen Intentionen entsprechend[18].

Hatte Herberstorff es noch nicht gewußt, so konnte er nun ahnen, daß es für ihn schwierig werden würde, diesen Herrschaftskomplex der Jörger eigentümlich zu erwerben. Denn es gab hinsichtlich der Herrschaft Scharnstein einen mächtigen Konkurrenten: den Abt Anton Wolfradt von Kremsmünster. Dieser hatte natürlich größtes Interesse daran, Scharnstein, das, wie er es ausdrückte, „mit meinem vertrauten Gotteshaus in mehrerlei Weg mit Pfarren, Lehen, Landgericht, Untertanen, Fischwassern, Gehölz und anderem sehr vermischt" ist, zu erwerben. Das stimmte zweifellos. Für Kremsmünster konnte Scharnstein echt die Arrondierung und zum Teil sogar Wiedererwerbung uralter Besitzrechte aus der Zeit der Gründung des Stiftes durch den Agilolfinger Herzog Tassilo bedeuten. Im Februar 1623 bat Abt Anton Wolfradt den Kaiser um die Herrschaft Scharnstein; er bezog sich dabei — es war in Regensburg — auf die kürzliche Anwesenheit des Kaisers in Kremsmünster und auf seine damals mündlich vorgebrachte Bitte, falls man den Jörgern Scharnstein abfordere, es dem Stifte Kremsmünster gegen Erstattung des Wertes zu übertragen. Der Kaiser habe damals in Kremsmünster „gnädigst erklärt, wofern solches Guet noch niemand versprochen und desgleichen Avokation fürgehen sollte, meiner [des Abtes] dann vor anderen in kaiserlichen Gnaden zu gedenken". Der Kaiser möge nunmehr verfügen, daß Scharnstein durch das Gericht des Landes ob der Enns dem Stift Kremsmünster auf ewig einverleibt werden möge[19]. Gegen Ende des Jahres wiederholte Wolfradt seine Bitte — wie er sagte — zum dritten Male und erinnerte an Ferdinands Zusagen. Kremsmünster bot damals für Scharnstein 50.000 Gulden und den Überrest bei höherer Schätzung. Abt Wolfradt meinte, daß Herberstorff für Pernstein allein die 200.000 Gulden zahlen solle, da Pernstein „100.000 gutes Gold“ und daher soviel wie Herberstorffs 200.000 Gulden wert sei. Obwohl der Abt von Kremsmünster nicht nur persönlich beim Kaiser für die Übergabe Scharnsteins an Kremsmünster wirkte, sondern auch den Grafen von Trauttmansdorff beim Kaiser intervenieren ließ und bei seiner Position als Hofkammerpräsident zweifellos in Wien bedeutend größeres Gewicht hatte als der bayerische Statthalter, hat er dennoch mit Erfolg versucht, mit Herberstorff selbst zu einer Einigung zu kommen. Im Frühjahr 1624 informierte der Abt von Kremsmünster den Kaiser, daß er mit dem Statthalter verhandelt habe und daß dieser bereit sei, auf Scharnstein zu verzichten[20]. Der Abt mußte nun noch den Konsens des bayerischen Kurfürsten beibringen. Am 30. März 1624 erhielt Herberstorff als Statthalter den Befehl des Kaisers, Scharnstein zu schätzen und nach Erlegung des Wertes die Herrschaft Scharnstein dem Abt von Kremsmünster einzuräumen, weiters die Witwe Karl Jörgers, Anna Jörger, aus der Herrschaft Scharnstein auszuschaffen und ihr gegen Räumung der Herrschaft bis zum Abschluß der Kridaverhandlungen die notdürftige Alimentation zu reichen. Herberstorff war bezüglich der Herrschaft Scharnstein dem Hofkammerpräsidenten Abt Wolfradt unterlegen. Um 94.645 Gulden erhielt das Stift Kremsmünster auf „ewig“ die Herrschaft Scharnstein verliehen[21].

Dieser Kompromiß mit dem Hofkammerpräsidenten hat dem Statthalter aber wohl Pernstein gerettet. Genoß er offenbar in der Frage der beiden Jörger-Güter die Gunst seines steirischen Landsmanns Fürst Eggenberg, so war der Geheime Rat am 27. April 1624 einig — also mit Wolfradts Stimme als Kammerpräsident —, nunmehr Pernstein Herberstorff zu überlassen. Zwei Tage später ging die kaiserliche Resolution an den Statthalter, daß ihm Pernstein nach Schätzung dergestalt überlassen und eingeräumt werden solle, daß er, was die Herrschaft über die in langer Währung schon bezahlten 80.000 Gulden wert sei, bei der oberösterreichischen Landschaft zur Kontentierung der Jörgerschen Gläubiger hinterlege. Auch mußte der Statthalter sich verpflichten, falls die 80.000 Gulden in langer Währung „disputierlich“ gemacht würden, sich einer kaiserlichen Resolution zu fügen[22]. Um 116.390 Gulden erwarb der Statthalter Schloß und Herrschaft Pernstein. Es wurde ihm erst 1625 urkundlich durch Kaufverschreibung mit verschiedenen kaiserlichen Vorbehalten zugeschrieben, de facto aber besaß er es seit 11. Mai 1624, als es ihm offiziell eingeantwortet wurde. Der Protest des jungen Wolf Ludwig Jörger, der bei dieser Einantwortung die Übergabe an Herberstorff als Unrecht bezeichnete, mag Herberstorff wenig beeindruckt haben. Er war nunmehr Herr der Herrschaft Pernstein und hatte damit festen Fuß im Land ob der Enns gefaßt[23].

Das Schloß Pernstein, das im 16. Jahrhundert baufällig war, hatte Helmhard Jörger im Sinne eines späten Renaissancedenkens in weitem Bereich neu aufgebaut. Es war daher bei Übernahme durch Herberstorff in sehr gutem baulichen Zustand. Zur Herrschaft Pernstein gehörten damals 499 Untertanen[24]. Die Untertanenhäuser lagen zum Teil in geschlossenen Flächen beisammen, zum Teil — vor allem der ältere Bestand — sind sie in Streulage zu finden. Rund um die Burg lag der geschlossene Komplex des Hofamtes. Die Herrschaft Pernstein stellte seit Helmhard Jörger namentlich in ihrem Kerngebiet eine bedeutende Konzentration an Macht dar, eine Besonderheit, durch die sich Pernstein vor anderen Herrschaften auszeichnete. Zur Herrschaft gehörten außer dem Schloß ein kleiner Meierhof, da die Eigenwirtschaft der Herrschaft verhältnismäßig gering gewesen ist, weiters Tavernen, Wiesen und Weiden, größere Wälder, der Wildbann und das Landgericht sowie Fischwässer. Als Pfleger diente Herberstorff Sebastian Haas, der schon seit 1621 Pfleger in Pernstein gewesen ist. Für Herberstorff bedeutete die Erwerbung dieser Jörgerschen Herrschaft eine beträchtliche Stärkung seiner ganzen Position im Lande[25].

Herberstorffs alte Begehrlichkeit nach der Herrschaft Ort am Traunsee schien zunächst endgültig unerfüllt zu bleiben. Im Juli 1624 hatte sich der Kaiser entschlossen, Ort dem Johann Baptist Spindler käuflich zu überlassen. Dieser, der Ort pfand- und pflegweise innehatte, hatte nicht ganz 100.000 Gulden an Kapital und Zinsen durch Befriedigung der Kreditoren auf die Herrschaft zu prätendieren. Da der Kaiser aus der Pflegschaft Ort von Jahr zu Jahr anstatt eines Nutzens nur neue Schulden bekam, wollte er Ort loswerden. Vom Kauf ausgenommen sollte die Nutzung der Wälder werden, „deren wir uns wegen unseres Gmundnerischen Salzwesens nit begeben khünnen noch wollen".

Die Überlassung der Herrschaft sollte gegen „ewigen Wiederkauf“ um 100.000 Gulden und eines allfälligen, bei der Schätzung als Rest sich ergebenden Betrages erfolgen. Noch im August 1624 teilte der Kaiser dem Statthalter Herberstorff den Verkauf der Herrschaft Ort an Spindler um 100.000 Gulden mit, und er erteilte dem Statthalter den Befehl, Kommissäre zur Schätzung und Bereitung der Herrschaft zu bestellen und dem Landanwalt die Herrschaft wirklich einzuräumen. Um die Zustimmung des Pfandherren, des Kurfürsten Maximilian von Bayern, bemühte sich der Kaiser selbst. Nun müssen etwas merkwürdige Dinge vor sich gegangen sein, die noch eine Änderung zugunsten des Statthalters herbeiführten. Herberstorff gab seine Bemühungen jedenfalls nicht auf und suchte die Zustimmung des Kaisers zu direkten Verhandlungen, die er mit Spindler führen wollte, zu erhalten. Die Zustimmung des Kurfürsten zur Überlassung Orts hatte er schon am 1. Dezember 1624 erbeten[26]. Auch in München fand eine Art Wettlauf zwischen Spindler und Herberstorff um den Konsens Maximilians zur Übertragung der Herrschaft Ort statt, und Herberstorff sandte seinen Hofmeister Schmitzberger dorthin, der beim Kurfürsten für Herberstorff warb[27]. In Wien dürfte man auf Spindler wohl nicht allzu gut zu sprechen gewesen sein. Denn dieser Übergang der Herrschaft Ort war gegen den Willen des Wiener Hofes erfolgt, der nur der ständig steigenden Schuldenlast nachgab, die unter der Verwaltung des Oberpflegers der Herrschaft, eben des Spindler, jährlich zunahm. Es war der typische Fall, wie durch die Pfleger und ihre die eigenen Interessen befördernde Verwaltung dem Landesfürsten seine Herrschaften entglitten und am Ende die Pfleger die Eigentümer wurden. Ferdinand II. hat daher Herberstorff seine Zustimmung zu Verhandlungen mit Spindler erteilt, wenn dieser sich hiezu gutwillig verstehe[28]. Eine Einigung zwischen dem Statthalter und dem Anwalt kam jedoch nicht zustande. Als man in Wien sah, daß „wider unser gnädigstes Verhoffen“ Spindler nicht gedachte, von seinem „Jus“ zu weichen, Herberstorff aber auf Spindlers eigenes gegen ihn getanes Erbieten verwies, ernannte der Kaiser Kommissäre, die einen Akkord zwischen Spindler und Herberstorff erreichen sollten. Herberstorff war bereit, zu den 100.000 Gulden noch 10.000 Gulden dazuzulegen. Der Druck aus Wien auf Spindler dürfte sehr stark gewesen sein. Man hatte in Wien offenbar keine Ursache, auf Spindler Rücksicht zu nehmen, auch das etwas höhere Angebot Herberstorffs sprach für den Statthalter, und am Hof erinnerte man sich vor allem — so kurz nach dem Abschluß mit dem Spindler —, daß man sich ja ohnedies das Wiederkaufsrecht vorbehalten habe. Im übrigen war die Aufrichtung des Vertrages und die Übergabe noch nicht erfolgt. Die Kommissäre erhielten vom Kaiser den Auftrag, sie sollten dem Spindler die Sache „umständlich“ zu Gemüt führen und mit ihm im Namen des Kaisers „beweglich verhandeln“, um ihn dahin „zu disponieren, damit er bei obangeregter Beschaffenheit sein auf der Herrschaft Ort habendes Jus ... dem Grafen von Herberstorff guetwillig überlassen thue“[29]. Spindler wehrte sich zunächst, hat aber schließlich „guetwillig und keiner Schuldigkeit willen, sondern allein Ihrer kaiserlichen Majestät zu alleruntertänigsten Ehren“ sich mit Herberstorff verglichen und sein Kaufrecht an den Statthalter zediert[30]. Es wurden die Zahlungsmodalitäten — gute Reichswährung — und die Art der Ratenzahlung festgelegt und Spindler ein eigener Burgfried für seinen Sitz Hofegg zugestanden. Der Modus dieser Übertragung des Kaufes von Spindler an Herberstorff war nun so, daß Herberstorff mit Zustimmung des Kaisers das Jus, das Spindler auf Ort gehabt hatte, um 110.000 Gulden an sich brachte und darauf die Herrschaft vom Kaiser „eigenthumlich“ erkauft hat[31].

Herberstorff war dem Kaiser dankbar für seine Hilfe, bat aber um einen ordnungsmäßigen Kaufbrief und wollte zugleich, daß der dem Spindler auferlegte ewige Wiederkauf annulliert oder diese Bestimmung wenigstens insoweit gemäßigt werde, daß Herberstorff oder seine Erben bei Verkaufsabsicht die Herrschaft zuerst dem Kaiser bzw. seinen Erben anbieten müßten. Außerdem bat Herberstorff, daß Jagd und Wildbann, die sich der Kaiser vorbehalten hatte, bei der Herrschaft bleiben[32]. Die niederösterreichische Kammer nahm nun sehr eindeutig gegen den Verkauf der Herrschaft Ort an Herberstorff Stellung: „Das kann die Cammer ihresteils ganz und gar nicht für tunlich noch ratsamb befinden, daß Ihr Majestät dieselbe dem Herrn Statthalter, als welcher in fürnemben churfürstlich bayerischen Diensten, und ohne das dieser Zeit allerlei Differenzen fürfallen, verkaufen thuen, in Erwägung berührte Herrschaft dem Salzwesen und diesem ansehnlichen Cammerguet wegen der Wälder und anderen sehr nützlichen Gelegenheiten ganz bequemb und demselben in viel Weg allerhand ersprießliche Befürderung leisten kann“. Wenn aber der Kaiser Ort an Herberstorff verkaufe — was nicht ohne Präjudiz und Nachteil für das Kammergut geschehen könne —, dann nicht zu Herberstorffs Bedingungen, besonders was das ewige Wiederkaufsrecht betreffe. Der Kaiser und seine Erben müssen bei Bedarf wegen des Salzwesens jederzeit die Herrschaft wieder an sich bringen können, und der Statthalter müßte daher verpflichtet werden, gegen Erlag des Kaufschillings die Herrschaft wieder abzutreten. Trotz dieser negativen Haltung der Kammer erhielten bereits eine Woche später der Abt von Kremsmünster und Johann Baptist Spindler als Landesanwalt den kaiserlichen Befehl, dem Statthalter die Herrschaft einzuantworten[33]. Ein mächtiger Fürsprecher mußte Hindernisse am Hof beseitigt haben. Man wird nicht fehlgehen, daß es Fürst Hans Ulrich Eggenberg war — „assoluto patrone della volunta del Imperatore“ —, welcher wohl schon bei Neydharting und Pernstein Herberstorff unterstützt hatte. Die Einantwortung erfolgte am 27. Mai 1625, und wir wissen, daß Herberstorff bei Beginn der Frankenburger Unruhen im Mai 1625 schon in Ort weilte[34]. Bezeichnend für Herberstorffs Art, möglichst billig in den Besitz von Gütern zu kommen, ist die Tatsache, daß noch unmittelbar vor der Einantwortung von Ort von ihm und der Regierung in Linz eine Liste von notwendigen Baumaßnahmen dem bayerischen Kurfürsten, für die dieser als Pfandinhaber die Kosten tragen sollte, übermittelt wurde. Auf dieser Liste stand auch noch Ort[35]. Der Kaufvertrag für Schloß und Herrschaft Ort — datiert erst vom 16. Dezember 1625 — behielt dem Kaiser den roten und schwarzen Wildbann sowie die Nutzung der Wälder vor, der ewige Wiederkauf blieb trotz Herberstorffs Ersuchen aufrecht. Herberstorff mußte jährlich dreihundert Edelfische an den kaiserlichen Hof geben. Spindler wurde für sein Nachgeben mit der Ernennung zum Wirklichen Hofkammerrat belohnt[36].

Herberstorff hatte den Kaiser auch gebeten, die Herrschaft Ort zu einer Grafschaft zu erheben, da diese früher „vor vielen undenklichen Jahren eine Grafschaft gewesen“. Auch den Göttweiger Abt Falb hatte Herberstorff um seine Vermittlung und Fürsprache beim Kaiser in dieser Angelegenheit gebeten. Nun wird Ort — und Herberstorff belegte dies in einer ausführlichen

Dokumentation — in mittelalterlichen Urkunden gelegentlich als Burggrafschaft bezeichnet[37]. Aber um diese historischen Dinge ging es dem Statthalter zweifellos nicht, vielmehr um sein Prestige im Lande. Er wollte unter den Herrschaftsinhabern im Land nicht der geringste sein. Und da es mehrere Inhaber von Grafschaften im Land ob der Enns gab, sollte auch Ort eine Grafschaft werden. Es besteht kein Zweifel, daß hier der Satz „exempla trahunt" galt. Franz Christoph Khevenhiller hatte die Grafschaft Frankenburg inne, eine Schöpfung Kaiser Rudolfs II., welcher 1593 Hans Khevenhiller in den Grafenstand und seine Herrschaft Frankenburg unter Eingliederung anderer Besitzungen der Khevenhiller zu einer Grafschaft erhoben hat. Das zweite, Herberstorff vor Augen stehende Beispiel war Kreuzen im Machlandviertel. Als Leonhard Helfried von Meggau 1619 von Ferdinand II. in den Reichsgrafenstand erhoben wurde, da erhob der Kaiser Meggaus Herrschaft Kreuzen ebenfalls zur Grafschaft[38]. Herberstorff war bereits seit 1623 Graf, nun, da er im Land seßhaft wurde, wollte er auch Inhaber einer Grafschaft sein. Diese Grafschaftserhebungen brachten für die betreffende Herrschaft keine rechtliche Sonderstellung, sondern lediglich eine Rangerhöhung und eine andere Titulatur[39]. Herberstorffs Wunsch wurde — obwohl die niederösterreichische Hofkammer vorschlug, es bei der „Herrschaft Ort" zu belassen — überraschend schnell vom Kaiser erfüllt. Schon am 2. Mai 1625, also unmittelbar nach der Übergabe Orts an den Statthalter und ein halbes Jahr vor der Errichtung des Kaufbriefes, erhob Ferdinand II. „aus kaiserlicher und erzherzoglicher Macht" Ort zu einer Grafschaft. Als Gründe werden neben der reichen Begabung Orts mit ansehnlichen Regalien, Einkommen und Herrlichkeiten Herberstorffs Verdienste um das Haus Österreich erwähnt. Ort sollte ewig eine Grafschaft sein und bleiben und alle Privilegien besitzen, wie sie andere dergleichen Grafschaften haben, und Herberstorff und seine ehelichen Leibserben durften sich nach der Grafschaft Ort benennen. Herberstorff schrieb seit dieser Zeit in seinem Titel: Herr der Grafschaft Ort. Auf seinen späteren Wunsch hat der Kaiser 1627 offiziell auch den oberösterreichischen Landständen diese Rangerhöhung notifiziert[40].

So hatte Herberstorff innerhalb eines Jahres seiner zuerst erworbenen Herrschaft Pernstein im Kremstal die Herrschaft Ort am

Traunsee anfügen können und sich damit schon einen beträchtlichen Herrschaftskomplex geschaffen. Die Herrschaft Ort — nunmehr „Grafschaft" — „liegt fein beieinander und erstreckt sich in ihrer Läng auf starke drey Meilen Wegs, also auf der Breiten noch fast mehr, und im Gezirk zu Pirg und Landt in die 12 oder 15 Meilen, ... ist alles durch und durch freyes Aigen". Sie war Grund- und Vogtherr über die Pfarren Altmünster und Laakirchen, hatte etwa vierhundert behauste Untertanen, etwa zweihundert „Inhäusler" und „Inleute" sowie ungefähr siebenhundert „Forst-Grund-Untertanen". Das im Traunsee liegende Schloß war „wohl erpauet" und mit einer eigenen Kapelle versehen, zur Zeit der Übernahme durch Herberstorff waren, wie wir wissen, Reparaturarbeiten nötig, zum Schloß gehörten „schöne Gärten und ander Hof-Gründt und Wismaden", außerdem vier Almen und der Traunstein. Das zur Herrschaft zugehörige Landgericht reichte soweit als der „Herrschaft Gezirk und Grenzen". Der Wildbann — an sich reich — war jedoch, wie Schätze und Bergwerk sowie die Holznutzung, dem Kaiser vorbehalten, wobei allerdings die Herrschaft Anspruch auf Bau- und Nutzholz hatte. Ungemein reich waren die Fischwässer der Herrschaft, der Traunsee, die Traun, der Laudachsee und zahlreiche Flüsse und Bäche. Die Einnahmen aus der Herrschaft wurden im 17. Jahrhundert auf fünf Prozent geschätzt. „Ist diese Herrschaft" — so heißt es in einem Anschlag über Ort — „zu Wasser und Lande, Perg und Thal gar lustig undt ein feine Gelegenheit oder Gegend, und gueter gesundter Luft, derorten man kundte mehr ein Viechzügl aufrichten, darob meniglicher Nutz und Wohlgefallen haben solle."[41]

Herberstorff konnte mit dieser seiner Herrschaft wohl zufrieden sein. Aber kaum hatte er Ort erworben, da dachte er bereits an die Arrondierung seines Besitzes. Zuerst wurde seine Aufmerksamkeit auf das Traundorf gelenkt, das jenseits der Brücke in Gmunden beim Ausfluß der Traun aus dem Traunsee lag und früher einmal zur Herrschaft Ort gehört hatte, seit 1603 aber im Besitz der Stadt Gmunden war. Herberstorffs Pfleger von Ort, Elias Hackl, hat später den Vorgang bei der Erwerbung des Traundorfes durch Graf Herberstorff geschildert. Dieser zeigt, daß der Statthalter gegenüber Schwächeren stets rücksichtslos war und vor Drohung und Gewalt nicht zurückschreckte, wenn er sein

Ziel erreichen wollte. Als noch nicht einmal der Kaufvertrag über Ort errichtet war, ließ der Statthalter durch den Pfleger Hackl der Stadt Gmunden seine Absicht bekanntmachen, das Traundorf zum gleichen Preis, wie sie es 1603 erworben hatte, zu kaufen. Als die Gmundner keine Antwort gaben, lud Herberstorff Anfang Dezember 1625 einen Ausschuß der Stadt zu sich in das Schloß Ort. Er hat dieser Deputation der Stadt im Beisein des Pflegers Hackl und des Forstmeisters von Weyer Hans Christoph Rottner unter anderem erklärt, er wolle nun nach Erwerbung von Ort auch alles, was in der Vergangenheit „davon distrahiert oder veralieniert" worden, wieder erwerben. Sein Begehren sei nun, daß ihm die Stadt zu einem billigen Preis, d. h., so wie Gmunden das Traundorf im Jahre 1603 erworben habe, dieses abtrete. Nach Hackls Bericht sagte Herberstorff wörtlich: „Tuet ihrs nun willig und gern, so werdet ihr die Bezahlung darumben erlangen und einen gueten Nachbarn an mir haben, wo aber nit, so traue ich mir das Traundorff gleichwohl und gar umbsonst zu bekommen. Und sollen mir die Hosen am Leib (zugleich mit der rechten Handt auf seine Rottattlassene Hosen schlagend) nit verbleiben." Die Abgeordneten der Stadt erklärten sich nicht bevollmächtigt, die Stadt könne auch ohne kaiserlichen Konsens nichts weggeben. Als Herberstorff den Gmundnern mit seiner Ungnade, mit Einquartierung von Kroaten drohte, gaben sie vorbehaltlich der Zustimmung der Stadt unter gewissen Bedingungen nach, was Herberstorffs Sekretär Jakob Stich gleich notierte. Herberstorff wollte also das Traundorf samt Untertanen, Obrigkeit und Landgericht um 3000 Gulden erwerben, der Kaufschilling sollte zu Ostern 1626 entrichtet werden. Außerdem wollte sich Herberstorff verpflichten, in Traundorf nichts, was den Privilegien der Stadt zuwiderlaufe, vorzunehmen. Der Stadt sollte auch das Vorkaufsrecht zugebilligt werden. Die Stadt zögerte, diesen Vertrag anzunehmen, und niemand wußte Rat gegen Herberstorffs Gewaltakt. Wehrlos — „ex metu et summo timore", wie es heißt — gab Gmunden den Herberstorffschen Drohungen schließlich nach. Der Statthalter hatte inzwischen der Stadt, weil es ihm schon zu lange dauerte, die Ordonanz auf 18 Kroaten und fünfzig Musketiere als zusätzliche Einquartierung zukommen lassen. Herberstorff verschonte nun Gmunden nach der Zustimmung der Stadt zum Verkauf mit seinen Soldaten, dankte ihr für die Willfährigkeit, die sie nicht zu bereuen haben werde. Am 13. Dezember wurde der Kaufvertrag errichtet. Die Übergabe erfolgte noch vor Weihnachten 1625. Alle Untertanen des Traundorfes erschienen im Schloß Ort in Begleitung des Gmundner Magistrates. Der Statthalter empfing sie „in dem großen Saal da die Wappen abgemalet“. Die Traundorfer Untertanen gelobten ihrem neuen Herrn den schuldigen Gehorsam. Für die Gmundner Stadtväter gab der Statthalter im Schloß ein Mittagessen, wobei sie ihm zur Erwerbung des Traundorfes gratulieren mußten, und er ist, wie es in den Quellen heißt, „mit ihnen lustig gewest“. Nun wartete die Stadt Gmunden vergeblich auf die Bezahlung. Nach dem Bauernkrieg, als Herberstorff wieder in sein Schloß Ort kam, machte der Rat der Stadt dem Statthalter seine Aufwartung und wagte auch wegen des ausständigen Kaufschillings zu mahnen. Aber Herberstorff war auf die Stadt böse, da während des Bauernkrieges seine Weinvorräte, die aus Ort der Sicherheit halber in die Stadt gebracht worden waren, ausgeplündert worden waren, und er erwiderte den Gmundnern erbittert: „Keinen Häller sollt ihr darum [für das Traundorf] bekommen; ihr möget wohl davon still schweigen oder ich will euch einen anderen Conto machen; ich weiß, wie man mit meinen geraubten Gütern in der Stadt ist umgegangen.“ Herberstorff hat den Kaufpreis für das Traundorf nie erlegt[42].

Bald nach Erwerbung des Traundorfes kaufte er den Sitz Forstergut mit den Fischerhäusern am Traunsee und den beiden Langbathseen in Altmünster (22. Januar 1626) von Hans Wankhamer, der Herberstorffs Verwalter des Traundorfes wurde[43]. Schon 1625 erscheint Herberstorffs Stieftochter Anna Benigna von Gera als Eigentümerin des Sitzes Moos bei Gmunden. Auch Ebenzweier soll Herberstorff in dieser Zeit von Jobst Bernhard und Hans Karl von Rohrbach gekauft haben. Im Jahre 1627 erwarb der Statthalter dann den Freisitz Weyer bei Gmunden[44]. Handelte es sich bei diesen Arrondierungskäufen rund um die Herrschaft Ort um kleinere Objekte, so gelang es dem Statthalter Mitte 1627, eine neue, größere Grundherrschaft zu erwerben: Puchheim. Sie war unmittelbar der Herrschaft Ort benachbart und war seit hundert Jahren im Besitz der Herrn von Polheim. Schon im Schatten der drohenden Emigration des evangelischen Adels verkaufte Weikhart von Polheim, einer der führenden Köpfe des oberösterreichischen evangelischen Adels, mit Kaufbrief vom 26. Juni 1627 die Herrschaft Puchheim und den dazugehörigen Markt Schwans an den Statthalter Herberstorff um 125.000 Gulden, 1000 Taler Leitkauf für Herrn von Polheim und zweihundert Dukaten für dessen Gemahlin. Herberstorff erlegte 25.000 Gulden in bar, der Rest von 100.000 Gulden sollte bis 1632 in zehn Terminen bezahlt werden[45].

Für Herberstorff mußte diese Erwerbung Puchheims einen bedeutenden Schritt in seinem Bestreben, sich einen geschlossenen größeren Herrschaftsbezirk zu schaffen, darstellen. Puchheim war von ähnlicher Größe wie Ort, hatte 313 Feuerstätten in der Anlage, besaß Landgericht, Wildbann und Fischwässer, vor allem in der Ager. Das Schloß Puchheim selbst, das um 1590 unter dem älteren Weikhart von Polheim abgebrannt war[46], ist nach diesem Brand „fast von Grund auf zu Lust und Nutz für ein wohlpossierliches Herrenhaus neu erbaut" worden und verfügte über 22 „Gast- und ander Stuben mitsamt der Türnitz und Torstuben, ist auch mit zwen Höfen umfangen, darin eine schöne Capellen, gute Keller, Traidkästen, Bräuhaus, Zieh- und Röhrbrünn, ein eigne Mühl mit zwen Gängen, darauf man alles Hofgetraid mahlen, und das genügend Malz zum Bräuen brechen kann, samt der Pfisterei und Badstuben". Unmittelbar neben dem Schloß war der ebenfalls neu erbaute Meierhof mit Ställen und etlichen Gärten und einem Sägewerk, Kalkofen und Ziegelstadeln. Die Herrschaft besaß auch in unmittelbarem Eigentum zahlreiche Felder, Wiesen und auch Waldungen. Außerdem gehörten mehrere Kirchen zur Herrschaft, wie Gampern, Schwans, Rüstorf und Desselbrunn[47].

In dem Kauf eingeschlossen war auch der den Polheimern seit 1589 eigentümliche Markt Schwans, der nunmehr „mit Grund und Boden der Herrschaft Puchheim" zugehörte. Schwans war mit 13 Gulden, vier Schilling und elfeinhalb Pfennig in der Einlage und mußte jährlich 1200 Gulden an die Herrschaft erlegen. Es ist für Herberstorffs Prestigedenken charakteristisch, daß er sofort den Kaiser bat, den Markt Schwans zu einer Stadt zu erheben. Besaßen doch auch andere Herrschaftsinhaber im Lande ob der Enns Städte, wie die Starhemberg (Eferding) und die Polheimer (Grieskirchen), der Statthalter wollte nicht weniger im Lande gelten. In überraschend kurzer Zeit hat Kaiser Ferdinand II.

Herberstorffs Wunsch erfüllt und am 11. August 1627 den Markt Schwans zu einer Stadt erhoben und dieser nun den Namen Schwanenstadt verliehen. Als Begründung werden in der Urkunde lediglich Herberstorffs Bitte und seine großen Verdienste um den Kaiser und um das Haus Österreich angeführt. Am 20. Februar 1628 fand in der St.-Michael-Pfarrkirche zu Schwans eine Feier statt, bei welcher die Erhebung des Marktes zur Stadt öffentlich verkündet wurde. Anschließend gab Herberstorff, der an der Feier teilnahm, ein Festessen in der neuen Stadt[48]. Die Stadterhebungsurkunde aber übergab der Statthalter den Bürgern von Schwanenstadt nicht, sondern er behielt sie bei sich in Puchheim. Herberstorff erwarb anschließend auch noch die geistliche Lehenschaft über Schwanenstadt[49].

Im Jahre 1628 setzte sich die Reihe der Herberstorffschen Gütererwerbungen fort. Unter besonders günstigen Umständen erwarb der Statthalter Schloß und Herrschaft Tollet bei Grieskirchen, das Stammschloß der Jörger von Tollet, das diesen wegen ihrer Teilnahme an der Ständerebellion beschlagnahmt worden war. Der Kaiser hatte die Herrschaft dem Kurfürsten von Bayern überlassen. Schon im Frühjahr 1627 hatte der Statthalter Kurfürst Maximilian gebeten, ihm das dem Hans Jörger konfiszierte Gut Tollet zu übergeben. Zunächst war diese Bitte ohne Erfolg[50]. Doch im Februar 1628 überließ der Kurfürst dem Statthalter Herberstorff das Gut Tollet mit allen Pertinentien als Ergötzlichkeit für die im Bauernkrieg ausgestandene Gefahr, „erzeigte Treue und erlittene Schäden an seinen Gütern“. Da Herberstorff für die Herrschaft nur den geringen Betrag von 30.000 Gulden erlegen sollte, Tollet aber einen wesentlich höheren Wert hatte, verwendet der Kurfürst in seinem Schreiben an Herberstorff mit Recht die Formulierung „gnädigst eignen, schenken und einräumen lassen“. Der dem Statthalter vorgeschriebene Kaufschilling betrug nicht einmal ein Drittel des Schätzwertes der Herrschaft[51]. Das Schloß Tollet war zu einem Teil vor etwas mehr als zwanzig Jahren neu gebaut worden und wurde — höher als Pernstein — mit 6000 Gulden bewertet. Die Herrschaft, die 159 1/2 Feuerstätten (Untertanenhäuser) zählte, war mit allem versehen, was eine Grundherrschaft brauchte, mit Meierhof, Tavernen, Gärten, Feldern, Wiesen und Wäldern, auch mit einem kleinen Landgericht, mit Jagd und Fischwässern. Herberstorff war mit der Erwerbung der Herrschaft Tollet weit in den Hausruck, nahe an die Landesgrenze vorgedrungen.

War Tollet noch ein Rebellengut, so war der Erwerb des Schlosses und der kleinen Herrschaft Wagrain bei Vöcklabruck durch den Druck der bevorstehenden Auswanderung des evangelischen Adels bewirkt. Hatte Stephan Engl von und zu Wagrain schon am 13. Januar 1628 sein Gut Schöndorf um 8000 Gulden und zweihundert Dukaten „wegen damaliger Religionsreformation" an den Verweser des Halamtes Aussee, Balthasar von Kriechbaum, verkauft, so war sein Vater David Engl Anfang Februar mit diesem Ausseer Salzbeamten auch über den Verkauf des Schlosses Wagrain mit allen Zugehörungen um 20.000 Gulden und zweihundert Dukaten Leitkauf einig geworden. Stephan Engl schrieb damals über diese Transaktion in sein Tagebuch die aufschlußreiche Bemerkung: „Ist aber bald darauf" — nach dem beschlossenen Verkauf Wagrains an Kriechbaum — „Graf Adam von Herberstorff, damals gewester churbairischer Statthalter dies Lands und weilen daß er ein Landmann, der Herr von Kriechbaum aber ein Ausländer gewesen, in solchen Verkauf eingestanden und das Schloß hiedurch eigentümlich an sich gebracht."[52] Herberstorff hat also das alte ständische Einstandsrecht, das Landleute beim Ankauf landtäflicher Güter bevorzugte, für sich geltend gemacht. Für ihn war die kleine Herrschaft Wagrain[53], die unmittelbar an Puchheim anschloß, ein geeignetes Objekt, seinen immer mehr anschwellenden Besitzkomplex zu ergänzen und abzurunden. Durch die Besitznahme von Wagrain saß er auch der landesfürstlichen Stadt Vöcklabruck unmittelbar vor den Toren. Kaum drei Tage nach dem Erwerb von Tollet, am 11. Februar 1628, schloß er also mit David Engl den Kaufvertrag über Wagrain mit allen Zugehörungen ab. Der Statthalter bot für den Besitz 20.000 Gulden rheinisch und als Leitkauf eine goldene Kette und „soviel Dukaten darauf, daß sie 200 Dukaten wohl wägen thuet". David Engl nahm sich aus, daß die Engl als „Urheber des Schloß Wagrain" sich weiterhin nach Wagrain nennen durften und daß den Engl, besonders dem Verkäufer David Engl, das Schloß bei einem allfälligen Verkauf zuerst angeboten werden mußte[54]. Am 23. März 1628 wurde dann Wagrain dem Vertreter des Statthalters, seinem Hofmeister Hans Christoph Schmitzberger, von David Engls Gattin und von Stephan Engl eingeantwortet, da David Engl sich in Linz befand. Es ist von Interesse, daß der Statthalter Wagrain dann seinem Vetter Walkun überlassen hat[55].

Der Statthalter hat in diesem Jahre dann noch zwei kleinere Sitze und Herrschaften erworben. Die Kaufabrede über den adeligen und freieigenen Sitz Windern fand schon im Oktober 1627 statt, der Kaufvertrag wurde aber erst am 23. April 1628 errichtet. Wolf Karl und Sigmund Ludwig von Polheim verkauften dem Statthalter Windern mit allen Zugehörungen und Rechten, mit einem Teil des Wartenburgischen Landgerichtes, mit Wildbann, Roß- und Ochsenmaut sowie das Schrannenhaus zu Schwanenstadt um 20.000 Gulden rheinisch[56]. Windern, ein kleiner Sitz mit 36 Untertanen, diente der Arrondierung des Besitzes um Puchheim und Schwanenstadt, während Inzersdorf bei Kirchdorf im Kremstal dem Pernsteinischen Besitz Herberstorffs erweitern und zugleich dessen Kontakt zu den westlich gelegenen Herrschaften dienen sollte. Herberstorff kaufte am 16. Mai 1628 Feste und Herrschaft Inzersdorf von Bernhard Haydn zu Dorff und dessen Gattin Corona, einer geborenen von Franking, um 6000 Gulden. Inzersdorf war klein und hatte nur 14 Untertanen. Der Statthalter räumte das Schloß Inzersdorf einem seiner Offiziere, dem Hauptmann Ranftl, ein[57]. Der Herstellung einer Brücke zwischen Pernstein und Ort — was dem Statthalter allerdings durch das Fehlen von Scharnstein doch nicht gelang — mochte auch die Erwerbung des Sitzes Eggenberg bei Vorchdorf im Almtal dienen, der lange Zeit den Fernbergern gehört hatte. Herberstorff erwarb Eggenberg vom ständischen Einnehmer Gregor Händl, der Eggenberg damals zessionsweise besaß[58]. Eggenberg war eine kleine Herrschaft mit nur 26 Untertanen. Überhaupt hatte Herberstorff bei der Arrondierung des Gebietes um Pernstein weniger Glück als in seinem Herrschaftsgebiet um Ort. Versuche etwa zur Erwerbung des bambergischen Marktes Kirchdorf a. d. Krems, der zu Füßen der Burg Pernstein lag, hatten keinen Erfolg. Herberstorff hatte sich Ende des Jahres 1628 an den bambergischen Vizedom zu Wolfsberg in Kärnten, Franz von Hatzfeld, gewandt. Dieser sollte vermitteln, daß der Fürstbischof von Bamberg dem Statthalter Herberstorff den Markt Kirchdorf, der in Herberstorffs Herrschaft und Landgericht liege, „um mein Pargeld käuflich überlasse“. Herberstorff betonte die Lage des Marktes Kirchdorf inmitten seines Herrschaftsgebietes, er wies darauf hin, daß Bamberg wenig oder gar keinen Nutzen von diesem Markt habe, sondern lediglich viel „Stritt und Irrungen“, die sich aus diesem Besitz mit der Herrschaft Pernstein ergeben. Der Statthalter meinte, Bamberg habe gerade jetzt bei der Emigrierung des evangelischen Adels aus Kärnten günstige Gelegenheit, dort den Erlös des Verkaufes von Pernstein für ein Landgut in Kärnten anzuwenden. Doch konnte sich der Bischof von Bamberg, wie aus einem Schreiben an den Vizedom Hatzfeld hervorgeht, „zur Zeit“ zu einem Verkauf seines oberösterreichischen Marktes nicht entschließen[59].

Immerhin war es dem Statthalter in wenigen Jahren gelungen, ein beträchtliches Gebiet unter seine Botmäßigkeit als Grundherr zu bringen. Sein Herrschaftskomplex lag wie ein Querriegel im Alpenvorland und erstreckte sich mit Unterbrechungen von den Grenzen des Herrschaftsgebietes der Burggrafschaft Steyr bis an den Hausruck. Sein Versuch ist dann ja vor allem wegen der Kurzlebigkeit des Statthalters gescheitert, scheint aber dennoch auch bloß als solcher bemerkenswert zu sein. In ähnlichem, etwas größerem Ausmaß gelang es zur gleichen Zeit dem Grafen Leonhard Helfried von Meggau, seine im Machland liegende Herrschaft Kreuzen zu arrondieren durch Erwerbung der konfiszierten Herrschaften des Georg Erasmus Tschernembl und des Erasmus von Landau und durch die Verpfändung der landesfürstlichen Herrschaft Freistadt[60]. Aber Meggau hatte 15 Jahre mehr Zeit als Herberstorff, und man kann annehmen, daß bei der zuletzt mit einer gewissen Hektik betriebenen Grunderwerbspolitik Herberstorffs dieser zweifellos auch darüber hinaus angestellte Versuche bei einer längeren Wirkungsmöglichkeit vielleicht noch hätte realisieren können.

Es ist klar, daß Herberstorff auch einzelne Häuser in den Städten erwarb. So ist die Erwerbung und der Weiterverkauf eines Drittels des Geumannschen Hauses zu Linz am Hofberg[61], der Kauf des Hoffmannschen Hauses am Linzer Hauptplatz, des späteren Palais Weissenwolf, wo zwei Jahrhunderte nachher Napoleons Polizeiminister Fouché einige Zeit wohnte, erwiesen[62]. Weiters besaß Herberstorff ein Haus am oberen Stadtplatz in Wels[63] sowie auch ein Haus in Gmunden, ferner Häuser, die als Freihäuser in Städten oder Märkten zu Herberstorffschen Herrschaften gehörten, wie etwa das Puchheimsche Haus in Traundorf oder das Schrannenhaus in Schwanenstadt[64].

Bei all diesen großen Käufen und Erwerbungen, die sich auf ganz wenige Jahre konzentrierten, muß man sich natürlich unwillkürlich die Frage nach der Finanzierung stellen. Hier aber stößt man auf große Schwierigkeiten, da ein Herberstorffsches Archiv nicht vorhanden ist und die Finanzwirtschaft des Statthalters daher so gut wie unbekannt ist. Man kann bei Betrachtung der ganzen Erwerbungen sehen, daß zwei Momente jedenfalls gegeben waren: geringe Preise und Kauf mit Schulden[65]. Als Herberstorff 1623 mit dem Kaiser wegen des Ankaufes etlicher Güter Kontakt hatte, da bat er zum Beispiel den Kurfürsten Maximilian um dessen Zustimmung, daß er 9000 Gulden, welche seine Kavallerie „aus sonderbarer gegen ihme tragender Affektion ihm libere verehrt“, für sich verwenden dürfe[66]. Wir erinnern uns, daß ein großer Teil des Kaufpreises von Pernstein von Herberstorff noch in langer Währung, also in Inflationsgeld, gezahlt wurde, daß er Tollet gleichsam geschenkt erhielt. Ort mußte er freilich in guter Währung zahlen, das hatte sich Spindler im Akkord mit Herberstorff ausbedungen, aber in barem Geld mußte er zunächst nur 40.000 Gulden erlegen, weiters sollte er 50.000 Gulden Schulden Spindlers übernehmen und die restlichen 20.000 Gulden in mehr als einem Jahr zu Mitfasten zahlen. Es ist also durchaus wahrscheinlich, daß Herberstorff von den 50.000 Gulden den alten Gläubigern Spindlers etwas schuldig blieb[67]. Bei Puchheim wissen wir, daß er von den 125.000 Gulden nur 25.000 Gulden bar erlegte, 100.000 Gulden aber schuldig blieb und sich verpflichtete, in zehn Raten auf fünf Jahre zu zahlen[68]. Tollet — 30.000 Gulden — hat Herberstorff dem Kurfürsten nie bezahlt[69]. Erst seine Witwe mußte den Betrag dem Bayern erlegen. Gelegentliche Schuldbriefe, die noch vorhanden sind, lassen blitzlichtartig die Situation erkennen und sie zeigen, daß Herberstorff weit über seine Finanzkraft bei diesen Besitzerwerbungen hinausgegangen ist und mit seinen immer wieder aufgenommenen Krediten oft nur Lücken stopfen konnte. Obwohl er, beispielsweise, im Frühjahr 1628 zum Kauf von Tollet vom Grafen Karl Saurau 10.900 Gulden geliehen bekam, hat er sie nicht dazu verwendet oder nicht verwenden können. Diese Schuld an den Grafen Saurau wurde z. B. zu Lebzeiten Herberstorffs nicht beglichen[70]. Der Statthalter hat jedesmal, wenn er einen Kauf tätigte, sich um Kredite bemühen müssen, nur teilweise ist es aber nachweisbar. Aus der Zeit, da er Pernstein kaufte, ist ein Schuldbrief, gefertigt vom Statthalter, seiner Frau und seinem Vetter Walkun, vorhanden auf 2000 gute, gewichtige Golddukaten, die er dem Matthias Keller von Kellerberg schuldete[71], beim Erwerb von Ort borgte er bei Georg Gundaker Schifer zu Freiling 5000 Gulden, bei Maria Schifer, einer geborenen Jörgerin, 11.000 Gulden aus[72]. Aus dem Jahre 1627/29 sind außer den oben erwähnten noch Schuldbriefe im Betrage von 8300 Gulden vorhanden[73]. Welche Schwierigkeiten Herberstorff bei der Kreditbeschaffung gelegentlich hatte, zeigt sein Versuch, ihm vom Grafen Karl Saurau im August 1628 zedierte, bei der oberösterreichischen Landschaft liegende 13.000 Gulden flüssigzubekommen. Die Stände beriefen sich auf die finanzielle Unmöglichkeit, ihm diesen Betrag auszuzahlen, den überdies 1622 Saurau in langer Münze eingezahlt hatte. Sie waren auf offenbares Drängen Herberstorffs schließlich bereit, ihm die mehr als 5900 Gulden, die Graf Herberstorff dem ständischen Einnehmeramt an Ausständen schuldete, zu erlassen[74]. Landeshauptmann Kuefstein, Herberstorffs Nachfolger in der Regierung des Landes ob der Enns, spricht später über Ort: „die mit großen Kaufresten angetretene Herrschaft“[75]. Vielleicht hat Herberstorff in der Zeit seiner großen Gütererwerbungen in Oberösterreich sein Gut Teublitz im Herzogtum Neuburg verkauft[76]. Herberstorffs großes Projekt der Schaffung eines geschlossenen Herrschaftsgebietes war finanziell auf einer durchaus unsoliden Basis aufgebaut. Der Statthalter dachte wohl, die Gunst der Zeit zu nützen, und mochte hoffen, im Laufe der nächsten zwei Jahrzehnte etwa, wenn die erworbenen Herrschaften genügend Gewinn abwerfen, seine Schulden in erträgliche Grenzen zu bringen. Er mochte natürlich auch damit rechnen, daß er als Oberst von Kavallerie- und Infanterieregimentern auch von daher außerordentliche Einnahmen zu erwarten hatte. Denn die Kriegsobersten des Dreißigjährigen Krieges waren nicht Angestellte ihrer Fürsten, sondern sie waren zugleich wirtschaftliche Unternehmer, die die Truppen versorgten und auch Anteil hatten an dem Nutzen, der von den Kriegshandlungen gewonnen werden konnte. All dies aber hätte ein langes Leben Herberstorffs zur Voraussetzung gehabt. Dies aber sollte dem Statthalter nicht beschieden sein.

Da Herberstorff in reichem Maße Besitz an Herrschaften und Landgütern in Oberösterreich erworben hatte, konnten ihn die Landstände mit Recht als eines ihrer vornehmen Mitglieder bezeichnen. Denn für Herberstorff war die Erwerbung landtäfeligen Besitzes im Lande ob der Enns nicht nur vom rein wirtschaftlichen Denken her von Bedeutung, sondern sie war auch die Grundlage für seine rechtliche Stellung als Voraussetzung zur Aufnahme in die Landstände. Herberstorff hatte natürlich gerade diesen Aspekt von Anfang an im Auge. Als er sich 1622 um Neydharting bewarb, da betonte er in seinem Brief an den Kaiser, er wolle sich durch diesen Kauf „als ein Landmann qualifiziert machen“, d. h. die Voraussetzung landtäflichen Besitzes als Grundlage für die Aufnahme in die Korporation der Stände erwerben. Es ist freilich charakteristisch für sein Denken, daß er dem Kaiser eine Mitgliedschaft bei den Landständen als für den Landesfürsten vorteilhaft darstellte, denn er meinte, daß er hiedurch — nämlich durch seine Landstandschaft — Gelegenheit erhalten könne, „daß ich bei den Landtägen und sonsten Euer kaiserlichen Majestät desto mehr nützliche und getreieste Dienste“ zeigen könnte[77]. In seinem Denken als getreuer Fürstendiener hat er sich viel eher als Vertreter fürstlicher Interessen im ständischen Corpus gefühlt, anstatt die Solidarität mit den ständischen Sonderinteressen in den Vordergrund zu stellen. Das ist freilich mit seiner Doppelstellung als fürstlicher Statthalter und als Ständemitglied zu erklären. Aber während früher die Landeshauptleute wohl Repräsentanten des Landesfürsten waren, als Mitglied des Herrenstandes aber sich mit den Interessen der Stände förmlich identifizierten, dürfte es bei Herberstorff eher umgekehrt gewesen sein. Nun wurde man nicht bloß durch die Erwerbung eines landtäflichen Gutes an sich schon Mitglied der Stände, sondern es mußte bei Erfüllung bestimmter Bedingungen von den Ständen durch einen Beschluß die Aufnahme in das ständische Corpus erfolgen. Herberstorff wurde erst nach der Erwerbung von Ort in den oberösterreichischen Herrenstand am 22. Juni 1625 aufgenommen. Zugleich mit ihm fand sein Schatten Walkun Freiherr von Herberstorff, der den kleinen Sitz Aichet in der Steyrer Vorstadt mit nur zwei Untertanen besaß, Aufnahme in den Herrenstand[78]. Es war nun sicher keine Mißachtung der Landstände von seiten des Statthalters, daß dieser die vorgeschriebene Landmanntaxe von 1000 Gulden für Aufnahme in den Herrenstand niemals erlegte, sondern Nachlässigkeit — wobei er sich keineswegs in schlechter Gesellschaft befand, da viele die Taxe nicht bezahlten und sich mahnen ließen. Eine späte Urgenz der immer noch ausständigen Landmanntaxe im Jahre 1637 hat dann Maria Salome entschieden als nicht dem Landbrauch entsprechend zurückgewiesen, da Herberstorff bereits früher den steirischen Ständen angehörte[79]. Der Statthalter Herberstorff konnte nun als Herrenstandsmitglied an den Beratungen seines Standes und auch der Gesamtstände teilnehmen. Er wird es nicht allzu oft getan haben, und die Stände mochten sich irritiert fühlen, den Statthalter, der sie bedrückte, als einen der ihren unter sich zu haben, und sie mögen den groben Herrn der Grafschaft Ort wie einen Stachel im eigenen Fleisch empfunden haben. Gelegentlich zeichnete aber der Statthalter ständische Schriftstücke mit, wobei er an der Spitze des Herrenstandes unterschrieb[80].

Herberstorff war aber nicht nur Landstand im Lande ob der Enns, sondern auch im Königreich Böhmen, und zwar schon seit dem Jahre 1624[81]. Wir haben ihn bereits als Teilnehmer des böhmischen Krönungslandtages im Herbst 1627 kennengelernt. Denn noch bevor es dem Statthalter gelungen war, in Oberösterreich seßhaft zu werden, hatte er bei der großen Flurbereinigung in Böhmen Besitz erworben. Schon im Januar 1623 hatte der Kaiser von Regensburg aus dem Statthalter Karl von Liechtenstein befohlen, dem Adam von Herberstorff ein Rebellengut — das Gut Barschitz — zum Kaufe zu überlassen. Daraus ist aber dann nichts geworden. Denn die böhmischen Güter der rebellischen Herren des Königreiches waren sehr begehrt und es gab manchen Anwärter. Etwas später hatte der Statthalter Herberstorff dann mehr Glück, aber auch hier ging es nicht ganz ohne Komplikationen. Es handelte sich um die dem Friedrich Georg von Hruschka von Březno konfiszierten Güter Selnice, Toužetin, Bitozeves, die alle im nordwestlichen Teil des Rakonitzer Kreises zwischen den Städten Louny und Slany lagen. Diese Güter waren schon vorher anderen Bewerbern versprochen, es fehlte aber die entscheidende Ratifikation Ferdinands II. Der Kaiser hatte jedoch Herberstorff wegen dieser Güter das Wort gegeben und konnte ohne „Verschimpfung" nicht zurück. Daher ging am 8. August 1623 an die böhmische Hofkammer der kaiserliche Befehl, dem

Statthalter Herberstorff die Güter Selnice, Toužetin, Semankowitz und beide Teile Bitozeves „ohne fernere Lizitation wirklich der ordentlichen Tax nach" einzuantworten[82]. Herberstorff nannte sich dann in seinem Titel auch stets Herr auf Toužetin, Bitozeves und Selnice[83]. Später kaufte er noch dazu — erst 1629 — die Güter Lidovle und Lišany um 4000 Gulden, ebenfalls aus der Konfiskationsmasse der Hruschka[84]. Herberstorff dürfte selten zu seinen böhmischen Gütern gekommen sein; vielleicht benutzte er seinen Prager Aufenthalt im Juni 1623, um die damals noch nicht erworbenen, aber schon in Aussicht genommenen Güter zu besichtigen. Auch im August 1623 — zur Zeit der Erwerbung des böhmischen Besitzes — dürfte er in Prag gewesen sein. Als er, wie wir wissen, im Frühling 1627 während der oberösterreichischen Bauernexekutionen nach Böhmen zu seinen Besitzungen reisen wollte — er meinte damals, seine Wohlfahrt hänge davon ab —, hat es ihm der Kurfürst von Bayern nicht genehmigt. Sicher war er im Herbst 1627 vom Oktober bis Januar 1628 in Böhmen und wohl auch längere Zeit auf seinen Gütern[85].

Es gibt keine Anzeichen dafür, daß Herberstorff versuchte oder daran dachte, für seine oberösterreichischen Besitzungen eine zentrale Verwaltung zu schaffen. Er ließ seine Herrschaften durch Pfleger verwalten, die er manchmal vom vorigen Besitzer übernahm, wie etwa bei Pernstein. Wie Herberstorff gegebenenfalls gegen seine Pfleger und Gutsverwalter vorging, zeigt die Affäre des Johann Christoph Haan, der als Verwalter der böhmischen Güter Herberstorffs 1623 und 1624 tätig war. Dieser Herberstorffsche Gutsverwalter Haan — Juris utriusque Licentiatus — war früher Herberstorffs „Korrespondent" bei der kaiserlichen Armee in Ungarn gewesen, dann ließ ihn Herberstorff nach Linz erfordern und bestellte ihn zum „angesetzten Schultheis" über das Herberstorffsche Regiment zu Fuß. Diese Funktion übte Haan etwa ein Jahr lang aus. Als der Statthalter — der ja vom Frühjahr 1622 bis Sommer 1623 beim Liga-Heer weilte — bemüht war, in Böhmen Besitz zu erwerben, schickte er Haan nach Regensburg, wo der Fürstentag versammelt war. Dort sollte Haan vom Herberstorffschen Hofmeister Hans Christoph Schmitzberger nähere Weisungen erhalten. Haan wurde daraufhin nach Böhmen geschickt, um dort nach geeignetem und greifbarem Besitz für den Statthalter sich umzusehen. Haan berichtet darüber später an den Kurfürsten Maximilian von Bayern: „Endlich als ich ihme Grafen mit meinen höchsten unabläßlichen Fleiß, Müh und Arbeit vier ansehnliche Güter um schlechtes und leichtes Geld zuwege brachte, hat er mich der angesetzten doch niemals verpflichten Regiments-Schultheisen Stell für sich selbst freiwillig erlassen, einen anderen Regimentsschultheisen also bald aufgenommen und mich (abermals ohn mein Begehren . . .) durch ein . . . Patent zum Verwalter seiner durch mich erlangten Güter verordnet." Nun hatte Haan wohl auch an sich gedacht und auch für sich selbst einen Besitz, das Rebellengut Osolitz, erworben, bezahlt und der böhmischen Landtafel einverleiben lassen. Nach Haans Darstellung hat dies Herberstorff mächtig gestört: Der Statthalter suchte von Haan das Gut Osolitz zu erhalten. Da ihm dies nicht gelungen sei, habe er es mit Gewalt versucht. Herberstorff hat nun — so Haans Darstellung — am 21. Juli 1624 seinen „tollen Vetter" Walkun mit etlichen Offizieren und Musketieren zu seinen böhmischen Gütern gesandt, der, „sobald er nur vom Pferd abgestiegen", den Verwalter Haan ohne „Ursach, Verhör und Entschuldigung" durch die Soldaten festnehmen ließ und ihn in ein „abscheuliches stinkendes Gewölb, darinnen vor diesem die Verstorbenen vom Adel oftmals Jahr und Tag gelegen", einkerkern ließ, wo er ihn täglich mit Henker und Justifizieren bedrohte. Von Haans Gut Osolitz wurde nicht nur alles Getreide, Geld und Geldeswert durch die Soldaten weggebracht, sondern es wurde auch — ob absichtlich oder durch Unachtsamkeit — der Hof in Brand gesteckt. Haan — der ruiniert war — bezichtigt auch Walkun von Herberstorff selbst, daß er von Haans Eigentum „eine schöne Halsuhr und einen vergoldeten Degen sich angeeignet habe". Adam Graf von Herberstorff war wohl der Meinung, er sei durch Haan betrogen worden. Walkun von Herberstorff spricht nur davon, daß er Haan als einen verpflichteten Diener und Verwalter seines Vetters wegen seines „üblen Hausens" in Arrest genommen habe. Statthalter Herberstorff nennt Haan einen „untreuen, pflichtlosen und meineidigen Diener". An den Kaiser hat Herberstorff berichtet, daß Haan als Verwalter der böhmischen Güter „also übel gehauset, daß er denselben zu Abführung richtiger Raitung in Arrest" genommen habe. Er wollte Haan, da er ihn als zum Regiment gehörig bezeichnete, aus Böhmen wegbringen und ihn in Linz vor ein Kriegsgericht stellen, damit er, wie Haan sagt, „sein Mütlein an mir kühlen möchte“ und um zugleich Kläger, Richter und Exekutor spielen zu können. Doch gelang es Haan sehr bald, die böhmischen Behörden für sich in Bewegung zu setzen, und Versuche Herberstorffs, durch „falsa narrata“ — wie Haan es bezeichnet — den Kaiser zu einem Stillstandsbefehl zu seinen Gunsten zu bewegen, scheiterten am Widerstand des böhmischen Statthalters und der Landoffiziere des Königreiches. Befehle an Herberstorff, Haan freizulassen und ihm sein Gut neben Erstattung der weggeführten Mobilien wieder einzuräumen, wurden mißachtet. Nach Einsetzung einer königlichen Kommission wurde Herberstorff nach Prag vorgeladen. Er leistete der Vorladung keine Folge, meinte, es sei ihm als einem Edelmann nicht zuzumuten, daß er mit Haan, der durch ein Kriegsgericht bereits „für einen Schelm deklariert und sein Namen allhier an die Justitia geschlagen“, vor Gericht erscheine. Die böhmischen Landoffiziere hatten aber Herberstorffs Oberhauptmann Andreas Schmitzberger in Prag in Verhaft genommen, der allerdings entwich. Dieser mußte aber im September 1625 einen Vergleich mit Haan eingehen und zum Ersatz der abgeführten Mobilien sich verpflichten. Auch Herberstorff selbst ließ in Prag 1500 Gulden zu diesem Zweck, um die Landsoffiziere zu „respektieren“, erlegen.

Mehr als zehn Wochen hatte Haan im Kerker Herberstorffs gelegen, und als er herauskam, war er, wie er sagt, „allso übel zugerichtet und verdorben, daß ich fast leproso similis gewesen“. Haan war es gelungen zu entfliehen, und er wurde dann fürstlich Liechtensteinischer Rat und Sekretarius beider Fürstentümer Troppau und Jägerndorf. Der Prozeß gegen Haan endete praktisch mit obigem Vergleich. Haan hat Herberstorff als seinen „Haupt- und Todfeind“ gehaßt, „dessen Intent einig und allein aufs Verderben gerichtet und der noch nichts anders als wie er einen in seine Klauen bringen und unschuldig zerreißen möcht, Tag und Nacht dichtet und trachtet“. Haan hat dann noch versucht, den Kurfürsten von Bayern zum Einschreiten gegen Herberstorff und zu dessen Bestrafung zu bewegen. Er bat den Bayernherzog, kauften, aber bisher „unbezahlten“ Güter sequestrieren zu Herberstorff die Kriegsbesoldung, seine in Oberösterreich erlassen, bis ihm Recht widerfahren sei. Haan versuchte den Kurfürsten auch gegen Herberstorff dadurch einzunehmen, indem er bemerkte, daß Herberstorffs Beauftragter, Schmitzberger, „erzketzerisch“ sei und daß Herberstorff wohl ein „katholischer Graf“ sei, doch den ketzerischen Prädikanten auf seinen böhmischen Gütern ein „Patron“ gewesen sei. Er bezeichnete Herberstorff als „ungewissenhaft“ und tyrannisch, der die obrigkeitlichen Befehle mißachte, der ihm noch den Sold von acht Monaten schuldig sei. Und in bezug auf Herberstorffs Vorhaben, einen falschen Kriegsgerichtsprozeß gegen Haan abzuführen, meinte dieser, Herberstorff hätte die „Kriegsrecht- und bräuch besser“ erlernen sollen: „er gibt aber hiedurch nur mehr als zuviel an Tag, daß er sich vielmer auf das Spolirn und unrechtmäßige Gewalttätigkeiten als auf Kriegsrecht verstehe“. Die vorliegenden Quellen zeigen diese unliebsame Affäre vor allem im Lichte der Beschuldigungen Haans. Es ist aber durchaus möglich, daß Herberstorff Grund und Ursache hatte zu glauben, daß Haan ein unredlicher Verwalter war, der für seine Tasche gearbeitet hatte. Dennoch zeigt das rücksichtslose, gewalttätige Vorgehen, der Versuch, den Verwalter in einem unrechtmäßigen Kriegsgerichtsverfahren unschädlich zu machen, die Brutalität des Statthalters in ihrer ganzen Größe[86].

Daß Herberstorff auch ein strenger, ja grausamer Herr seiner Untertanen war, hatten bereits die Schiffsleute vom Traunsee erfahren, die er unter Beschimpfungen und Bedrohungen wegen ihrer Starrköpfigkeit gegen die Gegenreformation in die Krautgewölbe des Schlosses Ort gesperrt hatte, das bekamen auch die Untertanen der Herrschaft Ort unmittelbar nach dem Bauernkrieg besonders zu spüren. Freilich hatte der Statthalter Grund und Anlaß, auf seine Bauern böse zu sein, denn sie hatten sich der Rebellion angeschlossen und bei der Ausplünderung der Herrschaft Ort mitgeholfen. Die Situation des Statthalters am Ende des Bauernaufstandes ist durch einen Brief, den er an den Kriegskommissär Eisenreich schrieb, gekennzeichnet: „Ich bin in diesem Land ruiniert und ausplindert und drinnen in Peheim trillt man mich mit dem Kriegsvolk gleichermaßen, also hätt ich von keinem Ort zu Leben.“[87] Herberstorff hatte sich daher an den Kaiser und an den Kurfürsten von Bayern gewandt, um Ersatz für die im Aufstand erlittenen Schäden zu erhalten. Er hatte auch den Grafen Franz Christoph Khevenhiller gebeten, sein Begehren zu unterstützen[88]. Den Kurfürsten Maximilian hatte der Statthalter um Bewilligung gebeten, „damit ich meine Underthanen, so mich ausplündern helfen, selbst strafen möge, obzwar dergleichen nit viel importieren wird, so kann ich doch dadurch in etwas meines Schadens wieder einkommen“. So wie der Graf Khevenhiller erhielt auch Herberstorff die Erlaubnis, seine Untertanen nach eigenem Ermessen zu bestrafen. Obwohl Herberstorff an den Kurfürsten geschrieben hatte, er werde sich „solcher Moderation“ befleißigen, wie er es vor dem Kurfürsten verantworten könne[89], hat der Statthalter doch seine Untertanen mit großer Härte gestraft. Er legte ihnen allen eine sogenannte Pardon- oder Rebellensteuer auf, die eine beträchtliche Höhe aufwies und für manchen der Betroffenen kaum aufzubringen war. Außerdem konfiszierte Herberstorff Bauerngüter, deren Besitzer im Aufstand gefallen waren, und zog sie für die Herrschaft Ort ein, selbst Witwen solcher gefallenen Bauern[90] schonte er nicht und nahm ihnen die Hälfte des Besitzes weg. Diese Härte konnte der Statthalter nicht wettmachen durch Versuche, bei den Bauern einen besseren Ruf zu bekommen, wenn er etwa an den Pfleger Sebastian Haas von Pernstein über sein Eintreten für die Bauern schrieb: „Hab ichs dahin gericht, daß der arme Pauersmann von seinem Traid, das er im Land verkauft, nichts geben darf, darumen sie alle mir gedanken. Und kann nit schaden, daß ihr euch dessen gegen den Untertanen vernehmen laßt, damit sie sehen, daß ich auch ihrer gedenk.“ So fürsorglich er sich hier gegenüber seinen Bauern gibt, so grausam zeigte er sich, wenn er seinem pernsteinerischen Pfleger Anweisung hinsichtlich der Wilderer gab und ihn beauftragte, zu einem gefangenen und verwundeten Wilderer keinen Bader zu lassen, „indem nicht schade sei, wenn einer verrecke“[91].

Herberstorffs Wirken als Schloß- und Herrschaftsbesitzer ist trotz der Kürze der Zeit, die ihm zur Verfügung stand, gekennzeichnet durch eine große Baulust, wie sie im Frühbarock aufzutreten beginnt. Als er sich um das Gut Haslach — wie wir wissen erfolglos — bewarb, dachte er daran, dort auszubauen. Die Plünderung und Brandschatzung der Wirtschaftsgebäude von Ort, die sich gegenüber dem Seeschloß auf dem Lande befanden, bot die Gelegenheit, dieser Freude am Bauen nachzukommen. Er konnte dies mit der Genehmigung, seine Untertanen selbst zu bestrafen, verbinden, und er hat dies auch getan. Durch schwere Robotarbeit seiner Untertanen ließ er das heutige Landschloß

Ort, einen mächtigen Vierkanter, erbauen und das neue Schloß „mit schönen Zimmern, Kellern und Einsätz“ versehen[92]. Konnte er hier in Ort seine Baupläne noch realisieren, so verblieb es in Pernstein bei einem grandiosen Plan. Kaum hatte der Statthalter die Herrschaft Karl Jörgers erworben, beauftragte er einen italienischen Architekten, ihm einen Entwurf für ein neues Schloß zu liefern, das Herberstorff auf dem nahen St. Georgenberg bei Micheldorf erbauen wollte. Der Entwurf und der Kostenvoranschlag wurden auch tatsächlich fertiggestellt. Es handelte sich um einen mächtigen Bau mit zwei Höfen, zwei Korridoren, der hundert Türen und zweihundert Fenster aufweisen sollte. Die Kosten waren mit 63.261 Gulden zwei Schilling angeschlagen. Diese nüchternen Zahlenangaben sind das einzige, was uns eine Vorstellung von dem Ausmaß dieses Vorhabens des Statthalters vermittelt, da der Plan selbst nicht mehr vorhanden ist[93]. Herberstorff wird nach der Erwerbung Orts von diesem Vorhaben jedoch abgekommen sein. Denn während die alte Burg Pernstein, hoch über dem Kremstal, als Wohnsitz für den Statthalter nicht in Frage gekommen wäre und daher der knapp über dem Tal sich erhebende Georgenberg lockte, dort ein modernes Schloß zu errichten, in dem man bequem sich niederlassen konnte, war durch den überraschend gelungenen Kauf von Ort dann dem herrlich gelegenen Seeschloß als Wohnsitz zweifellos der Vorzug gegeben worden. Daß der Statthalter die Kapellen seiner Schlösser durch Stuckverzierungen ausstatten ließ — in Ort und in Pernstein —, haben wir schon gehört. Den Ausbau des neuen Presbyteriums in Altmünster hat der Statthalter noch im Jahre 1625, also unmittelbar nach dem Erwerb der Herrschaft Ort, beginnen lassen[94]. Ob Herberstorff am Seeschloß Ort selbst außer den Wiederherstellungsarbeiten nach dem Brand Umbauarbeiten durchführte, ist nicht bekannt. Das Schloß war vor dem Übergang in kaiserlichen Besitz im Jahre 1605 eine Zeitlang unbewohnt gewesen und hatte, wie es heißt: „Am Gepey fast abgenommen“. Darum erhielt dann der Salzamtmann als kaiserlicher Oberpfleger von Ort den Auftrag, neben der abgekommenen Hoftaverne und dem Bräuhaus zunächst nur „die durch den See ausgewaschene Grundfeste angefangenermaßen“ zu versorgen und zu trachten, daß „die Notdurft an der Holzschlacht umb und umbgemacht und gebessert“ werde, sonst aber am Hauptgebäude keine größeren Umbauten vorzunehmen. Diese Arbeiten waren damals durchgeführt worden, auch die Schloßkapelle wurde wieder hergerichtet, und an den Verteidigungsanlagen des Schlosses wurde außer der sogenannten „Wasserschlacht“ auch das mit großen „Stuck“ besetzte „Wasserschermwerk“ rings um das Schloß gemacht sowie Ausbesserungen im Innern des Schlosses getätigt[95]. Daß unmittelbar vor der Erwerbung des Schlosses durch den Statthalter wieder Reparaturen nötig waren und Herberstorff noch den Kurfürsten zur Zahlung der Kosten veranlassen wollte, wissen wir. Im ganzen aber dürfte das Seeschloß gut bewohnbar gewesen sein. Herberstorff und seine Familie weilten oft für längere Zeit in Ort. Sowohl der Frankenburger Aufstand als der beginnende Bauernkrieg im Jahre 1626 hatten den Statthalter, der in Ort zur Ader gelassen worden war, in seinem Schloß überrascht. Schloß Ort verfügte „über schöne Zimmer, Gemächer und Gewölbe“, einen herrlichen Wappensaal, wo Herberstorff seine Empfänge abhielt, und zweifellos auch über eine Reihe von Gästezimmern. Denn neben dem Vetter Walkun, der gelegentlich in Ort weilte, gab es auch anderen Besuch, wie etwa den Göttweiger Benediktinerpater Dionysius, der manchmal im Schloß die Sonntagspredigt hielt[96]. Herberstorff war ein großer Pferdeliebhaber und Pferdekenner. Schon der junge Fürst von Anhalt hatte im Linzer Schloß die herrlichen Pferde des Statthalters bewundert. Im Jahre 1625 hatte Franz Christoph Khevenhiller dem Grafen Herberstorff ein prachtvolles Pferd aus Spanien geschickt, das er dort um 3000 Real gekauft hatte[97]. Auch in Ort hielt Herberstorff Pferde, und die Worte im Fadinger-Lied „Ich weiß ein Stall voll Rösser, stehn nit weit von Gmunden“ hatten wohl ihre Richtigkeit[98]. Selbst auf dem Schloß Pernstein, welches der Statthalter nicht bewohnte, hatte er elf Rosse stehen, welche im Bauernaufstand dann von den Bauern weggeführt wurden[99]. In seinem Bergschloß im Kremstal hat sich der Statthalter nur anfangs gelegentlich[100] aufgehalten, aber während er dort nie längere Zeit wohnte, entstand in Ort gleichsam die zweite Residenz Herberstorffs, wo er hinzog, wenn die Geschäfte im Linzer Schloß ihm Zeit ließen oder wenn er sich krank fühlte, meist begleitet von seinem kleinen Hofstaat, vom Beichtvater, der für seine Seele sorgte, und vom Wundarzt, der ihn zur Ader ließ. Daß es auch frohe Stunden im alten Seeschloß gab, zeigte der Empfang des Rates von Gmunden bei der Übergabe des Traundorfes, wo man „lustig“ im Festsaal zechte und wo der Wein, den der Statthalter in seinen Kellergewölben in Ort und im Gmundner Stadthaus durch einen Kellermeister pflegen ließ, reichlich geflossen sein dürfte. Die Quellen schweigen weitgehend über das adelige Landleben, das sich in Ort und den anderen Schlössern des im Lande verhaßten Mannes abspielte. So bleibt nur die Tatsache des Besitzes offenbar, der Reichtum an Herrschaften, Schlössern und Rechten über Land und Untertanen.

In den Bauernbeschwerden war Herberstorff vorgeworfen worden: „Dann gleich anfangs seines Grafenstands er die fürnemsten Herrschaften und Güetter im Land, auch die Reichtumber vermittels der Reformation und mehrers für sein Rekompens an sich zu bringen getracht“ — die Bauern konnten nicht ahnen, daß das Werk des Statthalters, das er durch eine zähe, zunächst erfolgreiche Grunderwerbspolitik zu schaffen am Werke war, auf Sand gebaut war und nur kurzen Bestand haben würde.

2. Im Dienste des Kaisers

Herberstorffs Stellung als Statthalter war engstens an das Weiterbestehen der Verpfändung des Landes ob der Enns an Bayern gebunden. Diese Verpfändung war von Anfang an von österreichischer Seite als ein notwendiges Übel empfunden worden, und die Bestrebungen, das Land so bald als möglich wieder „abzuledigen“, sind so alt wie die Verpfändung selbst. Wir kennen das Widerstreben der Wiener Politik, als es 1621 darum ging, diese Verpfändung auf der Basis des Münchner Vertrages von 1619 als dauernd zu fixieren und zu erweitern in Richtung auf landesfürstliche Regale, wir kennen den Vorschlag der Geheimen Räte in Wien, nach Spezifizierung der Kosten, welche der Bayernherzog für die Niederwerfung der Rebellion von 1620 aufwandte, zu bezahlen und das Land wieder in habsburgischen Besitz zu nehmen. Da aber der kaiserliche Hof niemals in der Lage war, die Kriegskosten dem Bayernherzog zu ersetzen, mußte jeder Gedanke, das Land wieder den Bayern abzunehmen, zunächst durchaus unrealistisch erscheinen. Der bayerische Herzog hing eifersüchtig an seinen Pfandschaftsrechten, und in Wien meinte man, der Herzog ziele darauf hin, sich das Land ganz anzueignen. Herzog Maximilian hat sich im August 1621, also etwa ein halbes Jahr nach dem Pfandschaftsvertrag vom Februar 1621, an den Kaiser gewandt und versucht, das Mißtrauen, das in Wien entstanden war, auszuräumen. Er meinte in seinem Brief an den Kaiser, es gebe Leute, die seine — Maximilians — Aufrichtigkeit entweder nicht erkennen oder „aus ungleichem Affekt ihnen widerige Vermutungen schöpfen und dahero Euer Majestät zu persuadieren sich bemühen, als wär ich der Intention Euer Majestät das Land ob der Enß, so mir dieselben in Kraft unsers Accordo pfandweiß einräumen lassen, ganz und gar zuaignen oder gegen gebührende Satisfaction nit wieder abzutreten noch Euer Majestät zu restituieren". Der Herzog will durch seine Erklärung allen Einflüsterungen zuvorkommen: desgleichen sei ihm nie „zu Gemüet" gekommen und er sei jederzeit erbötig, sich an das Abkommen zu halten und „dero selben besagts Land ob der Enß, sobald mir meins ausstehenden Unkostens und billiger Foderung gebührende Satisfaction geschicht oder genuegsam Pfand bis zu völliger Entrichtung eingeraumbt wird, derselben solch Land ob der Enß als bald und zu yeder Zeit wieder abzutreten. Und mögen Euer Majestät mir gnädigst zuetrauen, das ein yedweder Erstattung es sey gleich durch Entrichtung des Unkostens oder durch Einantwortung anderer Güeter mir lieber und angenehmer als gedachteß Land ob der Enß sein wirdt."[101] Der Herzog kündigte dem Kaiser auch an, daß die Herstellung der Abrechnung seiner Unkosten nunmehr „ganz gemacht" werde. Ferdinand II. hat Maximilians Erklärung zur Kenntnis genommen und vor allem die bevorstehende Abrechnung begrüßt, „damit Euer Liebden desto eher die versprochene schuldige Satisfaction und Abstattung gegeben werden möge". Der Kaiser versicherte dem Herzog von Bayern, der so große „Demonstrationes" der Liebe und der Treue zum Kaiser der ganzen Welt vorgestellt habe, daß dergleichen Einflüsterungen, wie der Herzog sie befürchtete, „nicht die geringste Impression, viel weniger ainichen widerwertigen Effect zu causieren" bei ihm haben würden. Und er spricht den Wunsch aus, „daß die zwischen uns von dem Geblüet eingepflanzte und von Jugend auf bis auf diese Stund nutrierte aufrichtige Lieb und Vertraulichkeit nicht allein hinfüro in Viridi unverruckt erhalten, sondern auch von Zeit zu Zeit vermehrt werden solle"[102].

Aber sowohl der Kaiser als auch der Wittelsbacher waren zu sehr Realpolitiker, als daß sie geglaubt hätten, ihre nahe Verwandtschaft und ihre Jugendfreundschaft sei die Grundlage ihrer Politik. Für Maximilian war ja das Land ob der Enns nicht nur für die aufgewandten Kosten ein Pfand, sondern es war in seiner Hand zugleich eine Garantie, seine politischen Ziele beim Kaiser leichter zu erreichen, da ja dieses Land ob der Enns Ferdinand II. als Teil des Erzherzogtums Österreich besonders wertvoll war und er zweifellos gegen Wiedererwerbung dieses Landes zu größeren Zugeständnissen bereit war[103]. Eines der großen politischen Ziele des Bayernherzogs war ja die Translation der pfälzischen Kur von Friedrich V. auf Herzog Maximilian und seine Familie gewesen, die Maximilian wegen vieler Widerstände trotz der Zusagen des Kaisers von 1619 zur Zeit dieses Briefwechsels vom Sommer 1621 noch nicht erreicht hatte. Erst nachdem Bayern die Eroberung der Oberpfalz begonnen hatte und der Kaiser die Möglichkeit sah, eventuell Oberösterreich in absehbarer Zeit für die oberpfälzischen Lande einzutauschen[104], belehnte er am 22. September 1621 Maximilian und die Wilhelminische Linie der Wittelsbacher erblich mit der pfälzischen Kur; aber das geschah zunächst geheim, und erst im August des Jahres 1622 entschloß sich Ferdinand, beim nächsten Fürstentag die öffentliche Belehnung des Bayern vorzunehmen. Die Schwierigkeiten waren jedoch groß und sie kamen nicht nur von deutschen Kurfürsten, wie Brandenburg und Sachsen, vom Herzog Wolf Wilhelm von Neuburg, der selbst Ansprüche als Verwandter Friedrichs V. auf die Kur erhob, sondern vor allem von Spanien, das eine Ausgleichspolitik gegenüber den geächteten Kurfürsten von der Pfalz und damit gegen England betrieb und in der Translation der Kur auf Maximilian von Bayern einen Grund der Fortsetzung und Andauer des Krieges sah[105]. Darum und wegen der engen Verknüpfung der Kurfrage und der Wiedereinlösung Oberösterreichs war Spanien auch gegen die Verpfändung Oberösterreichs und deren Aufrechterhaltung. Franz Christoph Khevenhiller, kaiserlicher Botschafter in Madrid, hat 1628 ein Wort zitiert, welches „vornehme Ministri" des spanischen Königs, ja sogar „dero geheime Räte (weil sie wieviel daran gelegen, wohl verstehen)", als Ferdinand II. das Land ob der Enns verpfändete, „öffentlich gemelt: daß es besser wäre, das Königreich Böheim verkauffen, als Oberösterreich versetzen"[106]. Spanien — vor allem der königliche Botschafter in Wien Graf Oñate — hat wiederholt seinen Einfluß hinsichtlich Oberösterreichs geltend machen wollen. So hatte etwa Oñate den in Brüssel lebenden Bruder Kaiser Matthias', Erzherzog Albrecht, zu einer Intervention beim bayerischen Herzog veranlaßt, dieser möge „von seinem Intent der gesuchten Possession des Landes ob der Enns abstehen“[107]. Ebenso hatte Oñate Papst Gregor XV. aufgefordert, als Gegenleistung für die von der Kurie betriebene Translation der Kur auf Bayern dem Kaiser eineinhalb Millionen Goldgulden zur Wiedereinlösung Oberösterreichs zur Verfügung zu stellen[108]. Auf dem Regensburger Fürstentag von 1623 hat Herzog Maximilian die Kurwürde wegen großer Widerstände nur ad personam erhalten, und der Regensburger Vertrag vom 28. April 1623, in welchem der Kaiser und der Herzog über die Kriegskosten sich einigten, hat die „Abledigung des Lands“ weiter hinausgezögert. Von der Pauschalsumme von zwölf Millionen Gulden waren sechs Millionen Gulden als Hypothek auf die Oberpfalz, sechs Millionen Gulden auf das Land ob der Enns gelegt. Der Plan, die Oberpfalz an Stelle der Kriegskosten den Bayern zu überlassen und auf diese Weise das Land ob der Enns wieder aus der Pfandschaft zu lösen, blieb trotz des Regensburger Abkommens aktuell, und noch im Herbst 1623 fanden in Amberg in der Oberen Pfalz intensive bayerisch-österreichische Verhandlungen über diese Frage statt[109].

Die Stände des Landes ob der Enns, die 1621 von den Nachrichten über die Versetzung Oberösterreichs völlig überrascht worden waren, erfuhren zunächst auch nichts über den Regensburger Vertrag. Erst im Zuge der Verhandlungen über die Unterwerfung der Stände und die erwünschte Aussöhnung mit dem Kaiser wurde ihnen etwas über die nötigen Geldmittel zur Ablösung gesagt, aber genauer wurden sie über die Abmachungen zwischen Kaiser und Kurfürst nicht informiert. Gerade die Haltung der Landstände war aber für den Wiener Hof und für einen Versuch, das Land wieder Bayern abzunehmen, von eminenter Wichtigkeit, da sie es ja waren, welche die damit verbundenen finanziellen Lasten allenfalls zu tragen hatten. Die Landstände — unter dem schweren Druck des Herberstorffschen Regimes und der noch immer andauernden kaiserlichen Ungnade wegen der Ständerebellion — hatten während der Verhandlungen um die Pardonierung nicht nur gezeigt, daß ihr Herz österreichisch gesinnt war, sie hatten auch ihre Bereitschaft kundgegeben, ihren

Teil zur Wiedererwerbung des Landes zu leisten, allerdings unter gewissen Bedingungen[110]. Als nun der große Schritt der Unterwerfung der Stände unter den Willen des Kaisers erfolgt und dessen Verzeihung erwirkt war, ging vom Wiener Hof die Initiative aus, Verhandlungen über die Auslösung des Landes aus der Pfandschaft in Gang zu setzen. Im Mai 1625 teilte Ferdinand II. den oberösterreichischen Ständen seine Absicht mit, das Land wieder zu erwerben. Die Stände sollten das Ihrige dazu beitragen. An diese erging nun die Aufforderung, einen großen Ausschuß aus allen vier Ständen bald an den Wiener Hof zu senden. Dieser Ausschuß sollte auch alle Unterlagen und Aufzeichnungen über Kontributionen und Ausgaben während der Zeit der Pfandherrschaft mitbringen, damit das „Abledigungswerk tractiert" werden könne[111]. Die Stände wurden nach dieser kaiserlichen Aufforderung für den 15. Juni in Linz zusammengerufen. Dabei gab es wieder einen der üblichen Konflikte mit dem Statthalter Herberstorff, den sie ja den Bestimmungen zufolge über die Zusammenkunft nicht nur informieren mußten, sondern auch dessen bzw. des Kurfürsten Zustimmung zu ihrem Zusammentreffen sie einholen mußten. Als Herberstorff mit einer allgemeinen Mitteilung der Verordneten nicht zufrieden war, erhielt er von diesen das kaiserliche Schreiben zur Kenntnis. Der Statthalter verlangte jedoch eine Aufschiebung der Ständeversammlung bis zur Zustimmung des Kurfürsten, die dann schließlich am Tage vor dem beabsichtigten Zusammentreten der Versammlung in Linz auch eintraf[112]. Bei dieser Ständeversammlung wurde nun beschlossen, dem Wunsch des Kaisers nachzukommen und eine große Delegation zu Verhandlungen über die Ablöse des Landes nach Wien zu senden. Die Zusammensetzung dieser Monsterabordnung[113] zeigt, daß man im Lande diesen Verhandlungen größte Bedeutung beigemessen hat. In ihrer Instruktion waren die Abgesandten angewiesen, dem Kaiser für die Absicht zur Einlösung Oberösterreichs zu danken, sie sollten sich genau informieren lassen von den Räten über die zwischen Kaiser und Kurfürst geschlossenen Abkommen, sollten die Not des Landes darlegen, aber zugleich die Bereitschaft eröffnen, daß die Stände ihr „Äußerstes leisten" wollen für die Freiheit des Landes. Sie wünschten allerdings, daß auch Niederösterreich und die anderen Erbländer des Kaisers sowie die Nobilitierten, die nicht einem

Stand angehören, finanziell ihren Beitrag zur Pfandablöse leisten sollten. Es sollte in Wien auch der Wunsch der Stände zum Ausdruck gebracht werden, daß als Hilfe zur „Abledigung" ihnen alle derzeit der bayerischen Pfandverwaltung zufallenden Einnahmen aus landesfürstlichen Pfandschaften, aus dem Salzwesen und Aufschlägen eingeräumt und daß die Besatzungstruppen aus dem Lande abgeführt werden. Auch sollten die Prälaten beim Kaiser intervenieren, daß er den Ständen die Strafe von 600.000 Gulden erlasse oder begrenze. Mit einigen „carte bianche" versehen, um Verehrungen an die Räte und Kanzlisten überweisen zu können, machte sich die Gesandtschaft auf den Weg nach Wien[114]. Nach der Audienz beim Kaiser, welche am 19. Juli stattfand, wurde mit einem Verhandlungskomitee, dem Hofkanzler Werdenberg, dem Hofkammerpräsidenten Abt Anton von Kremsmünster und dem kaiserlichen Sekretär Gertinger, verhandelt. Dabei wurde von diesen kaiserlichen Räten die Unmöglichkeit betont, die bayerischen Forderungen aus dem Kammergut zu bezahlen, die Mittel der Hofkammer seien erschöpft, und die Hilfe der Stände sei unbedingt notwendig. Vom Abt von Kremsmünster erfolgte die genauere Information über die Bestimmungen des Regensburger Abkommens. Es müßten für die Ablösung des Landes jährlich zwölf Jahre hindurch 500.000 Gulden Kapital und 300.000 Gulden an Zinsen aufgebracht werden[115]. Die ständischen Abgesandten waren bereit, die Hälfte der Ablösungssumme, das sind drei Millionen Gulden, an Kapital und Zinsen zu leisten. Die Stände wollten allerdings auch die anderen drei Millionen aufbringen, wenn ihnen genug Kammergefälle eingeräumt würden. Ihre Wünsche für den Fall, daß sie gleichsam das Land zurückkaufen, waren in einem umfangreichen Katalog zusammengefaßt: Das Land müsse vorher ganz vom Kurfürsten abgetreten und die Garnison aus dem Lande abgezogen sein; der Kaiser solle die ständischen Privilegien konfirmieren, die Erbhuldigung entgegennehmen, die Lehen verleihen, die Justiz im Lande „anrichten" und die Landtafel publizieren lassen. Außerdem verlangten die ständischen Abgeordneten, daß die Pfandschaftsinhaber, die Käufer auf Wiederkauf, die Nobilitierten „mitleiden", d. h. mitzahlen sollten. Das Land müßte in dieser Zeit von Lasten verschont bleiben, es dürften keine neuen Mauten und Aufschläge eingehoben werden, und die 600.000 Gulden Strafe sollten vom Kaiser erlassen oder eingeschränkt werden. Außerdem wünschten die Stände die Aufrichtung eines Münzhauses im Lande, sie wollten Abschriften der Abmachungen erhalten und hatten den Wunsch, daß Ständevertreter den Verhandlungen mit den Bayern und auch dem Vertragsabschluß beiwohnen könnten. Da sie wohl die üblen Taktiken des Statthalters fürchteten, der allenfalls bei der Bereitschaft, Geld aufzubringen, sie selbst für Zahlungen an die bayerische Kasse haftbar machen konnte, verlangten sie eine Schadloshaltung, Schutz und Schirm des Kaisers, wenn die Verhandlungen ohne Ergebnis bleiben sollten[116].

Der Wiener Hof wußte nun, daß die Landstände grundsätzlich bereit waren zu zahlen. Das war für Wien wichtiger als alle ständischen Bedingungen und Wünsche, die ja wenigstens zum Teil nicht erfüllt werden konnten. Aber die Tatsache, daß das ausgesaugte und darniederliegende Land willens war, die geforderten Riesenbeträge aufzubringen, mußte dem Kaiser einen Ansporn geben, die Traktation mit dem Kurfürsten über die Ablöse des Landes aufzunehmen. Es war diese große Opferbereitschaft des Landes ob der Enns ja auch von größter ideeller Bedeutung, weil die Stände damit bekundeten, daß sie selbst bei so großen finanziellen Opfern wieder österreichisch werden wollten. In Wien ging man aber auf alle diese ständischen Vorschläge gar nicht ein, man wußte jetzt über die Bereitschaft des Landes Bescheid und wollte nicht unnötig mit den Ständen verhandeln und so Zeit verlieren. Außerdem sollte das Ganze, wie man es formulierte, „in der Enge verbleiben“, darum gab man den Ständen keinen Hauptbescheid[117]. Die kaiserliche Resolution vom 6. August begnügte sich daher damit festzustellen, daß der Kaiser die Devotion und Liebe der oberösterreichischen Stände verspürt habe und nun mit Bayern verhandeln werde[118]. Herberstorff hatte sehr bald erfahren, „daß sich die von diesem Landt abgeordnete Stendt nunmehr bereith gegen ihr Kaiserliche Majestät resolviert und die Mittel zeigt hetten, was gestalt sie dieses Land in 6 Jahren ablesen wellen“ — Näheres aber konnte er nach München nicht berichten[119].

Nun hatte der Wiener Hof von sich aus die Verhandlungen mit dem Kurfürsten betrieben, und Hans Ruprecht Hegenmüller hatte in München neben anderen Dingen auch dieses Problem der Ablösung Oberösterreichs aus der Pfandschaft angeschnitten. Maximilian war grundsätzlich zu Verhandlungen bereit, aber für ihn war die Frage der Oberpfalz gleich wichtig wie die des Landes ob der Enns. Wien wollte die Abledigung des Landes auf dem geplanten Deputationstag in Ulm, der ursprünglich schon am 16. August dort zusammentreten sollte, mit den Bayern verhandeln. In der Zwischenzeit sollte der oberpfälzische Landtag zusammentreten und die Einnahmen dort festgestellt werden[120]. Denn diese Klärung der oberpfälzischen Verhältnisse war für Maximilian die Grundlage für alle Verhandlungen über die Ablösung Oberösterreichs. Sollte dieser Ulmer Deputationstag noch lange sich hinauszögern, war der Kaiser dafür, die vom Kurfürsten vorgeschlagene „Eventual-Handlung“ in Wien zu führen, wogegen Maximilian aus praktischen Erwägungen Linz als Verhandlungsort vorschlug. Der geplante Ulmer Deputationstag kam infolge der Kriegsereignisse nie zustande, und die Verhandlungen über das Freiwerden des Landes versiegten wieder[121]. Es war dies zu jener Zeit, da Graf Khevenhiller dem Fürsten Hans Ulrich von Eggenberg von einer Unterredung mit dem Grafen Oñate in Madrid berichtete. In diesem Gespräch hat Oñate den Gesandten des Kaisers wieder auf die Wichtigkeit des Sukzessionswerkes, d. h. auf die Regelung der Nachfolge Ferdinands hingewiesen. Oñate meinte, der König „soll das Successions Werkh bei Ihrer kaiserlichen Majestät wie auch die Auslösung Oberösterreichs auf müglichst treiben, dann dies sei der größte Dienst, so er Ihrer kaiserlichen Majestät ... leisten könne“[122]. Im Frühjahr 1626 traten neuerdings in Amberg bayerische und österreichische Bevollmächtigte zusammen, um über die Ablösung der Pfandschaft und die Transferierung der Oberpfalz an Bayern zu verhandeln. Auf österreichischer Seite war bereits Graf Maximilian von Trauttmansdorff, auf bayerischer Seite Johann Christoph von Preysing der führende Mann der Verhandlungskommission[123]. Der Bauernkrieg von 1626 hat dann in zwiefacher Hinsicht auf die Lösung der Pfandschaftsfrage gewirkt. Einerseits machte er zunächst weitere Verhandlungen illusorisch und trug so zu einer neuerlichen Verzögerung der Abledigung des Landes bei, andererseits waren es gerade die Ereignisse des oberösterreichischen Bauernaufstandes, welche dem Kurfürsten das Land ob der Enns zu verleiden geeignet waren. Denn der Bauernkrieg brachte naturgemäß die größte Belastung der habsburgisch-wittelsbachischen

Beziehungen. War einst bei Beginn der Ständebewegung von 1618 bis 1620 das kleine Land das „Nest des Unheils" gewesen, dem neben Böhmen die habsburgisch-wittelsbachische Koalition gegolten hatte, so wurde es nun zum Stein des Anstoßes der beiden Verbündeten Bayern und Österreich. Kurfürst Maximilian hat diesen Ausdruck selbst zu dem im Frühjahr 1627 in München durchreisenden Botschafter Khevenhiller gebraucht, als er diesem seine Bereitschaft kundtat: „Daß diese petra scandali, welche alle seine Actiones am kaiserlichen Hofe verdunkele, aus dem Weg geräumt werden." Offiziell hatte Maximilian bei den Linzer Verhandlungen am 18. Februar 1627 durch seinen Bevollmächtigten Dr. Peringer den kaiserlichen Kommissarien sagen lassen, daß er „nicht liebers sehe, als daß das verpfendte Land ob der Enns dem Khayser wiederum frei zuegeen mechte", vorausgesetzt, daß der Kurfürst bezüglich der Verweisung auf das Land zufriedengestellt werde. Und hier ist noch die interessante Bemerkung zu finden, daß diese Zufriedenstellung Maximilians längst hätte erfolgen können, wenn man die eingezogenen und konfiszierten Rebellengüter, so wie es versprochen worden war, ihm auch tatsächlich überlassen hätte. Diese Bereitschaft des Wittelsbachers, das Land ob der Enns abzugeben, traf sich mit Wiener Initiativen zur Ablösung, etwa der Bemerkung des Fürsten von Eggenberg, der zum bayerischen Bevollmächtigten Preysing sich in Wien äußerte, er werde dem Kurfürsten ein „vertraulich Brieferl" schreiben und ihm zur Abtretung Oberösterreichs raten[124].

Dennoch dauerte es fast noch ein Jahr, bis der Durchbruch erfolgte. Von großer Wichtigkeit waren hiebei die Ereignisse auf dem Kurfürstentag von Mühlhausen Ende des Jahres 1627. Hier wurde das Verfügungsrecht des Kaisers über die Lande des geächteten Kurfürsten Friedrich V. von der Pfalz und über die Kurwürde anerkannt, wobei ein Sondergutachten der katholischen Kurfürstengesandten eine große Rolle spielte. Das war die Grundlage für die weiteren Verhandlungen über den Tausch Oberpfalz—Oberösterreich, da die Oberpfalz nunmehr dem Kaiser als Tauschobjekt zur Verfügung stand[125]. Am Anfang des Jahres 1628 kam nun Graf Maximilian von Trauttmansdorff nach München, um Verhandlungen über verschiedene Reichs- und Kriegsangelegenheiten zu führen und auch die Frage des Tausches der Oberpfalz und des Landes ob der Enns einer Lösung zuzuführen[126]. Trauttmansdorff stieß zunächst auf große Schwierigkeiten, und er hatte fast den Eindruck, „als wannen dis Orts noch der zeit wenig zu richten sein wurde". Vor allem aber verwiesen die bayerischen Unterhändler auf die Ungleichheit der Forderungen Maximilians, die mit Zinsen bereits 14 1/2 Millionen Gulden betragen, gegenüber der Oberen Pfalz. Maximilian wollte auch die rechtsrheinische Unterpfalz mit Heidelberg, und gerade an diesem Punkt hielt der Kurfürst zäh fest. Trauttmansdorff sah, daß der ganze Vergleich scheitern würde, wenn man österreichischerseits hierin keine Zugeständnisse mache, und die Auslösung Oberösterreichs aus der bayerischen Pfandschaft wäre, je länger es dauere, nur um so schwieriger, und das Land bleibe dann stets eine Quelle von Argwohn und Verdacht. So entschloß sich Trauttmansdorff, die bayerischen Wünsche zu erfüllen. Der bayerisch-österreichische Vertrag wurde am 22. Februar 1628 in München unterzeichnet. Trauttmansdorff stellte dem Kaiser anheim, den Vertrag mit allen Punkten zu ratifizieren oder anders zu beschließen. Schon am 4. März gab Kaiser Ferdinand II. seine Zustimmung zu diesem neuen Münchner Vertrag und hat zugleich den 23. März 1628 zur Übergabe der Oberpfalz bestimmt. Am gleichen Tage sollte in Linz die Übergabe des Landes ob der Enns erfolgen[127]. Der Vertrag vom 22. Februar 1628 — ein Grunddokument für die fernere Zugehörigkeit des Landes ob der Enns zu Österreich — enthielt nun folgende wesentliche Bestimmungen: Der Kaiser verkauft an den Kurfürsten Maximilian das Fürstentum der Oberen Pfalz mit Ausnahme der an Neuburg verliehenen Ämter Parkstein, Weiden und Peilstein sowie die rechtsrheinischen Teile der Unteren Pfalz um 13 Millionen Gulden (den Kriegskostenbetrag), wogegen Maximilian das verpfändete Land Oberösterreich dem Kaiser zurückstellt. Desgleichen verpflichtete sich der Kaiser über die Belehnung Maximilians ad personam, wie sie 1623 in Regensburg erfolgte, hinausgehend, auch Maximilians Erben mit der Kurwürde zu belehnen. Es zeigt das große Sicherheitsstreben des Wittelsbachers, daß er sich auch für den Fall, daß er oder seine Erben im Besitz der Oberpfalz oder der verkauften unterpfälzischen Ämter gestört würden, genügend absicherte. Der Kaiser und das Haus Österreich mußten sich verpflichten, in diesem Falle „äußerste Assistenz" zu leisten. Für das Land ob der Enns und seine Zukunft war die Bestimmung von größter Wichtigkeit, daß der Kurfürst, wenn er durch Gewalt oder auf andere Weise wieder die Pfalz verliere, sich ein Regreßrecht auf Oberösterreich sicherte. Der Kaiser leistete dem Kurfürsten mit dem Land Oberösterreich Bürgschaft für die Pfalz. Für diesen „unerhofften Fall" sollten der Kurfürst und seine Erben „ihren völligen Regreß auf das Erzherzogtum Österreich ob der Enns haben und dessen Einkommen und Geföll alsdann solang bis Ihrer churfürstlichen Durchlaucht oder Ihren Erben anderwerts genuegsame Satisfaction erfolget, das ist, bis sie mit dreizehen Millionen Gulden sambt was sie sonsten noch von Rechts wegen an Meliorationen, abgelösten Schulden, Schäden und dergleichen zu fordern, bezahlt werden, wie bishero wieder genießen mögen, in Gestalt und Maßen sich Ihre kaiserliche Majestät und churfürstliche Durchlaucht deshalben hievor auf deme in anno 1623 zu Regensburg gehaltenen Churfürstentag und hernach mit einander mehrers verglichen"[128]. Das Damoklesschwert der Verpfändung schwebte also noch immer über dem Land Oberösterreich. Dennoch brachte dieser Vertrag die Freiheit für Oberösterreich und die Rückkehr unter die Herrschaft des Kaisers. Trauttmansdorff — der auf der Rückreise von München sich in Linz aufhielt[129] — war zweifellos trotz der Tücken dieses Vertrages ein großes Werk geglückt. Maximilian war zufrieden und schenkte dem kaiserlichen Abgesandten eine „ansehnliche stattliche Silbertruhe". Dem Herzog von Bayern war die Pfalz und die damit verbundene Kurwürde wichtiger als das widerspenstige Land, das in diesen Jahren von 1620 bis 1628 ein Stein des Anstoßes geworden war. Er konnte nicht ahnen, daß ihm noch Jahrhunderte nachher die bayerische Geschichtsschreibung diesen Verzicht auf das Land ob der Enns als eine „versäumte Gelegenheit" vorwarf, altes bayerisches Stammesgebiet dem wittelsbachischen Herzogtum einzugliedern, ein Versäumnis, das eine „schwere Schädigung Bayerns" brachte[130]. Khevenhiller schrieb aus Madrid an Trauttmansdorff über das Münchner Abkommen, dieses sei „die größte Negotiation und Victori", die der Kaiser zeit seines Lebens gehabt habe, und Trauttmansdorff verdiene es, daß man ihm dafür ein Denkmal errichte[131]. Nach der Zustimmung des Kaisers vollzogen sich die nötigen Vorbereitungen zur Übergabe Oberösterreichs und der Pfalz — wenn auch der vorgesehene März-Termin nicht eingehalten werden konnte — mit unglaublicher Schnelligkeit.

Wenn die oberösterreichischen Stände auch zunächst von den Münchner Verhandlungen nichts Genaueres wußten, so konnten sie die bevorstehende Änderung bereits ahnen, als auf ihre Bitte um Intervention des Kurfürsten beim Kaiser um Erstreckung des Emigrationstermines für den protestantischen Adel der Kurfürst ihnen durch den Kanzler mitteilen ließ, daß Maximilian diesmal für die oberösterreichischen Landstände nichts tun könne, da „sich eben derzeit die Sache mit dem Land ob der Enns zwischen der Römisch-kayserlichen Majestät und Ihrer churfürstlichen Durchlaucht in anderer Veranlassung ... befinden"[132]. Aber kaum eine Woche nach dem Gültigwerden des Münchner Abkommens informierte Ferdinand II. die Stände ob der Enns in lapidarer Kürze über den Vergleich mit dem bayerischen Kurfürsten und über die bevorstehende Abtretung des Landes durch diesen, wobei in einem eigenen „Gehorsambrief" die Stände auch über die besonderen Bedingungen der Abtretung, vor allem über die Bürgschaft Oberösterreichs für den Fall des Verlustes der Pfalz informiert und zum Gehorsam angewiesen wurden[133]. Zugleich teilte der Kaiser den Ständen mit, daß er als seine Kommissäre zur Übernahme des Landes den Hofkammerpräsidenten Abt Wolfradt von Kremsmünster, den niederösterreichischen Regimentsrat Freiherrn Hans Heinrich von Salburg und den Hofkammerrat Johann Baptist Spindler ernannt habe. Diesen kaiserlichen Kommissären sollte die Interimspflicht bis zur Erbhuldigung geleistet werden, und sie hatten auch bis zu einer späteren kaiserlichen Resolution die Regierung des wiedererworbenen Landes zu führen[134]. In München war man Anfang April noch nicht schlüssig, wen man als Übergabekommissäre bestimmen solle. Man beschloß im Rat in Anwesenheit Maximilians zunächst nur: „als Commissarii ein hohe Person und Dr. Mändel"[135]. Am 24. April hat dann Kurfürst Maximilian zu seinen bevollmächtigten Übergabekommissären den Statthalter Herberstorff und den Hofkammerrat Dr. Mändel ernannt[136]. Herberstorff war bis zum 21. Januar in Prag gewesen und dann „per posta" nach Linz gereist[137]. Der Statthalter hat von dem Münchner Vertrag zuerst durch den Abt von Kremsmünster gehört und pflichtgemäß über dieses Gespräch nach München berichtet. Maximilian hat ihm dann die Tatsache bestätigt und ihm zugleich auch mitgeteilt, daß die Übergabe des Landes für den Sonntag Quasimodogeniti vorgesehen sei. Ob der

Statthalter im Zuge der Vorbereitungen zur Übergabe Oberösterreichs nach München reiste, ist nicht sicher, aber durchaus anzunehmen[138]. Die Anwesenheit Herberstorffs in München würde man sich auch aus der Notwendigkeit erklären können, die Zustimmung des Kurfürsten zur Einigung zwischen dem Statthalter und den oberösterreichischen Landständen zu erhalten, welche am 7. April 1628 in einem Vertrag bewirkt worden war. Dieser Vertrag war eine Voraussetzung für die Übergabe des Landes[139]. Er sollte die gegenseitigen Forderungen des Kurfürsten und der Stände aufeinander abstimmen und zu einem Ausgleich dieser Forderungen führen. Der Kurfürst hatte noch Vorschüsse, die er den Ständen bar für die Garnison aus eigener Kasse geliehen hatte, zu erhalten, er stellte die Forderung, die Stände müßten den Proviant und die Munition, die er bei Belagerung der Stadt Linz im Jahre 1626 beigestellt hatte, und die Kosten der Kommission im Bauernkrieg bezahlen. Weiter hatte Bayern in der Liste seiner Forderungen Ausstände an Garnisongeld und an dem Strafgeld der 600.000 Gulden sowie Gelder aus den Jörgerschen und Starhembergischen Vermögen. Die Stände aber stellten dem eine beträchtliche Gegenrechnung gegenüber: Dem Kurfürsten vorgeschossene Gelder zur Bezahlung und Abdankung von dessen Soldaten, Kosten für Musterplätze, Ersatz für Schäden, Überzahlung der Soldaten über den üblichen Sold hinaus durch Dargabe von Kost und Geld. Ausständig waren auch noch die Gelder für 1620 den Bayern übergebenen Proviant und Munition, für Pferde und Wagen, für Geschütze und Gewehre und vieles andere mehr. Insgesamt bezifferten die Stände ihre Forderungen an Bayern mit 1,400.000 Gulden. Zur Einigung bedurfte es des Druckes von seiten der kaiserlichen Kommissäre auf die Stände. Diese mußten auf alle ihre Forderungen an Bayern verzichten. Dafür erließ ihnen Maximilian das ausständige Garnisongeld. Um die Prätentionen Maximilians zu erfüllen, mußten die Landstände außerdem 105.000 Gulden rheinisch in vier Raten bis 1630 zahlen unter Verpfändung ihrer Güter. Erst nach Abschluß dieses Vertrages hat Maximilian den Statthalter Herberstorff und seinen Mitkommissär Dr. Mändel zur Übergabe des Landes bevollmächtigt und diesen die nötigen Instruktionen erteilt[140]. Es findet sich in dieser Instruktion, die das Verhalten der bayerischen Bevollmächtigten regelt, auch eine für Herberstorff persönlich wichtige Passage, nämlich daß die Herrschaft Tollet, die dem Kurfürsten eigentümlich gehöre, von dem Vizedom und den Räten dem Grafen Herberstorff eingeantwortet werden soll, falls dies nicht schon geschehen sei. Auch wenn Herberstorff die Herrschaft erst übernehme, wenn er wieder in Linz sei und die 30.000 Gulden noch nicht bezahlt habe. Also ein Zeichen ausgesprochenen Wohlwollens gegenüber dem Statthalter unmittelbar vor dem Ende seiner Statthalterschaft.

Die Übergabe des Landes an Österreich war zunächst für den 1. Mai geplant, nachdem am 18. April Herberstorff von den Ständen eine Liste aller jener Ständemitglieder verlangte, die jeweils zur Huldigung eingeladen waren[141]. Der Termin mußte aber noch einmal wegen der Weigerung der Stadt Amberg, vor Bestätigung ihrer Privilegien, dem Kurfürsten zu huldigen, verschoben werden. Dr. Mändel war erst am 30. April in Linz angekommen[142]. Am 4. Mai lud dann der Statthalter die Landstände, die ohnehin in Linz weilten, für den 5. Mai 1628 zwischen acht und neun Uhr Vormittag in das Linzer Schloß zur offiziellen Übergabe des Landes an die kaiserlichen Kommissäre[143]. Es war dieser 5. Mai 1628 ein großer Tag für das Land ob der Enns und für dessen Hauptstadt Linz. Er sollte das Ende eines wohl nicht langen Zeitraums der Geschichte des Landes bringen, der aber tief seine Spuren in das Geschehen eingeprägt hatte. Das Land sollte nach acht Jahren Verpfändung und fremder Herrschaft wieder frei werden. Schon zwischen sieben und acht Uhr früh waren an diesem Tage die Landstände im Landhaus zusammengetreten. Die Beschickung dieser Versammlung mag stärker als bei sonstigen ständischen Versammlungen gewesen sein: acht Mitglieder des Prälatenstandes, zwanzig vom Herrenstand, vierzig vom Ritterstand und 16 Vertreter der sieben landesfürstlichen Städte waren im Landhaus beisammen. Eine stattliche Zahl! Zwischen zehn und elf Uhr begaben sich die Ständevertreter in das kaiserliche Schloß und warteten in der Ritter- oder Tafelstube. Dort gab es „ein ziemliches Gedräng“, und die Stuben waren voll von Menschen. Viele vom österreichischen und steirischen Adel und andere ausländische Herren und Kavaliere und viele Geistliche waren zugegen, um dem historischen Geschehen beizuwohnen. Und da an diesem Tage Markt in Linz war, gab es auch zahlreiche Kaufleute, die Zeugen dieses Ereignisses sein wollten, das einen neuen Anfang für das Land ob der Enns bringen sollte. Als die kaiserlichen Kommissäre im Schloß eintrafen, wurden sie von Herberstorff und den kurbayerischen Räten „mit Entgegengehen empfangen“ und in Herberstorffs Zimmer geleitet. Dort wurden zuerst die Befehlshaber der im Land liegenden Truppen, Herr Katzianer und Herr von Herberstein, auf den Kaiser durch dessen Kommissäre vereidigt. Anschließend begaben sich die kaiserlichen Bevollmächtigten, der Abt von Kremsmünster, Heinrich von Salburg und Johann Baptist Spindler, gemeinsam mit den bayerischen Kommissären, dem Statthalter Herberstorff und Doktor Mändel, in die Ritterstube. Dort war eine mit Teppichen geschmückte Bühne errichtet worden und rotsamtene Stühle standen für die Bevollmächtigten des Kaisers und des Kurfürsten bereit. Als erster ergriff der Statthalter Herberstorff — Symbol der zu Ende gehenden Ära — das Wort: Er entbot die Grüße des bayerischen Kurfürsten, erinnerte an die Unterwerfung des Landes 1620, an die Gründe der Verpfändung und teilte den Versammelten mit, daß Kaiser und Kurfürst sich nunmehr verglichen haben. Der Kurfürst erhalte als Satisfaktion für seine Unkosten das Fürstentum der „bayrischen Pfalz“ und die Unterpfalz diesseits des Rheins — allerdings mit gewissen Reservaten. Dafür habe sich Bayern verpflichtet, die Pfandschaft des Landes ob der Enns unter bestimmten Vorbehalten zu zedieren. Der Kurfürst habe auch befohlen, die Beamten, Offiziere, Räte und Diener wie auch die Stände und Städte hieher zu „beschreiben“ und diesen anzuzeigen, daß sie aus Pflicht, Gehorsam und Huld „mit gewissen Reservatis“ entlassen werden sollten. Dann wurde des Kurfürsten Gewaltbrief verlesen. Nach Herberstorff sprach Dr. Mändel und teilte mit, daß Kurfürst Maximilian den Statthalter Herberstorff und ihn bevollmächtigt habe, die anwesenden Stände, Offiziere und Untertanen aus dessen Gelübde zu entlassen, allerdings sollten sie hinsichtlich der Gewährschaft für die Pfalz dem Kurfürsten weiterhin verpflichtet sein.

Nach den bayerischen Vertretern sprach der kaiserliche Hofkammerpräsident Abt Anton von Kremsmünster: Daß der Kurfürst von Bayern den Statthalter nunmehr seines Gelübdes „erlasse“ und vereinbarungsgemäß die Stände und Offiziere wieder an ihren natürlichen Erbherrn, den Kaiser, gewiesen, geschehe Ihrer kaiserlichen Majestät „ein Genügen und gereicht deroselben zum gnädigsten Gefallen". Der Abt entbot den Gruß Kaiser Ferdinands und verwies auf die konditionierte Erlassung der Pfandschaft. Daraufhin nahmen die kaiserlichen und kurfürstlichen Bevollmächtigten Platz, und es wurde Ferdinands II. Gehorsambrief vom 10. März 1628 verlesen. Dann ergriff nochmals Abt Wolfradt das Wort: Weil die Stände einst dem Herzog von Bayern die Interimshuldigung als kaiserlichem Kommissarius geleistet hätten, so sei es unnötig, neuerdings den Eid zu leisten. Die Stände wurden lediglich ihrer Eidespflicht erinnert, „daß sie alles dasjenige prästieren sollen und wollen, was Erbuntertanen obliegt und gebührt auch mit Handstreich gegen uns als kaiserlichen Herrn Commissarien" dies bestätigen sollen. Anschließend sprach namens der Landstände Helmhart Jörger. Er mochte wie ein Relikt aus der Zeit ständischer Geltung, der so unmittelbar der ständische Niederbruch gefolgt war, erscheinen. Nach Haft und Konfiskationen hatte er die kaiserliche Gnade gefunden, und der „feiste Brachvogel", den man wohl gerupft hatte, stand nun wieder da als Repräsentant der Stände. Aber der alte Hochmut war geschwunden, es waren nicht mehr die stolzen Herrn der Zeit des Georg Erasmus Tschernembl, die hier sich versammelt hatten, und Helmhart Jörger war nicht mehr der Rebell, der er 1618 gewesen war. Er dankte lediglich für die Abledigung des Landes und drückte die Freude der Stände über dieses Ereignis aus. Die Stände wären, so erklärte er, mit der Form, in der ihre neue Verpflichtung an den Kaiser geschehen sollte, mit dem Handschlag, einverstanden. Darauf wurde zuerst der Prälatenstand angelobt, als erster des Herrenstandes leistete der gewesene bayerische Statthalter Herberstorff als Landstand den Handstreich, darauf die anderen Mitglieder des Herren- und Ritterstandes sowie die Vertreter der sieben Städte. Nach der Angelobung des Salzamtmannes hat der Abt von Kremsmünster auch noch mitgeteilt, daß der Kaiser ihnen, den Kommissären, die Administration des Landes aufgetragen habe. Anschließend wurden die Urkunden, welche bei diesem Akt verlesen worden waren, ausgetauscht. Damit war die große Zeremonie der Rückstellung des Landes ob der Enns an den Kaiser zu Ende. Herberstorff gab anschließend im Schloß ein Festmahl. Während des Festaktes und des Mahles im Schloß schossen Soldaten mit Musketen Salut, und zwölf Geschütze donnerten ihre Salven über die festlich-freudige Stadt, um das große Ereignis den Bewohnern der Stadt und des Landes kundzutun. Ringelrennen und andere Lustbarkeiten fanden zur Feier dieses Ereignisses an diesem Tage in Linz statt[144]. Franz Christoph Khevenhiller berichtete in seinen „Annales Ferdinandei“ unter Bezugnahme auf den gerade vergangenen Sonntag Quasimodogeniti, „die im Land ob der Enns“ hätten nun gesagt, „daß sie wieder neu-geborene Kinder des Hauses Österreichs worden, und daß ihnen leid sey, daß ihr Land-Haus nicht wie zu Rom ein Capitolium, damit sie zu ewiger Gedächtniß ihrer Erledigung halber Herrn Grafen von Trautmannsdorff eine Statuam aufsetzen könnten“[145].

Die Landstände Oberösterreichs dankten dem Kaiser für die Zurückholung des Landes aus der bayerischen Pfandschaft, die im Lande immer als Fremdherrschaft empfunden worden war. Sie erinnerten in ihrem Dankschreiben an die „hochbeschwerlichen Zeiten“, die sie durchzumachen hatten, und daß sie nun „nach langem Seufzen einmals die hocherwünschte Erquickung“ empfangen haben, daß sie wieder unter den Kaiser als den angeborenen Erblandsfürsten und unter die „sanftmütige Regierung des Hauses Österreich“ gekommen seien. Nun — so meinten sie — wären sie mit dem Kaiser durch ein „neues, sehr starkes, unzerbrüchliches Band“ verbunden, und sie betonten, daß sie ihren Dank in Worten nicht auszudrücken vermöchten, dies aber mitsamt ihrer Posterität zu allen Zeiten viel lieber „im Werk erzeigen“ wollten. Der Kaiser antwortete ihnen, er habe aus gnädiger väterlicher Wohlmeinung alle Handlungen darauf abgestellt und sich bemüht, daß die Abledigung des Landes geschehen konnte. Er wolle auch der Stände gnädigster Herr und Vater sein und bleiben und dahin sehen, alles wieder in „alten Wohlstand und Herkommen zu richten“[146].

Mit dieser offiziellen Übergabe des Landes ob der Enns aus der bayerischen Verwaltung in österreichische Hände war nicht nur die acht Jahre währende Pfandschaft beendet, sondern die ganze Ära der großen ständisch-landesfürstlichen Auseinandersetzung, die 1618/20 ihren Höhepunkt erlangt hatte, fand nun ihren Abschluß. Das Land war ein anderes geworden, und die tragende soziale und politische Schicht dieses Landes, die Landstände, war ebenso anders geworden. Der große Niederbruch von 1620 und das Erlebnis der achtjährigen bayerischen Herrschaft, der Bauernkrieg und die Härte der Gegenreformation hinterließen ihre Spuren im Land ob der Enns und bei seinen Bewohnern. Das Gefühl, durch die Rückkehr unter die Herrschaft des Kaisers möchten nun wieder normale Verhältnisse eintreten, mag die Menschen beherrscht haben, und viele mochten hoffen, mit der bayerischen Herrschaft, die wie eine Zuchtrute auf das Land gewirkt hatte, werde auch der bayerische Statthalter Herberstorff, der zum Symbol dieser Fremdherrschaft und der konfessionellen Bedrückung geworden war, verschwinden. Nicht nur die Protestanten, nicht nur die niedergeworfenen Bauern haben offenbar diese Hoffnung gehegt, auch Männer des öffentlichen Lebens, aus den Ständen, auch Katholiken sahen, als die Abledigungsverhandlungen im Gange waren, die Macht des unbequemen Statthalters zerrinnen. Konstantin Grundemann, einst Mitkommissär Herberstorffs bei der Gegenreformation, hat nicht ohne eine gewisse Befriedigung an den Abt von Göttweig unter Bezug auf Herberstorff geschrieben: „sic transit gloria mundi et omnias potentia eius“[147].

Zunächst schien es auch tatsächlich so zu sein. Das Land wurde nach der Übergabe von den kaiserlichen Administratoren regiert, und der Statthalter scheint nur mehr als „der gewest bayerisch Statthalter“ auf. Den Ständen freilich blieb Herberstorff auf alle Fälle als ihr Mitglied erhalten, und er saß gleichsam mitten in ihrem Corpus. Aber er war nur mehr einer von ihnen, ohne „Potentia“ und ohne fürstlichen Auftrag, ein Landsmitglied wie all die anderen, die durch Jahre einen doch sehr zähen Kampf gegen ihn als Statthalter geführt hatten, wo immer sie nur konnten. Hatte der Kaiser in seiner Antwort an die Landstände nach der Rückkehr Oberösterreichs an das Haus Österreich geschrieben, er werde das alte Herkommen wieder berücksichtigen, so mußte dazu auch gehören, daß die provisorische Verwaltung des wiedergewonnenen Landes nur von kurzer Dauer sein werde und der dem alten Herkommen entsprechenden Form weichen werde. Das bedeutete das Ende der Verwaltung durch Administratoren und die Einsetzung eines Landeshauptmannes. Während der Abt von Kremsmünster wieder nach Wien zurückgekehrt war, waren Salburg und Spindler als Administratoren im Lande geblieben. Dieses Übergangsstadium war aber tatsächlich kurz und dauerte nur knapp vier Monate. Aber nun, Ende August 1628, kam für viele die große Überraschung, die wie ein Schlag gewirkt haben mag. Am 28. August 1628 informierten die kaiserlichen Administrationskommissäre die ständischen Verordneten, daß der Kaiser den Grafen Adam von Herberstorff zum Landeshauptmann ob der Enns ernannt habe und daß sie den Befehl hätten, diesen den Ständen zu präsentieren und die Installation Herberstorffs zum Landeshauptmann am Mittwoch, 30. August, im Linzer Schloß durchzuführen[148]. Herberstorff sollte also — wohl nicht mehr als Statthalter eines fremden Fürsten, sondern als Repräsentant des Kaisers und des Landesfürsten — weiterhin an der Spitze des Landes ob der Enns stehen. Um zehn Uhr Vormittag des 30. August 1628 versammelten sich also die vier Landstände ob der Enns in der Ritterstube des Linzer Schlosses. Etwas später geleiteten die kaiserlichen Administratoren Hans Heinrich Freiherr von Salburg und Johann Baptist Spindler von Hofegg Herberstorff aus dem innersten Gemach. Darauf sprach Graf Salburg und teilte den Ständen mit, der Kaiser habe Herberstorff „umb seiner Qualitäten und Ihrer Majestät in unterschiedlichen vielen Occasionen erzeigten heroischen Diensten willen“ zum Landeshauptmann ernannt. Sie, die kaiserlichen Kommissäre, stellten nun Herberstorff den Ständen vor. Der Befehl des Kaisers an die Stände war es nun, Herberstorff „nunmehr und hinfüro wirklichen zu ehren, zu respektieren und in allen Gerichtssachen zu folgen und Gehorsam zu leisten“. Dem üblichen Zeremoniell folgend sprach für die Stände wieder Helmhard Jörger; er begrüßte, daß die Justitia mit einer „kontinuierlichen Landeshauptmannschaft“ bestellt sei. Die Stände verpflichteten sich, Herberstorff als Vertreter des Kaisers Gehorsam zu leisten, und sprachen die Hoffnung aus, der neue Landeshauptmann werde sich die Stände, vor allem die Justiz und die alten Privilegien und Freiheiten der oberösterreichischen Landstände angelegen sein lassen. Auch Herberstorff sprach wenig, wie er dies bei solchen Gelegenheiten zu tun gewohnt war, und durchaus im Formelhaften bleibend. Er sprach vom Dank an den Kaiser für das in ihn gesetzte Vertrauen, er erhalte nun Gelegenheit, seine Schuldigkeit zu des Kaisers Zufriedenheit zu tun. Er hoffe, so sagte er zu den Ständen weiter, „mit Assistenz des Höchsten dieses Amt also zu bedienen, daß es Ihro Majestät zu Gefallen gereichen, und des Vaterlands Aufnehmen wie auch der löblichen Ständ Nutzen und Bestes solle befördert werden". Auch erwarte er die Korrespondenz und Assistenz der Stände, damit er sein schwieriges Amt leichter ausüben könne und die Intention des Kaisers desto mehr befördert werde. Der Akt im Linzer Schloß wurde mit einem Festmahl beendet, bei dem auch die Landstände Gäste des neuen Landeshauptmannes waren. Eine Angelobung oder ein Handschlag ist bei dieser Installation Herberstorffs unterblieben. Die Quellen berichten diese Tatsache mit dem Vermerk, es sei dies allerdings vor dem Akt von Herberstorff „privatim" angestrebt worden[149].

Mit dieser feierlichen Installation als Landeshauptmann des Landes ob der Enns stand Herberstorff als Repräsentant des Kaisers an der Spitze des Landes nach einer nur viermonatigen Ära, die er ohne öffentliches Amt im Lande weilte. Der Kaiser hatte sich bei dieser Ernennung durchaus an das Herkommen und an den Landesbrauch gehalten. Denn Herberstorff war nun kein Fremder mehr, er war im Land ansässig, besaß zahlreiche Güter und war Mitglied des oberösterreichischen Herrenstandes. Die Stände mußten lernen, ihn als einen aus ihrer Mitte zu betrachten und konnten nichts gegen Herberstorffs Ernennung vorbringen. Dennoch ist es noch immer irgendwie unverständlich, daß Ferdinand II. den Grafen Herberstorff zum Landeshauptmann ernannte, der doch durch die Tätigkeit als Statthalter im Lande verhaßt war und durch seine Person die schwere und bittere Zeit der bayerischen Pfandschaft gleichsam über ihr Ende hinaus fortzusetzen schien. Schon Franz Kurz[150] hat diese Maßnahme des Kaisers nicht verstehen können, vermutete ein Übereinkommen des Kaisers mit Maximilian von Bayern oder eine Kompensation für Herberstorff gegen allfällige Forderungen des ehemaligen Statthalters an die Stände. Beides ist unrichtig. Zunächst scheint im ganzen Zusammenhang von Interesse zu sein, daß der Kaiser auch dem bayerischen Vizedom Georg Pfliegl, der kaum weniger verhaßt war im Lande ob der Enns als der Statthalter, angeboten hatte, in kaiserlichem Dienst im Lande zu bleiben. Pfliegl hat wohl abgelehnt und ist im Dienst des Kurfürsten verblieben und als Kammerrat und Rentmeister nach Amberg gegangen[151]. Dieses kaiserliche Angebot an Pfliegl zeigt aber, daß die Belastung durch die Tätigkeit im Dienste Bayerns während der Pfandschaft offenbar für Wien nicht mehr zählte und daß man versuchte, nunmehr mit dem Land und seinen Problemen gut vertraute bayerische

Funktionäre, die Besitz im Lande erworben hatten und Landsassen geworden waren, hier zu halten. Das gilt bei Herberstorff noch im viel größeren Maße als bei Pfliegl.

Der ehemalige Statthalter war durch seine Besitzungen im Land echt verankert, er hatte wie keiner die Probleme im Land ob der Enns kennengelernt und war ein vornehmes Mitglied des Herrenstandes. Daß man 1626 während des Bauernkrieges seine Abberufung wiederholt von Wien aus verlangte, hatte seine Ursache im Aufstand der Bauern und in der auch propagandistisch und politisch-taktisch konsequent vertretenen Auffassung des Wiener Hofes, nur oder in erster Linie richte sich die Rebellion gegen die Bayern und ihren Exponenten. Das fiel jetzt weg, das Land war zur Ruhe gebracht, und selbst wenn man neue Unruhen befürchten mochte, konnte man in Herberstorff als einem routinierten Gouverneur eine Garantie für die Ruhe sehen. Dann mag für den Kaiser wohl auch noch die Tatsache mit ausschlaggebend gewesen sein, daß das Reservoir an oberösterreichischen Herrenstandsmitgliedern, die für die Position als Landeshauptmann in Frage gekommen wären, bei der Emigration des evangelischen Adels und bei den wenigen Katholischen, die hier blieben, sehr bescheiden war. Hurter hat in seiner Geschichte des Kaisers Ferdinand davon gesprochen, Herberstorffs Ernennung zum Landeshauptmann sei dessen „beredteste Rechtfertigung“ durch den Kaiser gewesen. Man denkt dabei an jenen Brief Herberstorffs, den dieser am Ende des Bauernkrieges an den Kaiser geschrieben hatte. In diesem Schreiben hatte er vom Kaiser wegen der Diffamierung, der er im Bauernkrieg ausgesetzt war, eine öffentliche Rehabilitierung verlangt[152]. Sollte die Ernennung zum Landeshauptmann die Erfüllung dieser Forderung gewesen sein? De facto jedenfalls war sie es.

Durch ein neu aufgefundenes Gutachten, das dem Geheimen Rat Ferdinands II. über die Neubestellung der Verwaltung Oberösterreichs nach der Wiederabtretung durch Bayern bereits im März 1628 vorgelegt wurde, werden alle diese Überlegungen durchaus bestätigt[153]. Man war am Wiener Hof zunächst entschlossen, das Amt des Statthalters wieder abzuschaffen und dem alten Landbrauch folgend einen Landeshauptmann an die Spitze des Landes zu stellen. Naturgemäß hat sich sofort die Frage gestellt, wer dieser neue Landeshauptmann sein sollte. Und es ist von höchstem Interesse, daß primo loco der bisherige Statthalter Graf Herberstorff vorgeschlagen wurde. Dabei war man sich der Verhaßtheit Herberstorffs durchaus bewußt: „Obwollen uns und fast menniglich zu benüegen wissend wie sehr der bishero geweste Chur Bayerisch Statthalter Adam Graf von Herberstorff sowol bey denen Stänndten als auch anderen deß Landts Unterthanen unnd Inwohnern umb allerhandt suspition und beschuldigungen willen verhaßt ...“, so wollte man es dennoch nicht für richtig befinden, den Statthalter bei der Neubesetzung der Landeshauptmannstelle zu übergehen „in Anmerkung er es sonsten für ein große Ungnadt und als beschäche Ime hiedurch etlicher masen ein spott und Verachtung seiner Person halten würdte ...“. Allerdings sollte diese Bestellung Herberstorffs als Landeshauptmann nur unter zwei Bedingungen erfolgen: zuerst, daß er sich „aller und jeder Diensten bey Chur Bayern würklich begebe“ und zweitens, daß er die Landeshauptmannschaft nur so ausüben dürfe, wie es dem alten Herkommen entspreche — wie es heißt —, „mit annemb und parierung der niederösterreichischen Regierung“, d. h. also, daß der Instanzenzug zur niederösterreichischen Regierung, der in der bayerischen Zeit naturgemäß wegfiel, wiederhergestellt werde, wie es der Verfassung entsprach. Zur ersten Bedingung, betreffend die bayerischen Dienste Herberstorffs, schloß man zunächst auch die Abgabe seiner Regimenter zu Fuß und Roß mit ein. Da man Herberstorffs Bereitschaft nicht kannte, mußte man auch andere Möglichkeiten ins Auge fassen. Und hier sah man die Schwierigkeiten: den Mangel geeigneter katholischer Herren im Land ob der Enns. Es werden nur zwei genannt, der am Hof Ferdinands wirkende Graf von Losenstein und Karl Leonhard von Harrach, die man beide aber für zu jung und zu unerfahren hielt. Würde man aus einem der anderen Erbländer des Kaisers einen Landeshauptmann für Oberösterreich holen, so dachte man wohl unter anderem etwa an Hans Heinrich von Salburg, an Georg Teufel, Ulrich von Schärfenberg und sogar an den Oberst Hans Christoph Löbl, obwohl dieser als Kommandant der Kaiserlichen während des Bauernkrieges mit all den Greueln und Verwüstungen dieser bitteren Tage im Lande weitgehend identifiziert wurde. Aber konkret vorgeschlagen wurde als einzig geeignet für den Fall, daß Herberstorff im bayerischen Dienste verbleibe, der Freiherr Hans Christoph von Ursenbeck[154]. Der Kaiser bzw. der

Geheime Rat hat nach diesem Vorschlag entschieden, der Abt Anton von Kremsmünster solle mit Herberstorff mündlich die Angelegenheit besprechen. Wenn der Statthalter bereit sei, den kurbayerischen Dienst zu verlassen, so wolle ihm der Kaiser „wegen seiner bishero gelaisten getreuen und gehorsamist willigen Dienst und bishero im Land erlangten guten Erfahrenheit" die Landeshauptmannschaft übertragen. Sollte aber Graf Herberstorff im bayerischen Dienst bleiben, „wolle Ime Ir kayserl. Majestat an seiner Wolfart nit verhindern". Abt Wolfradt erhielt diesen Auftrag — sich mit Herberstorff diesbezüglich in Verbindung zu setzen — auch in seiner Instruktion als Übernahmekommissär des Kaisers. Leider sind wir über die Besprechung Herberstorff—Wolfradt nicht informiert. Da jedoch in dem erwähnten Gutachten auch vorgeschlagen wird, wenn Herberstorff zögere, so solle man zunächst das Land interimsweise durch die Kommissäre verwalten lassen, was dann ja tatsächlich geschah, so kann man daraus schließen, daß es Schwierigkeiten gab. Man wird kaum fehlgehen, wenn man die Auffassung gewinnt, daß Herberstorff wohl bereit war, den bayerischen Dienst zu quittieren, nicht jedoch, seine Regimenter aufzugeben. In Wien dürfte man sich schließlich damit begnügt haben, daß Herberstorff aus dem Dienst des Kurfürsten ausschied, seine Regimenter aber beim Liga-Heer behielt, worauf dann im August seine Ernennung erfolgen konnte.

Man erfährt nichts davon, daß Herberstorff wie Pfliegl daran dachte, im bayerischen Dienst zu verbleiben. Für ihn, der gerade in den letzten Jahren durch Gütererwerbungen seine Seßhaftmachung im Lande in außerordentlicher, fast hektischer Weise betrieben hatte, war der kaiserliche Dienst, der es ihm ermöglichte, im Lande und bei seinen Herrschaften und Schlössern zu bleiben, wesentlich attraktiver geworden als der kurbayerische. Herberstorff glaubte jedenfalls, das Beste für sich herauszuholen. Aber ganz ging die Rechnung nicht auf. Man hat auch durchaus den Eindruck, daß Kurfürst Maximilian über Herberstorffs Übertritt in den kaiserlichen Dienst verärgert war. Herberstorff war ein sehr treuer Diener Maximilians gewesen, und der Kurfürst hat auch in kritischen Tagen, wie zur Zeit der Forderung nach Abberufung Herberstorffs, seine Hand schützend über den Statthalter gehalten. Es mag ihn tief verletzt haben, daß Herberstorff nun seinen Dienst aufkündigte, weil es für ihn vorteilhafter war, dem Habsburger zu dienen — so wie er einst den Neuburger Herzog zugunsten des verlockenderen bayerischen Angebotes verlassen hatte[155]. Die Verstimmung in München scheint groß gewesen zu sein. Schon im April 1628 war man sich am bayerischen Hof nicht im klaren, was nach der Übergabe des Landes mit dem Statthalter geschehen solle, und der Fürst von Zollern stellte in der Sitzung des Rates in Anwesenheit des Kurfürsten offen die Frage, „ob Statthalter zu entlassen" und „wie es mit seinen Regimentern zu halten". Von Pfliegl, dem Rat Riemhofer und Dr. Sturm wußte man, daß sie sich erklärt hatten, weiterhin dem Kurfürsten zu dienen, und man hatte für sie daher auch neue Ämter in der Oberpfalz in Aussicht. Bezüglich Herberstorffs Absichten war man sich jedoch im unklaren, und man wollte sich nicht eine Abfuhr holen, wenn man ihn bat, im bayerischen Dienst zu verbleiben[156]. Herberstorff scheint aber diese Bitte um weitere Verwendung im Dienst des Kurfürsten nicht gestellt zu haben. Vielleicht hat er auch durch ein etwas verstecktes Spiel — ein Hinauszögern der Entscheidung, bis er von Wien sichere Zusagen hatte — den Kurfürsten besonders verletzt und verärgert.

Ein sicheres Zeichen dieser Unzufriedenheit Maximilians ist es zweifellos gewesen, daß der Kurfürst schon Anfang November 1628 daranging, Herberstorffs Regiment zu Pferd, das damals in der Altmark lag, abzudanken. Herberstorff war offenbar über die Mitteilung des Kurfürsten sehr betroffen. Denn er ersuchte sogleich den Kaiser um die Erlaubnis, nach München reisen zu dürfen, wo er — wie er an Maximilian schrieb — in einigen Tagen sich einstellen wollte, um die Angelegenheit mit dem Kurfürsten und seinen Räten zu besprechen. War doch in Maximilians Brief ein Passus, der den Landeshauptmann etwas irritierte. Denn der Kurfürst verlangte von Herberstorff auch eine genaue Abrechnung über die aus der Liga-Bundeskasse empfangenen Gelder[157]. Wir wissen nun nichts Näheres über das Ergebnis der Münchner Reise Herberstorffs im Herbst 1628. Er scheint dort aber auf taube Ohren gestoßen zu sein, und es hat ihn schwer verletzt, daß, als er in München Geldrückstände eintreiben wollte, ihm offenbar eine viel höhere Gegenrechnung präsentiert wurde, zweifellos vor allem die Schuld für Tollet[158]. Daß er die Abdankung seines Reiterregiments nicht verhindern konnte, kann man daraus ersehen, daß der Kurfürst wenig später daranging, auch Herberstorffs Regiment zu Fuß zu „reformieren“. Herberstorff erhielt im Januar 1629 Informationen in dieser Hinsicht und wandte sich an Maximilian mit der Bitte, diese Auflösung seines Regimentes zu verhindern. Bis Februar scheint die Sache sich noch verzögert zu haben. Dann wußte Herberstorff offiziell, daß Tilly dem Oberstleutnant des Herberstorffschen Regiments zu Fuß Befehl gegeben hatte, die Befehlshaber abzuschaffen, die gemeinen Soldaten sollten bei anderen Regimentern „undergestoßen“ werden. Herberstorff, der eben — „in dieser Stund“ — die Nachricht erhalten hatte, wandte sich sogleich an den Kurfürsten. Er habe sich, so meinte Maximilians Kriegsoberst Herberstorff, ohne sich rühmen zu wollen, immer dem Willen des Kurfürsten akkommodiert, und er wolle auch jetzt keine weitere „Difficultät“ machen, aber die „eilende und unverhoffte Reformierung“ seines Regiments füge ihm unwiederbringlichen Schaden zu. Erst vor kurzem seien die Soldaten neu uniformiert und die Kompagnien verstärkt worden. Herberstorff bittet den Kurfürsten um Gnade, er solle „diß Regiment mir zu so großem Schimpf und Nachtl auf solche Weis nit reformieren, sondern völlig abdanken“. Der ehemalige Statthalter Maximilians empfand, abgesehen vom finanziellen Schaden, die Art der Auflösung seines Regiments als Schande, die man ihm persönlich antat. Maximilian meinte zwar, die Auflösung sei nötig aus sachlichen Gründen und es sei dies kein Zeichen seiner Ungnade. Aber er blieb bei seinem Entschluß. Herberstorff sollte, so meinte der Kurfürst, mehr den Nutzen des allgemeinen katholischen Wesens als andere Rücksichten in Acht nehmen. Herberstorffs Ärger mag sehr groß gewesen sein, und der Schaden obendrein. Der Übertritt in die Dienste des Kaisers war also sicher nicht ohne Schwierigkeiten mit Bayern erfolgt[159].

Herberstorffs Stellung als Landeshauptmann ob der Enns war eine grundsätzlich andere als jene, die er als Statthalter innehatte. Als Statthalter war er Vertreter eines fremden Fürsten im Lande, als Landeshauptmann aber Repräsentant des eigenen Landesfürsten. Freilich hatte zu Anfang der Besatzungszeit der Herzog von Bayern gemeint, sein Statthalter unterscheide sich vom Landeshauptmann nur durch die Bezeichnung. Und der Statthalter hatte naturgemäß viele Funktionen eines Landeshauptmanns in Verwaltung und Gerichtswesen auszuüben. Aber das Statthalteramt war etwas Außerordentliches, eine außerhalb des Rahmens der Landesverfassung stehende Institution, aus der besonderen Situation der Niederwerfung der Rebellion und der Verpfändung des Landes geboren. Der Landeshauptmann aber war das Herkömmliche, eine Institution, die dem Rechtsbrauch des Landes, seiner Verfassung, entsprach. Herberstorff mußte sich daher auch innerlich umstellen von seiner außerordentlichen Stellung mit stetiger Überschreitung und Verletzung des alten Rechts auf seine neue Funktion, die im Rahmen der Landesverfassung ihre Aufgaben, aber auch ihre Grenzen hatte. Das alte Herkommen, das die Stände verfochten, hatte er bisher nicht unbedingt respektieren müssen, als Landeshauptmann war er an dieses gebunden. Herberstorff war als Landeshauptmann nur eine sehr kurze Wirkungszeit gegönnt, und es konnte ihm in dieser Periode seiner Wirksamkeit nicht gelingen, das Bild, das von ihm in den Augen der Zeitgenossen von seiner Statthalterzeit her lebendig gewesen war, wesentlich zu ändern. Er blieb der „Statthalter“, wenn er auch durchaus bemüht gewesen sein mag, in seine neue Stellung hineinzuwachsen.

Es ist fast charakteristisch, daß der neue Landeshauptmann Herberstorff zunächst wieder als Werber von Kriegsvolk — wohl für seine Regimenter — in Erscheinung trat. Er hatte diese Werbungen im Lande, die zunächst zur Zeit des Bartholomäi-Marktes in Linz stattfanden, auch nachher noch fortgesetzt. Die Stände wurden dabei wohl an die bayerische Besatzungszeit, die kaum vergangen war, wieder erinnert, als Herberstorff in seiner Eigenschaft als Kriegsunternehmer des Liga-Heeres im Land die Werbetrommel rühren ließ und alle die damit verbundenen unliebsamen Folgen, wie das sogenannte Auslaufen der Knechte, wieder im Lande spürbar wurden. Die Landstände meinten, daß dies dem gemeinen, ohnedies bis aufs Mark ausgesaugten Bauersmann sehr beschwerlich sei, und sie bewogen ihren Abgesandten in Wien, den Abt Georg von Wilhering, beim Kaiser ein Verbot dieser Werbungen zu erreichen. Sie hofften dies um so mehr, als sie von ihrem Agenten in Wien, Hartmann Drach, erfahren hatten, daß friedländischen Werbern in Niederösterreich die Werbungen eingestellt wurden. Der Wilheringer Abt erreichte ein Schreiben des Kaisers an Herberstorff, in dem der Landeshauptmann auf das derzeitige Verbot von Werbungen in allen

Erbkönigreichen und Ländern des Kaisers hingewiesen und ihm auch die Werbungen im Land ob der Enns ohne ausdrückliche Genehmigung des Kaisers untersagt wurden[160].

Die Landstände traten bald nach der Abledigung des Landes in intensive Verhandlungen mit dem Wiener Hof, deren Ziel eine Normalisierung der Verhältnisse im Lande in wirtschaftlicher und rechtlicher Hinsicht war. Auch manche der alten ständischen Freiheiten und Privilegien hatten noch immer nicht die kaiserliche Konfirmation gefunden. Diese Bestätigung wurde von den Ständen in Wien mit Erfolg sehr aktiv betrieben. Es beleuchtet nun die neue Stellung Herberstorffs sehr klar, daß Ende Oktober an ihn ein kaiserliches Schreiben erging, in dem er über die Konfirmation der ständischen Freiheiten informiert und ihm ein ganzes Paket von Abschriften dieser Urkunden übersandt wurde, da es ja notwendig war, daß er als Landeshauptmann die ständischen Freiheiten des Landes kennt. Herberstorff wird dabei vom Kaiser der Befehl erteilt: „Daß du diese der Ständt confirmierte Privilegia bey der Landshauptmannschaft in gebührende Obacht nembst, ihme denen Ständen darüber allen Schutz erteilest und im wenigsten nicht verstattest, daß sy darwider von iemandem beschwert oder auch sonsten denselben ichtes in contrarium zuegelassen noch gehandlet werde."[161] Der Rahmen der alten Verfassung des Ständestaates, in den nun Herberstorff als Landeshauptmann hineingestellt war, ist hier deutlich zu sehen. Freilich hatte auch früher schon der Kaiser den bayerischen Statthalter auf Einhaltung von ständischen Rechten hingewiesen, aber Herberstorff hat sich um diese Dinge damals wenig gekümmert, und er war ja der Ingerenz des Kaisers als unmittelbarer Repräsentant des Kurfürsten weitgehend entzogen gewesen. Die zweifellos wichtigste Handlung der Landeshauptmannschaft Graf Herberstorffs war die Abhaltung des ersten oberösterreichischen Landtages nach der Rückkehr des Landes zu Österreich. Schon im November 1628 erhielt der Landeshauptmann ein kaiserliches Patent zur Einberufung des oberösterreichischen Landtages für den 7. Januar 1629 und zugleich die kaiserlichen Ausschreibungspatente. Am 2. Januar 1629 wurden für den Landeshauptmann und den Vizedom Konstantin Grundemann die Kredenzbriefe ausgestellt, denen zufolge Herberstorff und sein Vizedom zu Landtagskommissären ernannt und damit als die Vertreter des

Landesfürsten für die Abhaltung des Landtages beglaubigt wurden[162]. Es ist von Interesse, daß Herberstorff noch am Tage vor dem Zusammentritt des Landtages an die ständischen Verordneten den Befehl sandte, daß sie keinen Unkatholischen aus dem Herren- und Ritterstand, ob sie nun Emigranten seien oder einen Verlängerungstermin haben, zu den angesetzten Ständezusammenkünften einladen dürfen. Sollte eines der evangelischen Ständemitglieder aber ungeladen erscheinen, so waren die Verordneten angehalten, „selbige abzuschaffen"[163]. Am 7. Januar trat nun dieser erste Landtag seit der Ablöse des Landes aus der bayerischen Pfandschaft in Linz zusammen, und schon Herberstorffs eben erwähntes Dekret läßt erkennen, daß er ein anderes Gesicht hatte als seine Vorgänger. Herberstorffs Aufgabe als Landtagskommissär war es, nach dem Zeremoniell der alten ständischen Landtage, auf denen hier in Oberösterreich der Prälatenstand, der Herrenstand, der Ritterstand und die sieben landesfürstlichen Städte vertreten waren, dem Landtag die kaiserliche Proposition vorzutragen. Sie wurde am 10. Januar von den Ständen abgehört. In dieser waren — eingebettet in ein ganzes Vokabular der ständestaatlichen Terminologie — die Wünsche des Landesfürsten an die Landstände enthalten. Im Kern ging es um die finanziellen Hilfen, um die Bewilligung von Geldmitteln seitens der Stände für Maßnahmen des Landesfürsten, für welche die Einkünfte aus dem Kammergut nicht ausreichten. Auf dem Januar-Landtag 1629 stellten Herberstorff und sein Mitkommissär Grundemann im Namen des Kaisers die Forderung nach Bewilligung von 40.000 Gulden für die Verproviantierung und Unterhaltung der ungarischen Grenzbefestigungen gegen die Türken, und weiters wünschten sie, die Stände sollten für die Kosten der diplomatischen Sendungen an die Hohe Pforte und zu den Unkosten der bevorstehenden Hochzeit des Königs von Ungarn, des späteren Kaisers Ferdinand III., 40.000 bis 50.000 Gulden bewilligen[164]. Herberstorff war in seiner bayerischen Statthalterzeit ein wahrer Routinier im Eintreiben von Geldern bei den Landständen geworden. Das mag ihm auch jetzt zugute gekommen sein. Er war ungeduldig und hatte gehofft, daß das übliche Feilschen und das Drohen, das er bisher als Chef der Besatzungsmacht angewendet hatte, nicht notwendig sei bei den nun gut kaiserlich gesinnten Landständen. Aber wenn auch die alten oppositionellen protestantischen

Stände nicht mehr im Landtag waren, so waren bei aller Loyalität die nunmehr katholischen Stände eben Landstände — Partner und zugleich Gegenpol des Fürsten — und lebten ihrem eigenen Gesetz nach. Auch sie wollten nicht ihr Geld ohne Überlegung und ohne Versuch, mit einer geringeren Bewilligung auszukommen, dem Landesfürsten kontribuieren. Daher berieten sie. Als vier Tage nach der Abhörung der Landtagsproposition der Landeshauptmann noch keine Zusage hatte, mahnte er die Stände, ihre Beratschlagung der Landtagsproposition „zu maturieren", also zu beschleunigen. Herberstorff und der Vizedom mußten sich daraufhin von den ständischen Verordneten belehren lassen, sie hätten von den gesamten Ständen keinen Befehl, die Proposition zu beraten, sondern das Wirtschaftswesen „altem Gebrauch nach ehe und zuvor man zur Proposition schreite" zu beratschlagen. Sie meinten, das sei die Voraussetzung dafür, daß man über die gewünschten Geldbewilligungen sprechen könne[165]. Dennoch hat Herberstorffs Drängen sie zu einer erstaunlichen Eile bewogen. Am 20. Januar schon erstellten sie ihre Antwort auf die kaiserliche Proposition und bemerkten gleich eingangs, daß sie es begrüßt hätten, wenn der Kaiser selbst beim Landtag — wie dies ja früher durchaus üblich war — anwesend wäre. Sie erwähnten dankbar die Lösung des Landes aus der bayerischen Pfandschaft, sagten nicht ohne Bitterkeit, daß sie auf ihre 1,4 Millionen Gulden betragende Forderung gegenüber dem Kurfürsten unter dem „beweglichen zuesprechen und persuadieren" der kaiserlichen Kommissäre hätten verzichten müssen, schilderten die Not des Landes in einer Weise, wie dies ja förmlich zu einem Topos in den ständischen Schriften geworden ist. Aber diesmal — nach Aufstand, Besatzung und Bauernkrieg — stimmte es: die Schuldenlast des Landes betrug mehr als vier Millionen Gulden. Dennoch erklärten die Stände sich zu einer Pauschalbewilligung von 65.000 Gulden bereit[166]. Außerdem wollten sie, da sie eine Einladung zur Hochzeit König Ferdinands erhalten hatten, dieser Folge leisten, und sie hatten beschlossen, dem König — nicht als Kontribution, sondern als Hochzeitspräsent — 15.000 Gulden zu überreichen. Herberstorff war die Pauschalsumme zu gering, und er ermahnte die Stände mündlich, mehr zu geben.

In der zweiten Landtagsantwort erhöhten daraufhin die Stände ihre Bewilligung von 65.000 auf 70.000 Gulden. Herberstorff sollte beim Kaiser aber erwirken, daß die Zahlungstermine nicht zu kurz wären — die letzte Zahlung erst um Martini 1629 — und daß schon nach der ersten Ratenzahlung ihnen der Schadlosbrief ausgehändigt werde, der ihnen altem Rechtsbrauch nach bestätigte, daß ihnen diese Bewilligung nicht präjudizierlich sei[167]. Nach Herberstorffs Bericht an den Wiener Hof traf die kaiserliche Resolution ein, welche die Geldbewilligung der Stände in der Höhe von 70.000 Gulden und das Präsent für den König von Ungarn — 15.000 Gulden — annahm[168]. Herberstorff mußte nun den Ständen die kaiserliche Resolution vortragen und dann den Landtag schließen. Der Landeshauptmann dürfte seine Aufgabe als Landtagskommissär des Kaisers zweifellos erfüllt haben, und der kaiserliche Hof war mit der Höhe des bewilligten Betrages und mit der Schnelligkeit wohl zufrieden, mit der die Stände ob der Enns den Wünschen des Kaisers nachgekommen waren.

In der kaiserlichen Resolution über die Landtagsbewilligung war auch der Wunsch des Kaisers zum Ausdruck gebracht, die Stände möchten eine Gesandtschaft nach Wien senden, die Abrechnung über die „Mittelsgefälle" vorlege, und sie sollten die vom Kaiser als Landleute bestimmten Persönlichkeiten in ihr Corpus aufnehmen und auch für Landleute halten. Die Absendung nach Wien war bereits geplant; und schon am 18. Januar erhielten der Abt von Wilhering, Georg Christoph von Schallenberg und Erasmus von Rödern eine Instruktion für diese Reise. Hinsichtlich der vom Kaiser gewünschten Aufnahmen neuer ständischer Mitglieder waren die Stände durchaus willig, betonten aber die Notwendigkeit, daß die Bewerber die nötigen Qualifikationen aufweisen und daß die Aufnahme nach altem Brauch nur bei einem Landtag erfolgen könne[169]. Unter den Punkten, die in Wien dann Monate hindurch behandelt wurden, war auch die Abrechnung der sogenannten Hilfsmittel oder Mittelsgefälle. Es handelte sich dabei um die finanzielle Seite der Religionskonzession von 1568. Damals waren die Stände bereit, gegen die Bewilligung der Religionsfreiheit dem Kaiser 1,200.000 Gulden zur Verfügung zu stellen. Außer der Religionskonzession verlangten die Stände damals auch finanzielle Absicherungen. Es wurde ihnen vom Kaiser ein Aufschlag gewährt auf Getränke (doppeltes Zapfenmaß, Taz), eine Anlage auf alle Personen des Landes und ein Aufschlag auf verschiedene Waren, bis zur

Abzahlung dieser von den Ständen zur Verfügung gestellten Summe. Ursprünglich waren diese „Hilfsmittel“ für die Stände nur auf zehn Jahre bestimmt, da aber stets neue Hofschulden und Zahlungen für den Landesfürsten dazugekommen sind, hörten diese „Hilfsmittel“ nicht auf[170]. Jetzt, nach dem Ende der bayerischen Besatzung, wollte nun die Wiener Hofkammer abrechnen. Um diese „Hilfsmittelabrechnung“ ging es durch das ganze Jahr hindurch, sie scheint den Ständen beträchtliche Schwierigkeiten bereitet zu haben. Da die Landstände nach der bayerischen Besatzungszeit stark verschuldet waren, hatte ihnen nunmehr Ferdinand II. wiederum einen Aufschlag auf Waren — den sogenannten „neuen Aufschlag“ — gewährt[171]. Auch dieser neue Aufschlag bildete den Anstoß zu Diskussionen zwischen Ständen und dem Wiener Hof, welcher einschränkend interpretierte, während die Stände die Bestimmung allgemeiner ausgelegt wissen wollten. Auch die Revision der Landtafel, kleinere Dinge, wie die Eröffnung des hinteren Landhaustores, Exekutionsfragen spielten, wie das Problem der ausländischen Lehen und spezifische Schuldenfragen, eine große Rolle in diesen ständischen Verhandlungen in Wien.

Mit allen diesen Dingen war natürlich auch Herberstorff als Landeshauptmann mehr oder weniger befaßt. Gerade die verschiedenen Auffassungen über den neuen Aufschlag wurden an den Landeshauptmann herangetragen. Während der Wiener Hof den Landeshauptmann anwies, dafür zu sorgen, daß dieser neue Aufschlag nur für die Stände und Bewohner des Landes, nicht aber für Ausländer und auch nicht für das befreite Eisen- und Salzwesen gelte, betrachteten dies die Stände als eine Restriktion und Schmälerung ihrer Einnahmen. Herberstorff erhielt vom Kaiser auch den Befehl, um den Ständen in ihrer Schuldenlast eine Hilfe zu gewähren, solle er keine Exekutionen gegen sie ergehen lassen, wenn die Stände die Zinsen zahlen und nur auf Rückzahlung des Kapitals geklagt werden[172]. Als der Kaiser den Rest der fälligen Strafe wegen der Ständerebellion — es handelte sich um 100.000 Gulden — dem Gregor Händl, ehemaligem ständischen Einnehmer, überließ, mußte Herberstorff eine Liste mit den zahlungspflichtigen Ständemitgliedern und den auf sie fallenden Anteilen dem Wiener Hof liefern[173]. Auch mit Rangfragen, welche die Stände gelegentlich beschäftigten, wurde der Landeshauptmann befaßt. Als bei der laufenden Absendung nach

Wien im Frühjahr 1629 der Abt von Wilhering bei der Audienz die Rede hielt, duldeten dies die zwei oberen politischen Stände zwar, um dem gemeinen Wesen durch Streit und Verzögerungen keinen Schaden zuzufügen, aber sie legten feierlichen Protest beim Landeshauptmann ein und ersuchten ihn, diesen gerichtlich protokollieren zu lassen, „conservandi nostri juris causa“, da das Wort bei Audienzen stets dem Herrenstand, nicht aber dem Prälatenstand zustehe[174]. Auch die Frage der Landtafel berührte den Landeshauptmann. Dieses Kodifikationswerk des geltenden ständischen Rechtes — schon im 16. Jahrhundert in Angriff genommen und zur Zeit Tschernembls von Dr. Abraham Schwarz fortgesetzt — war noch immer ohne landesfürstliche Konfirmation und noch immer nicht publiziert. Nun schien es endlich dazu zu kommen, die Stände aber wollten, daß dieses ständische Gesetzeswerk nach Revidierung noch vor der Publizierung beim Landeshauptmann und bei ihnen, den Ständen, praktisch erprobt werde. Es kam allerdings in der Folge nie zu einer landesfürstlichen Bestätigung der oberösterreichischen Landtafel. Aber auch wenn sie nicht als solche in Kraft gesetzt wurde, enthielt sie dennoch geltendes Recht, selbst ohne den von den Ständen gewünschten Rechtsetzungsakt des Landesfürsten[175]. Eine wichtige Aufgabe Herberstorffs in dieser Zeit seiner Landeshauptmannschaft war die Bestellung des Landrates, des landeshauptmannschaftlichen Gerichtes auf Grund der neuen Landrechtsordnung. Als die Stände die „Ersetzung des Landrats durch Bestellung neuer Landräte, die qualifizierte Landleute“ waren und aus alten landsässigen Geschlechtern stammen mußten, forderten, da hatte sich der Kaiser bereits für bestimmte Personen entschieden, und Herberstorff hatte dann die Aufgabe, diese Männer nunmehr aus dem Prälatenstand und dem Herren- und Ritterstand zu installieren[176]. Als Landeshauptmann war Herberstorff selbst Vorsitzender des Landrechtes. Natürlich gab es neben den vielen wichtigen Dingen, welche nach der Rückkehr Oberösterreichs einer Erledigung harrten, viele Routinearbeit, die Herberstorff jetzt ebensowenig Freude bereitet haben dürfte, wie vordem, da er bayerischer Statthalter war.

Aber die Frist, die Adam von Herberstorff gesetzt war, lief bald ab. Ende August 1629 kam Abt Georg von Wilhering aus Wien nach Oberösterreich zurück, um seinen Auftraggebern, den

Landständen, über die schwierigen Verhandlungen in Wien, vor allem die Abrechnung der Gefälle, der „Hilfsmittel“ betreffend, zu berichten. Die Stände wollten nun, daß dieser wichtigen Sitzung auch Herberstorff — wohl in seiner Eigenschaft als Herrenstandsmitglied — beiwohnen sollte. Die Verordneten schickten an ihn, der in seinem Schloß Puchheim war, einen eigenen Boten und luden ihn zu dieser Relation des Wilheringer Abtes ein. Herberstorff wisse hinreichend, so meinten die ständischen Verordneten, „von was großer Importanz und Consideration dieses Werk sei“, und sie möchten bei dessen Beratung gerne auch Herberstorffs Votum kennenlernen. Es sei daher ihre Bitte „Euer Gnaden wollen vorderist dem gemeinen Wesen und löblichen Ständen, dann auch uns die Lieb und Genad erzeigen, und ihro einen Tag, so fürderlich als es etwo sein kann, zur unbeschwerten Heraberscheinung belieben“. Der Landeshauptmann möge sie dies wissen lassen, damit sie die Stände zu diesen wichtigen Konsultationen an dem von Herberstorff gewünschten Tag zusammenrufen könnten[177]. Aber Herberstorff konnte nicht kommen. Obwohl er — wie er den Verordneten zurückschrieb — die Wichtigkeit und „Consideration“ dieser Fragen kenne und obwohl er wisse, „wie merklich dem lieben Vaterland und den löblichen Ständen daran gelegen, daß man sich aus diesem Werk einsmals ohne großen Schaden und Nachtl extriciere“, sei es ihm nicht möglich, an der Beratung teilzunehmen. Er lag schwer krank in seinem Schloß Puchheim darnieder. Die Stände könnten ihm sicher glauben, schrieb er ihnen: „Daß wann mich nit mein Leibsschwachheit, die mich nun viel Täg dergestalt zu Peth gehalten, daß ich kein Tritt gehen mögen, man trag mich dann, hierin nit abhielt, daß mich gewiß nichts an der Erscheinung verhindern sollt. Weil es dann in der Wahrheit mit mir derzeit also beschaffen, daß ich auf kein viertel Meil Wegs reisen kann, also hoffe ich ... dieselben werden mein Niterscheinen nit ungleich aufnemben.“[178] Dennoch mochten die Stände noch nicht geahnt haben, daß es mit Herberstorff zu Ende ging. Als sie ihm am 5. September 1629 einen eingehenden Bericht über die Neuerrichtung des landschaftlichen Schulwesens sandten, da waren dem Landeshauptmann Herberstorff nur mehr wenige Tage gegönnt.

Die ihm spärlich gegebene Zeit im Dienste des Kaisers ging zu Ende. Er konnte sich als Landeshauptmann kaum profilieren.

Und wenn er auch in kaiserlicher Gnade stand und vom Kaiser mit dem höchsten Amt im Lande betraut worden war, wird es ihm an Beweisen echter Zuneigung und Anhänglichkeit im Lande wegen seines Wirkens als Statthalter sicherlich gefehlt haben. Gewiß, für das Land und seine Bewohner mag das Ende der bayerischen Ära für die Stimmung entscheidend gewesen sein, und man wird den Entschluß des Kaisers, Herberstorff als Landeshauptmann dem nunmehr freien Land vorzusetzen, nicht nur respektiert haben, was man ja tun mußte, sondern man wird diese Entscheidung des Kaisers als nun nicht mehr so stark ins Gewicht fallend auch innerlich hingenommen haben. Aber es war sicherlich eher ein passives Ertragen, ein Tolerieren. Für Herberstorff aber war die Zeit, die er zur Verfügung hatte, zu kurz, um von seinem Namen all das abzuwaschen, was diesen aus seiner bayerischen Zeit her verdunkelte. Herberstorff hatte am Ende des Bauernkrieges die „österreichische" Stimmung im Lande geschildert und gesagt, die Stände und Untertanen hängen sich „mit Gewalt" an die Kommissäre des Kaisers „und es hat schier Apparenz, als ob man von Chur. bair. Ministris nichts wisse oder wissen wolle"[179]. Eine solche patriotische Hochstimmung und Freude wird vor allem am Anfang der neuen Zugehörigkeit zu Österreich wieder dominierend gewesen sein im Land[180], und das Jahr der Wirksamkeit Herberstorffs im kaiserlichen Dienst dürfte trotz des bald einsetzenden Alltages von dieser Atmosphäre ihr Gepräge empfangen haben.

3. Das Ende

Der Tod schickt seine Boten, bevor er kommt. Der Statthalter, nunmehr Landeshauptmann Adam Graf von Herberstorff, wird sie gelegentlich erkannt haben, wenn sie bei ihm an die Türe pochten. Denn Herberstorff scheint schon längere Zeit hindurch krank gewesen zu sein; die „Leibsschwachheit", das „Übelaufsein", wie man das Kranksein damals viel treffender als heute bezeichnet hat, erscheint Jahre hindurch in Briefen und Dokumenten, die uns über das Leben Herberstorffs Aufschluß geben. Hatte er nicht einst, als er mit dem Liga-Heer vor der pfälzischen Hauptstadt Heidelberg lag, wochenlang das Bett hüten müssen und waren ihm dadurch nicht vielleicht sogar die so sehr begehrten Anteile an der Beute, die man aus dem kurfürstlichen Schloß weggeschleppte, entgangen, jene Tapezereien und Teppiche, um die er dann den Kurfürsten bat, auch wenn er sich bescheiden mit „schlechteren Stücken“ begnügen wollte[181]? Aber selbst als er nicht den Strapazen des Lagerlebens in den Kriegszügen beim Heer Tillys ausgesetzt war, sondern als er wieder im Land ob der Enns die Statthaltergeschäfte ausübte, war er im Frühjahr 1624 krank. Und es muß schon eine längere Krankheit gewesen sein, sonst hätte nicht der Kurfürst Maximilian in München von der „ein Zeit hero obliegenden Leibsindisposition“ seines Statthalters gewußt[182]. Und dem Abt von Göttweig gegenüber entschuldigte sich der Statthalter ein Jahr später, daß er — in Reformationsangelegenheiten — nicht viel ausgerichtet habe, mit der Begründung, er sei eine Weile „gar übel uff gewesen“[183]. Hat ihn nicht die Nachricht über den Aufstand in der Grafschaft Frankenburg im Mai 1625 überrascht, als man ihn in seinem Schloß Ort zur Ader ließ, jenes Allheilmittel, mit dem man in dieser Zeit Fürsten und Könige quälte[184]? Und es muß nicht immer nur ein „Cathar“ gewesen sein, wie im Frühjahr 1626, als er eine Reise nach Steyr deswegen absagen mußte. Denn gleich nachher, als der Bauernkrieg Mitte Mai 1626 ausbrach, war er wieder in Ort[185], wohin er sich wohl gerne zurückzog, wenn er sich nicht gesund fühlte, um den Aderlaß an sich vornehmen zu lassen. Und die Gerüchte, die man sich im Lande nach der Peuerbacher Schlacht, als Herberstorff sich eilends hinter die vernachlässigten und dennoch schützenden Mauern der Landeshauptstadt geflüchtet hatte, erzählte, dürften keineswegs falsch gewesen sein: Der Statthalter — hieß es — liege krank im Linzer Schloß, und ein Freistädter Anonymus wußte davon zu berichten[186]. Es war wohl auch nicht Faulheit, wenn Herberstorff während der Belagerung der Landeshauptstadt im Bauernkrieg oft die Ständevertreter lange warten ließ, weil er müde und erschöpft den halben oder ganzen Tag im Bett verbrachte und schlief[187].

Als er kaum die Landeshauptmannschaft des Landes übernommen hatte, reiste er zunächst in seine steirische Heimat, dann nach München, um den Kurfürsten, der verärgert war über seinen Übertritt zum Kaiser, zu beschwichtigen. Wir wissen, daß Herberstorff tief gekränkt war, weil der Kurfürst die Herberstorffschen Regimenter auflöste, und wir wissen, daß der Landeshauptmann am bayerischen Hof versuchte, Besoldungsrückstände „vom Statthalteramt herrührend“ einzutreiben. Das hing mit einer „Addition und Verbesserung“, also einer Erhöhung seiner Bezüge als Statthalter, zusammen, um die Fürst Zollern und Dr. Jocher Bescheid gewußt haben[188]. Aber diese Rückstände verweigerte man Herberstorff im Hinblick auf die großen Schulden, die er — es waren damals mehr als 40.000 Gulden — beim Kurfürsten hatte[189]. Der große Mißerfolg, den Herberstorff bei seiner Münchner Reise erntete, mag schwer auf seiner Seele gelegen sein, und der Ärger ist ein böser Feind des Menschen, der an Leib und Seele zehrt. Von dieser Münchner Reise her datieren Zeitgenossen Herberstorffs Erkrankung. Franz Christoph Khevenhiller, lange Botschafter des Kaisers in Spanien, der Herberstorff persönlich kannte, berichtet in seinen Annales Ferdinandei, Herberstorff habe sich über seine Erfahrungen in München „also bekümmert, daß er ein Cathar und continuierlichen Husten bekommen, und von Tag zu Tag abgenommen“[190] habe. Mit dieser „gar märklichen Abnembung des Leibs und der Kräfte“ habe Gott, so meint Khevenhiller, Adam von Herberstorff „gnediglich heimgesucht“, und dieses „Übelaufsein hat mit umbgehendten Leib gewehret bis auf anno 1629“[191]. Herberstorff, der früher, wie wir eben hörten, schon kränklich war, war also spätestens seit er in kaiserlichen Dienst trat ein kranker Mann mit bösem, dauerndem Husten und Erschöpfungserscheinungen, und er verlor zusehends an Gewicht — Symptome einer schweren Erkrankung. Im Sommer 1629, in den heißen Tagen des August, dürfte Herberstorffs Erkrankung einen Höhepunkt erlangt haben, als er in seinem Schloß Puchheim darniederlag — „viel Täg“ — und keinen „Tritt“ gehen konnte. Man müßte ihn tragen, hatte er damals an die Stände geschrieben[192]. Aber die Schwäche hinderte den Landeshauptmann, den die Stände nach Linz begehrten, auch nur eine Viertelmeile zu reisen. Von dieser sommerlichen Krise hat sich Herberstorff zunächst wieder etwas erholt. War es da für den Grafen Herberstorff, der ein großer Verehrer der Gottesmutter war, nicht naheliegend, an dem Tage Mariä Geburt, am 8. September, sich mit seinen plagenden Anliegen hilfesuchend an die Gottesmutter zu wenden? Und war nicht eine der zu seiner Herrschaft Puchheim gehörigen Kirchen dem Namen Mariä geweiht — die Pfarrkirche von Rüstorf bei Schwanenstadt, deren Patroziniumsfest unmittelbar am 12. September bevorstand? Der Gedanke war sicher gut und er allein schon gab Zuversicht und Hoffnung.

So reiste der Landeshauptmann am Tage Nativitatis Mariae von Puchheim nach Rüstorf, nahm dort in der kleinen gotischen Kirche an einer Messe teil, hat andächtig gebeichtet und kommuniziert. Mit ihm reisten sein Beichtvater, Pater Georg Kölderer von der Gesellschaft Jesu, sowie der Pfarrherr von Schwanenstadt, Regenalto, Herberstorffs Kaplan und andere mehr. „Wie Er Herr Graf ... vor ein schene und heilige Conversation bey der heilligen Messe, über der Mahlzeit und an dem Reitten" mit den ihn begleitenden geistlichen Herren geführt habe — meint Graf Khevenhiller —, sei ein Gnadenzeichen gewesen. Nach dem Gottesdienst in seiner Kirche Mariä Namen zu Rüstorf wollte Graf Herberstorff noch ein Opfer bringen, so schwer es ihm auch gefallen sein mag: „Sehr matt und schwach", ist er „aus Andacht ein guett theil Weegs gegangen."[193] Dieses Opfer des Zufußgehens gehörte zu einer Wallfahrt, und je größer die Mühe war, je stärker die Überwindung, desto eher konnte man auf die überirdische Hilfe hoffen. Von Rüstorf begab sich der Landeshauptmann mit seiner Begleitung wieder in das nicht allzuweit entfernte Schloß Puchheim zurück. Aber offenbar wollte er dort nicht bleiben, sondern sich nach Ort begeben, wo er mehr zu Hause war als in dem erst kürzlich erworbenen Polheimer Schloß. Vielleicht hatte ihn in Puchheim die Krankheit niedergeworfen und ihn zur Bleibe gezwungen. Nun aber war er wieder soweit hergestellt, um nach Ort reisen zu können.

Am 11. September, am Vortag des Mariä Namensfestes, begab sich der Landeshauptmann mit größerem Gefolge nach Schloß Ort. Hans Adolf von Tattenbach, bayerischer Pfleger im Markte Ried, mit dem Herberstorff als Statthalter stets gutnachbarlich zusammengearbeitet hatte, vor allem in den kritischen Tagen des Frankenburger Aufstandes und während des Bauernkrieges, hat ein Aviso aus Linz an den Münchner Hof übermittelt und das Geschehen, das an jenem 11. September 1629 in Ort am Traunsee ablief, geschildert[194]. Als Herberstorff von Puchheim kommend in Schloß Ort eintraf, sei er „abgestanden und gleich in den Stall gegangen". Er habe eine Spießrute zur Hand genommen und seine Pferde besichtigt, eines nach dem anderen „mit der

Spießrueten besuecht". Dabei habe er geäußert, er wolle sich nur so viel wünschen, daß er „seinen Springer zu tumblen Kraft habe". Dann sei Graf Herberstorff vom Meierhof zu Fuß dem Seeschloß zugegangen. „Mitten auf der Pruckn", heißt es weiter, „schreit er, es brechen ihm Händ und Füeß ab, sinkt darnieder, daß man ihn in das Schloß und Zimmer tragen müeßen." Herberstorff habe noch gebeichtet und die Kommunion empfangen, er habe noch die Worte gesagt, „der Pappenheim", sein Stiefsohn, „soll Erbe sein", und wollte sonst mit weltlichen Dingen in Ruhe gelassen werden und — so heißt es in Tattenbachs Schreiben weiter — „stirbt in wenigen Stunden". Es geschah dies, wie Salome Gräfin Herberstorff dies an die oberösterreichischen Landstände berichtete, am 11. September 1629 zwischen sechs und sieben Uhr abends „nach ausgestandener langwieriger Schwachheit"[195]. Der steirische Adelige Franz Christoph von Teuffenbach hat dann in ein altes Stammbuch aus seiner Studentenzeit, in dem sich altem Brauch gemäß unter vielen anderen auch der junge Adam von Herberstorff im Jahre 1604 in Lauingen mit Motto und Widmung eingetragen hatte, bei Herberstorffs Stammbuchblatt nachträglich vermerkt: „obiit phtisi ..." — er starb an der Schwindsucht[196]. Die hilflose Witwe Herberstorffs war zuversichtlich, daß Graf Adam „verhoffentlich zu der ewigen Freudt und Seeligkeit abgefordert" wurde, hatte er doch erst im „Festo Nativitatis unserer lieben Frauen" mit „wahrer Contrition" die Sakramente empfangen. In ihrer Mitteilung vom Tode des Landeshauptmanns bat die Gräfin Herberstorff die Stände um deren Schutz und Schirm[197]. Die ständischen Verordneten aber fanden lobende Worte über den Mann, der die Stände jahrelang bedrückt hatte. Das hatte seinen Grund nicht nur in dem alten Wort „de mortuis nil nisi bene", auch nicht darin, daß die oberösterreichischen Stände sich mit dem Statthalter ausgesöhnt oder inzwischen toleranter geworden wären. Es waren eben nicht mehr die opponierenden Stände der ersten Jahre nach 1620, die evangelischen Streiter für ihren Glauben und für das alte Recht. Es waren vielmehr die neuen Landstände, die im Lande übriggeblieben waren, die Prälaten und die katholischen Herren und Ritter, und die Städte, die nun auch katholisch geworden waren. Für sie war der katholische Landeshauptmann Herberstorff, der als Statthalter Bayerns das Land bedrückt hatte, doch schließlich einer der Ihren geworden. Daher mag es keine bloße Formel gewesen sein, als sie der betrübten Frau in Ort schrieben, dem Land sei „ein Vater, uns aber und den gesambten Ständen ein ansehnlich und hochvernünftiges Mitglied, ja ein getreuer eyfriger und bei seinem heroisch und löblich administriertem Landtsgoverno woll meritierter Patriot benomben worden ...“[198].

Man hat in damaliger Zeit sich auch für die Toten Zeit gelassen. Und je weiter oben in der Gesellschaft einer gestanden war, desto länger mußte er sich allfällig gedulden, bis man ihm das Grab bereitete. So mußte auch der tote Graf Herberstorff sich gedulden, bis er in das Grab steigen konnte. Das gab Gelegenheit, mit Muße das „deputierte Ruhebett“ in der St.-Benedikt-Kirche zu Altmünster, zu welcher Pfarre das Schloß Ort gehörte, vorzubereiten. Das bot aber auch schon die Möglichkeit, bereits über die Nachfolgeprobleme zu reden, die bei dem schnellen Tod des erst 45jährigen Landeshauptmanns natürlich ganz offen waren. Die Stände hatten schon zwei Tage nach Herberstorffs Tod an die vornehmsten Landmitglieder, an den Abt Anton von Kremsmünster und an den Grafen Meggau in Wien über den Tod des Landeshauptmanns berichtet und diese gebeten, sie möchten bei Hof dahingehend wirken, daß bezüglich der Interimsadministration des Landes keine Neuerungen und nichts, was dem alten Herkommen präjudizierlich sei, vorgenommen werde[199]. Tattenbach hörte vertraulich, als Nachfolger stünden zur Erwägung Herr Georg Teufel, Hans Ludwig Kuefstein und Herr von Salburg. Die Beisetzung des toten Landeshauptmanns erfolgte am 23. Oktober 1629 um acht Uhr früh im St.-Benedikt-Gotteshaus in Altmünster[200] in der dortigen Herberstorffschen Gruft vor dem Hochaltar. Tattenbach wußte schon vorher zu berichten, der Kondukt werde „cum ceremoniis ordinis Calatrava“ angestellt werden und die gesamten Landstände würden zu den Begräbnisfeierlichkeiten berufen werden[201].

Was konnte die Witwe des Grafen Herberstorff zunächst Besseres tun, als an das Seelenheil ihres verstorbenen „Patrons“ zu denken? Weil sie der Tod des geliebten Mannes erkennen ließ „die Zergänglichkeit dieses gegenwärtigen Lebens, auch die Schwachheit und Blödigkeit menschlicher Natur, und daß ein Mensch aus dieser Welt nichts anderes mit ihm hinwegbringen kann oder mag, als seine gute Werk“, hat sie sich noch am Tage des Todes

Herberstorffs entschlossen, etwas für die Pfarrkirche zu Altmünster und damit für die Seele des toten Landeshauptmanns zu tun. Es war eine ganz beträchtliche Stiftung: Sie stiftete zum Pfarrhof Altmünster das ihr eigentümliche Gut zu Altmünster, das Forstergut, Haus, Stadel und Stallung, einen schönen Obstgarten, zwei Wiesen und alle dazugehörenden Äcker und Ländereien als freies Eigen. Dazu stiftete Maria Salome Herberstorff zweihundert Gulden in barem Geld, das auf ewiges Interesse angelegt werden sollte. Von den Zinsen waren dem Pfarrer jährlich acht Gulden und für die Beleuchtung der Kirche vier Gulden auszufolgen. Weitere zweihundert Gulden sollten dazu dienen, daß die von Herberstorff für die Altmünsterer Kirche gestiftete Orgel ständig von einem Schulmeister, der Organist ist, geschlagen werden konnte. War es ein Rest aus Herberstorffs alter lutherischer Zeit, daß er vor allem das deutsche Kirchenlied liebte, was seine Witwe nun bewog, daß die vom Schulmeister betreuten Knaben „sonderlich teutsche Gesänge singen" sollten? Aber der Pfarrer von Altmünster hatte als Äquivalent für diese Stiftung der Gräfin Herberstorff manches zu leisten: jede Woche oder wenigstens einmal im Monat am Erchtag (Dienstag) ein Requiem für den toten Statthalter, zu jedem Quatember des Jahres eine gesungene Vigil samt einem Seelenamt mit sechs aufgesteckten Kerzen auf dem Altar, weiter jedes Jahr und zu ewigen Zeiten am 11. September, dem Todestag Adam von Herberstorff, eine gesungene Vigil und ein Seelenamt. Am Sterbetag Herberstorffs sollte der Pfarrer einen Metzen Korn vermahlen und davon zwölf Laibe Brot backen lassen und diese unter zwölf armen Leuten verteilen. Ferner bestimmte Maria Salome, daß alle gottesdienstlichen Geräte, die einst sie selbst oder der Statthalter dem Gotteshaus geschenkt haben — unter diesen Geschenken befanden sich Kelche, silberne Monstranzen, Opferkannen, Meßgewänder und Antependien — dort verbleiben und nur zu gottesdienstlichen Handlungen benutzt werden sollten. Die Erfolge der Gegenreformation waren noch jung. Darum verfügte die Gräfin Herberstorff für den Fall, daß diese Kirche zu Altmünster ad profanos usus kommen oder in Hände gelange, die „von gueten Werken, Gottesdiensten und andächtigem Gebet pro fidelibus defunctis nichts halten", daß dann diese Fundation auf eine andere katholische Kirche, „da das uralte römisch-katholische Exercitium und rechte Gottesdienst in Schwung stehet", transferiert werde[202]. Die Stiftung machte das St.-Benedikt-Gotteshaus Altmünster zur Grabeskirche des Statthalters, in der das ganze Jahr hindurch für ihn Gottesdienst gehalten und für sein Seelenheil gebetet werden sollte. Ein Epitaph erinnerte an den Grafen Adam von Herberstorff und Ort und an sein Wirken für die katholische Kirche, deren „Säule" er gewesen ist[203]. Maria Salome hat, soweit sie das konnte, für das Heil und die Ruhe der Seele Herberstorffs opferbereit gesorgt, sie mag auch anderwärts milde Gaben gegeben haben — wir wissen, daß sie dem Seminarium pauperum der Jesuiten in Linz, wo Herberstorffs Tod mit einem Gedicht und einem Trauerbild beklagt worden war, hundert Gulden spendete[204].

So hatte der Statthalter Graf Herberstorff in seiner Gruft zu Altmünster die ewige Ruhe gefunden. Aber es gibt Zeiten, da machen die Toten wieder auf sich aufmerksam. Man kannte schon geraume Zeit die Lage der Herberstorffschen Gruft in der Altmünsterer Pfarrkirche nicht mehr. Da gab bei durchgeführten Umbauarbeiten im Innern der Kirche am 28. Juni 1973 unter dem Druck eines Caterpillars der Boden nach. Herberstorffs Gruft war die Ursache dieses Einbrechens des Bodens. Die Gruft des Statthalters war wieder entdeckt worden. Im Zuge der Untersuchungen wurde der kupferne Sarkophag, in dem der Leichnam des Statthalters beigesetzt worden war, geöffnet. Die Leiche Herberstorffs lag in einem hölzernen Sarg, war vollkommen verwest, Teile der Kleidung, die der Tote trug, waren noch erkennbar. Man hatte ihn in prächtigem Brokatwams, das von Silberfäden durchwirkt und mit Seide gefüttert war, beigesetzt[205]. Das Kreuz des Calatravaordens schmückte die Brust des Toten, dessen Leichnam mit viel Kalk in den Sarg gelegt worden war. Der Blick in Herberstorffs Sarg läßt uns seine physische Erscheinung wieder etwas lebendig werden. Herberstorff war ein mittelgroßer, etwa „167 cm großer, kräftiger Mann mit einem kurzen, sehr breiten und sehr hohen Schädel und einem mittelhohen und verhältnismäßig breiten Gesicht"[206]. Der Kopf des Statthalters bot ein halbhandtellergroßes Loch am Stirnbein. Das war die große Sensation, welche die Öffnung des Grabes des Statthalters zu bringen schien. Bei der Öffnung des Sarkophages am 2. Juli 1973 wurde zwar festgestellt, daß die Bretter des Holzsarges so über dem Kopf lagen, daß

Hochwürdigster Durchleüchtigster Erzherzog E. Hfdt.
seindt mein vnterthenigist gehorsambste dienst
zuuor genedigster Herr, die genedigist erthailten
resolution des guett [illegible] halben, thue gegen
E. Hfdt. ich mich vnterthenigist vnd zum hechsten
bedanckhen, E. Hfdt. seindt auch versichert, daß sie mir
hieran ein so angenembe erzherzogliche gnad gethan
daß ich solliche gegen E. Hfdt. Erzhauß vnd dieselbe
vf alle begebenheiten mich eüsserist befleissen will [illegible]
Ich hab gegen E. Hfdt. Stathalter vnd Räthen zu Passau
vff die erfolgte gedachte resolution, mich erbotten
die suma gelt also baldt gegen einraumung des
guets zu bezahlen, vnd die einantwortung der
[illegible] zu befürdern gebetten, weil ich mit nechsten
weitten tagen anfangen wollte dahin eine wohnung
zu bauen, sie haben mich aber beantwortet als
E. Hfdt. gemüethe auß der abschrifft zu vernemen, daher
ich die beisorg trage, es mechte dieß werckh vff die
lange banckh geschoben werden, weiln dan E. Hfdt.
mir dise gnad versprochen, als bitt ich sie nochmals
vnterthenigist sie wollen an dero hinderlassene Stathalter
vnd Räthe, solliche befelch außfertigen, damit ich ohne
weittern verzug zu der possession, E. Hfdt. erfolgten
gnedigsten resolution gemeß, khommen, vnd also [illegible]
erlangten gnad würckhlich geniessen mag, [illegible]
vnd E. Hfdt. ich vnterthenigist [illegible] erzherzoglichen
gnad ich mich vnterthenigist befehle. Lintz den 14 Jan:
Ao 1624 E. Hfdt.

vnterthenigster gehorsambster
diener

Adam Herberstorff

Schriftprobe Herberstorffs

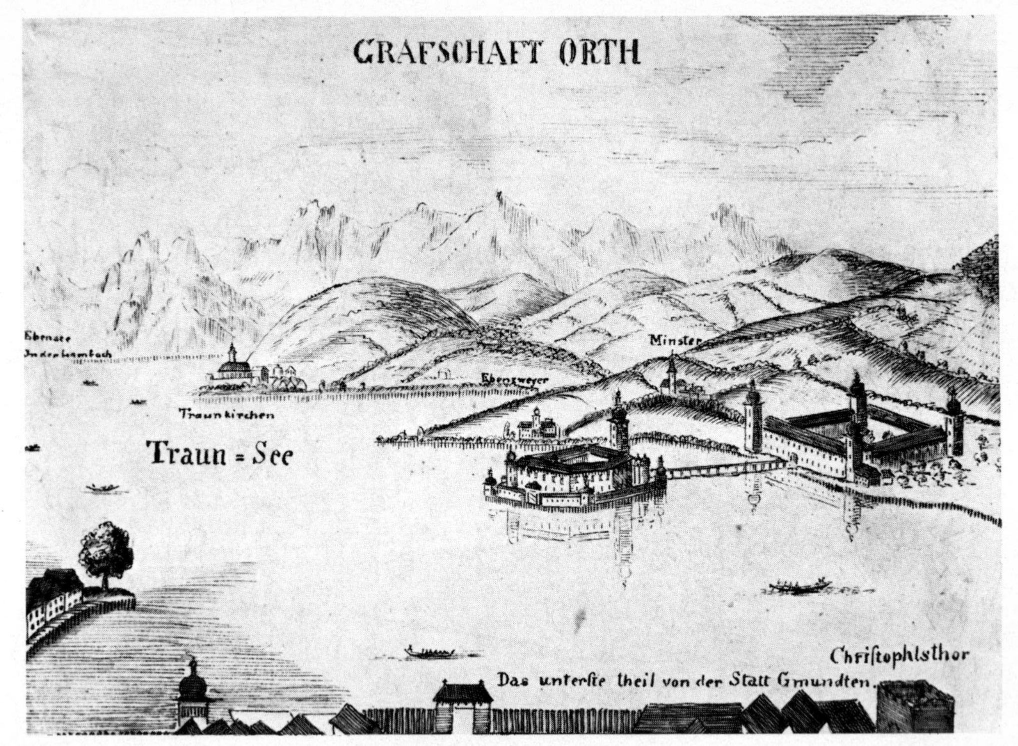

Schloß Ort im Traunsee

eines davon direkt auf dem Schädel Herberstorffs auflag: Bei Abnahme dieses Brettes „entstand an der Auflagestelle des Schädels ein großes Loch, geringfügige Holzreste verblieben noch am Nasenbein kleben“[207]. Trotz dieser Feststellung wurde zunächst die Vermutung geäußert, dieses Loch am Schädel Herberstorffs deute darauf hin, daß der Statthalter nicht eines natürlichen Todes gestorben, sondern erschlagen worden sei. Auch wurde die Auffassung vertreten, daß der Eindruck bestehe, als sei die Wunde versorgt worden. Nun steht einer solchen Auffassung die Aussage aller schriftlichen Quellen aus der Zeit des Todes des Statthalters entgegen. Für den Historiker sind diese schriftlichen Quellen, die wir ja kennengelernt haben, durchaus glaubwürdig. Die offiziellen Quellen: der Bericht der Gräfin Herberstorff an die Stände des Landes ob der Enns bietet nicht den geringsten Anhaltspunkt für die Annahme, daß Herberstorff nicht eines natürlichen Todes gestorben sei — es wird von langwieriger Schwachheit, d. h. Krankheit gesprochen —, das Beileidsschreiben der ständischen Verordneten an Maria Salome Herberstorff und die Mitteilung der Verordneten an den Abt von Kremsmünster und den Grafen Meggau über Herberstorffs Tod, zwei Tage nach dessen Eintritt geschrieben, bieten ebensowenig auch nur annähernd einen Hinweis für die Annahme eines gewaltsamen Todes des Statthalters. Aber auch private Quellen schildern die langwierige Krankheit des Statthalters, so Franz Christoph Khevenhiller in seinen Annales Ferdinandei: chronischer Katarrh, kontinuierlicher Husten und ständige Gewichtsabnahme. Gerade Khevenhiller, eingeweiht in alle Geheimnisse der Politik des Wiener Hofes, wäre die Tatsache einer Ermordung Herberstorffs keineswegs entgangen. Seine Berichte sind nicht nur wegen der Position des Schreibers, der kaiserlicher Botschafter beim König von Spanien war und engste Kontakte mit dem Wiener Hof, mit dem Kaiser selbst und mit dem Kurfürsten von Bayern hatte, von besonderem Gewicht, sondern auch deswegen, weil ein Konzept seines Berichtes vorhanden ist, das geringfügig vom Druck in den Annales Ferdinandei abweicht, aber im wesentlichen in gleicher Weise von Herberstorffs Krankheit wie die „Annales“ berichtet. Khevenhiller hat Herberstorff zudem persönlich gekannt, war wie dieser ursprünglich Protestant und er ist später katholisch geworden. Außerdem hat Khevenhiller seinen Bericht noch zu Lebzeiten von Herberstorffs Witwe

— worauf er selbst hinweist — geschrieben. Er gehörte zu den bestinformierten Männern dieser Zeit.

Von größter Wichtigkeit und von erstrangigem Quellenwert sind auch die anderen privaten Berichte über Herberstorffs Tod. Der Bericht des Grafen Hans Adolf von Tattenbach nach München gibt ganz konkret die Ereignisse in Ort am 11. September 1629 wieder. Auch hier — wo es ja nicht um die Vorgeschichte, sondern um das Ereignis des Todes selbst, eben am 11. September, geht — ist Herberstorffs Schwächezustand durch den geäußerten Wunsch des Statthalters, genügend Kraft zu haben, um seinen Springer tummeln zu können, sehr deutlich erkennbar. Tattenbach war selbst mit Herberstorff bekannt, war bayerischer Pfleger in Ried und lange hindurch mit ihm in Kontakt und auch in Briefwechsel. Er war naturgemäß interessiert, Näheres über Herberstorffs Tod zu erfahren, und hat daher das Aviso aus Linz auf seinen Wunsch hin erhalten. Es war eine private Information aus ständischen Kreisen, auch andere Nachrichten waren in diesem Aviso enthalten. Es besitzt gerade wegen des ganz privaten Charakters hohen Quellenwert. Und der Freiherr von Teuffenbach, nicht nur durch Jugenderinnerung an den Studiengenossen Herberstorff von Lauingen her gebunden, sondern auch durch die Ehe von Herberstorffs Bruder Franz mit einer Teuffenbach mit dem Statthalter irgendwie verwandt, hat ganz privat in sein altes Stammbuch die Todesursache Herberstorffs eingetragen: „phtisis", Auszehrung, Schwind- oder Lungensucht, was mit Khevenhillers Schilderung der Krankheitssymptome bei Herberstorff gut zusammenpaßt. Auch Teuffenbachs Angabe ist eine unschätzbare Quelle, sie war nicht für die Öffentlichkeit bestimmt, sondern nur für den engsten Familienkreis. Warum hätte er hier nicht eintragen sollen, was er über Herberstorffs Tod wohl von seiner Verwandtschaft, vielleicht von Franz von Herberstorff selbst, erfahren hätte? Dieser Bericht über Herberstorffs Schwindsucht kehrt in späteren Berichten wieder. Selbst bei Benützung von Khevenhillers Annalen konnte man dort die Diagnose „Schwindsucht" wörtlich nicht finden. Wenn daher in „Iselins Lexikon aus dem Jahre 1726" und hundert Jahre später in der „Allgemeinden Encyklopädie der Wissenschaften und Künste"[208] aus dem Jahre 1829 berichtet wird, Herberstorff sei an der Schwindsucht gestorben, so zeigt dies, daß diese Tradition auf eine andere zeitgenössische Quelle zurückgeht — es sei denn, daß aus Khevenhillers Schilderung der Symptome diese Diagnose gestellt und dann weitergetragen wurde. Überblickt man die schriftlichen Quellen über Herberstorffs Tod, so ist ihnen gemeinsam[209], daß Herberstorff länger krank war, daß er immer schwächer und matter geworden war. Wenn auf der Sargplatte etwas von Herztod zu finden ist, so wird man wohl den Zusammenbruch Herberstorffs auf der Brücke in Ort unmittelbar auf ein Versagen des Herzens zurückgeführt haben, was man aber — man denke an Maria Salomes Bericht nach Linz — wohl als in ursächlichem Zusammenhang mit Herberstorffs „langwieriger Schwachheit" gesehen hatte. Der plötzliche Zusammenbruch Herberstorffs auf der Brücke zum Seeschloß Ort, sein Schrei, es brechen ihm Hände und Füße ab, deutet nach ärztlicher Ansicht darauf hin, daß der Statthalter einen Gehirnschlag erlitt, der die plötzliche Lähmung der Extremitäten bewirkte, was Herberstorff dieses schmerzliche Gefühl des Brechens der Glieder vermittelte. Damit wären auch Blutspuren im Innern des Herberstorffschen Schädels erklärbar, die festgestellt wurden. Können nicht die gelegentlichen Aderlässe des Statthalters darauf hindeuten, daß er schon länger an Schwindelgefühlen oder ähnlichen Symptomen eines zu hohen Blutdrucks litt?

Im Zusammenhang mit der Vermutung, Herberstorff sei erschlagen worden, wurde auch die Meinung vertreten, aus Gründen der Staatsräson sei dies eben geschickt verheimlicht worden, und erst nach fast 350 Jahren habe nun Herberstorffs Leichnam dieses Geheimnis preisgegeben. Nun ist es keineswegs zweifelhaft, daß Herberstorff im Lande, vor allem nach Frankenburg und nach dem Bauernkrieg, sehr verhaßt war, und er hat dies auch durchaus gewußt. Es erscheint aber zunächst so gut wie ausgeschlossen, daß ein erfolgreiches Attentat auf den Landeshauptmann Herberstorff hätte geheimgehalten werden können, da er ja ständig in Begleitung war, wie ja auch die Berichte über seine Rückkehr von Puchheim nach Ort zeigen. Er war dort in den Stall gegangen, es waren Knechte und Dienstpersonal bei der Ankunft behilflich, nicht bloß der Beichtvater und die anderen von Puchheim mitkommenden Herren seines Hofes. Der Zusammenbruch auf der Orter Brücke erfolgte gleichsam in aller Öffentlichkeit, und wenn es ein Gewaltakt gewesen wäre, so hätte man dies nicht geheimhalten können. Warum sollte man dies auch, wenn es wirklich geschehen wäre, verheimlichen? Herberstorff hatte nicht die Bedeutung und das Format, daß es notwendig gewesen wäre, aus Gründen der großen Politik dies zu versuchen. Wenn man bedenkt, daß die Ermordung Wallensteins knapp fünf Jahre nach Herberstorffs Tod, die doch vom kaiserlichen Hof ihren Ausgang genommen hatte, ehestens der Öffentlichkeit bekannt wurde — wo man doch viel größeres Interesse an einer Verheimlichung hätte haben müssen —, so sieht man bei dem gewaltigen Unterschied in der Bedeutung und Größenordnung der beiden Männer keinen rechten Sinn, wenn man auch nur versucht hätte zu verheimlichen, wäre Herberstorff wirklich einem Mordanschlag zum Opfer gefallen. Die ganz verschiedenartigen und in ihrer Zielsetzung unterschiedlichen, teils sehr konkreten schriftlichen Zeugen schließen fast allein schon einen gewaltsamen Tod Herberstorffs aus. Die Differenzen in ihren Aussagen sind unbedeutend und betreffen keineswegs den Kern der Sache. Noch unwahrscheinlicher ist die Meinung, die ebenfalls vertreten wurde, das Loch im Schädel Herberstorffs sei die Folge einer vorgenommenen Trepanation wegen des Schlaganfalles. Wenn jemand so genau das Ereignis von Herberstorffs Zusammenbruch schildert wie Tattenbach, warum sollte er und auch die anderen Berichterstatter gerade das sensationelle Moment, das eine Trepanation immerhin abgegeben hätte, verschweigen? Das Moment einer Rücksichtnahme auf die Staatsräson fiele hier ja ohnedies weg. Nun, und das ist eine Tatsache, das Loch in Herberstorffs Stirnbein ist vorhanden. Und hier ist der Historiker naturgemäß auf die Hilfe des medizinischen Sachverständigen, des Gerichtsmediziners, angewiesen. Wurde schon bei der Öffnung des Sarges die Feststellung gemacht, daß wohl ein ursächlicher Zusammenhang zwischen dem Loch am Schädel Herberstorffs und dem Aufliegen der Sargbretter am Kopf besteht, so ergab die spätere Untersuchung des Schädels durch einen bedeutenden gerichtsmedizinischen Fachmann, als der ursprüngliche Zustand, wie er im Augenblick der Öffnung des Sarges gegeben war, allerdings nicht mehr feststellbar war, daß der Einbruch am Schädel im Zuge des natürlichen Verwesungsprozesses erfolgte, und zwar durch eine „Erweichung des Knochens durch die Fäulnis und Vermorschungsvorgänge in Leiche und Sargholz". Anzeichen für ein Trauma sind in keiner Weise gegeben. Es ist mit Sicherheit von diesem medizinischen Gutachten ausgeschlossen worden, daß das Loch im Schädel Herberstorffs die Folge eines Gewaltaktes am Statthalter darstellt[210]. Damit ist die Frage natürlicher Tod Herberstorffs oder Ermordung zugunsten der eindeutigen Aussage der uns bisher bekannten schriftlichen Quellen entschieden worden. Herberstorff wurde weder erschlagen, noch wurde an ihm eine Schädeltrepanation vorgenommen. Er ist eines natürlichen Todes — wahrscheinlich an einem Gehirnschlag — plötzlich gestorben[211].

Herberstorff hatte in kurzer Zeit einen beträchtlichen Komplex an Besitzungen im Lande erworben. Sein früher Tod mußte die höchste Gefahr für den Weiterbestand des „Statthalterlandls" bedeuten. Herberstorffs Besitz fiel nach seinem Tode „von Rechts- und Landbrauch wegen" an seinen leiblichen Bruder Franz Freiherr von Herberstorff als Heres legitimus ab intestato, als Noterben bei Fehlen eines Testamentes, „für sich selbsten" und Herberstorffs leibliche Schwester Katharina Globitzer. Schon unmittelbar nach der Beisetzung Herberstorffs hatten die beiden Erben nach eingehender Überlegung auf die Erbschaft wegen der „hochen und schweren Schuldenlast" verzichtet. Das Erbe wurde auf Herberstorffs Witwe Maria Salome als „einer Prioritätgelterin" transferiert und der Witwe zur Erhaltung von Adam von Herberstorffs gutem und ehrlichem Namen und zur Abzahlung der Schulden mit kaiserlicher Bewilligung überlassen[212]. Die Bezeichnung Maria Salomes als Prioritätgelterin besagt, daß sie mit an der Spitze der Gläubiger Herberstorffs stand. Sie mußte also beträchtliche Teile eigenen Vermögens beim Aufbau des Statthalterlandls zur Verfügung gestellt haben. Daß sie bei Herberstorffs Tod wohl nicht über hinreichend Geld verfügte, kann man vielleicht daraus ersehen, daß ihr Franz von Herberstorff einen Monat nach der Beisetzung des Statthalters 4000 Gulden lieh[213].

Für die Gräfin Maria Salome von Herberstorff wäre es zweifellos besser gewesen, wenn sie Gläubigerin ihres verstorbenen Gatten geblieben wäre und sich von den Erben — den Geschwistern Adam von Herberstorffs — hätte auszahlen lassen. Denn die in allen diesen Dingen offenbar wenig versierte Frau konnte die Katastrophe, die drohend über Herberstorffs großem Besitz sich angekündigt hatte, keineswegs aufhalten. Wohl hatte sie den Rat ihrer Schwiegersöhne, vor allem des Erasmus von Gera und des

Johann Warmund von Preysing, zur Verfügung. Ob der Herberstorffsche Rat und Rentmeister Hans Martin Staindl, der Maria Salomes geschäftliche Angelegenheiten betreute, der geeignete Mann war, ist zweifelhaft. Gewiß scheint er für die Gräfin Herberstorff das Beste gewollt zu haben, und wenn er rät, die Gräfin möge dem kaiserlichen Sekretär Gertinger, der sich jederzeit „unverdrossen" der Herberstorffschen Angelegenheiten annehme, Fische zukommen lassen als Präsent, so zeigt sich dieser Wille ebenso wie in dem Falle, da er der Gräfin spanischen Wein mit den Worten „Gott gebe, daß sie ihn mit gueter Gesundheit verzehren" übersenden ließ[214]. Zunächst schien wohl Maria Salomes Situation nicht allzu triste. Es ist schwer festzustellen, wieviel Schulden Herberstorff tatsächlich hinterließ. Offiziell hatte Herberstorffs Nachfolger als Landeshauptmann ob der Enns, Hans Ludwig von Kuefstein, am 29. Mai 1630 erklärt, daß Maria Salome nach Übernahme der Schulden Herberstorffs in der Höhe von etwa 118.000 Gulden über die Güter ihres verstorbenen Mannes nach Renuntiation der Erben frei verfügen könne[215]. Das wäre ein Schuldenstand, der bei dem großen Wert der Herberstorffschen Besitzungen nicht allzu hoch erscheint. Im März 1630 spricht aber Johann Warmund von Preysing von 200.000 Gulden Schulden, die — allerdings seit einem Jahr — schon abgezahlt worden waren. Damals hat Preysing dies als eine große Leistung bezeichnet und für seine Schwiegermutter den Wunsch geäußert, sie möge nun die völlige Befreiung ihrer Güter erlangen und diese ad multos annos glücklich innehaben[216]. Es sollte nicht so kommen. Die Versuche, in München beim Kurfürsten eine Reduzierung der Schulden Herberstorffs zu erreichen, schlugen vollkommen fehl. Die Mißstimmung gegen Herberstorff, die dort seit 1628 herrschte, wurde auf seine Witwe übertragen. Herberstorffs Mitkommissär bei der Übergabe des Landes ob der Enns, Dr. Mändel, scheint gegen einen Schuldennachlaß zugunsten der Witwe Herberstorffs gewesen zu sein. Auch Johann Warmund Preysings Hilfe in München hatte keine Wirkung, und er sprach später davon, „wie scharf man gegen ihr" — gemeint ist gegen die Gräfin Herberstorff — „wegen der Tolletischen Schuld verfahren"[217]. Oswald Schuß, bayerischer Hofkammerrat, der sich bei Maximilian für einen Schuldennachlaß eingesetzt hatte, erklärte die abweisende kurfürstliche Resolution mit dem Geldbedarf des Kurfürsten für den bevorstehenden Regensburger Kollegialtag[218]. Die Schuld um Tollet hatte sich von 30.000 Gulden inzwischen auf fast 38.000 Gulden erhöht. Der Schwiegersohn Johann Warmund von Preysing zog 46.000 Gulden, die er in der Liga-Bundeskasse liegen hatte, ab und stellte sie Maria Salome zur Verfügung. Am 12. Juni 1630 hat Maximilians beauftragter Kommissär Ernst Peßwürt, der zur Zeit der Pfandschaft im Salzwesen Oberösterreichs tätig war, die Tolletische Schuld quittiert und die Obligation über die Kaufsumme von 30.000 Gulden an Maria Salome von Herberstorff ausfolgen lassen[219].

Die entscheidende Aktion, die Sache Maria Salomes zu retten, sollte ein massierter Abverkauf Herberstorffscher Güter und Herrschaften sein, wodurch der Kern der Besitzungen, die Herrschaften Ort und Puchheim, gesichert werden sollte. Schon im Jahre 1630 erfolgte dieser große Aderlaß, von dem man sich das Heil erwartete. Maria Salome verkaufte die böhmischen Güter Toužetin, Bitozeves, Selnice, Lišany und Lidovle mit zehn Dörfern an Pavel Michan aus Vačinov um 75.000 Gulden[220]; in Oberösterreich verkaufte sie die Herrschaft Pernstein um 116.000 Gulden an das Stift Kremsmünster[221], die Herrschaft Wagrain an Stephan Engl von Wagrain[222], Schloß und Herrschaft Windern an Karl Haydn zu Dorff[223]. Nimmt man an, daß für Windern und Wagrain, ähnlich wie für Pernstein, der alte Preis verlangt wurde, so war der Erlös dieser Aktion doch mit mehr als 230.000 Gulden ganz beträchtlich. Aber die Lawine, die nun einmal ins Rollen gekommen war, konnte nicht mehr zum Stillstand gebracht werden. Die finanzielle Katastrophe, die über Maria Salome Gräfin Herberstorff hereinbrach, war zugleich die Vollendung der großen Lebenstragödie dieser Frau. In jungen Jahren hatte sie ihren Gatten Veit von Pappenheim verloren, bald den ersten Sohn, die Ehe mit Herberstorff blieb kinderlos und sie mußte wohl vollen Anteil haben an dem Haß, der ihrem Mann im Land ob der Enns entgegenschlug. Nun hatte sie auch diesen ihren zweiten Gatten mit erst 45 Lebensjahren verloren. Die Liquidation seines Erbes sollte für sie, die in dieser bittersten Zeit ihres Lebens den Tod ihres zweiten Sohnes, der wohl der Stolz der Mutter war, des Feldmarschall von Pappenheim, im Felde und den frühen Tod ihrer Tochter Maria Magdalena von Preysing erleben mußte, schließlich Not, Elend und Untergang bringen[224]. Ihr Briefwechsel mit dem

Landeshauptmann Hans Ludwig von Kuefstein offenbart diese ganze Tragödie, die sich hier abspielte. Kuefstein erwies sich stets gegenüber der Witwe seines Vorgängers als Kavalier, und Maria Salome wußte, daß sie sich mit allen sie bedrängenden Problemen an ihn wenden konnte. Wenn die Exekutionen drohten, wenn die Kreditoren ungestüm drängten, dann schrieb Maria Salome in ihrer Not an Kuefstein. Und diese Not wurde trotz des großen Abverkaufes von 1630 immer größer. Als Kuefstein im Frühjahr 1633 bei Herberstorffs Witwe in Puchheim einen Besuch machte, da klagte sie ihm wehmütig über ihr unverschuldetes Schicksal. Denn nun begann die Katastrophe auch nach Ort zu greifen, und hier gehörte der Kaiser selbst zu den Interessenten. Maria Salome sieht die Gefahr vor sich, Ort, „die mit großen Kaufresten angetretene Herrschaft", wieder zurückgeben zu müssen oder sie mit größerem Verlust zu verkaufen. Maria Salome Herberstorff mußte damals in Puchheim, da die Wunden nach dem Tod ihres Sohnes Pappenheim noch nicht vernarbt waren, wohl an den Herzog von Friedland denken, den großen reichen Mann, der um Pappenheims Verdienste wußte, und sie wird wohl gehofft haben, von dort her Hilfe zu erhalten. Und so schrieb Kuefstein an Wallenstein einen Brief und bat ihn, der Mutter Pappenheims in ihrer Not zu helfen. Fürsorglich meinte der Landeshauptmann in seinem Brief, daß diese „fürnehme erlebte Matron gewiß meritiert, daß ihr menniglich dienen und verhelfen solle". Er stellte Herberstorffs Witwe ein gutes Zeugnis aus: Sie habe nicht unbedacht und zu einem billigen Vorteil die von ihrem Gemahl gekauften „meistenteils unbezahlten Herrschaften" an sich gebracht, sondern zur Erhaltung des guten Rufes ihres verstorbenen Gatten. Sie habe — so schreibt Kuefstein weiter dem Herzog von Friedland — mit guter und sorgfältiger „Wirtlichkeit" einen großen Teil der Schulden abgezahlt, und sie wolle alles so bestreiten, daß es ihre Töchter, vor allem aber ihren Enkel, den jungen Wolf Adam von Pappenheim, erfreuen würde[225]. Ob der Feldherr sich rührte? Ob der Hinweis, daß Maria Salome Herberstorff die Mutter seines Generals Pappenheim war, ihn zu einem Schritt bewog, welcher der „getrübten, alterlebt verlassenen Wittib", wie die Gräfin sich selbst nannte, auch nur etwas Hoffnung gab? Kaum. Wohl hatte der Herzog großzügig sich der Witwe seines gefallenen Generals angenommen, der ihn zum Kurator seiner Familie bestimmt hatte, und der Friedländer übernahm gerne diese Pflicht gegenüber seinem toten Freund. Aber ob er sich zugunsten der Gräfin Herberstorff an den Kaiser wandte? Denn darum — um die Erhaltung von Ort — ging es schließlich[226]. Er hatte in diesen Monaten selbst reichlich Sorgen, und die Zeit, die ihm noch gegönnt war, war knapp bemessen.

Maria Salome Herberstorff fand immer wieder Geldgeber. Aber es war dies nur mehr ein Transferieren von Schulden, ein Fliehen vor Exekutionen hin zu weniger drängenden Gläubigern. Ihr Schwiegersohn Johann Warmund von Preysing borgte laufend. Vielleicht hat er sie 1634, als sie Kuefstein klagend schrieb, sie habe nur eine Suspension der Exekution auf sechs Wochen erhalten, vor dieser gerettet[227]. Aber der Preis war hoch: Es ging um Ort. Am 11. Mai 1634 übergab sie Preysing die Herrschaft um 100.000 Gulden, dazu Traundorf und etliche Grundstücke um 10.000 Gulden[228]. Dabei konnte die Witwe Herberstorffs froh sein, daß Schloß und Herrschaft Ort wenigstens in der Hand ihres Schwiegersohnes blieb und so Aussicht bestand, daß einer ihrer beiden Enkel, Johann Albrecht und Johann Ferdinand Albrecht von Preysing, einst die Herrschaft am Traunsee erben würde[229]. Johann Warmund von Preysing übernahm fast 60.000 Gulden der auf Ort liegenden Schuldenlast. Nach dieser Transaktion schuldete die Gräfin ihrem Schwiegersohn aber noch immer 44.562 Gulden. Man kann den Schuldenberg, der sich vor den Beteiligten erhoben hat, aus diesen knappen Angaben ahnen[230]. Der Titel der alten Gräfin war nun zusammengeschrumpft auf Frau der Herrschaften Puchheim, Tollet und Eggenberg. Auch andere Verwandte, die geborgt hatten, drängten nun: Katharina Globitzer, Herberstorffs Schwester. Sie rief Kuefstein um Hilfe an, damit sie wenigstens zu den Zinsen von ihren 10.000 Gulden komme, die ihr Maria Salome Herberstorff schuldete[231]. Und diese begann zu ahnen, was ihr bevorstand: Als der Kaiser neuerdings ihre Bitte auf Suspension der Exekution abgeschlagen hatte und die gerichtsmäßige Schätzung ihrer Güter eingeleitet wurde, da sprach sie von „Ruin und Bettelstab". Nicht einmal zwei Jahre nach dem Verlust von Ort mußte Maria Salome Herberstorff auch die Herrschaft Puchheim verkaufen, und zwar an Georg Siegmund von Salburg um 112.500 Gulden[232]. Herberstorffs Schwester Katharina Globitzer hoffte nun zu ihrem Geld zu kommen, sie, die nach der

Emigration aus der Steiermark zunächst in Regensburg war und nun um diesen Betrag ein kleines adeliges Gut in Ungarn erwerben wollte; sie mußte jedoch weiter warten[233]. Von den großen Herberstorffschen Herrschaften war nur mehr Tollet übrig. Es wurde ein Jahr später an Wenzl Reichhart Freiherrn von Sprinzenstein um 92.000 Gulden verkauft[234]. Inzersdorf, die kleine Herrschaft im Kremstal, ging an jenen Offizier Herberstorffs, den Hauptmann Ranftl, über, dem es der Statthalter einst zur Verfügung gestellt hatte[235]. Der Sitz Weyr war bereits in der Hand des ehemaligen Herberstorffschen Hofmeisters, Hans Christoph Schmitzberger zum Thurn, dem die Gräfin auch einzelne Bauerngüter schenkte[236]. Die Herberstorffschen Beamten und Pfleger scheinen nicht zu kurz gekommen zu sein. Auch Wolf Rämbinger, Maria Salomes Pfleger zu Tollet, erhielt z. B. von der Gräfin Herberstorff einen Bauernhof zum Geschenk[237], und Hans Martin Staindl, welcher der Witwe Herberstorff anfangs die Geschäfte führte, scheint unter den Gläubigern Gundaker von Polheims auf[238]. Auch die Stadthäuser, die Herberstorff erworben hatte, waren dahin. Das Herberstorffsche Palais auf dem Linzer Stadtplatz ging auf den Schwiegersohn Erasmus von Gera über[239], das Haus am oberen Stadtplatz in Wels kaufte 1630 das Stift Kremsmünster[240]. Nach dem Verlust der Herrschaft Tollet hat die Gräfin Herberstorff, die nur noch Eggenberg besaß, gleichsam als letztes Refugium in Traundorf ein befreites Haus mit Garten und vier Untertanen erworben von Johann Paul Spindler von Hofegg, einem Angehörigen jenes Geschlechtes, dem Adam von Herberstorff 1625 die Herrschaft Ort abgedrungen hatte[241]. Hieher scheint sie sich dann zurückgezogen zu haben.

Als 1639 die Prioritätsliste der Kreditoren und die Anweisungen erlassen wurden, da blieb für Maria Salome Herberstorff so gut wie nichts übrig. Einzig Eggenberg war noch in ihrer Hand und 12.000 Gulden, die auf Tollet als „Schermung" lagen. Eggenberg wurde auf 20.000 Gulden geschätzt, und die Anweisungen auf dieses Gut der Gräfin Herberstorff erfolgten in voller Höhe dieser 20.000 Gulden. Katharina Globitzer stand dabei mit 10.712 Gulden an erster Stelle[242]. Im Herbst des Jahres 1640 wandte sich Maria Salome Herberstorff wieder hilfesuchend an Graf Kuefstein. Graf Sprinzenstein, der nunmehrige Besitzer der Herrschaft Tollet, zahlte die ganzen Jahre her, seit 1637, für die der Gräfin schuldigen 12.000 Gulden keine Zinsen. Mit den Worten „In deme ich nunmehr bei Hinweglassung aller meiner Herrschaften und Güter, alles Einkombens entäußert, und außer der 12.000 Gulden Capital, so ich auf der Herrschaft Tollet liegen, nunmehr fast ganz nichts mehr habe, also daß ich gleichsam anstehe und nicht weiß, wie oder woher ich etwo die überige Zeit meines Lebens mein Unterhaltung suechen und haben werde können" schildert sie plastisch ihre triste Lage. Dabei war damals Eggenberg noch nicht verkauft worden, weil sich keine Käufer gefunden hatten. Wenn es aber unter dem Schätzwert weggehen sollte, dann war vorgesehen, daß der Abgang von diesen letzten ihr zur Verfügung stehenden Mittel, nämlich von den 12.000 Gulden, welche auf Tollet lagen, gedeckt werden sollte. Maria Salome Herberstorff fürchtete, daß ihr von Eggenberg nicht einmal der Meierhof und das Vieh bleiben werde[243]. Aber noch hatte sie das Geld auf Tollet liegen, sie konnte die Zinsen, von denen sie hätte leben können, nicht genießen, da Sprinzenstein — es waren nunmehr wieder zwei Jahre vergangen — trotz gerichtlichen Exekutionsgebotes noch immer nicht zahlte. „Wehmütig, mit Schmerzen" klagte sie Kuefstein: sie leide diesmal an ihrer „unentbehrlichen Nahr- und Unterhaltung dermaßen Noth . . ." „und schier nicht weiß, wovon ich gleichsam die nächsten Wochen zu leben habe, und deswegen in meinem nunmehr hocherlebten ohn daß betrüebten Alter äußerist bedrängt bin, daß ich mich fast scheuche, ein solches zu schreiben oder sagen"[244]. Das Eingeständnis ihrer Not und Armut fiel ihr schwer, und sie trug an der Bitternis ihres Daseins. Ende des Jahres 1642 meldeten sich die Erben nach dem verstorbenen Franz von Herberstorff, und die 12.000 Gulden waren wieder in Gefahr. Erasmus von Gera schrieb noch am Heiligen Abend dieses Jahres an Kuefstein und bat ihn, die Exekution zu verhindern[245].

Wir sind über den weiteren Verlauf dieser Tragödie im einzelnen nicht unterrichtet. Eggenberg, mit dem Schätzwert voll belastet, war noch im Besitz der Gräfin Herberstorff. Sie hatte noch die Unannehmlichkeiten eines Prozesses zu ertragen, den Seraphia Fernberger gegen sie anstrengte und in welchem diese überhaupt die Herberstorffschen Besitzrechte an Eggenberg zu bestreiten suchte. Eggenberg wurde unter dem Herberstorffschen Pfleger Hans Georg Wankhamer zwangsverwaltet, und Wenzl Reichhart von Sprinzenstein, der Besitzer von Tollet, hatte als Zessionarius aller auf

Eggenberg verwiesenen Gläubiger die Erträgnisse. 1649 verglich er sich mit den Herberstorffschen Erben, und 1650 ging nach Abrechnung gegenseitiger Forderung Eggenberg eigentümlich an ihn über[246]. Maria Salome Herberstorff hat den Verlust Eggenbergs nicht mehr erlebt. Aber vor ihrem eigenen Tode traf sie noch ein harter Schicksalsschlag: Ihr Enkel Wolfgang Adam Graf von Pappenheim — 29 Jahre alt — wurde im Zweikampf getötet[247]. Sie selbst ist im Jahre 1648 etwa 68 bis 70 Jahre alt gestorben[248]. Die Armut folgte ihr ins Grab. Als man im Jahre 1973 die Herberstorffsche Gruft in Altmünster öffnete, da stand der Kupfersarkophag mit der Leiche des Statthalters auf drei gemauerten Postamenten an der Südseite der Gruft. An der nördlichen Seite waren jedoch die wohl für Herberstorffs Gattin vorgesehenen drei Podeste leer. Auf dem nassen, glitschigen Boden aber, unmittelbar zu Füßen des Sarkophages Adam von Herberstorffs, lag das Skelett einer zierlichen Frau. Ein schmaler Armreif war der einzige Schmuck, den man der toten Gräfin mitgegeben hatte[249]. Für Maria Salome von Herberstorff gab es keinen Kupfersarg mehr, der den Holzsarg mit dem Leichnam schützend geborgen hätte. Die Erben waren sparsam, und die Gräfin selbst wird in ihrer Not nicht so viel hinterlassen haben, daß man sie ebenbürtig neben Adam von Herberstorff bestatten konnte oder wollte — als eine wohlhabende Herrschaftsbesitzerin, die sie einst gewesen war. Sie mußte sich mit einem bescheidenen Holzsarg, von dem kaum noch Spuren zu finden waren, in der Gruft zufriedengeben und bescheidener als ihr verstorbener Gemahl dem Jüngsten Gericht entgegenharren. Sie hatte die Katastrophe, die über Herberstorffs „Land" hereingebrochen war, im Leben und noch im Tod zu ertragen. Auch im Presbyterium der Altmünsterer Kirche, das Graf Herberstorff hatte erbauen lassen, gibt es kein Epitaphium der unglücklichen Frau. Das marmorne Denkmal des Statthalters erinnert nur an diesen.

Als der Statthalter und Landeshauptmann Adam Graf von Herberstorff im Jahre 1629 gestorben war, da lebte noch sein Bruder Franz, der aber schon vier Jahre später, am 30. Dezember 1633, als Emigrant in Regensburg starb[250]. Walkun von Herberstorff, der ständige Gefährte Adams von der Lauinger Studienzeit bis zu dessen Tod im Jahre 1629, der „arme Gesell", wie er einmal vom Statthalter benannt wurde, hatte seine Karriere als

Kriegsmann im Schatten seines erfolgreicheren Vetters gemacht, er war einer der gefürchteten Obersten gewesen, die im Bauernkrieg die Städte bedrängten, ihnen Geld abnahmen und der Schrecken der Bürger waren. Walkun, dem Adam von Herberstorff einst Schloß Wagrain zur Verfügung gestellt hatte, besaß, wie wir wissen, das kleine Gut Aichet in der Steyrer Vorstadt und war Mitglied des oberösterreichischen Herrenstandes. Er hatte mit Maria Salome noch die Konduktladschreiben zum Begräbnis Adam von Herberstorffs mit unterzeichnet, und er scheint letztmals als Zeuge in der Urkunde (1630) der Schwester Adam von Herberstorffs, Katharina Globitzer, auf, in der diese auf die Erbschaft verzichtete. Dann entschwindet er im Dunkel der Geschichte. Aber auch mit ihm erlosch das Geschlecht der Freiherrn von Herberstorff noch nicht[251]. Walkun hatte einen Sohn namens Anton Maximilian Freiherr von Herberstorff. Dessen Schicksal spiegelt den Abstieg dieses Geschlechtes im Lande wider. Walkun muß früh gestorben sein, denn schon 1651 erscheint Anton Maximilian von Herberstorff als Pflegesohn des Obersten Alexander Schifer[252]. Johann Maximilian von Lamberg dürfte Taufpate des jungen Herberstorff gewesen sein[253]. Das Leben dieses jungen Anton Maximilian war ein armseliges Dasein. Vielmehr noch als sein Vater war er ein armer Gesell, und Not und Armut waren seine Begleiterinnen auf seinem Lebensweg. Er bekam Stipendien von den obderennsischen Landständen für sein philosophisches Studium in Graz[254], und diese waren es auch, welche immer einsprangen mit kleineren oder größeren Gaben, wenn die Not am ärgsten war. Bitten um einen Degen, wie er zu einem adeligen Kavalier gehörte, oder um ein Winterkleid zeigen, daß auch solche Ausgaben nicht getätigt werden konnten[255]. Selbst nach seinen abgeschlossenen Studien in Graz hing der junge Herberstorff ständig am Rock der obderennsischen Stände, teilte ihnen mit, daß seine väterlichen und mütterlichen Mittel „nit also sufficient seyen, daß er ohne der löblichen Stände fernere Assistenz seinen Namen und Stammen in suo vigore erhalten könnte“. Er bat, man möge noch ferner „mit Gnaden und einem freiwilligen Subsidio“ seiner gedenken[256]. Im Jahre 1658 ersuchte er seinen Paten Johann Maximilian von Lamberg, er möge ihn als Aufwärter in seinem Hofstaat nach Madrid mitnehmen[257]. Anton Maximilian von Herberstorff versuchte auch am Wiener Hof sein Glück. Im Juli 1658 wurde er in der Favorita in Audienz empfangen, ein Jahr später war er wieder in Wien, wo er Erzherzog Leopold Wilhelm um Hilfe in seiner Not bat. Er berief sich hier auf die Verdienste seines Vaters Walkun, seiner Vettern Andreas und Adam von Herberstorff sowie auch auf Gottfried Heinrich von Pappenheim. Er wollte, nachdem er seine „Studia humaniora et philosophiae" in Graz absolviert hatte, wie seine Vorfahren „als letzter dies Nahmbens und Stambens" — wie er sich selbst bezeichnet — dem Erzhause dienen. Der Erzherzog empfing Anton Maximilian in Audienz[258], aber der Erfolg war wohl kaum nennenswert, weil die Bettelbriefe an die Stände weiterhin anhielten. Herberstorff lebte in Armut in Linz, wo er eine jährliche Gabe von den Ständen erhielt, er mußte diese gar um Hilfe zum „Hauszins" bitten. Vor seinem Tod erhielt er noch vom Kaiser hundert Gulden. Am 4. Januar 1695 starb er in Linz „in größten Schulden und Elend, jedoch ehrlich zu Erden bestätigt worden"[259].

Der Wunsch der aufständischen Bauern von 1626, den sie in den Bauernartikeln proklamiert hatten und der gleich nach ihrer Grundforderung nach der Freiheit des Wortes Gottes seinen Platz gefunden hatte, nämlich „den Statthalter und sein Geschlecht dies Namens ewig aus dem Land zu bannen"[260], hatte sich durch des Statthalters frühen Tod und durch das Ende seines Geschlechtes erfüllt. Der Name des Statthalters war knapp ein halbes Jahrhundert nach seinem Tod auf ewig erloschen.

MENSCH IN DER ZEIT

Adam Graf von Herberstorff war nicht ein Mann, der in *und* über der Zeit stand. Er war vielmehr engstens gebunden in der Zeit, die sein Leben begleitete, ein Mann, der in seinen Zeitverhältnissen lebte, von diesen geprägt wurde und sie in seiner Person gleichsam „nach außen abspiegelt". Diese Formulierung Goethes, die dieser nur für die „Künstler, Dichter und Schriftsteller" gelten lassen wollte, gilt für alle Menschen, auch wenn sie dieses „Abspiegeln" nicht mit einem künstlerischen oder literarischen Instrumentarium bewerkstelligen, sondern wenn sie bloß durch ihr Sein und Verhalten, durch ihr Wesen und ihr Agieren die Zeit spiegeln. Gerade die Zeit sei es, wie Georg Lukacs meint, welche die „planlose Wirrnis der Menschen ordnet", und „wie zufällig immer das Auftreten einer Gestalt pragmatisch und psychologisch sei", so tauche sie aus einer existenten und erlebten Kontinuität auf, „und die Atmosphäre dieses Getragenseins vom einmaligen und einzigen Lebensstrom hebe die Zufälligkeit ihrer Erlebnisse und Isoliertheit der Geschehnisse, in denen sie figuriert, auf"[1].

Will man Herberstorffs Tätigkeit und Bedeutung in seiner Zeit und die Fernwirkung bis zur Gegenwart beurteilen, so steht im Vordergrund der Mensch in seiner Individualität und in seiner Gebundenheit in der Gesellschaft. Herberstorff kam — wie wir gesehen haben — aus der feudal-ständischen Schicht, als Sohn eines bis zur Halsstarrigkeit oppositionellen Vaters, dessen Widerstand dem anhebenden Fürstenabsolutismus und dem fürstlichen Konfessionszwang in höchstem Maße gegolten hat. Die große Diskrepanz zwischen Staat und Gesellschaft in der Zeit um 1600, welche die Situation in den habsburgischen Erbländern kennzeichnet, ließ ungeheure Spannungen entstehen, die zur Entladung drängten. Seinem Herkommen nach, seiner Erziehung entsprechend, hätte auch Adam von Herberstorff auf der Seite jener großen Mehrheit des Volkes stehen müssen, welche sich gegen fürstlichen Zentralismus, absolutistisches Staatsdenken und gegen den Gewaltakt der katholischen Restauration wehrte. Aber die

Auffassung der marxistischen Geschichtsschreibung, daß dieser große Konflikt zwischen Ständetum und Fürstentum nur eine Auseinandersetzung innerhalb des „feudalen Staates“ war, ist sicherlich berechtigt[2], und so fließen die Grenzen und verlieren oft ihre scharfe Linie. Das Reservoir an Kräften und Köpfen, über welche das rekatholisierende, uniformierende und zentralisierende Fürstentum verfügte, reicht weit in den ständischen Bereich hinein. Aus diesen Kraftreserven des Ständetums heraus erwuchsen dem Fürstentum die Helfer und Vollstrecker, die es brauchte, um seine Ziele zu erreichen, und sie waren um so willkommener, wenn sie aus den opponierenden Schichten der Gesellschaft kamen. Herberstorff ging den Weg von der Opposition des Vaters zur eigenen Akkommodation in politischer und konfessioneller Hinsicht. Es wäre falsch, würde man glauben, er sei aus der sozialen Schicht, der er angehörte — dem Adel —, irgendwie herausgetreten. Kaum einer betonte bei jeder sich bietenden Gelegenheit mehr als Herberstorff, daß er ein „Kavalier“ sei, und das adelige Selbstbewußtsein und Standesethos war bei ihm ungeheuer stark ausgeprägt. Aber für ihn stand schon viel mehr der „Dienst“ beim Fürsten im Vordergrund als eine ständische Solidarität im Politischen und Religiösen, die den alten ständischen Staat und die damals engstens damit verbundene protestantische Gläubigkeit verteidigte. Sosehr der Vater Ott von Herberstorff gegen die moderne Tendenz des Fürstenstaates sich wehrte, so biegsam wurde hier der Sohn. Sein Lehrer Zeämann am Lauinger Gymnasium hatte, als es in Neuburg zur kritischen Wende kam, die „Constantia“ seines einst so intransigenten protestantischen Zöglings sehr bezweifelt. Und er hatte recht! Immer stärker zeigte sich bei Adam von Herberstorff ein Hang zu opportunistischer Haltung, die ihn zum Konvertiten und zum Fürstendiener machte, was ihm Aufstieg und Macht gebracht hat, ein Opportunismus, der wohl auch seine Heirat bestimmte, der ihn dann die Dienste wechseln ließ, wenn er die Gunst der Stunde zu wittern meinte — von Neuburg zur Liga Herzog Maximilians von Bayern bis zum Dienst bei Kaiser Ferdinand II.

Dieser Dienst, den Herberstorff seinen Fürsten leistete, war aber durchaus solide und treu, er war — wie er es formulierte — ein „dependierender Fürstendiener“, der die Souveränität allein beim Fürsten sah und wenig Verständnis für die ständischen Belange

Grabmal Herberstorffs in Altmünster

Adam Graf Herberstorff

Totenkopf Herberstorffs

hatte. Nur gelegentlich ließ ihn sein Jähzorn, der leicht in ihm aufbrach, und die Hitzigkeit seines Wesens, von der sein Mitarbeiter Georg Pfliegl sprach, zu Äußerungen gegen seine Herren hinreißen. Aber das ging bei aller Empfindlichkeit — der Herzog Maximilian von Bayern hatte gemeint, Herberstorff sei allzu „sensitivo" — nicht in die Tiefe. Er war im Grunde ein gehorsamer Diener seiner Herrn. Wir kennen Herberstorff kaum, wie er im privaten Kreis, in seiner Familie, lebte und wirkte, wir wissen kaum etwas zu sagen über sein Verhältnis zu seiner Gattin Maria Salome. Nicht ein einziger Brief an sie oder von ihr an ihn gibt Aufschluß darüber. Immerhin dauerte diese Ehe mit der beträchtlich älteren Frau bis zu Herberstorffs Tod. Wir wissen, daß Herberstorff einen stark ausgeprägten Familiensinn hatte, der ihn bewog, nicht nur für seinen katholischen Vetter Walkun kaiserliche Gnaden zu erwirken, sondern auch für seinen protestantisch gebliebenen Bruder Franz Freiherr von Herberstorff. So wird man annehmen können, daß er auch im Kreise seiner eigenen Familie ein fürsorglicher Gatte und wohlwollender Stiefvater der Pappenheimschen Kinder gewesen ist. Das läßt sowohl die sorgfältige Erziehung Gottfried Heinrichs von Pappenheim, seine Studien in Altdorf und Tübingen sowie seine ausgiebigen Kavaliersreisen erkennen[3] als auch die Sorgfalt, die Herberstorff für seine heiratenden Stieftöchter aufwendete. Herberstorff führte im engsten Bereich seines Hauses das Leben eines adeligen Kavaliers, dem die Cortesia keineswegs fremd war, der Gastlichkeit übte, der Pferde liebte und etwas von diesen und von köstlichen Tapezereien verstand, ein Mann, der die adeligen Tugenden übte, der an Turnieren und Ringelrennen teilnahm, der sich der Sitte der Zeit entsprechend konterfeien ließ. In seinem Hause hielt man etwas auf edlen Wein, und wenn er sich in Treuchtlingen einen Koch holen ließ, der feine Pasteten zubereiten konnte, wenn man ihm in Linz Krebse, indianische Hühner und südliche Früchte, wie Artischocken, für seine Tafel besorgen mußte, so zeigt dies, daß er auch auf köstliche Speisen Wert legte. Vielleicht ist das „üppige Wohlleben", das man ihm in Sulzbach in der früheren Zeit seiner Tätigkeit im Herzogtum Neuburg vorwarf, doch in wörtlichem Sinn zu nehmen.

Herberstorff war kein Mann kultivierter Geistigkeit, aber er hatte in Lauingen und Straßburg gelernt, was ein Mann von Adel wissen und können mußte, er hatte Latein gelernt, in Straßburg wohl auch Französisch, und ein Brief mit eigenhändigen italienischen Nachschriften zeigt, daß er auch diese Sprache konnte[4]. Dabei bescheinigte ihm kein geringerer als der Augsburger Patrizier Philipp Hainhofer, daß man mit Herberstorff gute Konversation führen konnte. Seine Briefe zeigen die harte, herbe und derbe Sprache des grobianistischen Zeitalters, sind aber gelegentlich von ausdrucksvoller Kraft und großer Plastizität, so wenn er etwa im Bauernkrieg von der Gegenreformation als von der „gefährlichen Braut", um die „der Tanz allein angefangen" habe, spricht, wenn er die Gegnerschaft der Bauern gegen ihn mit den Worten charakterisierte, „die Pauern troen mir wie einer faisten Gaiß", oder wenn er sagte, der Herrenstand des Landes ob der Enns habe durch die Auswanderung der evangelischen Führer, wie Tschernembl und Ungnad, „den Schein am rechten Auge verloren". Herberstorff schrieb viele Briefe. Offenbar tat er es nicht ungern. Er schilderte die Sachverhalte klar und lebendig, und manche seiner Schreiben — man denke an die Berichte über Frankenburg — sind von ausgeprägter Lebendigkeit und vermitteln lebhaft die Atmosphäre des Geschehens — etwa am Haushammerfeld. Seine Schriftzüge, von spitzer Feder geführt, sind zierlich und eckig und lassen dennoch die Härte dieses Mannes klar erfühlen.

Herberstorff war aber kein Mann der Feder, vielmehr mochte ihm die rauhe Luft des Kriegslebens zusagen, der grobe Ton des Kriegsvolkes, der weitgehend sein eigener war, wenn auch dem kränklichen Kriegsoberst Herberstorff das harte Leben bei der Truppe nicht gut bekommen sein dürfte. Seine militärischen Leistungen waren keineswegs bestechend, seine Niederlage bei Peuerbach durch die Bauern war eher blamabel, die Geschicklichkeit und Zähigkeit, mit der er Linz gegen die Bauern hielt, waren allerdings durchaus bemerkenswert. Seine Stärke lag weitgehend im militärisch-organisatorischen Sektor. Es ist erstaunlich, wie er seine Regimenter aufstellte — Herzog Maximilian schätzte diese seine Dienste, seinen Eifer und seine „Dexterität" beim Liga-Heer keineswegs gering. Es spricht für Herberstorff, daß Tilly vor allem die große Autorität, die Herberstorff bei der Truppe hatte, lobte und die Disziplin rühmte, die er in seinem Regiment hielt, das auch am besten armiert war. In dieser Sphäre des Geschehens, das durch Krieg und Soldatentum gekennzeichnet ist, fügt sich Herberstorffs Gestalt am besten ein. Ein Kondottiere, grob und rücksichtslos, mit einem Hang zu echter Brutalität und Grausamkeit. Die Verwaltung des Landes, das ihm seit 1620 anvertraut war, ist keineswegs seine Stärke gewesen. Er liebte die eintönige Routine des Gouvernierens nicht, er hatte Schwierigkeiten, weil er den Rat nicht regelmäßig besuchte, und das dort bestehende kollegiale System war seinem autoritären Wesen zuwider; darum wurde geklagt, daß er — wenn er den Rat besuchte — dort „die Majora brach", d. h. seinen Willen gegen die Mehrheit durchdrückte.

Seine über die Zeit seines Wirkens hinausgehende Bedeutung für die Geschichte Österreichs und vor allem des Landes ob der Enns liegt in den beiden damals hochpolitischen Bereichen des Konfessionellen und des Verhältnisses zu den Landständen. Herberstorff wuchs nach seinem „Umsatteln" — wie die Neuburger seine Konversion abwertend nannten — in die katholische Kirche hinein, wurde praktizierender Katholik und hat auch im Land ob der Enns die innere katholische Erneuerung sehr wesentlich gefördert. Er war zunächst ein leidenschaftlicher Verfechter der Gegenreformation im Lande und suchte sie zu beschleunigen. Von echter Toleranz ist bei ihm wenig zu spüren, obwohl nicht vergessen werden darf, daß gerade Johannes Kepler dem Statthalter „Aequanimitas" in konfessioneller Hinsicht bescheinigte. Aber dieses gelegentlich tolerante Verhalten des Statthalters war nicht grundsätzlich, sondern in konkreten Einzelfällen gegeben, wie eben bei Kepler, bei den Prädikanten auf seinen böhmischen Gütern oder wenn er etwa einen protestantischen Kriegsoberst — den Oberst Pechmann —, den er im Stile der Zeit als „politischen Christen" bezeichnete, dem Herzog von Bayern für das Liga-Heer empfahl. Sonst war er ein harter, intoleranter Mann, der den Befehlen seiner Fürsten Gehorsam verschaffte und die Gegenreformation mit Härte und Grausamkeit durchführte, stark bedacht auf sein Prestige, das nicht leiden sollte durch Nachgiebigkeit oder Mißerfolg. Die Gegenreformation war es auch, die ihn vor allem im liberalen 19. Jahrhundert als eine „Unperson" der Landesgeschichte Oberösterreichs erscheinen ließ. Das grausame Spiel unter der Haushammer Linde war — wie wir gesehen haben — sein eigenes Werk, aber er hielt es für Gnade, weil es die Zahl der Opfer reduzierte, und er sah im Ergebnis des Würfelspiels in archaischem

Rechtsdenken ein Gottesurteil, das die Schuldigen offenbar werden ließ und die weniger Schuldigen schützte. Er wollte durch dieses Strafgericht nicht den „gemeinen Mann“ treffen, sondern die Honoratioren, die verantwortlichen Repräsentanten aus den weltlichen Obrigkeiten der aufständischen Märkte und die Vertreter der protestantischen Kirchengemeinden, die den Aufruhr nicht gesteuert hatten. Wenn Herberstorff nach den Frankenburger Ereignissen in religiöser Hinsicht oft nachgiebiger wurde, wenn er im Bauernkrieg zu Konzessionen im konfessionellen Bereich bereit war, so zeigte er sich als Pragmatiker, der die Gefahren, welche die gewaltsame Rekatholisierung für das bayerische Regime im Lande ob der Enns und für die allgemeine Kriegslage bringen konnte, erkannte. Der Bauernkrieg hat seine Angst bestätigt und seine Tendenz zur fast opportunistischen Anpassung an die reale Situation bestärkt. Herberstorff hat die Bauern lange Zeit in konfessioneller Hinsicht geschont und auch nach dem Bauernkrieg den gemeinen Mann noch vor der totalen Gegenreformation aus eben den angegebenen Gründen der Gefahr, sonst einen neuen Aufstand heraufzubeschwören, bewahrt. Das war nicht Rücksicht auf die Bauern, deren Leben im Falle eines Widerstandes wenig wert gewesen ist. Herberstorff hatte wohl schon 1620, als sein Kriegsvolk aus den Niederlanden zur Donau zog, ein Exempel an Bauern eines Dorfes im Westen des Reiches statuiert, als dort auf die Soldaten seines Vetters Walkun geschossen worden war. Es mag dies eine jener Szenen gewesen sein, wie sie J. Callot in seinem Kupferstichwerk „Elend des Krieges“ in vollem Grauen der Nachwelt übermittelte.

Herberstorffs ganze Gegnerschaft gehörte im Lande ob der Enns jener Schicht, welcher er entstammte, dem protestantischen Adel und der Korporation der Grundobrigkeiten, den Landständen. Daher bildete er die große Triebkraft, welche in erster Linie den Adel in die Gegenreformation einbezogen wissen wollte und dies schließlich beim Kaiser auch erreichte. Für ihn war diese gegenreformatorische Aktion wie für den Kaiser mit ein Instrument, die Stände auch politisch zu entmachten und schließlich die evangelischen Stände durch die Gegenreformation ganz zu eliminieren. Er sah in den ständischen Rechten unbefugte Eingriffe in die „Regalien“ der Fürsten, wie er es nannte, und er stand den Landständen mit größtem Mißtrauen gegenüber, auch noch zur

Zeit, da er selbst durch Erwerbung von Grundherrschaften im Lande in das ständische Corpus des Landes ob der Enns Aufnahme gefunden hatte. Er wurde der große Zuchtmeister der oberösterreichischen Stände, der ihrer ungeahnten Zähigkeit mit Härte widerstand, sie demütigte, ihre Rechte und Gewohnheiten weitgehend unberücksichtigt ließ und sie gelegentlich bis ins Innerste traf, etwa wenn er die ständische Kasse ihrer Verfügungsgewalt entzog oder ihr oft praktiziertes unredliches Gebaren gegen die Untertanen bei der Einhebung der Abgaben bloßlegte. Durch beides, durch die Härte der Gegenreformation im Lande ob der Enns und durch sein gewalttätiges Niederhalten des Adels, hat Herberstorff in die Zukunft gewirkt. Denn der Staat Ferdinands II. war ein Staat der Gegenreformation, und durch das Werk Herberstorffs erst ist dieser österreichische Staat der Gegenreformation richtig möglich geworden, jener konfessionell unitarische Staat, der bis Josef II. lebendig war und dessen gegenreformatorischer Geist noch bis ins 20. Jahrhundert über das Protestantenpatent von 1861 hinaus spürbar bleiben sollte. Gewiß war die große Entscheidung gegen Ständetum und Protestantismus am Weißen Berg vor Prag gefallen, aber Herberstorffs Regime im Land ob der Enns vollendete, was dort im Grundsätzlichen entschieden worden war. Wohl bedeutete die Statthalterschaft des gebürtigen Steirers Herberstorff zunächst eine Konzession nicht nur gegenüber dem Kaiser, sondern auch für das Land. Aber fremde Herrschaft und militärische Besetzung wirken viel stärker, rücksichtsloser und nachhaltiger auf ein Land als die Züchtigung von eigener Hand. In Herberstorffs Regime lernten die oberösterreichischen Stände erst kennen, was fürstliche Herrschaft bedeuten konnte. Hatten sie nicht ein langes Spiel mit der habsburgischen Clemenz getrieben, das sie nun vergeblich unter dem fremden Statthalter weiterzuführen versuchten? Das bayerische Korsett, in das Herberstorff die oberösterreichischen Landstände zwang, war eng und drückte. Herberstorff machte die oberösterreichischen Herren gefügig, bzw. er zwang jene, die sich nicht fügen wollten, durch die von ihm initiierten Bestimmungen des kaiserlichen Reformationspatentes zur Abwanderung. Erst jetzt konnte das widerspenstige Land, das den österreichischen Landesfürsten in den letzten Jahrzehnten so große Schwierigkeiten bereitet hatte, in den habsburgischen Staat der Gegenreformation eingefügt werden. Das bayerische Regime des Grafen Herberstorff hatte auch indirekt eine ungeheure Wirkung. Es ließ — auch dem protestantischen Adel — den Unterschied zum österreichischen Regierungssystem der vergangenen Jahrzehnte, das den Ständen weiten Spielraum gelassen hatte, in vollem Ausmaß ermessen. Die Härte Herberstorffs machte das Land, das auf dem Höhepunkt der leidenschaftlichen konfessionell-politischen Auseinandersetzung mit dem katholischen Landesfürstentum mit dem Gedanken gespielt hatte, einen anderen Fürsten als Erbherrn zu nehmen, wieder „österreichisch". Nur unter der Zuchtrute des Statthalters wollte man wieder zum Kaiser zurück, war für dieses Ziel zu großen Opfern bereit und sehnte sich nach der Herrschaft des Hauses Österreich, das man als „das liebe Vaterland" apostrophierte. Die Bauern des aufsässigen Landes aber waren bereit, das Land dem Kaiser zurückzukaufen.

Diese große Stärkung der österreichischen Gesinnung des Landes ob der Enns ist nicht das einzige in die ferne Zukunft wirkende Ergebnis der Statthalterschaft Herberstorffs. Auch im kleineren Rahmen des Landes selbst hatte die bayerische Besatzung eine ungeahnte Auswirkung. Die Gegnerschaft gegen das bayerische Regime des Statthalters war ein einigendes Band für das Land und brachte eine gewaltige Steigerung des Landesbewußtseins. Die Solidarität gegen Herberstorff und seine Regierung verband protestantische Herren und Ritter, die landesfürstlichen Städte, die protestantischen Bauern mit dem katholischen Prälatenstand. In politischer Hinsicht gab es zwischen den evangelischen Landständen und den Prälaten keine Kluft, die führenden Köpfe des geistlichen Standes, wie der Abt Georg Grüll von Wilhering und der Primas des oberösterreichischen Prälatenstandes, Abt Anton Wolfradt von Kremsmünster, waren in der Gegnerschaft gegen Herberstorff und die bayerische Herrschaft mit den opponierenden Ständen einig. Wenn Herberstorff klagte, daß die Oberösterreicher vor allen anderen Völkern „teutscher Nation" zur Rebellion neigen, so dokumentiert er den mächtigen Widerstandsgeist, der im Lande gegen Bayern lebendig wurde. Unter dem bayerischen Druck fand das Land ob der Enns zu sich selbst und wurde sich trotz Ohnmacht und Demütigung, trotz Niederlage und Not seines eigenen Wertes in echter Weise bewußt.

Das war sehr wichtig, denn dieses kleine Land hatte immer

um seine Stellung in der Reihe der habsburgischen Länder zu kämpfen, und sein Rang in diesem Verband war nicht geklärt. In dem großen Streit um diesen Rang des Landes ob der Enns, das man abschätzig als Landl bezeichnete, war es von seiten der innerösterreichischen Länder darum gegangen, das Land ob der Enns an die letzte Stelle zu setzen, nur im Verein mit Niederösterreich sollte es an der Spitze der Erbländer als Erzherzogtum Österreich stehen. Das mochte deprimierend wirken. Gelegentlicher Spott, wie etwa jener, der in dem Vergleich liegt, welcher am Beginn der Ständerebellion von 1619 für das Land gebraucht wurde, es sei wie eine Hand, die kratzen möchte und keine Nägel hat, mag diese Wirkung noch bestärkt haben. Daß dieser Streit des Landes um seinen Rang noch durchaus lebendig war zur Zeit des Statthalters Herberstorff, mag jene Episode zeigen, die sich um ein Büchlein Johannes Keplers abspielte. Der Mathematiker hatte sein „Prognosticon meteorologicum auf das Jahr 1623“ den Landständen der Steiermark gewidmet. Weil Kepler aber die Stände ob der Enns im Titel vor denen der Steiermark genannt hatte, wurde das Buch im Dezember 1623 in Graz öffentlich verbrannt[5]. Nun im Widerstand gegen Bayern mochte das Land alle Gefühle von Minderwertigkeit abgelegt haben, und als der Kaiser selbst sich bemühte, das Land wieder zu gewinnen und es schließlich auch von Bayern zurückkaufte, war das neuerwachte Landesbewußtsein gleichsam bestätigt. Als „neugeborene Kinder des Hauses Österreich“ sahen sich die Oberösterreicher, und es konnte nicht mehr schaden, wenn erst Jahre nach dem Ende der bayerischen Besatzungszeit Ferdinand II. den Rangstreit nun zugunsten der Innerösterreicher beendete. Im Westfälischen Frieden von 1648 hat dann Bayern endgültig auf alle Ansprüche auf das Land ob der Enns, für das sich nunmehr der Begriff „Oberösterreich“ immer mehr einbürgerte, verzichtet und damit alte wittelsbachisch-habsburgische Zwistigkeiten um dieses Land zunächst beendet[6].

Wenn die oberösterreichischen Stände auch dem Grafen Trauttmansdorff nicht die verdiente „Statuam“ wegen der Rückholung des Landes zu Österreich aufstellten, so war die Freude über die Rückkehr doch sehr groß. Und gerade die Verknüpfung eines starken Bewußtseins der Zugehörigkeit zur Union der österreichischen Erbländer mit dem gestärkten Selbstbewußtsein des

Landes war — beides mit ein Ergebnis der Statthalterschaft Herberstorffs — zukunftsweisend für die Entwicklung des österreichischen Staatswesens. So führt eine Linie von der dreieinhalb Jahrhunderte zurückliegenden Ära des Statthalters Herberstorff herauf in unsere Zeit. Denn ein gesundes Staatsbewußtsein und — in gleicher Gewichtigkeit— das lebendige Landesbewußtsein sind die Basis für jenen kooperativen Föderalismus, der auch die österreichische Republik kennzeichnet. Doch über die besondere Auswirkung der Statthalterschaft Herberstorffs auf die geschichtliche Entwicklung des Landes Oberösterreich und des Staates Österreich bis in unsere Zeit hinausgehend, ist ein allgemeines Moment doch von besonderer Aktualität. In dem ständigen Kampf zwischen Herrschaft und Freiheit, der die Geschichte stets begleitet, erscheint die Regierung des Statthalters Herberstorff als Typus einer harten Herrschaftsausübung, welche Freiheit und Gewissen der Menschen mißachtet, wenn sie auch im Rahmen des damaligen Staates durchaus legitim gewesen ist. Sie bietet das Gegenbild der Vorstellungen unserer Tage über Herrschaft und Freiheit, über Staat und Mensch und ist als solches auch im Bewußtsein aller Menschen in Österreich, die je den Namen des Statthalters Herberstorff hörten, verankert. Als Abbild gegenreformatorisch-barocker Herrschaftsausübung wirkten Herberstorff und seine Verwaltung tief in unsere Zeit herein im Sinne einer Abschreckung. Im Gegensatz zu den Auffassungen der Zeit Ferdinands II. geben die Menschen unserer Tage der Freiheit vor der Herrschaft und Ordnung den Vorzug und werden hierin bestärkt, wenn sie den Blick auf jene Tage, da Herberstorff in Österreich wirkte, richten. Mit diesen wenigen Hinweisen scheint auch jener Bezug von der vergangenen Epoche der Zeit der bayerischen Verpfändung zur Gegenwart hergestellt zu sein, den der englische Historiker Geoffry Barraclough jeweils für eine wichtige Verpflichtung des Historikers hält[7]. Die Geschichte wird hier wieder zur magistra vitae, die sich, wie Theodor Mommsen meinte, „der Pflicht der politischen Pädagogik“ nicht entziehen könne[8].

ANMERKUNGEN

Verwendete Abkürzungen

ADB = Allgemeine Deutsche Biographie
HHSTA = Haus-, Hof- und Staatsarchiv Wien
HS = Handschrift
ASTA = Allgemeines Staatsarchiv München
Geh. STA = Geheimes Staatsarchiv München
Br. u. A. = Briefe und Akten zur Geschichte des Dreißigjährigen Krieges. Neue Folge
OÖLA = Oberösterreichisches Landesarchiv Linz
MS = Manuskript

Einleitung

[1] L. von Ranke, Geschichte Wallensteins, Gesammelte Werke 23 (1872) S. V ff.

[2] E. W. Zeeden, Das Zeitalter der Gegenreformation. Herder B. Bd. 281 (1967) S. 291.

[3] H. Lutz, Christianitas afflicta (1964) S. 132.

[4] A. Starkenfels, Der oberösterreichische Adel (1874), Artikel Herberstorff.

[5] Lexikon für Theologie und Kirche 2 (1931) S. 699.

[6] Beschreibung des Herberstorffschen Grabmales, in: Mitteilungen der k. k. Central-Commission zur Erforschung und Erhaltung der Kunst- und historischen Denkmäler XIV. N. F. (1888) S. 262 ff.; vgl. auch R. Pichler, Berühmte oberösterreichische Grabsteine. Unterhaltungsbeilage zum Linzer Volksblatt 7. Jg. Nr. 11 (1914); das Grabmal wurde kürzlich in eine Seitenkapelle verlegt.

[7] H. Sturmberger, Georg Erasmus Tschernembl. Religion, Libertät und Widerstand (1953).

[8] A. Schmidt, Das Österreich-Bewußtsein in der Dichtung der letzten 50 Jahre, in: 50 Jahre Republik Österreich. Schriftenreihe des oberösterreichischen Volksbildungswerkes, Bd. 21 (1968) S. 147.

[9] F. Kurz, Beiträge zur Geschichte des Landes Oesterreich ob der Enns 1 (1805) S. XI.

[10] Ebenda S. 103.

[11] J. Stülz, Geschichte des Cistercienser-Klosters Wilhering (1840) S. 266.

[12] F. Heer, Die dritte Kraft (1959) S. 705.

[13] N. Hanrieder, Der oberösterreichische Bauernkrieg (1923), Einleitung von H. Zöttl S. 24.

[14] Ebenda S. 99.

[15] F. Klein, Stefan Fadinger (1885) S. 26.

[16] Kurz, Beiträge 1, S. 302.

[17] Joachim Enzmilner, Interimsrelation; Konzept Oö. Landesarchiv, Windhager Archiv HS 28, fol. 51 r.

[18] F. Stieve, Der oberösterreichische Bauernaufstand, 2 Bde, 2. A. (1904/05).

[19] H. H. Ortner, Stefan Fadinger. Eine deutsche Bauernerhebung in drei Akten (1936).

I. Kapitel: *Der Konvertit*

1. Der steirische Edelmann

[1] Pulkowoer Kepler-MSS Bd. 18, fol. 242 v. Den Hinweis verdanke ich Frau Martha List, Kepler-Kommission der Bayerischen Akademie der Wissenschaften in München.

[2] Zum Beispiel Stieve, Bauernaufstand: 14. 4. 1584 (oder 1585), Otto Koller nennt als Herberstorffs Geburtstag den 11. 9. 1584, in: „Die Heimat", Beilage zur Rieder Volkszeitung Nr. 101/102, 1968.

[3] Nicht zu verwechseln mit Kalsdorf südlich von Graz (Koller a. a. O.).

[4] F. Chr. Khevenhiller, Conterfet-Kupferstich 2, S. 362. Stieve, Bauernaufstand, hatte sich Khevenhiller angeschlossen.

[5] Starkenfels, Oberösterreichischer Adel, Artikel Herberstorff; J. G. A. von Hoheneck, Die löbliche Herren Stände III (1747) S. 250.

[6] Steiermärkisches Landesarchiv, Landschaftliches Archiv, Gültaufsandungen 30/564, fol. 59 (Eintragung vom 28. 8. 1614). Den Hinweis verdanke ich Oberarchivrat Dr. Wolfgang Sittig, Graz.

[7] E. Otto, Reformation und Gegenreformation in der Oststeiermark. Zeitschr. d. Histor. Ver. Steiermark 11 (1913) S. 122, Anm. 1.

[8] Franz von Herberstorff nach Keplers Horoskop-Figur (a. a. O.) als Otto von Herberstorffs Sohn am 13. 10. 1587 geboren. Ehe mit Anna Maria von Teuffenbach am 3. 5. 1609. Jahrbuch Adler N. F. 22 (1912) S. 190. Franz von Herberstorff ist am 30. 12. 1633 in Regensburg gestorben. Evangelisch-lutherisches Pfarrarchiv Regensburg HS K 36, S. 604. Den Hinweis verdanke ich Hofrat Dr. H. Hebenstreit, Linz.

[9] 1. Elisabeth, verehelicht mit Ratmansdorf, gestorben in Nürnberg am 6. 7. 1667. Ihr bei Otto, Reformation a. a. O., angegebenes Alter mit 63 Jahren kann nicht stimmen.
2. Katharina, verehelicht mit Wolf Globitzer am 19. 5. 1611. Otto, Reformation a. a. O. S. 206, Jahrbuch Adler N. F. 22 (1912) S. 183.
Nach einer handschriftlichen, kurzen Biographie Herberstorffs von Franz Christoph Khevenhiller, welche nicht identisch ist mit der in den Annales Ferdinandei gedruckten, hatte Adam von Herberstorff drei Schwestern. Archivalien aus Kammer, derzeit Osterwitz. Bei R. Baravalle, Burgen und Schlösser der Steiermark, wird auch Friedrich von Herberstorff als Sohn des Otto genannt, vielleicht handelt es sich hiebei um einen Bruder Ottos von Herberstorff, geb. 29. 9. 1549, Kepler-MSS a. a. O.

[10] Baravalle, Burgen a. a. O. 2. A. (1961) S. 332.

[11] Auch diese Angaben in einer Horoskop-Figur Keplers (a. a. O.). Am Rande ist vermerkt: „Podagricus — Moritur anno 1601, mense Novembri vel Decembri.“ Die Angabe bei E. Otto, Reformation a. a. O., daß Otto von Herberstorff bereits 1598 tot war, kann also nicht richtig sein. Keplers Horoskop-Figuren verdanken wir außer den bereits angeführten Angaben über Otto, Adam und Franz von Herberstorff noch folgende genealog. Daten über die Herberstorffer: Andre von Herberstorff, geb. 25. 11. 1543, Marquard von Herberstorff, geb. 7. 11. 1546, Carl von Herberstorff, geb. 23. 12. 1547, Friedrich von Herberstorff, geb. 29. 9. 1549, Amalie von Herberstorff, ihre Schwester, geb. 29. 8. 1553, Caspar von Herberstorff, geb. 25. 6. 1555, Ulrich von Herberstorff, geb. 15. 4. 1560.

[12] Baravalle, Burgen a. a. O. Stichwort Lengheim.

[13] Ebenda S. 350.

[14] Ebenda S. 140.

[15] Topographisch-statistisches Lexikon von Steiermark mit historischen Notizen und Anmerkungen, hg. von I. A. Janisch 1 (1878) S. 688. Die Burg Kalsdorf wurde im Zweiten Weltkrieg schwer beschädigt. Die unter den Herberstorffern angebauten Teile blieben jedoch unversehrt. Vgl. Die Kunstdenkmäler Österreichs — Steiermark (Dehio), 3. A. (1956) S. 152.

[16] Baravalle, Burgen a. a. O. S. 141, 162, 810, 350.

[17] F. Popelka, Geschichte der Stadt Graz 1 (1928) S. 586.

[18] A. Mell, Grundriß der Verfassungs- und Verwaltungsgeschichte des Landes Steiermark (1929) S. 380 (Verordnetenliste).

[19] J. Loserth, Ein Hochverratsprozeß aus der Zeit der Gegenreformation in Innerösterreich. Archiv für österreichische Geschichte 88/2 (1900) S. 11.

[20] Innerösterreich 1564—1619. Joannea-Publikationen der Steiermärkischen Landesbibliothek, Bd. 3 (1969) S. 483.

[21] J. Loserth, Die protestantischen Schulen in der Steiermark im 16. Jahrhundert (1916) S. 94. Richter mußte allerdings schon 1590 emigrieren (?). Otto, Reformation a. a. O. S. 147.

[22] F. Hurter, Geschichte Kaiser Ferdinands II. 9 (1858) S. 644.

[23] Vgl. außer J. Loserth, Die Reformation und Gegenreformation in den innerösterreichischen Ländern im XVI. Jahrhundert (1898), jetzt auch B. Sutter, Die geschichtliche Stellung des Herzogtums Steiermark 1192 bis 1918, in: Die Steiermark (1956). Vgl. nunmehr auch W. Schulze, Landesdefension und Staatsbildung (1973).

[24] Vgl. über diese Ereignisse Otto, Reformation a. a. O. S. 122 ff.

[25] Akten und Korrespondenzen zur Geschichte der Gegenreformation in Innerösterreich unter Erzherzog Karl II. (1578—1590). Gesammelt und hg. von J. Loserth, Fontes Rer. Austr. II, 50 (1898) S. 68.

[26] Ebenda S. 72, 88, 526, 530, 579, 596.

[27] Ebenda S. 599. I. F. D. = Ihr fürstl. Durchlaucht.

[28] 31. 12. 1580, ebenda S. 144.

[29] Otto, Reformation a. a. O. S. 135 ff.

[30] Graz 1607, S. 470, ebenda S. 150 ff.

[31] Ebenda; auch Loserth, Reformation und Gegenreformation S. 568.

[32] Ebenda.

[33] Otto von Herberstorff an Richter und Rat von Fürstenfeld 15. 5. 1590. Akten und Korrespondenzen, Fontes Rer. Austr. II, 50, S. 684, Nr. 547.

[34] Ebenda S. 684, Nr. 548.

[35] Erzherzogin Maria 1590, ebenda S. 680, Nr. 539.

[36] Otto, Reformation a. a. O. S. 154.

[37] Loserth, Reformation und Gegenreformation S. 569.

[38] Otto, Reformation a. a. O. S. 155.

[39] Hurter, Ferdinand II. 3, S. 498. Erzherzog Ernst an Erzherzogin Maria 1591; J. Loserth, Der Huldigungsstreit nach dem Tode Erzherzog Karls II. 1590—1592 (1898) S. 132 ff., bezieht das Ganze irrtümlich auf Andreas von Herberstorff.

[40] Akten und Korrespondenzen zur Geschichte der Gegenreformation in Innerösterreich unter Ferdinand II., 1. Teil. Gesammelt und hg. von J. Loserth, Fontes Rer. Austr. II, 58 (1906) S. 4, Nr. 6, Haslang und Gailhofer an Herzog Wilhelm von Bayern 28. 8. 1540.

[41] Otto, Reformation a. a. O. S. 179.

[42] Zum Beispiel Herberstorff am 2. 6. 1540, ebenda S. 155.

[43] Akten und Korrespondenzen, Fontes Rer. Austr. 58, S. 268, Nr. 377.

[44] Otto, Reformation a. a. O. S. 155.

[45] Ebenda S. 203. Akten und Korrespondenzen zur Geschichte der Gegenreformation in Innerösterreich unter Ferdinand II., 2. Teil. Gesammelt und hg. von J. Loserth, Fontes Rer. Austr. II, Bd. 60 (1907) S. XLVIII.

[46] M. Caspar, Johannes Kepler (1948) S. 87.

[47] Kepler an Hugo Blotius, Prag 5. 2. 1601. Johannes Kepler, Gesammelte Werke 14 (Briefe 1599—1603), hg. von M. Caspar (1949) S. 160, Nr. 182. Kepler verließ Graz im September 1600. Die Bücher schickte er im August 1600 an Ott von Herberstorff. Am 7. 8. 1601 urgierte er die Bücher bei Blotius; ebenda S. 188, Nr. 194. Am 8. 8. 1600 wurden in Graz 10.000 evangelische Bücher verbrannt. G. Loesche, Geschichte des Protestantismus im vormaligen und im neuen Österreich (1930) S. 246.

[48] Baravalle, Burgen a. a. O S. 332.

[49] Akten und Korrespondenzen, Fontes Rer. Austr. 58, S. LXIV.

[50] Loserth, Reformation und Gegenreformation S. 568.

[51] 1585 wurde als einer der Erzieher des siebenjährigen Erzherzogs Ferdinand auch Andreas Herberstorff bestimmt. Vgl. Innerösterreich a. a. O. S. 84.

[52] P. Dedic, Der Protestantismus in Steiermark (1930) S. 125.

[53] Akten und Korrespondenzen, Fontes Rer. Austr. 58, S. 575, Nr. 751.

[54] Starkenfels, Oberösterreichischer Adel S. 120.

[55] Khevenhiller, Manuskript Herberstorff a. a. O.

[56] Caspar, Kepler S. 80 und 261.

[57] Loserth, Protestantische Schulen S. 116.

[58] J. Loserth, Die Beziehungen der steiermärkischen Landschaft zu den Universitäten Wittenberg, Rostock, Heidelberg, Tübingen, Straßburg u. a. in der zweiten Hälfte des 16. Jahrhunderts (1898).

[59] Erzherzog Karl 1. 1. 1587. Regest bei Loserth, Protestantische Schulen S. 197.

[60] Conterfet-Kupferstich 2, S. 362.

[61] I. M. Beitelrock, Geschichte des Herzogtums Neuburg, II. Abt., Programm Aschaffenburg 1862/63 S. 8 ff.

[62] C. Clesca, Das Gymnasium illustre oder die Pfalzgräflich Neuburgische Landschaftsschule zu Lauingen vom Jahre 1561—1616. Programm Neuburg a. D. 1847/48.

[63] Beitelrock, Neuburg a. a. O. S. 8 ff.

[64] Vermutlich der Sohn eines der Brüder Ottos von Herberstorff. Ich konnte leider nicht feststellen, wer Walkuns Vater war.

[65] C. Gremmel, Geschichte des Herzogtums Neuburg, hg. von C. A. Finweg (1871) S. 126.

[66] Stieve, Bauernaufstand 2, S. 4 zu S. 9, Anm. 8.

[67] Über das Leben Zeämanns vgl. B. Mayer, Geschichte der Stadt Lauingen (1866) S. 178.

[68] Consignatio convictorum Iacobi Cellarii, Bayerisches Staatsarchiv Neuburg, Grassegger-Sammlung Nr. 14906, fol. 45. Vielleicht war der ebenfalls aus Waldmünchen stammende Diakon Johannes Eginger (geb. 1567) ein Verwandter. Vgl. Weigel-Wopper-Amon, Neuburgisches Pfarrerbuch (1967) S. 30.

[69] Ferdinand II. an die Verordneten 20. 3. 1547. Akten und Korrespondenzen, Fontes Rer. Austr. II, 58, S. 229, Nr. 315.

[70] Catalogus Baronum et Nobilium, quosjam anno 1602 illustre Gymnasium Lauingamum habet. Dazu liegt ein zweiter Katalog aus 1602 vor, wo die Herberstorffer als „secundani" eingetragen sind. Bayerisches Staatsarchiv Neuburg, Grassegger-Sammlung Nr. 14906.

[71] Consignatio a. a. O.

[72] Beitelrock, Neuburg a. a. O. S. 7.

[73] Consignatio a. a. O. fol. 45 v ff.

[74] Ebenda fol. 20 ff.

[75] K. Eder, Glaubensspaltung und Landstände in Österreich ob der Enns 1525—1602 (1936) S. 182.

[76] Clesca, Gymnasium a. a. O. S. XII.

[77] Alle Angaben über Jakob Cellarius bei G. Ludwig, Zur Geschichte der fürstlichen Schule, des Gymnasiums illustre in Lauingen, 4. Teil, Jahresbericht des Albertus Gymnasiums Lauingen 1969 S. 32, 35 ff.; Herrn Oberstudienrat Dr. Ludwig habe ich für große Hilfe zu danken. Er stellte mir unter anderem bereitwillig Exzerpte aus den Schulakten der Grassegger-Sammlung des Staatsarchivs Neuburg zur Verfügung, darunter auch Catalogus Baronum et Nobilium a. a. O. fol. 19.

[78] Beitelrock, Neuburg S. 9 ff.

[79] Den Hinweis und das Exzerpt aus dem Stammbuch Teuffenbach (Egerton-MS 1229 im Britischen Museum) verdanke ich Herrn Univ.-Prof. Dr. Erich Zöllner, Wien. Vgl. über das Teuffenbachsche Stammbuch auch E. Zöllner, Austriaca in der Stammbuchsammlung des Britischen Museums, in: Österreich und die angelsächsische Welt (1968) S. 352 ff.; Teuffenbach ist 1605 als Publicus am Lauinger Gymnasium nachweisbar.

Catalogus Discipulorum (1605), Staatsarchiv Neuburg, Grassegger-Sammlung Nr. 14905 III, fol. 113. Die Angabe verdanke ich Dr. Gernot Ludwig.

[80] Mitteilung der Bibliothèque nationale et universitaire in Straßburg (20. 11. 1964).

[81] M. Doblinger, Straßburg und die Steiermark. Elsaß-Lothringisches Jahrbuch 19 (1940) S. 205 ff.; auch E. Zöllner, Aus dem Stammbuch des Freiherrn Otto Heinrich von Herberstein. Mitteilung des Instituts für österreichische Geschichtsforschung 63 (1955) S. 362. Herberstein legte sein Stammbuch 1607 in Straßburg an.

[82] C. Bünger, Matthias Bernegger (1843) S. 18. Bernegger kam nach seinen Reisen wieder 1603 nach Straßburg. Über Bernegger vgl. nunmehr E. Berneker, Matthias Bernegger, der Straßburger Historiker, in: Julius Echter und seine Zeit, hg. von F. Merzbacher (1973) S. 283 ff.

[83] Conterfet-Kupferstich 2, S. 362.

[84] A. Gubo, Stipendiaten der steiermärkischen Landschaft im 17. Jahrhundert, Zeitschrift des Historischen Vereines Steiermark 14 (1916) S. 89.

[85] Khevenhiller, Manuskript Herberstorff a. a. O. (Kammerer-Archivalien, derzeit Osterwitz).

[86] Hurter, Ferdinand II. 9, S. 645.

[87] Otto, Reformation a. a. O. S. 206. Offenbar aber nicht wie Otto angibt nach Nürnberg, sondern nach Regensburg, wo er am 30. 12. 1633 starb.

2. *Aufstieg in Pfalz-Neuburg*

[88] Zur Geschichte von Pfalz-Neuburg vgl. Beitelrock a. a. O., H. Rall, Pfalz-Neuburg und seine Fürsten, Neuburger Kollektaneenblätter 109 (1955).

[89] R. Huch, Der Dreißigjährige Krieg (1958) S. 75.

[90] Rall, Pfalz-Neuburg a. a. O. S. 18.

[91] Über die jülichsche Frage vgl. H. J. Roggendorf, Die Politik der Pfalzgrafen von Neuburg im Jülich-Klevischen Erbfolgestreit, Düsseldorfer Jahrbuch 53 (1968).

[92] Pappenheimsches Archiv zu Pappenheim Nr. 2382 b vom 4. 3. 1607. Frdl. Mitteilung von Dr. W. Kraft (Pappenheim). Das Pappenheimsche Archiv befindet sich seit 1970 im Bayerischen Staatsarchiv Nürnberg; Nachrichten aus den staatlichen Archiven Bayerns Nr. 2 (1971) S. 2.

[93] Handschrift des Stadtvogtes Michel von 1646 im Pappenheimschen Archiv (Dr. Kraft).

[94] H. Banniza von Bazan und R. Müller, Deutsche Geschichte in Ahnentafeln I (1939) S. 99. Auch Mitteilung Gräfin M. Preysing, Dillingen.

[95] Pappenheimsches Archiv, Dok. Nr. 2538 (evangelische Taufe des am 29. 5. 1594 geborenen Gottfried Heinrich von Pappenheim am 5. 6. 1594 durch Pfarrer Alexander Müller in der Pfarrkirche zu Treucht-

lingen (Dr. Kraft). Der Brief Heinrich von Preysings an Herzog Maximilian von Bayern, Geh. STA, Kasten schwarz, Nr. 6911.

[96] Banniza, a. a. O. S. 99.

[97] Hinweise Dr. Kraft.

[98] Pappenheimsches Archiv, Dok. Nr. 2538 (Mitteilung Dr. Kraft).

[99] Hoheneck, Stände 3 (1747) S. 251. Die gleichlautende Angabe in Mitteilungen der k. k. Zentralkommission N. F. 14, S. 262 basiert auf Hoheneck.

[100] Pappenheimsches Archiv, Akt 2473 (Dr. Kraft).

[101] Staatsarchiv Amberg, Neuburger Abgabe Nr. 14351; ebenda Rentamt Hemau (R. 360 und 361), Kirchenrechnungen von Ehrenfels 1610 und 1611. J. Ströller, Historisches Lexikon I, S. 526 (Manuskript Staatsarchiv Neuburg), berichtet, daß Herberstorff 1608 Pfleger von Beratshausen wurde. Ströller lebte von 1751—1816 (G. Ludwig).

[102] G. Chr. Gack, Geschichte des Herzogtums Sulzbach (1847) S. 214, Anm.

[103] Steiermärkisches Landesarchiv, Landschaftsarchiv, Original-Gültaufsandungen 30/564.

[104] Gack, Sulzbach S. 214, Anm.; vgl. auch Stieve, Bauernaufstand 2, S. 4.

[105] Relation Ph. Hainhofers, Zeitschrift für Schwaben und Neuburg (1881) S. 202.

[106] Baravalle, Burgen a. a. O. S. 162.

[107] Staatsarchiv Amberg, Neuburger Abgabe 1912, Nr. 1519. Heimatbuch für den Landkreis Burglengenfeld (1958) S. 54.

[108] Schuldbrief Herberstorffs vom 29. 9. 1621; O. Mutzbauer, Die Urkunden des Archivs der Grafen von Tattenbach. Bayerische Archivinventare 28 (1967) Regest Nr. 482.

[109] Kunstdenkmäler von Oberpfalz und Regensburg V (1906) S. 137 (Mitt. Staatsarchiv Amberg).

[110] Gremmel, Neuburg S. 203; Beitelrock, Neuburg III, a. a. O. S. 10.

[111] J. Breitenbach, Wolfgang Wilhelm Herzog von Neuburg und Jülich-Berg, ADB 44 (1898) S. 112.

[112] M. Ritter, Deutsche Geschichte 2 (1895) S. 370.

[113] Huch, Dreißigjähriger Krieg S. 75.

[114] Ritter, Deutsche Geschichte 2, S. 370.

[115] Roggendorf, Politik der Pfalzgrafen von Neuburg a. a. O. S. 123 ff.

[116] Ebenda S. 175.

[117] ADB 44, S. 96. Eine Übersicht über die kirchliche Entwicklung Pfalz-Neuburgs, in: Die evangelischen Kirchenordnungen des 16. Jahrhunderts, hg. von E. Schling, Bd. 13 (1966) S. 17 ff.

[118] Roggendorf, a. a. O. S. 178 ff.

[119] Über Hainhofer vgl. ADB 49 (1904) S. 719.

[120] Die Reisen des Augsburgers Philipp Hainhofer nach Eichstadt, München und Regensburg in den Jahren 1611, 1612 und 1613. Zeitschrift des historischen Vereins für Schwaben und Neuburg 8 (1881) S. 202; die Stelle ist auch zitiert bei Stieve, Bauernaufstand 2, S. 5.

[121] S. Riezler, Geschichte Bayerns 5 (1903) S. 94.

[122] Ebenda S. 209.

[123] Bericht über die Heimführung der Herzogin Magdalena von Bayern, der ersten Gemahlin des Pfalzgrafen Wolfgang Wilhelm von Neuburg. Mitgeteilt von W. Harlaß und eingeleitet von Fr. Küch. Zeitschrift des Bergischen Geschichtsvereines 33 (1897) S. 131.

[124] Steiermärkisches Landesarchiv, Gültaufsandungen 30/564, fol. 59.

[125] ADB 44, S. 96 ff.; Rall, Pfalz-Neuburg a. a. O. S. 26 ff.

[126] Khevenhiller, Conterfet S. 362; Vertrauliches Schreiben aus Neuburg 9. 3. 1615, HHSTA Wien, HS Böhm 597, fol. 104.

[127] Gremmel, a. a. O. S. 187. Im Lehenaufsandungsakt vom 28. 8. 1614, Steiermärkisches Landesarchiv, Gültaufsandungen a. a. O. fol. 59. Georg Zeämann an Dr. Conrad Dietrich in Ulm 17./27. 1. 1615, Bayerische Staatsbibliothek München, Cod. 1259, fol. 743, Mitteilung Dr. G. Ludwig, Lauingen.

[128] F. I. Lipowsky, Geschichte der Landstände von Pfalz-Neuburg (1827) S. 117.

[129] Hurter, Ferdinand II. 9, S. 643 ff.

[130] F. X. Kropf, Historia provinciae Soc. Jesu Germaniae superioris pars quarta ab anno MDCXI ad annum MDCXXX (1746) S. 51.

[131] G. Zeämann an Dr. Conrad Dietrich 17./27. 1. 1615, Bayerische Staatsbibliothek München, Cod. Germ. 1259, fol. 743, Mitteilung Dr. G. Ludwig, Lauingen.

[132] Hainhofer, a. a. O. S. 202.

[133] Stieve, Bauernaufstand 2, S. 5.

[134] Weigel-Wopper-Amon, Neuburgisches Pfarrerbuch S. 24, Nr. 163 (Hinweis Dr. G. Ludwig, Lauingen).

[135] Kropf, Historia S. 51; Vertrauliches Schreiben aus Neuburg 17. 5. 1616 a. a. O. fol. 136.

[136] Kropf a. a. O. S. 51: „festo illo, solemnique die, quem Theophoriae dicimus".

[137] Ebenda: „de manu Sacerdotis nostri . . .".

[138] ADB 44, S. 94.

[139] J. Heider und J. A. Förch, Neuburg und seine Fürsten, 5. A. (1955) S. 75.

[140] ADB 27 (1888) S. 698.

[141] ADB 44, S. 98.

[142] Pfalzgraf Wolf Wilhelm an Herberstorff, Pilsen 14. 8. 1616. Staatsarchiv Neuburg, Grassegger-Sammlung Nr. 15204. Nach J. Sax, Geschichte des Hochstiftes und der Stadt Eichstätt, 2. A. (1927) S. 281, ist Pappenheim am 27. 8. 1614 bei den Jesuiten in Eichstätt zum katholischen Glauben übergetreten.

[143] Wolf Wilhelm an Herberstorff, wie Anm. 142.

[144] Gremmel, Neuburg S. 192; Vertrauliches Schreiben aus Neuburg 11. 9. 1618, HHSTA Wien, HS Böhm 597, fol. 247 ff.

[145] Wie Anm. 142; Vertrauliches Schreiben aus Neuburg 12. 7. 1616 a. a. O. fol. 139.

[146] Über Spiring vgl. Beitelrock, Neuburg S. 16.

[147] Gack, Sulzbach S. 214.

[148] Gremmel, Neuburg S. 224. Vermutlich nach dem 23. 12. 1618.
[149] ADB 44, S. 98.
[150] Gremmel, Neuburg S. 189 ff.
[151] ADB 44, S. 102.
[152] Herzogin Anna an Herberstorff 19. 1. 1618 (a. St.), in: Gundelfingen an der Donau I [1962], Anhang: Regesten von G. Nebinger S. 87, Nr. 8.
[153] ADB 44, S. 101.
[154] B. Mayer, Geschichte der Stadt Lauingen (1866) S. 154.
[155] Über diese Ereignisse vgl. Fr. X. Schild, Rückführung der Stadt Lauingen zur katholischen Religionsübung. Jahrbuch des Historischen Vereines Dillingen 11 (1898) S. 141 ff.
[156] Mayer, Lauingen S. 158.
[157] Schild, Lauingen S. 122.
[158] Über Zeämanns weiteres Schicksal vgl. Mayer, Lauingen S. 172. Er starb am 5. 9. 1638 in Stralsund.
[159] A. Sperl, Pfalzgraf Philipp Ludwig, sein Sohn Wolfgang Wilhelm und die Jesuiten (1895) S. 60.
[160] J. Schmidt, Linzer Kunstchronik 2 (1951) S. 78; C. F. Bauer, Die evangelische Landschaftsschule in Linz a. D., Jahrbuch der Gesellschaft für Geschichte des Protestantismus im ehemaligen und neuen Österreich 45/46 (1925) S. 34.
[161] ADB 44, S. 97.
[162] Vertrauliches Schreiben aus Neuburg 2. 9. 1619, HHSTA Wien, HS Böhm 597, fol. 283 ff., wo dieser Überfall genau beschrieben wird. Vgl. auch ADB 44, S. 90.
[163] Khevenhiller, Annales Ferdinandei, 7. und 8. Teil (1723) S. 1116.
[164] Drach an Abt Falb von Göttweig, Prag, 28. Juni 1617, Stiftsarchiv Göttweig R XIII/181. Den Hinweis verdanke ich Stiftsarchivar P. Emmeran Ritter, Göttweig.
[165] Khevenhiller, Annales a. a. O. S. 1118.
[166] Geh. STA München, Kasten blau 341/28, fol. 789—816.
[167] Vertrauliches Schreiben aus Neuburg o. D. und Relation Herberstorffs vom 27. 4. 1619, HHSTA Wien, HS Böhm 547, fol. 265 und 267.
[168] Gack, Sulzbach S. 214; vgl. dazu Stieve, Bauernaufstand 2, S. 5.
[169] Khevenhiller, Manuskript Herberstorff a. a. O.
[170] L. Groß, Die Geschichte der deutschen Reichshofkanzlei von 1559—1806 (1933) S. 39 ff.
[171] Herberstorff an Gez 3. 2. 1619, HHSTA Wien, Kriegsakten Fasz. 39, fol. 17.
[172] ASTA München, Dreißigjähriger Krieg, Tom. 22, fol. 1—5 r.
[173] Diese ganzen Zusammenhänge aus Vertrauliches Schreiben aus Neuburg 5., 12., 19. und 25. 11. 1619, HHSTA Wien, HS Böhm 597, fol. 287, 289, 290, 292.
[174] Wie Anm. 172, Tom. 1.
[175] Briefe und Akten zur Geschichte des Dreißigjährigen Krieges, N. F. I/1, bearbeitet von Georg Franz (1966) (zit. Br. u. A. I/1) S. 305;

P. Ph. Wolf - C. W. F. Breyer, Geschichte Maximilians I. und seine Zeit 4 (1811) S. 366.

[176] Lebzelter an Kursachsen 26. 2. 1623. Briefe und Akten zur Geschichte des Dreißigjährigen Krieges, N. F. II/1, bearbeitet von Walter Goetz (1907) (zit. Br. u. A. II/1) S. 88.

3. Von Neuburg ins Land ob der Enns

[177] H. Heimpel, Die Reformation als weltgeschichtliches Ereignis. Geschichte in Wissenschaft und Unterricht 17 (1966) S. 331.

[178] K. Eder, Studien zur Reformationsgeschichte Oberösterreichs 1 (1932), 2 (1936).

[179] J. Lortz, Die Reformation in Deutschland 1 (1939).

[180] A. Rüstow, Ortsbestimmung der Gegenwart 2 (1952) S. 269.

[181] H. Wurm, Die Jörger von Tollet (1955) S. 267.

[182] G. Mecenseffy, Geschichte des Protestantismus in Österreich (1956) S. 11 ff.

[183] D. Martin Luthers Werke, Briefwechsel 3 (1933), Weimarer Ausgabe Nr. 884 (Luther an Christoph Jörger 3. 6. 1525).

[184] Vgl. zu dem ganzen Abschnitt K. Eder, a. a. O.

[185] R. Zinnhobler, Die Anfänge der Reformation in Wels, Jahrbuch des Museal-Vereines Wels 8 (1961/62) S. 78 ff.

[186] Heimpel, Reformation a. a. O. S. 330.

[187] Wurm, Jörger S. 150.

[188] G. Mecenseffy, Das evangelische Freistadt. Jahrbuch der Gesellschaft für die Geschichte des Protestantismus in Österreich 68/69 (1953) S. 167.

[189] Wurm, Jörger S. 150.

[190] I. Neumann, Steyr und die Glaubenskämpfe, Veröffentlichungen des Kulturamtes der Stadt Steyr (1952) S. 41.

[191] Mecenseffy, Freistadt a. a. O. S. 176.

[192] H. Sturmberger, Dualistischer Ständestaat und werdender Absolutismus, in: Die Entwicklung der Verfassung Österreichs (1962).

[193] H. Sturmberger, Türkengefahr und österreichische Staatlichkeit, Südostdeutsches Historisches Archiv 10 (1967).

[194] H. Sturmberger, Jakob Andreae und Achaz von Hohenfeld. Festschrift Karl Eder (1959) S. 392.

[195] Eder, a. a. O. 2, S. 77.

[196] Ebenda S. 109 ff.

[197] Nuntiaturberichte aus Deutschland, II. Abt. 1560—1572, 6. Bd., bearbeitet von Ph. Dengel (1939) S. XXIII und XXVII; vgl. Sturmberger, Jakob Andreae a. a. O. S. 382.

[198] Eder, a. a. O. S. 111.

[199] M. Doblinger, Der Protestantismus in Eferding und Umgebung bis zum Toleranzpatent. Jahrbuch der Gesellschaft für die Geschichte des Protestantismus in Österreich 72 (1956) S. 35 ff.

[200] O. Wessely, Caspar Hirsch in Oberösterreich, ebenda 68/69 (1953) S. 257.

[201] H. Haan, Oberösterreicher an der Genfer Universität. Festschrift „Adler" 1961 S. 16 ff.; Sturmberger, Tschernembl S. 240.

[202] O. Wessely, Daniel Hitzler. Jahrbuch der Stadt Linz 1951 S. 290.

[203] A. Hoffmann, Wirtschaftsgeschichte des Landes Oberösterreich (1952) S. 99.

[204] G. Grüll, Der Bauer im Lande ob der Enns (1969). Vgl. auch Sturmberger, Tschernembl S. 56 ff.

[205] Vgl. Mecenseffy, Freistadt a. a. O. S. 189.

[206] Eder, a. a. O. 2, S. 303.

[207] G. Rill, Das Linzer Jesuitenkollegium im Spiegel der Litterae annuae S. J. 1600—1650. Jahrbuch der Stadt Linz 1954 S. 425.

[208] Sturmberger, Tschernembl passim; auch für das Folgende.

[209] Ebenda S. 29.

[210] P. Müller, Ein Prediger wider die Zeit — Georg Scherer (1933).

[211] Rill, Jesuitenkollegium a. a. O. S. 427 ff.

[212] Sturmberger, Tschernembl S. 261 ff.; auch H. Sturmberger, Aufstand in Böhmen (1959).

[213] Vgl. über Ferdinand II. auch meine Arbeit: Kaiser Ferdinand II. und das Problem des Absolutismus in Österreich (1957).

[214] Georg Franz in Br. u. A. I/1, S. 254.

[215] Text des Vertrages Br. u. A. I/1, S. 242 ff. Vgl. Sturmberger, Aufstand in Böhmen S. 72.

[216] Br. u. A. I/1, S. 279 ff.

[217] Ebenda S. 362.

[218] Ebenda S. 365.

[219] Sturmberger, Aufstand in Böhmen S. 77.

[220] Sturmberger, Tschernembl S. 331.

[221] Kaiser Ferdinand an Herzog Maximilian 23. 8. 1620, Br. u. A. I/1, S. 399.

[222] Kaiser Ferdinand an Herzog Maximilian 16. 12. 1619, Br. u. A. I/1, S. 280.

[223] Herzog Maximilian an den Kaiser, Dillingen 5. 7. 1620, HHSTA Wien, Bavarica Fasz. 10/2, fol. 135 ff.

[224] Herzog Maximilian an den Kaiser, Dillingen 10. 7. 1620, HHSTA Wien, Bohemica Fasz. 60, fol. 206 v.

[225] Wolf-Breyer, Maximilian I., 4, S. 408, Anm. 3.

[226] Ebenda S. 405. Herzog Maximilian an den Kaiser, Schärding 21. 7. 1620, HHSTA Wien, Bohemica Fasz. 60, fol. 139 ff.

[227] S. Riezler, Geschichte Baierns 5 (1903) S. 150 ff.

[228] OÖLA, Annalen 68, fol. 194 und 203.

[229] Ebenda, Annalen 68, fol. 349; Br. u. A. I/1, S. 392, Anm. 1.

[230] F. X. Pritz, Geschichte des Landes ob der Enns 2 (1847) S. 360.

[231] Herzog Maximilian an den Kaiser, Schärding 21. 7. 1620, HHSTA Wien, Bohemica Fasz. 60, fol. 140 ff.

[232] Maximilian an Ferdinand, Schärding 21. 7. 1620; ebenda, Bavarica, Konvolut 1620—29, fol. 141; Br. u. A. I/1, Nr. 201, S. 593, Anm.

[233] Pritz, Geschichte des Landes ob der Enns 2, S. 360.

[234] Maximilian an Ferdinand II., Schärding 27. 7. 1620, HHSTA Wien, Bohemica Fasz. 60, fol. 160.

[235] Maximilian an Ferdinand II. wie Anm. 232.

[236] Wie Anm. 234.

[237] OÖLA, Annalen 68, fol. 715.

[238] Maximilian an Kurmainz, Starhemberg 30. 7. 1620, Br. u. A. I/1, S. 392.

[239] Sturmberger, Tschernembl S. 331, Anm. 208.

[240] Wie Anm. 234.

[241] Pritz, Geschichte des Landes ob der Enns 2, S. 362.

[242] Maximilian an Ferdinand II., Schärding 27. 7. 1620, HHSTA Wien, Bohemica 60, fol. 167.

[243] Ebenda, auch Br. u. A. I/1, S. 394, Anm.

[244] Khulmers Bericht an die Stände 3. 8. 1620, OÖLA, Ständ. Archiv Schuber 31.

[245] Pritz, Geschichte des Landes ob der Enns 2, S. 360 und 362.

[246] OÖLA, Annalen 68, fol. 701 ff.

[247] Vertrauliches Schreiben aus Linz 7. 8. 1620, HHSTA Wien, Bohemica Fasz. 60, fol. 276. Bei Hurter, Ferdinand II, 8 (1857) S. 505, der aus dem Wiener Erzkanzlerarchiv schöpft, wird dieses Schreiben dem Herzog von Bayern zugeschrieben. Dem sonstigen Inhalt nach erscheint dies aber nicht richtig zu sein.

[248] Wolf-Breyer, Maximilian I. 4, S. 408, Anm. 3; Khevenhiller, Annales Ferdinandei 9, S. 920, heißt es, Herberstorff sei Oberst über fünfhundert Pferde gewesen.

[249] Vertraulicher Brief aus Neuburg, HHSTA Wien, HS Böhm 597, fol. 297, 299, 300, 307 und 309.

[250] Geh. STA, Bayerische Abt., Kasten schwarz, Nr. 8702, fol. 1—9.

[251] Vertrauliche Briefe aus Neuburg 30. 12. 1619, 21. 1., 4. 2., 17. 3. und 24. 3. 1620, HHSTA Wien, HS Böhm 597, fol. 297, 299, 300, 307 und 309.

[252] Br. u. A. I/1, S. 365.

[253] Stieve, Bauernaufstand 1, S. 10; Khevenhiller, Manuskript Herberstorff, Osterwitz.

[254] Maximilian an Ferdinand, Linz 12. 8. 1620, HHSTA Wien, Bohemica Fasz. 60, fol. 286 v.

[255] Wolf-Breyer, Maximilian I. 4, S. 418, Anm. 12.

[256] Ebenda S. 413 ff., Anm. 10.

[257] Ebenda S. 417.

[258] Maximilian an Ferdinand, Linz 21. 8. 1620, Br. u. A. I/1, S. 406, Anm.

[259] OÖLA, Annalen 68, fol. 866 ff.; auch Ständ. Archiv, Schuber 31.

[260] Ebenda.

[261] Br. u. A. I/1, S. 406, Anm.

[262] Ebenda.

[263] OÖLA, Annalen 68, fol. 878.

II. Kapitel: *Des Herzogs von Bayern Statthalter*

1. Auf der Burg zu Linz

[1] G. Koller, Die Hochzeit Ferdinands I. in Linz, Linz Aktiv 24 (1967) S. 19 ff.

[2] F. Pfeffer, Baugeschichte der Linzer Burg, in: Linz, Erbe und Sendung (1943).

[3] Herberstorff an Maximilian 11. 1. 1625, ASTA, Dreißigjähriger Krieg, Tom. 48, fol. 445.

[4] Stände an Maximilian 21. 8. 1620, OÖLA, Ständ. Archiv, Schuber 31.

[5] Maximilian an Stände 22. 8. 1620, ebenda.

[6] Bayer. Geh. Staatskanzlei an Ferdinand II. 9. 1. 1621, Br. u. A. I/2, S. 25.

[7] Herberstorff und Eisenreich an Maximilian 12. 9. 1620, ASTA, Dreißigjähriger Krieg, Tom. 48, fol. 21.

[8] Herberstorff an Maximilian 16. 9. 1620 und Maximilian an Herberstorff 23. 9. 1620 aus Budweis, Br. u. A. 1/1, S. 424.

[9] Kurköln an Maximilian 23. 8. 1620 und Maximilian an Kurköln 26. 8. 1620, Br. u. A. 1/1, S. 414. Maximilian an Jocher 25. 8. 1620, Geh. STA, Bayer. Abt., Kasten schwarz Nr. 16503.

[10] Henry Wotton an Francis Bacon (o. D.); Johannes Kepler, Gesammelte Werke, hg. von Max Caspar 18 (1959) S. 42.

[11] Kepler an Bernegger 29. 8. 1620, ebenda S. 41.

[12] Maximilian an Ferdinand 29. 11. 1620, Br. u. A. 1/1, S. 453.

[13] Ferdinands Dankbrief an Maximilian 25. 11. 1620, HHSTA Wien, Kriegsakten Fasz. 40, fol. 282.

[14] OÖLA, Annalen 70, fol. 915.

[15] Memorial des Prälatenstandes 4. 9. 1620, OÖLA, Ständ. Archiv, Schuber 31.

[16] Stülz, Wilhering S. 265.

[17] Dr. Jocher an Maximilian 6. 10. 1620, Br. u. A. 1/1, S. 433.

[18] Stieve, Bauernaufstand 2, S. 11.

[19] Instruktion für Abt Georg von Wilhering zu Gesandtschaft an den Kaiser 7. 9. 1620, OÖLA, Ständ. Archiv, Schuber 31; vgl. auch Stülz, Wilhering S. 266.

[20] Ferdinand II. an die Stände 28. 9. 1620, OÖLA, Ständ. Archiv, Schuber 31.

[21] Brief Ferdinand II. 28. 12. 1620, Br. u. A. 1/2, S. 13, Anm. 2.

[22] Bayer. Geh. Kanzlei an Ferdinand II. 9. 1. 1621, Br. u. A. 1/2, S. 25.

[23] Pritz, Geschichte 2, S. 364.

[24] Briefwechsel zwischen Ferdinand II. und Maximilian im September 1620, Br. u. A. 1/1, S. 427 ff.

[25] Ebenda S. 434.

[26] Gesandtschaft Polheims 7. 9. 1620, mit Beilagen, OÖLA, Annalen 70, fol. 454 ff.

[27] Herberstorff 31. 8. 1620 und Stände an Herberstorff 3. 9. 1620, OÖLA, Ständ. Archiv, Schuber 31.

[28] Herberstorff an Stände 6. 9. 1620, ebenda.

[29] Herberstorff an Verordnete 13. 11. 1620, OÖLA, Annalen 70, fol. 642 ff.

[30] Herberstorff an Stände 18. 10. 1620, OÖLA, Annalen 70, fol. 886 ff.

[31] Herberstorff an Stände 23. 10. 1620, ebenda fol. 672.

[32] Herberstorff an Stände 5. 12. 1620, ebenda fol. 891.

[33] Herberstorff an Stände 9. 12. 1620, ebenda fol. 898.

[34] Ständ. Memorial 11. 12. 1620 und Schreiben an Herberstorff 11. 12. 1620; ebenda fol. 900 und 907.

[35] Herberstorff an Stände 12. 12. 1620, ebenda fol. 910.

[36] Herberstorffs Dekret 12. 12. 1620, ebenda fol. 915.

[37] Traktation im Schloß 14. 12. 1620, ebenda fol. 918.

[38] Instruktion für Traun 16. 12. 1620, ebenda fol. 447 ff.; Instruktion für Starhemberg 16. 12. 1620, ebenda fol. 581 ff.

[39] Über Starhembergs Gesandtschaft vgl. Stülz, Wilhering S. 286; OÖLA Annalen 70, fol. 821 ff. Starhembergs Relation 10. 2. 1621, OÖLA, Ständ. Archiv, Schuber 32 und Annalen 70, fol. 790.

[40] Dekret Herberstorffs 19. 1. 1621, OÖLA, Ständ. Archiv, Schuber 32.

[41] Verordnete an Zelking 6. 4. 1621, OÖLA, Annalen 71, fol. 15; vgl. Stieve, Bauernaufstand 1, S. 18 ff.

[42] Dekret Herberstorffs 12. 3. 1621, OÖLA, Ständ. Archiv, Schuber 32 (A IX, 216); Stieve, Bauernaufstand 1, S. 18, wo von 21.000 Gulden die Rede ist.

[43] Herberstorff an Maximilian 20. 10. 1621, ASTA, Dreißigjähriger Krieg, Tom. 22, fol. 83.

[44] 6. 12. 1621, OÖLA, Ständ. Archiv, Schuber 32; Khevenhiller, Annales IX, S. 1286.

[45] Verordnete an Herberstorff 28. 4. 1621, OÖLA, Ständ. Archiv, Schuber 32.

[46] Br. u. A. 1/2, S. 311, Anm. 1; OÖLA, Annalen 71, fol. 274; Ständ. Archiv, Schuber 32 (14. 12. 1621).

[47] OÖLA, Ständ. Archiv, HS 549, fol. 138 v; dort ist auch noch die Bemerkung „dazumal hat der Taler golten im Land 3 fl. 15 Kr.".

[48] Traun an die Stände 2. 2. 1621, OÖLA, Annalen 70, fol. 553 ff.

[49] Traun an die Stände 6. 2. 1621, ebenda fol. 555.

[50] Traun an die Stände 21. 2. 1621, ebenda fol. 557.

[51] Verordnete an die Genannten 29. 3. 1621, OÖLA, Ständ. Archiv, Schuber 32.

[52] Bericht Wensins und Pfliegls 30. 1. 1621, Br. u. A. 1/2, S. 81.

[53] 19. 1. 1621, ebenda S. 75.

[54] Verordnete an Traun 29. 3. 1621, OÖLA, Annalen 70, fol. 568.

[55] Instruktion für Wensin und Pfliegl 19. 1. 1621, Br. u. A. 1/2, S. 76.

[56] „Sub cautione et hypotheca omnium bonorum, nullis exceptis"; Art. III des Vertrages, ebenda 1/1, S. 245.

[57] Si Sua Serenitas expeditione sua in Provinciis Austriacis aliquid

e manibus hostium armis eripuerit et in potestatem suam redegerit, id omne cum omnibus et quibuscumque emolumentis, jurisdictionibus, juribus et pertinentiis manebit in potestate Serenissimi Ducis et successorum jure pignoris, nec inde cogetur recedere aut educere militem, donec dicti sumptus extraordinarii et damna liquidata fuerint restituta ... nec comprehendantur sub hac obligatione hypothecaria Bona Principis Cameralia haec: salinae, fodinae et telonia, nisi ad dictam restitutionem alia bona non suffecerint"; Art. V des Vertrages, ebenda 1/1, S. 246.

[58] Instruktion für Wensin und Pfliegl, ebenda 1/2, S. 77.

[59] Gutachten der Geheimen Räte 5. 1. 1621, HHSTA Wien, Österreichische Akten, Oberösterreich 9 b, fol. 117 ff.

[60] Gutachten der Geheimen Räte 11. 2. 1621, ebenda fol. 183 ff. und fol. 203 ff.

[61] Br. u. A. 1/2, S. 83 ff.

[62] Kepler an Bernegger 15. 2. 1621, Kepler, Gesammelte Werke 18, S. 62.

[63] F. Krackowizer, Geschichte der Stadt Gmunden 3 (1900) S. 138 ff.; C. Schraml, Das oberösterreichische Salinenwesen zum Beginn des 16. bis zur Mitte des 18. Jahrhunderts (1932) S. 8 ff.

[64] Br. u. A. 1/2, S. 84; Abschrift HHSTA Wien, Österreichische Akten, Oberösterreich 9 b, fol. 240 ff.; Khevenhiller, Annales IX, S. 1285.

[65] Vgl. über ihn H. Hebenstreit, Die Herren von Schärfenberg und ihre Beziehungen zu Linz, Historisches Jahrbuch der Stadt Linz 1966 (1967) S. 161.

[66] O. Wessely, Daniel Hitzler, Jahrbuch der Stadt Linz 1951 S. 323. Intervention der Stände für ihn bei Maximilian 17. 12. 1620, OÖLA, Annalen 70, fol. 730.

[67] Die Liste der Verhafteten bei Khevenhiller, Annalen IX, S. 1286. Ergänzung aus Brief eines Ungenannten (an Georg Christoph von Schallenberg?), HHSTA Wien, Archiv Rosenau, HS 79, fol. 437; über Hebenstreit vgl. H. Hebenstreit, Die Hebenstreit in Linz, Historisches Jahrbuch der Stadt Linz 1964 (1965) S. 18 ff.; über Hitzler vgl. Wessely, Hitzler a. a. O. S. 319.

[68] Briefe an Schallenberg (?) z. B. 29. 6. 1621, HHSTA Wien, Archiv Rosenau, HS 79, fol. 376 und 437.

[69] Stände an Ferdinand II. 5. 4. 1621, OÖLA, Ständ. Archiv, Schuber 32.

[70] Herberstorff an Verordnete 26. 6. 1621, ebenda und Annalen 71, fol. 114.

[71] Herberstorff an Stände 9. 8. 1621, OÖLA, Ständ. Archiv, Schuber 32.

[72] Gegenüberstellung der Resolution Maximilians 11. 2. 1622 und Anbringen der Stände 21. 1. 1622, OÖLA, Ständ. Archiv, Schuber 33.

[73] OÖLA, Starhemberg. A., Schuber II/4, Diverses.

[74] G. Heilingsetzer, H. W. Starhemberg, Ungedr. Diss. Wien 1970 S. 33; M. Doblinger, Dr. Abraham Schwarz, Jahrbuch für die Geschichte des Protestantismus in Österreich 77 (1961) S. 23; Hebenstreit, Die Hebenstreit, Jahrbuch Linz 1966 S. 23.

[75] Wessely, Hitzler a. a. O. S. 323.

[76] Intervention der Stände bei Ferdinand II. 19. 6. 1625, OÖLA, Starhemberg. A., Schuber II/4, Diverses; auch E. Starhemberg an Kurfürst Maximilian 27. 4. 1625, Geh. STA München, Kasten schwarz Nr. 668, fol. 33.

[77] J. Stülz, Die Jugend- und Wanderjahre des Grafen Franz Christoph Khevenhiller nach seinen eigenen Aufzeichnungen, A. für Österr. Geschichte 4 (1850) S. 379, 381, 384 ff.; Wurm, Die Jörger S. 182; HHSTA, Archiv Rosenau, HS 79, fol. 437.

[78] Khevenhiller, Annales IX, S. 1598.

[79] K. Holter, Die verschollenen Grabmäler der Polheimer bei den Minoriten in Wels, Jahrbuch des Musealvereines Wels 1970 S. 44.

[80] Hochzeitladschreiben an Juliane Starhemberg 5. 12. 1623, OÖLA, Starhemberg. A., Korresp. Nr. 161 (Herberstorff); Rechnungsbuch des Paul Reichmair, ASTA, Dreißigjähriger Krieg, Akten 172 1/2, fol. 11.

[81] Wurm, Jörger S. 171 ff.; Reichmairs Rechnungsbuch 1624, ASTA München, Dreißigjähriger Krieg, Akten 172 1/4/1, fol. 89 ff.; Interventionsschreiben der oö. Stände für Jörger 16. 12. 1620, OÖLA, Annalen 70, fol. 724.

[82] Hofkammer A. Wien, Niederösterreichische Herrschaftsakten B 9 und S 9, fol. 889; Reichmair a. a. O. 172 1/4/1, fol. 89 ff.

[83] Br. u. A. 1/2, S. 76, Anm. 2; Stieve, Bauernaufstand 2, S. 13; Wurm, Jörger S. 184.

[84] Schallenberger Familienbuch, OÖLA, Musealarchiv H 5 195, fol. 80.

[85] Sturmberger, Tschernembl S. 372; Wurm, Jörger z. B. S. 176.

[86] Maximilian an Herberstorff, 18. 2. 1621, ASTA, Dreißigjähriger Krieg, Tom. 49, fol. 126; Herberstorff an Maximilian 26. 2. 1621, ebenda fol. 128; Br. u. A. 1/2, S. 85, Anm. 1.

[87] Wurm, Jörger S. 177.

[88] Korrespondenz darüber: OÖLA, Weinberger Archivalien, Schuber 30, Nr. 12.

[89] Herberstorff an Maximilian 6. 9. 1625, ASTA, Dreißigjähriger Krieg, Tom. 48, fol. 686.

[90] Herberstorff an Maximilian 12. 11. 1625, ASTA, Dreißigjähriger Krieg, Tom. 119, fol. 190.

[91] HHSTA Wien, Archiv Rosenau, HS 79, fol. 300.

[92] Der Schriftwechsel über die Kaiserreise durch Oberösterreich, OÖLA, Annalen 71, fol. 2960 ff.

[93] Khevenhiller, Annales IX, S. 1598.

[94] Vgl. über diese Gesandtschaft (unter anderem Anbringen der Stände 21. 1. 1622), OÖLA, Annalen 71, fol. 224 ff. und Ständ. Archiv, Schuber 33.

[95] Herberstorff an Stände 15. 1. 1622, OÖLA, Annalen 71, fol. 216.

[96] Stülz, Wilhering S. 273.

[97] Ebenda S. 289, Anm.

[98] Stieve, Bauernaufstand 1, S. 2 und 2, 6.

[99] Stülz, Wilhering S. 608; Reichmair, a. a. O. 172 1/4/1, fol. 119.

[100] Geh. STA München, Kasten schwarz Nr. 665, fol. 19 und 36 ff.; Stieve, Bauernaufstand 1, S. 12.

[101] Bayer. Geh. Kanzlei an Ferdinand II. 9. 1. 1621, Br. u. A. 1/2, S. 25.

[102] Stieve, Bauernaufstand 1, S. 9.

[103] Reichmair, a. a. O. 172 1/4/1, fol. 113 ff.

[104] Herberstorff an Maximilian 28. 8. 1621, ASTA, Dreißigjähriger Krieg, Tom. 22, fol. 52.

[105] Bestallungsbrief für Pfliegl 14. 2. 1622, ebenda fol. 165.

[106] 2. 4. 1622, ebenda Tom. 49, 174. Die Angabe bei Stieve 1, S. 9, daß Gienger 1621 gestorben ist, ist unrichtig. Er starb erst am 3. 4. 1623; Starkenfels, OÖ. Adel S. 67.

[107] Maximilian an Herberstorff 21. 2. 1622, ASTA, Dreißigjähriger Krieg, Tom. 49, fol. 168.

[108] Die Hochzeit Pfliegls fand am 12. 4. 1622 im Vizedomhaus zu Linz statt; vgl. Eintragung Pfliegls in Giengers Lebensbeschreibung, OÖLA, Musealarchiv, HS 184, fol. 111; Pfliegl starb 1647. Eine kurze Biographie Pfliegls findet sich auch im Cod. Vindob. 10.098, fol. 248, Österreichische Nationalbibliothek Wien, Handschriftensammlung. Dieser zufolge wurde Pfliegl 1627 in den erblichen Ritterstand ob der Enns aufgenommen.

[109] Vom 1. 9. 1620 bis Ende April 1621 Dr. Peringer als Rat; vom 1. 5. 1621 bis Ende April 1622 der Hofrat Otto Heinrich Schobinger; der Frühzeit der Statthalterschaft Herberstorffs gehören als Kriegskommissär H. Wilh. Eisenreich und Christoph Fuchs ebenfalls als Kriegskommissär an; Ott Joseph von Kirchberg war Rat und Kriegskommissär vom 21. 3. 1621 bis Juli 1623; Dr. Hieron. Faber war bis 30. 6. 1624 bei der Statthalterei tätig, dann Pfleger in Wildenegg. Dr. Johann Koller hat drei Jahre Kriminal- und Fiskalsachen bearbeitet; auch Dr. Scheifele hat nach seiner Kommission von 1622 noch eine Zeit als Rat in Linz gewirkt und kam 1627 wieder ins Land. Andere Räte — in späteren Jahren — waren Sigmund von Thumberg, Hans Ludwig Riemhofer, Dr. Melchior Sturm, als Auszahler fungierte Paul Reichmair, als Hofkammersekretär Amandus Gartner. Vgl. Reichmair, Rechnungsbuch, ASTA, Dreißigjähriger Krieg, Akten 172 1/2, fol. 20, 172 1/3/1, fol. 12 ff.

[110] Herberstorff an Maximilian 2. 6. 1625, ASTA, Dreißigjähriger Krieg, Tom. 48, fol. 526.

[111] Ebenda Tom. 22, fol. 1 c (8. 3. 1610). Vgl. auch Geh. STA München, Kasten schwarz Nr. 665, fol. 72 ff.

[112] Instruktion für Statthalter und Räte zu Linz 2. 7. 1623, Geh. STA München, Kasten schwarz Nr. 665, fol. 63 ff.; auch Ende 1624 gibt es wieder eine Instruktion, und auch die Schwierigkeiten mit Dr. Faber traten wieder auf. Vgl. Herberstorff an Maximilian 29. 11. 1624 und Instruktion 7. 10. 1624, ASTA, Auswärtige Staaten, Lit. Österreich Nr. 134 (ad 17).

[113] Instruktion 2. 7. 1623 wie Anm. 112; auch Stieve, Bauernaufstand 2, S. 7 und 8.

[114] Bauernkriegsbeschwerden 1626; bei Stieve 2, S. 258.

[115] G. Putschögl, Landeshauptmann und Landesanwalt in Österreich ob der Enns im 16. und 17. Jahrhundert, Mitt. d. OÖLA 9 (1968) S. 269 ff.

[116] Herberstorff an Maximilian 12. 8. 1623, ASTA, Dreißigjähriger Krieg, Tom. 49, fol. 401.

[117] Stülz, Wilhering S. 275; Stieve, Bauernaufstand 2, S. 10; Reichmair, a. a. O. 172 1/4/2 1624, fol. 51; OÖLA, Weinberger Archivalien, Schuber 30, Nr. 7.

[118] OÖLA, Annalen 70, fol. 891.

[119] Maximilian an Herberstorff 1. 2. 1621, ASTA, Dreißigjähriger Krieg, Tom. 22, fol. 7.

[120] Reichmair, ASTA a. a. O. 172 1/2 (1623) fol. 8 ff.

[121] ASTA, Dreißigjähriger Krieg, Tom. 22, fol. 58 ff.

[122] Herberstorff an Maximilian 21. 11. 1621 und 4. 12. 1621, ebenda fol. 109 und 113.

[123] O. Mutzbauer, Die Urkunden des Archivs der Grafen von Tattenbach, Bayerische Archivinventare 28 (1967) S. 145; I. Heilmann, Kriegsgeschichte von Bayern, Franken und Schwaben von 1506 bis 1651 S. 1126: „am 12. Nov. 1621 erhielt er [Herberstorff] ein Fußregiment".

[124] Herberstorff an Maximilian 7. 9. 1621, ASTA, Dreißigjähriger Krieg, Tom. 22, fol. 60.

[125] Herberstorff an Maximilian 30. 9. 1621, ebenda fol. 64 ff.

[126] Ebenda und Herberstorff an Maximilian 15. 10. 1625, ebenda Tom. 119, fol. 179.

[127] Herberstorff an Maximilian 4. 12. 1621, ebenda Tom. 22, fol. 113 ff.

[128] Herberstorff an Schuß 3. 1. 1622, ebenda fol. 136 ff.

[129] Herberstorff an Maximilian 10. 1. 1622, 24. 1. 1622 und 12. 2. 1622, ebenda fol. 140 ff., 165 ff. und fol. 213.

[130] Herberstorff an Maximilian 16. 1. 1622, ebenda fol. 148 ff.

[131] Herberstorff an Maximilian 21. 2. 1622, ebenda fol. 242.

[132] Herberstorff an Maximilian 11. 2. 1622, ebenda fol. 219 und 224.

[133] Maximilian an Herberstorff 10. 12. 1621, ebenda fol. 105; auch z. B. Herberstorff an Maximilian 19. 8. 1621, ASTA, Dreißigjähriger Krieg, Tom. 48, fol. 154.

[134] Vgl. Patente Herberstorffs August 1621, ebenda fol. 163.

[135] Herberstorff an Maximilian 24. 12. 1621, ebenda Tom. 22, fol. 116.

[136] Maximilian an Herberstorff 16. 2. 1622 und Maximilian an Herberstorff 4. 3. 1622, ebenda fol. 216 und 257.

[137] ADB 25 (1887) S. 145; vgl. auch Br. u. A. 2/1 u. a. S. 6.

[138] Herberstorff an Maximilian o. D., ASTA, Dreißigjähriger Krieg, Tom. 22, fol. 260, und Maximilians Antwort vom 9. 3. 1622, fol. 256.

[139] Maximilian an Herberstorff o. D. (26. 2. 1622), ebenda fol. 250.

[140] Heilmann, Kriegsgeschichte S. 202.

[141] Gedichte (Reklam Univ. Bibl. Nr. 1901) (1904) S. 403.

[142] Maximilian an Herberstorff 11. 2. 1622, ASTA, Dreißigjähriger Krieg, Tom. 22, fol. 192.

2. Im Liga-Heer

143 K. Brandi, Deutsche Reformation und Gegenreformation 2 (o. J.) S. 220.

144 Äußerung des Kurfürsten von Köln 1619; vgl. H. Sturmberger, Aufstand in Böhmen (1959) S. 56.

145 M. Ritter, Deutsche Geschichte 3, S. 132.

146 Br. u. A. 1/2, S. 300 und 387, Anm. 1.

147 Ebenda S. 408, Anm. 1.

148 Maximilian an Tilly 20. 11. 1621, ebenda S. 409.

149 Herberstorff an Maximilian 4. 3. 1622, ASTA, Dreißigjähriger Krieg, Tom. 22, fol. 257.

150 Maximilian an Herberstorff 9. 3. 1622, ebenda fol. 256.

151 Herberstorff an Maximilian 17. 3. 1622, ebenda fol. 281 ff.

152 Maximilian an Herberstorff 31. 3. 1622, ebenda fol. 302.

153 Maximilian an Räte in Linz 31. 3. 1622, und Maximilian an Joh. B. Spindler 31. 3. 1622, ASTA, Dreißigjähriger Krieg, Tom. 48, fol. 178 und Tom. 51, fol. 452.

154 Putschögl, Landeshauptmann a. a. O. S. 282.

155 Landeshauptmann — Instruktion König Mathias für Wolf Wilhelm von Volkenstorf 1610, ASTA, Dreißigjähriger Krieg, Tom. 22, fol. 1 n.

156 Br. u. A. 1/2, S. 77; Maximilian an Herberstorff 31. 3. 1622 und Herberstorff an Maximilian 28. 3. 1622, ASTA, Dreißigjähriger Krieg, Tom. 22, fol. 302 ff.

157 Herberstorff an Dr. Jocher (München) 21. 4. 1622, Geh. STA München, Kasten schwarz Nr. 665, fol. 15.

158 Mein Statthalters hinterlassen Memorial 9. 4. 1622, ebenda fol. 6 ff.

159 Wie Anm. 157.

160 Aus Randbemerkungen zur Instruktion gewinnt man den Eindruck, daß Dr. Jocher nicht mit allem einverstanden war; vielleicht hat Doktor Faber dann bei Jocher die Untersuchung gegen Herberstorff bewirkt.

161 Herberstorff an Maximilian 27. und 28. 3. 1622, ASTA, Dreißigjähriger Krieg, Tom. 22, fol. 299 und 304.

162 Herberstorff an Maximilian 8., 16., 17. und 20. 4. und 1. 5. 1622, alles Tom. 22, fol. 312, 322, 324, 326 und 335.

163 Riezler, Geschichte Bayerns 5, S. 210 ff.

164 Brandi, Deutsche Reformation S. 221; H. G. Zollern an Ferdinand II. 11. 4. 1622; Br. u. A. 1/2, S. 510 ff.

165 G. F. von Baden an Erzherzog Leopold 27. 4. 1622, ebenda S. 514.

166 Ritter, Deutsche Geschichte 3, S. 157.

167 Riezler, Geschichte Bayerns 5, S. 213 ff.

168 Ritter, Deutsche Geschichte 3, S. 159.

169 Maximilian an Herberstorff 24. 2. und 5. 6. 1622, ASTA, Dreißigjähriger Krieg, Tom. 22, fol. 350 und 365.

170 Brandi, Deutsche Reformation S. 221.

171 Ritter, Deutsche Geschichte 3, S. 153 ff.

172 Herberstorff an Maximilian 3. 6. 1622, ASTA, Dreißigjähriger Krieg, Tom. 22, fol. 368.

[173] Ritter, Deutsche Geschichte 3, S. 161, und Riezler, Geschichte Bayerns 5, S. 216 ff.

[174] Herberstorff an Maximilian 30. 5. 1622 und 3. 6. 1622; Maximilian an Herberstorff 2. und 6. 6. 1622; alles ASTA, Dreißigjähriger Krieg, Tom. 22, fol. 358 ff. und 367 ff.

[175] Maximilian an Herberstorff 1. 7. 1622, ebenda fol. 375.

[176] Patent Maximilians für Herberstorff, ebenda Tom. 65, fol. 305.

[177] Maximilian an Herberstorff 14., 28. und 29. 7. 1622, ebenda Tom. 22, fol. 393, 417 und 423.

[178] Räte in Linz an Maximilian 29. 7. 1622, ebenda Tom. 24 post, fol. 108.

[179] Vermerke Maximilians und Schreiben der Kammer- und Kriegsräte an Maximilian 3. und 4. 8. 1622, ebenda fol. 120 und 126.

[180] Stieve, Bauernaufstand 1, S. 10.

[181] Maximilian an Tilly 20. 8. 1622, Br. u. A. 1/2, S. 544.

[182] Eigenhändige Marginalien Maximilians auf Schreiben der Räte 29. 7. 1622, ASTA, Dreißigjähriger Krieg, Tom. 24 post, fol. 107.

[183] Maximilian an Herberstorff 30. 7. 1622, ebenda Tom. 22, fol. 427.

[184] Memorial für Herberstorff 2. 8. 1622, ebenda fol. 111 und ebenda Tom. 22, fol. 428.

[185] Memorial 2. 8. 1622, ebenda Tom. 22, fol. 428; auch Kreditiv Maximilians für Herberstorff 2. 8. 1622, ebenda Tom. 65, fol. 25.

[186] Kriegsräte an Maximilian 2. 8. 1622, ASTA, Dreißigjähriger Krieg, Tom. 22, fol. 439.

[187] Herberstorff an Maximilian 6. 8. 1622 und Kriegsräte an Maximilian 2. 8. 1622, ebenda fol. 439 und 443. Herberstorff hatte also schon in München mündlich um die Beförderung gebeten. Auch Herberstorff an Maximilian o. D., ebenda fol. 489. Der Brief dürfte kurz nach der Eroberung Heidelbergs geschrieben worden sein; Heilmann, Kriegsgeschichte 2, S. 976.

[188] Herberstorff an Maximilian 6. und 10. 8. 1622, ASTA, Dreißigjähriger Krieg, Tom. 22, fol. 445 und 455.

[189] Heilmann, Kriegsgeschichte 2, S. 978.

[190] Herberstorff an Maximilian 10. 4. 1622 und Maximilians Briefe an Herberstorff 10., 16. und 24. 8. 1622, ASTA, Dreißigjähriger Krieg, Tom. 22, fol. 455, 45, 453 und 475.

[191] A. Gindely, Geschichte des Dreißigjährigen Krieges (1869—1880) 4, S. 378; Riezler, Geschichte Bayerns 5, S. 220; Ritter, Deutsche Geschichte 3, S. 166.

[192] F. H. Schubert, Ludwig Camerarius (1955) S. 184, Anm. 14. Der Dreißigjährige Krieg in Augenzeugenberichten, hg. von Hans Jensen (1963) S. 145.

[193] Herberstorff an Maximilian 30. 9. 1622 spricht von vier Wochen. ASTA, Dreißigjähriger Krieg, Tom. 22, fol. 487.

[194] Herberstorff an Maximilian o. D., ebenda fol. 490.

[195] Über die Verschenkung der Palatina vgl. Br. u. A. 1/2, S. 565; dort ist von zwanzig Frachtwagen die Rede; bei Riezler, Geschichte Bayerns 5, S. 220 heißt es fünfzig Wagen.

[196] Leuker an Maximilian 14. 10. 1622, Br. u. A. 1/2, S. 563 ff.

[197] Herberstorff an Maximilian 18. 10. 1622 und Maximilian an Herberstorff 23. 10. 1622, ASTA, Dreißigjähriger Krieg, Tom. 22, fol. 500 und 502.

[198] Maximilian an Herberstorff 3. 9. 1622, ebenda fol. 479; Kreditiv Maximilians für Herberstorff 3. 9. 1622, ebenda Tom. 65, fol. 31.

[199] Herberstorff an Maximilian o. D. und 30. 9. 1622, ebenda Tom. 22, fol. 487 ff.

[200] Herberstorff an Maximilian 15. 10. 1622, ebenda fol. 495 ff.

[201] Z. B. Herberstorff an Maximilian 18. 10. 1622, ebenda fol. 501.

[202] Herberstorff an Maximilian 15. 10. 1622 und Maximilian an Herberstorff 18. 10. 1622, ebenda fol. 494 ff.

[203] Am 6. 11. hatte der Kaiser in Wels den Oberösterreichischen Ständen Audienz gegeben, OÖLA, Annalen 71, fol. 505.

[204] Herberstorff an Maximilian 17. 11. 1622, ASTA, Dreißigjähriger Krieg, Tom. 22, fol. 507; über die Kriegslage Ende 1622 vgl. Ritter, Deutsche Geschichte S. 225 ff.

[205] Herberstorffs Memorandum, Vilshofen 18. 11. 1622, HHSTA Wien, Kriegsakten Fasz. 51, fol. 231 ff.

[206] Herberstorff an Maximilian 19. 11. 1622, ASTA, Dreißigjähriger Krieg, Tom. 22, fol. 509.

[207] Gindely, Dreißigjähriger Krieg 4, S. 427; Riezler, Geschichte Bayerns 5, S. 232.

[208] Herberstorff an Maximilian 17. 11. 1622, ASTA, Dreißigjähriger Krieg, Tom. 22, fol. 507; Br. u. A. 1/2, S. 565, S. 576 ff.; Gindely, Dreißigjähriger Krieg 4, S. 416.

[209] Herberstorff an Maximilian 17. 11. 1622 und Maximilian an Herberstorff 3. 12. 1622, ASTA, Dreißigjähriger Krieg, Tom. 22, fol. 507 und 535.

[210] Über die ganze Problematik dieser Investitur vgl. D. Albrecht, Die auswärtige Politik Maximilians von Bayern 1618—1635 (1962) S. 49 ff.

[211] Riezler, Geschichte Bayerns 5, S. 238.

[212] Tilly an Maximilian 9. 1. 1623, Br. u. A. 2/1, S. 24.

[213] Maximilian an Tilly 6. 1. 1623, ebenda S. 8; Maximilian an Tilly 14. 2. 1622 und Herberstorff an Maximilian 24. 1. 1623, ASTA, Dreißigjähriger Krieg, Tom. 49, fol. 225.

[214] Herberstorff an Maximilian 24. und 27. 1. 1623, ebenda fol. 225 ff.

[215] Br. u. A. 2/1, S. 52.

[216] Lebzelter an Kursachsen 26. 2. 1623, ebenda S. 87.

[217] Ebenda S. 88.

[218] Herberstorff an Maximilian 4. 3. 1623, ASTA, Dreißigjähriger Krieg, Tom. 22, fol. 532.

[219] Maximilian an Herberstorff 17. 3. 1623, ebenda fol. 535.

[220] Herberstorff an Maximilian 1., 5., 7. und 10. 2. 1623 und Maximilian an Herberstorff 4. 2. 1623, ASTA, Dreißigjähriger Krieg, Tom. 49, fol. 235, 239, 234, 247 und 238.

[221] Ritter, Deutsche Geschichte 3, S. 225 ff.; die Vollmachten des Kaisers 7. 12. 1622 und 5. 3. 1623.

[222] Tilly an Maximilian 10. 4. 1623, Br. u. A. 2/1, S. 121.

[223] Maximilian an Tilly 12. 4. 1623, ASTA, Dreißigjähriger Krieg, Tom. 103, fol. 179.

[224] Herberstorff an Maximilian 7. 5. 1623, ebenda Tom. 49, fol. 322.

[225] Maximilian an Tilly 14. 5. 1623 und Gutachten eines Rates für Maximilian 20. 5. 1623, Br. u. A. 2/1, S. 166 und 170.

[226] Tilly gibt selbst am 26. 5. die Stärke seines Heeres — ohne Anholt — mit etwa 10.000 Mann Infanterie, dazu 2000 Mann Fußvolk des Schaunburger Regiments und „nicht viel über 4000 Reiter“ an. Ritter 3, S. 246, spricht von 13.000 Mann Fußvolk, Br. u. A. 2/1, S. 180.

[227] Gutachten des bayerischen Kriegsrates 29. 6. 1623, Br. u. A. 2/1, S. 222.

[228] Br. u. A. 2/1, S. 230, Anm. 1.

[229] Maximilian an Herberstorff 8. 6. 1623, ASTA, Dreißigjähriger Krieg, Tom. 22, fol. 537; Herberstorffs Prager Aufenthalt ist auch in seinem Schreiben an Maximilian 12. 8. 1623, ebenda Tom. 49, fol. 401, bezeugt; vgl. auch Herberstorff an Maximilian 17. 6. 1623, Br. u. A. 2/1, S. 230, Anm. 1

[230] Am 8. Juli wurde der Prädikant Stephan in Linz vor den Rat geführt, „der aus dem Statthalter, Pfliegl ... bestand“. Linzer Regesten B II Nr. 490, fol. 32. Maximilian an Herberstorff 10. 7. 1623, ASTA, Dreißigjähriger Krieg, Tom. 22, fol. 541 mit Auftrag 2 Fendl Knecht in Oberösterreich Quartier zu geben. Am 19. Juli verlangt der Herzog von Herberstorff schon einen Bericht „wie Ir alle Sachen bei Euer Ankunft befunden“. Ebenda Tom. 49, fol. 362.

[231] Gutachten der Räte für Maximilian 29. 6. 1623, Br. u. A. 2/1, S. 222.

[232] Gindely, Dreißigjähriger Krieg 4, S. 474; Ritter, Deutsche Geschichte 3, S. 245 und 252 ff.

[233] Herberstorff an Maximilian 12. 8., 31. 10., 14. 11. 1623, ASTA, Dreißigjähriger Krieg, Tom. 49, fol. 401 v, 460 und 474; Maximilian an Herberstorff, ebenda Tom. 22, fol. 543.

3. Zwischen Kurfürst und Kaiser

[234] Herberstorff an Ferdinand II. 24. 1. 1624, Hofkammer-Archiv Wien, NÖ. Herrschaftsakten S 9, fol. 897.

[235] Ritter, Deutsche Geschichte 3, S. 189, Br. u. A. 2/1, S. 137 ff.

[236] D. Albrecht, Auswärtige Politik S. 68 ff.

[237] Herberstorff an Gundaker von Polheim 16. 2. 1624, Hofkammer-Archiv Wien, NÖ. Herrschaftsakten 0—6, fol. 780.

[238] Stieve, Bauernaufstand 1, S. 240.

[239] Herberstorff an Eisenreich 15. 9. 1626, ASTA, Dreißigjähriger Krieg, Tom. 35, fol. 171 ff.

[240] Stieve, Bauernaufstand 1, S. 10; nach Georg Ferchl, Bayerische Behörden und Beamte 1550—1824 1 (1908—1910) S. 22, war Herberstorff nur von 1627—1628 Pfleger in Erding.

[241] Ferdinand II. an Herberstorff, Hofkammer-Archiv Wien, Familienakten H 107

[242] Herberstorff an Abt Falb 10. 3. 1625, Stiftsarchiv Göttweig R XIII/358.

[243] Schreiben des Königs von Spanien an Ferdinand II. und den Grafen Oñate 4. 10. 1622; Generalarchiv Simancas, Seccio de Estado Nr. 255 und 256; wann Herberstorff Ritter des Ordens von Calatrava wurde, ist nicht ganz geklärt. In der Dedication der Tacitus-Übersetzung Keplers 1625 wird Herberstorff schon als Ritter des Ordens von Calatrava bezeichnet. Auf einem Kupferstich des Lukas Kilian (1625) ist Herberstorff ebenfalls durch das Lilienkreuz auf der Brust als Ritter von Calatrava gekennzeichnet, während das Signum des Ordens von Santiago ein schwertförmiges Kreuz ist („Schwertorden"). Nach einer Mitteilung des Archivo Nacional Madrid scheint Herberstorff dort (Seccion de Ordenes Militares) erst 1628 als Ordensritter von Calatrava auf. Vgl. auch Lexikon für Theologie und Kirche 2. A. 5 (1960) S. 834.

[244] Grafenpatent 8. 4. 1623 (Pilsen, Konzept), Allgemeines Verwaltungsarchiv Wien V. B. 4702, fol. 1 ff.

[245] Vermutlich ist nur Herberstorffs Reiterei gemeint. Herberstorff blieb wohl als Statthalter in Linz. Warum er dem Kaiser über die Schlacht berichtete vgl. Anm. 12.

[246] Bescheid vom 7. 12. 1623 wie Anm. 244, fol. 14.

[247] Memorial Herberstorffs, ebenda fol. 12.

[248] Kriegsarchiv Wien, Hofkriegsratsprotokoll B. 252 (1624) fol. 339.

[249] Österreichische Nationalbibliothek Cod. 10.098, fol. 258; Schmitzberger ist auch anderweitig als Hofmeister Herberstorffs nachgewiesen, z. B. Tagebuch Stephan Engl zu Wagrain, OÖLA, Seisenburger Archiv, HS Nr. 80 (1628).

[250] OÖLA, Doblinger-Regesten 1628.

[251] J. Schmidt, Linzer Kunstchronik 3 (1952) S. 163 ff.; F. Martin, Ein Linzer Burgpfleger erzählt sein Leben. Das Hausbuch des Felix Guetrater. Mitteilung der Gesellschaft für Salzburger Landeskunde 88/89 (1949), OÖLA, Doblinger Regesten (29. 3. 1625).

[252] Literae annuae Nr. 138, Linzer Regesten C III C 1.

[253] OÖLA, Doblinger-Regesten 1625.

[254] Tagebuch Christian d. J. von Anhalt (1858) S. 64; Schmidt, Kunstchronik 3, S. 164; F. Krackowitzer, Geschichte der Stadt Gmunden 1 (1898) S. 229.

[255] Nach Mitteilung von Frau Dr. E. Grünewald vom Fürstl. Öttingen-Spielbergschen Archiv in Öttingen (9. 2. 1970) hat Maria Gertraud Pappenheim sich am 6. 11. 1619 (sic) mit Joh. Albrecht Graf Öttingen-Spielberg verheiratet!

[256] Tagebuch Anhalt S. 63 ff. Am 19. 11. 1622 weilte übrigens auch Herberstorff beim Kaiser in Straubing.

[257] ASTA, Dreißigjähriger Krieg, Akten, Reichmair 172/1.

[258] Geboren 1. 6. 1597; Mitteilung Dr. Kraft, Pappenheim.

[259] „Kopf" gleich etwa dreiviertel Liter.

[260] Bericht eines Ungenannten an Georg Christoph von Schallenberg 10. 9. 1621 über die Vorbereitungen „in platea iamiam vel foro preparantur ea, que ad hastiludia pertinere videntur", HHSTA Wien, Archiv Rosenau, HS 79, fol. 485.

[261] Über die Pappenheim-Hochzeit in Linz im September 1621 vgl. „Eine Hochzeitsreise", Beilage zum Vilshofener Amtsblatt 1881 S. 344 ff. Freundliche Mitteilung Gräfin Arco-Zinneberg, Schloß Moos ü. Plattling.

[262] Herberstorff an Juliane Starhemberg 5. 12. 1623, OÖLA, Starhemberg. Archiv, Korresp. Nr. 161; O. Koller, Adam Graf von Herberstorff, Die Heimat (Rieder Volkszeitung) Nr. 101/102 (1968).

[263] Die privaten Beziehungen zur Familie des Vizedoms Pfliegl scheinen gut gewesen zu sein. So waren Herberstorff und seine Frau Maria Salome fast immer Taufpaten der Kinder Pfliegls. Nach 1632 fungierte Maria Salome mit ihrer Tochter Anna Benigna von Gera als Gevatter bei der Taufe der Maria Anna von Pfliegl, OÖLA, Museal-Archiv, HS 184, fol. 118.

[264] „Des fürtrefflichen weltweisen Römers Cornelii Taciti Histor. Beschreibung" Widmung (1625). Vgl. Bibliographia Kepleriana, hg. von Max Caspar (1936) S. 94, Nr. 78.

[265] Abrechnung über fünfzig Krebse und vier Artischocken für den Statthalter vom Welser Stadtschreiber Thoman Mayr. Stadtarchiv Wels, Hinweis Dr. G. Heilingsetzer; so sandte z. B. der Abt von Kremsmünster, Alexander a Lacu, Artischocken an Herzog Maximilian von Bayern. Vgl. G. Wacha, Die Korrespondenz des Kremsmünsterer Abtes Alexander a Lacu mit den bayerischen Herzögen. Mitt. des Österreichischen Staatsarchivs 26 (1973) S. 193.

[266] Herberstorff an H. W. Starhemberg 3. 2. 1627, OÖLA, Starhemberg. Archiv, Miscellanea Nr. 27.

[267] Herberstorff an Maximilian 12. 7. 1625, ASTA, Dreißigjähriger Krieg, Tom. 119, fol. 121.

[268] G. Heilingsetzer, H. W. von Starhemberg (1593—1675), ungedr. Diss. Wien 1970, S. 41.

[269] Herberstorff an Maximilian 27. 12. 1625, ASTA, Dreißigjähriger Krieg, Tom. 119, fol. 207; Reichmair, a. a. O. 172 1/3 1, fol. 57 (7. 9. 1624).

[270] Br. u. A. 2/1, S. 437 und 438, Anm. 2.

[271] Er ist z. B. am 8. 8. und 4. 9. 1625 in Wien nachweisbar, ASTA, Dreißigjähriger Krieg, Tom. 48, fol. 678 und Tom. 119, fol. 142.

[272] Reichmair, a. a. O. 172 1/3 1, fol. 25.

[273] Herberstorff an Maximilian 11. 1. 1625, ASTA, Dreißigjähriger Krieg, Tom. 48, fol. 445; Kriegsräte an Herberstorff 8. 3. 1625, ebenda fol. 441.

[274] Diarium Drexel bei Riezler, Kriegstagebücher, Abhandlungen der Bayerischen Akademie der Wissenschaften 23 (1906) S. 151.

[275] Reichmair, a. a. O. 172 1/4 1, fol. 113.

[276] Maximilians Hofstaat 1621: Zollern 6000 Gulden, Fürstenberg 4000 Gulden, Wolkenstein 3000 Gulden, Br. u. A. 1/2, S. 1; Reichmair, a. a. O. 172 1/4 1, fol. 113 ff.

[277] Maximilian an Herberstorff 15. 12. 1621, ASTA, Dreißigjähriger Krieg, Tom. 22, fol. 107; Reichmair, a. a. O. 172 1/4 1, fol. 33.

[278] F. Friedensburg bei F. Lütge, Deutsche Sozial- und Wirtschaftsgeschichte 3. A. (1966) S. 269.

[279] H. Bechtel, Wirtschaftsgeschichte Deutschlands am Beginn des 16. bis zum Ende des 18. Jahrhunderts (1952) S. 102.

[280] F. Redlich, Die deutsche Inflation des frühen 17. Jahrhunderts in der zeitgenössischen Literatur. Die Kipper und Wipper (1972) z. B. S. 11 ff.

[281] Bechtel, a. a. O. S. 102.

[282] Maximilian an B. Richel 29. 11. 1621, Br. u. A. 1/2, S. 418.

[283] Herberstorff an Maximilian 14. 7. 1621, ASTA, Dreißigjähriger Krieg, Tom. 48, fol. 135; Br. u. A. 1/2, S. 85, Anm. 1.

[284] Ferdinand an Maximilian 17. 6. 1621, ASTA, Dreißigjähriger Krieg, Tom. 48, fol. 137; Maximilian an Herberstorff und Räte 10. 7. 1621, ebenda fol. 134.

[285] Vgl. Br. u. A. 1/2, S. 472 (Exkurs über das Münzwesen).

[286] Herberstorff und Räte an Maximilian 24. 7. 1621, ASTA, Dreißigjähriger Krieg, Tom. 48, fol. 148.

[287] A. Ernstberger, Hans de Witte, Finanzmann Wallensteins (1954) S. 86 ff. und 109.

[288] Vgl. Herberstorffs Patente z. B. 12. 9., 12. 12. 1622, 16. 6. 1623, Linzer Regesten C III A 3, Nr. 427, 429 und 433; zahlreiche Original-Patente, OÖLA, Wagrainer A., Schuber 18.

[289] Stieve, Bauernaufstand 2, S. 15 ff.

[290] A. Huber, Geschichte Österreichs 5 (1896) S. 209; G. Probszt, Österreichische Münz- und Geldgeschichte (1973) S. 436.

[291] Lütge, Deutsche Sozialgeschichte a. a. O. S. 270.

[292] H. Rebel, Probleme der oberösterreichischen Sozialgeschichte zur Zeit der bayerischen Pfandherrschaft, Jahrbuch OÖ. Mus. Verein 115 (1970) bes. S. 162 ff.

[293] Patent vom 9. 3. 1622, OÖLA, Wagrainer A., Schuber 18; Rebel, Probleme a. a. O. S. 164; J. Zetl, Chronik der Stadt Steyr, Mus. Bericht Linz 36 (1878) S. 31.

[294] Extrakt aus Bericht Pfliegls an Maximilian 7. 11. 1623, ASTA, Dreißigjähriger Krieg, Tom. 48, fol. 294 ff.

[295] Herberstorff an Maximilian 14. 2. 1625, ebenda fol. 334.

[296] Herberstorff an Maximilian 19. 9. 1625, ebenda Tom. 119, fol. 162.

[297] Herberstorff und Räte an Maximilian 4. 7. 1624 (23, 181.628 Gulden), ebenda Tom. 48, fol. 466; Reichmair, a. a. O. 172 1/4 2, 1624, fol. 21.

[298] Maximilian an Stände 22. 5. 1624, OÖLA, Ständ. Archiv, Schuber 33; Verordnete an Gesandte in Wien 3. 6. 1624, ebenda Schuber 34; Br. u. A. 2/1, S. 437 ff.

[299] Stülz, Wilhering S. 278, Anm.

[300] Ferdinand II. an Maximilian 7. 11. 1623, OÖLA, Ständ. Archiv, Schuber 33.

[301] Text nach Abschrift 6. 4. 1623 Regensburg, Br. u. A. 2/1, S. 137 ff.; vgl. Ritter, Deutsche Geschichte 3, S. 189; Riezler, Geschichte Bayerns 5, S. 239.

[302] Stülz, Wilhering S. 284; hier die Mitglieder dieser Kommission.

[303] Relation Gundakers von Polheim 1. 12. 1623, OÖLA, Annalen 71, fol. 794.

[304] Stülz, Wilhering S. 279; daß das Schreiben von Wolfradt ist, sieht man aus dem Antwortschreiben der Stände 1. 3. 1624, OÖLA, Annalen 71, fol. 838.

[305] OÖLA, Annalen 71, fol. 830 ff.

[306] G. Polheim an die Stände 3. 3. 1624, OÖLA, Annalen 71, fol. 88.

[307] Akten der Gesandtschaft Weikard von Polheim nach München, OÖLA, Ständ. Archiv, Schuber 33.

[308] Instruktion 3. 5. 1624, ebenda, Annalen 71, fol. 888 ff. (hier fol. 896); der Gesandtschaft gehörten an Abt Spindler von Garsten, Abt Grüll von Wilhering, der Propst von Waldhausen, Siegmund Adam von Traun, Gundaker von Polheim, Bartholomäus von Dietrichstein, Wolf Hektor Jagenreuter, Ludwig Hohenfelder, Wolf Dietmar von Grünthal, Wolf Madlseder von Steyr, Anton Eckhart von Linz, Christoph Puechner der sieben Städte Syndikus, OÖLA, Annalen 71, fol. 405.

[309] Stülz, Wilhering S. 283, Anm.

[310] Resolution Ferdinand II. 4. 6. 1624, OÖLA, Annalen 71, fol. 954 v.

[311] Propst Leopold an Abt von Wilhering 19. 6. 1624; Stülz, Wilhering S. 283, Anm.

[312] OÖLA, Annalen 72, fol. 1 ff.

[313] Resolution 13. 7. 1624, OÖLA, Annalen 71, fol. 1045.

[314] Ebenda, Annalen 72, fol. 132, 268, 325; Stülz, Wilhering S. 285.

[315] Stülz, Wilhering S. 287 ff.

[316] Relation der Abgesandten 10. 6. 1625, OÖLA, Ständ. Archiv, Schuber 34 (A IX/2, 219).

[317] H. Sturmberger, Kaiser Ferdinand II. und das Problem des Absolutismus in Österreich (1957) S. 27.

[318] Die Originalrelation über die Unterwerfung 10. 6. 1625, OÖLA, Ständ. Archiv, Schuber 34 (A IX/2, 219); alle Akten, ebenda, Annalen 72. An Literatur vgl. außer Stülz, Wilhering S. 288, auch Gindely, Die Gegenreformation und der Aufstand in Oberösterreich, Sitzungsber. Akademie Wien, Phil. histor. Klasse 118 (1889) S. 16.

[319] F. X. Stauber, Histor. Ephemeriden über die Wirksamkeit der Stände von Österreich ob der Enns (1884) S. 93.

[320] Sturmberger, Ferdinand II. S. 28.

[321] Herberstorff an Maximilian 22. 3. 1625, ASTA, Dreißigjähriger Krieg, Tom. 48, fol. 655.

[322] Maximilian an die Stände 10. 6. 1625, OÖLA, Ständ. Archiv, Schuber 34 (A IX/2, 223).

[323] Herberstorff an Stände 30. 7. 1625, ebenda Schuber 35 (A IX/2, 245).

[324] Ferdinand II. an Maximilian und Herberstorff 5. 8. 1625, ebenda (A IX/2, 250).

[325] Schon am 24. 8. 1625 forderte Herberstorff ehestens eine „namhafte ergiebige Summa"; Herberstorff an Stände 24. 8. 1625, ebenda Schuber 35 (A IX/2, 254); Herberstorff an Stände 31. 8. 1625, ebenda A IX/2, 261.

[326] Stände an G. Polheim 1. 9. 1625 und Stände an Kaiser o. D., ebenda A IX/2, 262, 264; Ferdinand an Maximilian 10., 24. und 30. 9. 1625, ebenda 265, 270, 272; Relation über Vorsprache eines Ständ. Ausschusses bei Herberstorff 16. 10. 1625, ebenda Schuber 34; Stände an Ferdinand II. 17. 10. 1625, HHSTA Wien, Österr. Akten, Oberösterreich Fasz. 9 b, fol. 463 ff.; Herberstorff an Stände 11. 10. 1625; OÖLA, Ständ. Archiv, Schuber 35 (A IX/2, 282).

[327] Vermutlich Dekret des Statthalters 13. 11. 1625, OÖLA, Ständ. Archiv, Schuber 35 (A IX/2, 313).

[328] Ferdinand II. an Herberstorff 11. 12. 1625, ebenda 329.

[329] Herberstorff an Maximilian 27. 12. 1625, ASTA, Dreißigjähriger Krieg, Tom. 119, fol. 207.

[330] Herberstorff an Maximilian 15. 10. 1625, ebenda fol. 179.

[331] Über Abt Georg Grüll vgl. L. Schiller, Georg II. Grill 1614—1638 Abt von Wilhering, 10. Jahresbericht des Privatgymnasiums Wilhering 1913 S. 17.

[332] Herberstorff an Maximilian 23. 10. 1625, ASTA, Dreißigjähriger Krieg, Tom. 119, fol. 184 ff.

III. Kapitel: *Religionsreformation und Aufstand der Bauern*

1. Die Gegenreformation des Kaisers

[1] E. W. Zeeden, Reformation und Gegenreformation in Jakob Burckhardts Historischen Fragmenten, Historisches Jahrbuch 74 (1955) S. 750; J. Burckhardt, Weltgeschichtliche Betrachtungen, Kröners Taschenausgabe (1955) S. 140.

[2] A. Toynbee, Erlebnisse und Erfahrungen, Deutsche Ausgabe (1970) S. 326.

[3] Zeeden, Reformation a. a. O. S. 751 ff.

[4] A. Rüstow, Ortsbestimmung der Gegenwart 2, S. 300 ff. Über den Begriff Gegenreformation vgl. jetzt: Gegenreformation, hg. von Walter Zeeden, Wege der Forschung, Bd. 311 (1973).

[5] F. Heer, Die dritte Kraft (1959) S. 430 ff.

[6] Herberstorff an Ferdinand II. 14. 12. 1626, Geh. STA, Kasten schwarz Nr. 674, fol. 356.

[7] Stülz, Wilhering S. 293; Stieve, Bauernaufstand 1, S. 33; Maximilian an Ferdinand II. 27. 7. und 6. 8. 1620, HHSTA Wien, Bohemica Fasz. 60, fol. 116 und 261; Ferdinand II. an Maximilian 11. 8. 1620, Br. u. A. 1/1, S. 405.

[8] Instruktion für Zollern und Hegenmüller 12. 12. 1620, Br. u. A. 1/2, S. 6; Bayer. Geh. Kanzlei an Ferdinand II. 9. 1. 1621, ebenda S. 25;

Instruktion für Zollern 2. 3. 1621 und Zollern an Ferdinand II. 20. 5. 1621, ebenda S. 153 und 216.

[9] Ferdinand II. an Maximilian 17. 8. 1622, ASTA, Dreißigjähriger Krieg, Akten Nr. 152; Maximilian an Ferdinand II. 29. 8. 1621, Orig. HHSTA Wien, Bavarica Fasz. 10/2, fol. 190; Br. u. A. 1/2, S. 545 ff.

[10] Stieve, Bauernaufstand 2, Anm. 4 zu S. 37; G. Appelt, Georg Falb zu Falbenstein, Abt des Stiftes Göttweig, ungedr. Diss. Wien 1964 S. 147.

[11] Stieve, Bauernaufstand 1, S. 33.

[12] Herberstorff an Herzog Wilhelm 20. 1. 1621, Br. u. A. 1/2, S. 44.

[13] Khevenhiller, Annales 9, S. 1286.

[14] Stülz, Wilhering S. 294; auch Stieve, Bauernaufstand 1, S. 33.

[15] Vgl. F. Wilflingseder, Die Gegenreformation in den Kirchen der heutigen Linzer Vororte; Jahrbuch der Stadt Linz 1950 (1951) S. 278 ff.

[16] Über ihn vgl. L. Rumpl, Die Linzer Stadtpfarrer des 17. Jahrhunderts, Historisches Jahrbuch der Stadt Linz 1963 (1964) S. 193 ff.

[17] Diese Beispiele im Cod. ppp. Starhemberg. A., OÖLA, Exzerpte Linzer Regesten B II K 2 Nr. 479 ff.; L. Rumpl, Die Linzer Prädikanten und evangelischen Pfarrer, Jahrbuch der Stadt Linz 1969, besonders S. 212 und 214.

[18] Tagebuch S. 63; Stülz, Wilhering S. 294.

[19] Sturmberger, Tschernembl S. 201, Anm. 205.

[20] Herberstorff an Maximilian 15. 12. 1626, Geh. STA, Kasten schwarz Nr. 674, fol. 374.

[21] Hugo Freiherr von Haan, Österreichische Studenten an der Genfer Universität 1559—1878, Festschrift Adler 1961, S. 36; Briefe Joh. Reichard Starhembergs aus Saumur 1623—1627, OÖLA, Starhemberg. A., Korresp. Nr. 55; M. Caspar, Johannes Kepler (1949) D. 378.

[22] Reichmair, a. a. O. 172 1/4 2, 1624, fol. 136. Faber erhielt 300 Gulden.

[23] Herberstorff an Erzherzog Leopold 26. 12. 1624 und 12. 2. 1625; abgedruckt bei Stieve, Bauernaufstand 2, S. 269 ff.

[24] Maximilian an Herberstorff 24. 12. 1624, Geh. STA, Kasten schwarz Nr. 667, fol. 3; Herberstorff an Maximilian 23. 10. 1625, ASTA, Dreißigjähriger Krieg, Tom. 119, fol. 184 ff.; Herberstorff an Maximilian 15. 12. 1626, Geh. STA, Kasten schwarz Nr. 674, fol. 349; Stieve, Bauernaufstand 1, S. 47.

[25] Herberstorff an Stände 18. 9. 1625, OÖLA, Sammlung Petter Schuber 34; die Stände lehnten jedoch Herberstorffs Ansinnen ab; Rumpl, Linzer Prädikanten a. a. O. S. 217.

[26] G. Kolb, Mitteilungen über das Wirken der P. P. Jesuiten und der Marianischen Kongregation in Linz während des 17. und 18. Jahrhunderts (1908), bes. S. 40; G. Rill, Das Linzer Jesuitenkolleg im Spiegel der Literae annuae S. J. 1 1600—1650, Jahrbuch der Stadt Linz 1954 (1955) S. 405 ff., 427 und 432.

[27] F. Hurter, Ferdinand II. 9, S. 644.

[28] Literae annuae 10. 10. 1624, Linzer Regesten C III C 1 Nr. 156.

[29] Der ganze Titel der Allegorie: „Epibaterion panegyricum Symbo-

lum. Illustrissimo DNO DNO Adamo Comiti ab Herberstorff Sacrae Caesareae Maiestatis nec non Serenissimi Bavariae Ducis Consiliario, Camerario, summo vigilarum Praefecto, Copiarum cum Equestrium tum Pedestrium ductori principi, Provinciae supra Anasum Gubernatori longe dignissimo dictum dicatum a Juventute studiosa Linziana. Anno MDCXXIII XVII Kalendas Septembres. Österreichische Nationalbibliothek Wien Cod. Nr. 13.039. Vgl. J. Fröhler, Zur Schauspieltätigkeit der Studenten am Linzer Jesuitengymnasium, Historisches Jahrbuch der Stadt Linz 1955 S. 215.

[30] Chronologia Coll. Lincensis, Nationalbibliothek Wien Cod. 7438, fol. 5 ff.; Fröhler, Schauspieltätigkeit a. a. O. S. 215 und Linzer Regesten C III C 1 Nr. 138 und 177.

[31] Linzer Regesten C III C 1 Nr. 148 (1622) und Nr. 194 (1629).

[32] P. Georg Kölderer wird als Herberstorffs Beichtvater von F. Ch. Khevenhiller in dessen handschriftlicher Biographie Herberstorffs erwähnt, Archivalien aus Kammer, derzeit Osterwitz. Über Kölderer vgl. Kolb, Mitteilungen S. 49; auch B. Duhr, Geschichte der Jesuiten in den Ländern Deutscher Zunge 2/1, S. 601, 648 und 652.

[33] Sturmberger, Tschernembl S. 373; Rill, Jesuitenkolleg a. a. O. S. 418; Linzer Regesten C III C 1 Nr. 144; Kolb, Mitteilungen S. 40.

[34] Herberstorff an Maximilian 13. 3. 1625, Geh. STA, Kasten schwarz Nr. 667, fol. 12.

[35] Kolb, Mitteilungen S. 39; Rektor Mayr an Contzen 13. 3. 1625, Geh. STA, Kasten schwarz Nr. 667, fol. 14; über P. Contzen vgl. Duhr, Jesuiten 2/2 (1913) S. 250 ff. Über Contzens Staatslehre vgl. E. A. Seils, Die Staatslehre des Jesuiten Adam Contzen (1968). Contzen an Dr. Peringer 26. 3. 1625 (Praes.), Geh. STA, Kasten schwarz Nr. 667, fol. 15; Maximilian an Herberstorff 27. 3. 1625, ebenda fol. 16 ff.

[36] Noch während des Bauernkrieges von 1626 war in Hartkirchen ein Vikar des Dechantes von Linz; Stieve, Bauernaufstand 2, S. 32. Vgl. auch F. Hiermann, Horatio de Thomasis, Linzer Tages-Post 1926, Bilderwoche Nr. 24 und 25.

[37] Kolb, Mitteilungen S. 44; über die Intervention Herberstorffs und Contzens, Geh. STA, Kasten schwarz Nr. 667, fol. 25 ff., 28, 36.

[38] Stauber, Ephemeriden S. 46.

[39] Hofkammer-Archiv Wien, Niederösterreichische Herrschaftsakten 0-14, 18. 10. 1623.

[40] Herberstorff an Maximilian 31. 3. 1625, Geh. STA, Kasten schwarz Nr. 667, fol. 17; Maximilian an Ferdinand II. 16. 4. 1625, ebenda fol. 21 ff.; Maximilian an Herberstorff 15. 7. 1625, ebenda fol. 25 und 30.

[41] Herberstorff an Maximilian 28. 7. 1625, ebenda fol. 28.

[42] Contzen an Maximilian o. D., ebenda fol. 33; Maximilian an Herberstorff 5. 8. 1625, ebenda fol. 26; Kolb, Mitteilungen S. 43.

[43] Herberstorff an Maximilian 23. 10. 1625, ASTA, Dreißigjähriger Krieg, Tom. 119, fol. 184 ff.

[44] Herberstorff an Ferdinand II. 10. 8. 1625, ebenda fol. 168.

[45] K. Amon, Geschichte des Benediktinerinnen-Klosters Traunkirchen im Salzkammergut, ungedr. Diss. Graz 1959 S. 159 ff.

[46] Akten betr. Erwerb Traunkirchens durch die Benediktiner im Stiftsarchiv Kremsmünster J. B. (Fremde Klöster: „Traunkirchen"). Amon, Traunkirchen S. 163; Kolb, Mitteilungen S. 49.

[47] Chronologia Coll. Lincensis, Cod. Vind. 7438, fol. 6; Herberstorff an Maximilian 23. 10. 1625, ASTA, Dreißigjähriger Krieg, Tom. 119, fol. 184 ff.

[48] Prozeßakt Joh. Christoph Haan gegen Herberstorff, Geh. STA, Kasten schwarz Nr. 8944.

[49] Khevenhiller, Handschr. Biogr. Herberstorff, Archivalien aus Kammer, Osterwitz; Amon, Traunkirchen S. 170; J. Schicker, Die Kirche Maria auf dem Anger außerhalb Enns, Jahrbuch des Oö. Mus. Ver. 87 (1937) S. 459.

[50] Dehio, Handbuch Oberösterreich 4. A. (1958) S. 223.

[51] K. Holter, Altpernstein (1951) S. 40.

[52] F. Ahamer, Das alte Münster am Traunsee (1939) S. 116.

[53] Vgl. seine Rede bei Hurter, Ferdinand II. 9, S. 643.

[54] OÖLA, Annalen 72, fol. 125; Stülz, Wilhering S. 184 ff.; Gindely, Gegenreformation S. 14; Stieve, Bauernaufstand 2, S. 27 (Anm. 1 zu S. 34).

[55] Patent 4. 10. 1624 (Original, das am Linzer Landhaus angeschlagen wurde), OÖLA, Weinberger Archivalien, Schuber 30, Nr. 7.

[56] Literae annuae 10. 10. 1624, Linzer Regesten C III C 1 Nr. 156.

[57] Bericht eines Unbekannten, OÖLA, Starhemberg. A., HS 107, fol. 42.

[58] Wie Anm. 56; vgl. auch Rill, Jesuitenkolleg a. a. O. S. 441.

[59] Stände an Herberstorff 11. 10. 1624 und dessen Antwort vom gleichen Tag, OÖLA, Starhemberg. A., HS 107, fol. 50 ff.

[60] Verordnete an Polheim 26. 9. 1624, OÖLA, Annalen 72, fol. 123 ff.

[61] Relation Starhembergs 22. 10. 1624, Annalen 72, fol. 175 ff.; vgl. auch Gindely, Gegenreformation S. 14.

[62] Kurz, Beilage 1, S. 83; Literae annuae 1624, Linzer Regesten C III C 1 Nr. 156.

[63] Patente Herberstorffs 21. 10. und 8. 11. 1624, OÖLA, Starhemberg. A., HS 107, fol. 48 und 53; daß beide Patente im Namen des Kurfürsten von Bayern erlassen wurden, mag zeigen, daß dieser der Gegenreformation des Kaisers wohl zugestimmt hat.

[64] Herberstorff an Maximilian 20. 10. 1624, ASTA, Dreißigjähriger Krieg, Tom. 119, fol. 2; daß Herberstorff sich persönlich nach Haag begeben hat wegen dieser Unruhen, ist ersichtlich aus Reichmairs Rechnungsbuch, ASTA, Dreißigjähriger Krieg, Akten 172 1/3 1 1624, fol. 27.

[65] Erwähnt im Dekret Herberstorffs an die Stadt Linz 28. 12. 1624, OÖLA, Annalen 72, fol. 372.

[66] Am 12. 11. bei der Rede Herberstorffs zur Linzer Bürgerschaft war Falb bereits dabei und wird als Mitkommissär bezeichnet; Hurter, Ferdinand II. 9, A. 640; OÖLA, Weinberger Archivalien, Schuber 30, Nr. 7. Genauer läßt sich der Zeitpunkt der Ernennung des Mitkommissärs nicht fixieren. Vgl. Stieve, Bauernaufstand 1, S. 35.

[67] Vgl. Sturmberger, Kaiser Ferdinand II. S. 10.

[68] Vgl. Sturmberger, Dualistischer Ständestaat und werdender Absolutismus, in: Die Entwicklung der Verfassung Österreichs vom Mittelalter bis zur Gegenwart, 2. A. (1970) S. 39.

[69] Sturmberger, Tschernembl S. 377.

[70] In Niederösterreich gelegen, unmittelbar an der Landesgrenze Oberösterreichs.

[71] Die Rede Herberstorffs ist überliefert bei Hurter, Ferdinand II. 9, S. 640. Die Aufzeichnung stammt nach der dortigen Angabe von Herberstorffs Kurfürstlichem Sekretär. Als Datum der Rede wird der 14. 11. 1624 angegeben. Eine Inhaltsangabe dieser Rede, die ein wenig von der offiziellen Version abweicht, findet sich von einem Ungenannten im OÖLA, Weinberger Archivalien, Schuber 30, Nr. 7. Dort ist der 12. 11. der Tag, an dem Herberstorff seine Rede hielt. Dieser Datierung dürfte der Vorzug zu geben sein, da sie am Tage der Rede gegeben wurde. „Anheut dat. den 12. November . . .“ Erwähnt wird Herberstorffs Rede auch bei Enzmillner, Apologetische Interimsrelation, fol. 8 ff. Das Predigtthema des Abtes Falb, ebenda fol. 7.

[72] Enzmilner, a. a. O. fol. 8 ff. Über die Gegenreformation in Steyr Anfang Januar 1625 vgl. J. Zetl, Chronik der Stadt Steyr 36. Mus. Bericht Linz (1878) S. 36 ff.

[73] Herberstorff an Maximilian 3. 2. 1625, ASTA, Dreißigjähriger Krieg, Tom. 48, fol. 336; Herberstorff schildert selbst die Prozedur im Schreiben an Maximilian vom 10. 2. 1625, Geh. STA, Kasten schwarz Nr. 667, fol. 9.

[74] Herberstorff an Maximilian 12. 1. 1625, ebenda Nr. 667, fol. 6 ff. Später verzichtete man auf diese Stadtanwälte, vermutlich — wie Stieve sicher richtig glaubt — weil man in Wien nicht einen so starken bayerischen Einfluß in den Städten des Kaisers wollte; Stieve, Bauernaufstand 2, S. 30 (Anm. zu S. 36).

[75] OÖLA, Annalen 72, fol. 458, 502 und 554; Enzmilner, Interimsrelation fol. 9 ff.

[76] Ferdinand an Herberstorff und Falb 28. 12. 1624, zitiert bei Appelt, Falb S. 139.

[77] Herberstorff an Maximilian 23. 10. 1625, ASTA, Dreißigjähriger Krieg, Tom. 119, fol. 184; Herberstorff an Leopold 26. 12. 1624 und 12. 2. 1625 bei Stieve, Bauernaufstand 2, S. 269 ff.; vgl. auch A. Zauner, Vöcklabruck und der Attergau, Forschungen zur Geschichte Oberösterreichs 12 (1971) S. 776.

[78] Herberstorff an Leopold 12. 2. 1625; bei Stieve, Bauernaufstand 2, S. 270.

[79] Herberstorff an Abt Falb März 1925; Appelt, Falb S. 141.

[80] Wie Stieve, Bauernaufstand 1, S. 37, vermuten läßt.

[81] Ebenda S. 27; Appelt, Falb S. 142; Lamormaini an Herberstorff 24. 4. 1625, Geh. STA, Kasten schwarz Nr. 671, fol. 11.

[82] Herberstorff an Maximilian 13. 2. 1625, ASTA, Dreißigjähriger Krieg, Tom. 119, fol. 36; Herberstorff an Erzherzog Leopold 12. 2. 1625; bei Stieve, Bauernaufstand 2, S. 270; auch J. Strnadt, Der Bauernkrieg in Oberösterreich (1902) S. 41.

[83] Herberstorff an Maximilian 15. und 16. 5. 1625, OÖLA, Sammlung Petter, Schuber 8, und ASTA, Dreißigjähriger Krieg, Tom. 119, fol. 84; Herberstorffs Relation 20. 5. 1625, ebenda fol. 90; Konzept von Herberstorffs Bericht, OÖLA, Herrschaftsarchiv Ort (Panzerschrank, P. V./70); G. Grüll, Das Frankenburger Würfelspiel, Oberösterreich 9, 1959, Heft 3/4, S. 5 ff. Der Bericht Herberstorffs an Fürst Eggenberg ist unauffindbar. Erwähnt ist er in einem Schreiben Eggenbergs an F. Ch. Khevenhiller (20. 7. 1625), OÖLA, Khevenhiller Sammelband 13, fol. 197.

[84] OÖLA, Sammlung Petter, Schuber 8; abgedruckt bei Khevenhiller, Annales Ferdinandei 10, S. 733.

[85] Archiv Starhemberg in Haag, Abt. BK A Fasz. Frankenburger Würfelspiel.

[86] Grüenbacher an den Pfleger von Ried 13. 5. 1625; O. Koller, Das Frankenburger Würfelspiel 2 (Manuskript) S. 183.

[87] Grüenbachers Bericht, Khevenhiller, Annales 10, S. 733 ff.

[88] Herberstorff an Maximilian 15. 5. 1625 („Frankenburg in eil"), OÖLA, Sammlung Petter, Schuber 8.

[89] Grüll, Würfelspiel a. a. O. S. 5 ff.

[90] Patent Herberstorffs 14. 5. 1625. Das Original für Vöcklamarkt, OÖLA, Musealarchiv, derzeit Dauerleihgabe an OÖ. Landesmuseum; Koller, Würfelspiel S. 176.

[91] Bericht Grüenbachers, Khevenhiller a. a. O. S. 733 ff.

[92] Herberstorffs Relation (Konzept) bei Grüll, Würfelspiel S. 6.

[93] Herberstorff an Maximilian 16. 5. 1625, OÖLA, Sammlung Petter, Schuber 8.

[94] Nach Herberstorffs Relation (Konzept bei Grüll, Würfelspiel S. 6).

[95] Ebenda.

[96] Bericht Grüenbachers, Khevenhiller, Annales 10, S. 736; Koller, Würfelspiel 2, S. 177. Nach Grüenbacher haben 38 gewürfelt, 19 haben verloren, davon wurden zwei begnadigt. Es wurden also 17 hingerichtet, was Herberstorff selbst später bestätigte; Herberstorff an Ferdinand II. 14. 12. 1626, Geh. STA, Kasten schwarz Nr. 674, fol. 356. Stieve hat Zetls Chronik von Steyr benützt und kommt auf 36 Würfelnde, davon 18 verloren, dazu kam der später gefangene Färbergeselle Sigmund (= 19), zwei Begnadigungen, daher 17 Justifizierte. Grüenbacher kommt jedoch zweifellos die größere Glaubwürdigkeit zu.

[97] F. J. Proschko, Streifzüge im Gebiethe der Geschichte und Sage des Landes ob der Enns, Musealbericht Linz 1854.

[98] Bauernbeschwerden; Stieve, Bauernaufstand 2, S. 252.

[99] Stieve, Bauernaufstand 1, S. 63; Strnadt, Bauernkrieg S. 42.

[100] Maximilian an Herberstorff 14. 5. 1625, ASTA, Dreißigjähriger Krieg, Tom. 119, fol. 77.

[101] Stieve, Bauernaufstand 1, S. 63.

[102] Vermerk auf Rückseite des Briefes, ASTA, Dreißigjähriger Krieg, Tom. 119, fol. 77.

[103] Herberstorffs Brief aus Frankenburg 15. 5. 1625 erhielt der Kurfürst erst zwei Tage später (17. 5. 1625); vgl. Maximilian an Herberstorff 17. 5. 1625, ASTA, Dreißigjähriger Krieg, Tom. 119, fol. 88.

[104] Herberstorff an Maximilian, Frankenburg 15. 5. 1625, OÖLA, Sammlung Petter, Schuber 8.

[105] Herberstorff an Maximilian 16. 5. 1625 (Kopie), ebenda und Original, ASTA, Dreißigjähriger Krieg, Tom. 119, fol. 84.

[106] Maximilian an Herberstorff 26. 5. 1625 „so uns um dein bei diesem Wesen erzeigte Eifer und gethane Vorsehung zu gnädigstem Gefallen raicht", ASTA, Dreißigjähriger Krieg, Tom. 119, fol. 100.

[107] Stieve, Bauernaufstand 2, S. 52 (Anm. 6 zu S. 63).

[108] H. Hentig, Die Strafe (1954) S. 5.

[109] Stieve, Bauernaufstand 1, S. 63.

[110] Über die Arten der Todesstrafe in der Halsgerichtsordnung Karl V. vgl. bei H. Planitz, Deutsche Rechtsgeschichte (1950) S. 246; dort auch Literatur; S. Schmidt, Einführung in die Geschichte der deutschen Strafrechtspflege 3. A. (1965) S. 174.

[111] Stieve, Bauernaufstand 2, S. 52.

[112] Corpus juris Criminalis Caroli V. Imp. etc., vorgestellt von Jakob Otto, Ulm 1685, S. 285.

[113] Herberstorff an Kaiser Ferdinand II. 14. 12. 1626, Geh. STA, Kasten schwarz Nr. 674, fol. 356.

[114] Hentig, Die Strafe S. 24.

[115] Ebenda S. 95.

[116] Brandenburg. Kriegsrecht, in: Corpus iuris militaris auctum et emendatum, 4. Edition (1700) S. 628; Grüll, Würfelspiel a. a. O. S. 5 ff.; Hentig, Die Strafe S. 45.

[117] L. Radermacher, Vom Würfelspiel, Tod und Teufel, Anzeiger der Österreichischen Akademie der Wissenschaften Phil. Histor. Klasse 1955, S. 17.

[118] Herberstorff an Maximilian 16. 5. 1626, OÖLA, Sammlung Petter, Schuber 8; Herberstorff an Maximilian 20. 5. 1625 (Relation), ASTA, Dreißigjähriger Krieg, Tom. 119, fol. 90 ff.

[119] Eigenhändiger Vermerk Maximilian o. D. (August 1622), ASTA, Dreißigjähriger Krieg, Tom. 24 Post, fol. 117. Den Hinweis auf die „ordentliche Postzeitung" mit der Nachricht vom Würfelspiel Liechtensteins verdanke ich Herrn Dr. Helmut Lang, Nationalbibliothek Wien; vgl. auch dessen Aufsatz Die Wiener „Ordinari Zeitung", Biblos 20 (1971) S. 241 ff.; über ein Würfelspiel in Steyr vgl. Zetl, Chronik, S. 44.

[120] Maximilian an Herberstorff 15. 5. 1625, ebenda Tom. 119, fol. 80; Stieve, Bauernaufstand 2, Anm. 2 zu S. 63.

[121] Maximilian an Khevenhiller 30. 7. 1625 und Khevenhiller an Maximilian 8. 7. 1625; auch Eggenberg an Khevenhiller 20. 7. 1625, alles OÖLA, Khevenhiller Sammelband 13, fol. 191, 197 und 214; H. Schauer, Passau 20. 5. 1625 an den Pfleger Tobias Rosenzweil im Starhemberg. Archiv Haag, Fasz. Frankenburger Würfelspiel.

[122] Herberstorff an Maximilian 20. 5. 1625, ASTA, Dreißigjähriger Krieg, Tom. 119, fol. 105.

[123] Patent 24. 5. 1625. Abgedruckt in Heimatgaue 7 (1926). Original im Besitz von Harald Seyrl, Schloß Scharnstein.

[124] Herberstorff an Maximilian 20. 5. 1625, ASTA, Dreißigjähriger Krieg, Tom. 119, fol. 105.

[125] Herberstorff an Maximilian 8. 8. 1625, ebenda Tom. 48, fol. 678.

[126] Appelt, Falb S. 142.

[127] Wie Anm. 125.

[128] Herberstorff an Maximilian 4. 9. 1625, ASTA, Dreißigjähriger Krieg, Tom. 119, fol. 142; siehe auch Herberstorffs Brief an Erzherzog Leopold 12. 2. 1625 bei Stieve 2, S. 270.

[129] Herberstorff an Maximilian 19. 9. 1625, ASTA, Dreißigjähriger Krieg, Tom. 119, fol. 162.

[130] Die Instruktion ist im Brief an Maximilian vom 19. 9. 1625 erwähnt, ebenda fol. 162; Kaiserliche Gewalt für die Kommissäre 20. 8. 1625, OÖLA, Annalen 73, fol. 321 ff.

[131] Relation des ständischen Ausschusses 16. 10. 1625, OÖLA, Ständ. Archiv, Schuber 34.

[132] Stieve, Bauernaufstand 1, S. 38 und 2, S. 28 (Anm. 5 zu S. 34).

[133] Ständische Relation über die erfolgte Deprecation 10. 6. 1625, OÖLA, Annalen 72, fol. 598.

[134] Ein Original der Patente mit eigenhändiger Unterschrift Herberstorffs im OÖLA, Archiv Wagrain, Schachtel Nr. 18; Drucke — in Libellform — unter anderem OÖLA, Starhemberg. Archiv, Handschrift 107 und Weinberger Archivalien, Schuber 30; Stieve, Bauernaufstand 1, S. 37 ff. (ihm war das Original unbekannt); Stülz, Wilhering S. 296 ff.

[135] Wie Anm. 131.

[136] G. Polheim an Weikhart Polheim 15. 10. 1625, OÖLA, Annalen 73, fol. 334.

[137] OÖLA, Starhemberg. A., HS 107; Stieve, Bauernaufstand 2, S. 3 (Anm. 4 zu S. 40).

[138] Herberstorff an Maximilian 27. 12. 1625, ASTA, Dreißigjähriger Krieg, Tom. 119, fol. 207.

[139] Stieve, Bauernaufstand 1, S. 14.

[140] G. Polheim an Weikhart von Polheim 15. 10. 1625, OÖLA, Annalen 73, fol. 334; über A. Schwarz vgl. M. Doblinger, Dr. Abraham Schwarz, der Verfasser der obderennsischen Landtafel von 1616. Jahrbuch für die Geschichte des Protestantismus in Österreich 77 (1961) S. 17 ff., bes. S. 23 ff.

[141] Religionsschrift 7. 2. 1626, OÖLA, Annalen 73, fol. 375.

[142] Brief des Gesandten aus Wien an Stände 15. 2. 1626, OÖLA, Annalen 73, fol. 366.

[143] Resolution Ferdinand II. 9. 2. 1626, OÖLA, Annalen 73, fol. 389; Stieve, Bauernaufstand 1, S. 40 ff.; Stülz, Wilhering S. 298.

[144] Schreiben des Abgesandten aus Wien 10. 12. 1625, OÖLA, Annalen 73, fol. 357 v.

[145] Verordnete an Abt von Wilhering 31. 1. 1626, ebenda fol. 386.

[146] Stülz, Wilhering S. 299, Anm.

[147] Stände an Kaiser o. D. (Ende 1625), OÖLA, Annalen 73, fol. 354; Stieve, Bauernaufstand S. 4.

[148] Herberstorffs Dekret 6. 4. 1626, OÖLA, Annalen 73, fol. 400.

[149] Stände an Kepler 20. 10. 1627, Gesammelte Werke 18, S. 312, Brief Nr. 1058.

[150] 5. und 10. 11. 1625, OÖLA, Annalen 73, fol. 344; Linzer Regesten B II K 2 Nr. 501—503.

[151] Kepler an Stände 11. 2. 1628, Gesammelte Werke 18, S. 327, Brief Nr. 1069; Kepler an Paul Guldin 7. 2. 1626, ebenda S. 259, Brief Nr. 1024; Kepler an Schickard 25. 4. 1626, ebenda S. 260, Brief Nr. 1025; Caspar, Kepler S. 378.

[152] Appelt, Falb S. 143 ff.; Herberstorff an Falb 22. 1. 1626, Stiftsarchiv Göttweig R XIII/409.

[153] Vgl. z. B. Stieve, Bauernaufstand 2, S. 37, Anm. 4 zu S. 45.

[154] Appelt, Falb S. 145; Herberstorff an Falb 25. 3. 1626, Stiftsarchiv Göttweig R XIII/414.

[155] Wie schwer selbst der Kirchenbesuch bei den Bauern zu erreichen war — auch bei Untertanen katholischer Grundobrigkeiten — zeigt Herberstorffs Mahnung an den Pfarrer von Schörfling, seine Befehle bei den Untertanen des Pfarrers (Schörfling war eine kleine Pfarrherrschaft) durchzusetzen. Herberstorff an Pfarrer B. Freisleben 20. 3. 1626, Pfarrarchiv Schörfling; auch Appelt, Falb S. 147.

[156] Stieve, Bauernaufstand 2, S. 39 (Anm. 3 zu S. 46), und Bauernbeschwerden, ebenda S. 258 ff.

[157] Polheim an die Verordneten 11. 5. 1626 und Verordnete an Polheim 13. 5. 1626, OÖLA, Annalen 73, fol. 404 ff.

[158] Patent Herberstorffs 23. 3. 1626, OÖLA, Neuerwerbungen, Schuber 84, Nr. 6.

2. Im Bauernkrieg

[159] O. Brunner, Land und Herrschaft 2. A. (1942) S. 392.

[160] J. Burckhardt, Historische Fragmente (1957) S. 215.

[161] Deutscher Bauernkrieg 1525, hg. von Heiko A. Obermann, Zeitschrift für Kirchengeschichte 85 (1974) S. 4.

[162] Bauernbeschwerden, abgedruckt bei Stieve, Bauernaufstand 2, S. 251 ff.

[163] OÖLA, Sammlung Petter, Schuber 1, gedruckt bei A. Czerny, Einige Blätter aus der Zeit der Gegenreformation in Oberösterreich (1884) S. 171; Stieve, Bauernaufstand S. 48, hält sie — zu Unrecht — für bedeutungslos. Vgl. dagegen Bericht aus Linz über die Ankunft der Kaiserlichen Kommissäre, Geh. STA, Kasten schwarz 671, fol. 141.

[164] Stieve, Bauernaufstand 2, S. 47, Anm. 1 zu S. 57.

[165] Czerny, Blätter S. 138 ff.

[166] A. Hoffmann, Wirtschaftsgeschichte des Landes Oberösterreich (1952) S. 88.

[167] G. Grüll, Der Bauer im Lande ob der Enns am Ausgang des 16. Jahrhunderts (1969) (Forschungen zur Geschichte Oberösterreichs, Bd. 11).

[168] G. Heitz, Bauernbewegungen und Entwicklung des Absolutismus

in Mitteleuropa. Zeitschrift für Geschichtswissenschaft 13 (1965) Sonderheft, bes. S. 77.

[169] Herberstorff an Maximilian 31. 10. 1623, ASTA, Dreißigjähriger Krieg, Tom. 49, fol. 460.

[170] Hierher gehören auch die gelegentlichen Vorwürfe, die Stände heben viel mehr für das Garnisongeld ein, als sie tatsächlich abliefern. Stieve, Bauernaufstand 2, S. 14, Anm. 2 zu S. 19. Daher war Herberstorff immer für eine neue Aufnahme des Landes, da die alten aus dem 16. Jahrhundert stammenden Feuerstättenverzeichnisse überholt waren und nicht mehr stimmten. Darum aber waren die Stände in ihrem Interesse dagegen. Vgl. ASTA, Dreißigjähriger Krieg, Tom. 49, fol. 144; Br. u. A. 1/2, S. 312, Anm. 1.

[171] Herberstorff an Maximilian 15. 12. 1626, Geh. STA, Kasten schwarz Nr. 674, fol. 346 ff.

[172] Herberstorff an Ferdinand II. 14. 12. 1626, ebenda fol. 356.

[173] Ebenda.

[174] Hoffmann, Wirtschaftsgeschichte S. 97, 103, 218; vgl. auch den bisher ungedruckten Budapester Vortrag Hoffmanns, Typologie der oberösterreichischen Bauernaufstände (1972). Für die Gewährung der Einsicht in das Manuskript bin ich A. Hoffmann zu Dank verpflichtet; vgl. auch Heitz, Bauernbewegungen a. a. O., z. B. S. 74; die ungedruckte Dissertation von R. F. Schmiedt (Halle 1963), Der Bauernkrieg in Oberösterreich im Jahre 1626 als Teilerscheinung des Dreißigjährigen Krieges, stand mir nicht zur Verfügung.

[175] Wie Anm. 172.

[176] Stieve, Bauernaufstand 1, S. 48 und 2, S. 100, Anm. 1 zu S. 104.

[177] Wie Anm. 171; Stülz, Wilhering S. 292; das Patent — allerdings mit Datum 19. 4. 1626 — ist gedruckt bei G. Grüll, Vor und nach dem Bauernkrieg, Heimatgaue 10 (1929) S. 59; A. Czerny, Bilder aus der Zeit der Bauernunruhen in Oberösterreich 1626, 1632, 1648 (1876) S. 21.

[178] Stieve, Bauernaufstand 2, S. 75, Anm. zu S. 75 und Anm. 2 zu S. 83.

[179] G. Questenberg an Khevenhiller 3. 6. 1626, Br. u. A. 2/3, S. 208 ff.

[180] Stieve, Bauernaufstand 1, S. 218 und 220.

[181] G. Mann, Wallenstein (1972) S. 1223, Anm. 393.

[182] Enzmilners Interimsrelation, OÖLA, Archiv Windhaag, HS 28; Herberstorff an Maximilian 15. 12. 1626 wie Anm. 171.

[183] Vgl. zur ganzen Frage I. Neuhold, Die Bauernerhebungen im Lande ob der Enns im Spiegel der historischen Literatur, ungedr. Diss. Graz 1952.

[184] Vor allem Grüll, Der Bauer im Land ob der Enns a. a. O., bes. S. 221 ff.

[185] Hoffmann, Wirtschaftsgeschichte S. 95 ff.; erst eingehende Detailuntersuchungen über die wirtschaftliche Lage der Bauern unmittelbar vor dem Aufruhr könnten die Frage der wirtschaftlichen Motive zum Aufstand eingehend klären.

[186] G. Grüll, Bauer, Herr und Landesfürst (1963). (Forschungen zur Geschichte Oberösterreichs 8) S. 7.

[187] Herberstorff an Maximilian 16. 5. 1625, OÖLA, Sammlung Petter, Schuber 8.

[188] Stieve, Bauernaufstand 1, S. 65.

[189] Maximilian an Tilly 21. 5. 1626, Br. u. A. 2/3, S. 198. Die Instruktion für Herberstorff, ASTA, Dreißigjähriger Krieg, Tom. 117, fol. 272.

[190] Abt Falb an einen Freiherrn 20. 5. 1626, Stiftsarchiv Göttweig R XIII/417.

[191] Czerny, Bilder S. 53; Abt Falb an einen Ungenannten 20. 5. 1626, Stiftsarchiv Göttweig R XIII/417.

[191a] Über Fadinger vgl. nun auch H. Fattinger, Unsere bäuerlichen Vorfahren, MS., OÖLA, Bibl. Sign. II 210, S. 54 ff.

[192] Der äußere Verlauf nach der einschlägigen Literatur, vor allem Stieve, Bauernaufstand, und Strnadt, Bauernkrieg.

[192a] R. R. Heinisch, Salzburg und Wallenstein, Mitteilungen der Gesellschaft für Salzburger Landeskunde 112/113 (1972/73) S. 360.

[193] Eine Abschrift des Stillstandes, OÖLA, Weinberger Archivalien, Schuber 30, Nr. 8; vgl. Stieve, Bauernaufstand 1, S. 246.

[194] Stieve, Bauernaufstand 1, S. 79 ff.

[195] Herberstorff an Maximilian 20. 5. 1626, ASTA, Dreißigjähriger Krieg, Tom. 119, fol. 247 ff.; vgl. Stieve, Bauernaufstand 2, S. 74, Anm. 4 zu S. 82.

[196] Herberstorff an Maximilian 21. 5. 1626, ASTA, Dreißigjähriger Krieg, Tom. 119, fol. 235 ff.

[197] Leuker an Maximilian 10. 6. 1626; Stieve, Bauernaufstand 2, S. 74, Anm. 4 zu S. 82.

[198] Wie Anm. 196, fol. 237.

[199] Schreiben aus Freistadt 23. 5. 1626, Linzer Regesten A. 3, Anhang IV, S. 188.

[200] Schreiben aus Freistadt 25. 5. 1626, ebenda Anhang V, S. 189.

[201] Wie Anm. 196, fol. 235.

[202] Herberstorff an Tattenbach 25. 5. 1626; Stieve, Bauernaufstand 2, S. 75, Anm. 2 zu S. 82.

[203] Herberstorff an Maximilian 21. 5. 1626, wie Anm. 196, fol. 236.

[204] Ebenda; Herberstorff an Tattenbach 22. 5. 1626, ASTA, Dreißigjähriger Krieg, Tom. 133, fol. 17. In diesem Brief erkundigte sich Herberstorff auch nach seinem Vetter Walkun, von dem er nicht wußte, ob er Peuerbach lebend überstanden hatte.

[205] Herberstorff an Tattenbach 25. 5. 1626 und Pfliegl an Eisenreich 25. 5. 1626; bei Stieve, Bauernaufstand 2, S. 75, Anm. 2 zu S. 83.

[206] Stieve, Bauernaufstand 1, S, 82. Ende August hat Herberstorff in einer für den Grafen Meggau bestimmten Aufstellung von 1300 Soldaten im Schloß und in der Stadt gesprochen, denen gegenüber die Bürger, Inwohner und Herrendiener, die sich in Linz aufhielten, mit 1200 Personen angegeben werden; Herberstorff an Meggau 20. 8. 1626, OÖLA, Musealarchiv, Schuber 45/II; vgl. auch A. Ziegler, Linz im Wandel der Jahrhunderte (1922) S. 97.

[207] Herberstorff an Herliberg 8. 6. 1626, ASTA, Dreißigjähriger Krieg, Tom. 133, fol. 231. Die Zahl dürfte auf Gerüchten beruhen und kann

wohl nicht stimmen; Stieve, Bauernaufstand 1, S. 136 und 145 und 2, S. 122.

[208] Czerny, Bilder S. 59.

[209] ASTA, Dreißigjähriger Krieg, Tom. 133, fol. 532; Stieve, Bauernaufstand 2, S. 122; Herberstorffs Dekret vom 17. 6. 1626, OÖLA, Museal-Archiv, Schuber 45/III, fol. 61; eine „Wein-Raittung" über den Weinverbrauch der Linzer Garnison während der Belagerung nennt die riesige Menge von 3064 Eimern, OÖLA, Museal-Archiv, Schuber 45/II, fol. 19.

[210] Balthasar Rampeck schrieb an F. Ch. Khevenhiller nach Madrid: Herberstorff habe sich im Schloß wohl verwahrt, und wenn schon die Stadt verloren gehe, könne er sich dort noch lange halten, vorausgesetzt, daß er verproviantiert sei. 7. 7. 1626, abgedruckt bei Czerny, Bilder S. 80.

[211] OÖLA, Ständ. Archiv, Schuber 946 (G XXIV/112) 24. 6. 1626; ebenda Schuber 942 (G XXIV/201); vgl. Stieve, Bauernaufstand 1, S. 143; Kurz, Beiträge 1, S. 223.

[212] Höhere Schätzungen (30.000—50.000) beruhten auf Gerüchten und stimmten nicht. Stieve, Bauernaufstand 1, S. 145 und ebenda 2, S. 124.

[213] Wortlaut bei Kurz, Beiträge 1, S. 224 und 509.

[214] Stieve, Bauernaufstand 1, S. 122; I. Zetl, Chronik der Stadt Steyr 1612—1635. 36. Bericht über das Museum Francisco Carolinum (1878) S. 55 ff.

[215] Stieve, Bauernaufstand 1, S. 145 ff.

[216] OÖLA, Ständ. Archiv, Schuber 942 (G XXIV/208) 27. 6. 1626; vgl. Stieve, Bauernaufstand 1, S. 121.

[217] Stände an die Bauern, abgedruckt bei Kurz, Beiträge 1, S. 520 ff.

[218] Stieve, Bauernaufstand 1, S. 147. Herberstorff an Maximilian 30. 6. 1626, Geh. STA, Kasten schwarz Nr. 60, fol. 500.

[219] Kurz, Beiträge 1, S. 236.

[220] Stieve, Bauernaufstand 1, S. 220. Sitzungsprot. d. Kommission 20. 7. 1627, Geh. STA, Kasten schwarz 678, Nr. 200.

[221] Herberstorff an Eisenreich 20. 7. 1626, Geh. STA, Kasten schwarz Nr. 674, fol. 161; Memorial was die Stadt Linz in specie ... gelitten, OÖLA, Musealarchiv, Schuber 45/III.

[222] Kepler an Paul Guldin 1. 10. 1626, Gesammelte Werke 18, S. 272; Kepler an M. Bernegger 8. 2. 1627, ebenda („nec fame afflictum fuisse, etsi de equina nihil gustavi. Ea mihi foelicitas contigit inter raros").

[223] Herberstorff an Eisenreich 20. 7. 1616, wie Anm. 22.

[224] Stieve, Bauernaufstand 1, S. 186.

[225] Herberstorff an Eisenreich 22. 7. 1626, Geh. STA, Kasten schwarz Nr. 674, fol. 162; Stieve, Bauernaufstand 1, S. 187 ff.

[226] Stieve, Bauernaufstand 1, S. 241 und 2, S. 160; Herberstorff an Eisenreich 2. 8. 1626, Geh. STA, Kasten schwarz Nr. 674, fol. 162 ff.; OÖLA, Museal-Archiv, Schuber 45/III.

[227] Verhörsprotokolle 22./23. 8. 1626, OÖLA, Museal-Archiv, Schuber 45/II, fol. 129—135; Herberstorff an Meggau 20. 8. 1626, ebenda Schuber 45/II, fol. 188.

[228] Stieve, Bauernaufstand 1, S. 236 und 275 und 2, S. 243; vgl. auch Maximilian an Herberstorff 19. 2. 1627, ASTA, Dreißigjähriger Krieg, Tom. 119, fol. 218.

[229] Pappenheim an Herberstorff 10. 11. 1626 (Hartheim); gedruckt in: Gottfried Heinrich von Pappenheim, bayerischer Feldmarschall. Beiträge zur Geschichte seiner Feldzüge von C. v. A. München (1820) S. 59; Pappenheim an Maximilian 10. 11. 1626 (Hartheim), ebenda S. 66. Die Originalschreiben ASTA, Dreißigjähriger Krieg, Tom. 137, fol. 164 und 169; vgl. dazu Stieve, Bauernaufstand 2, S. 221. Die Verluste der Bauern in den Novemberschlachten bezifferte Pappenheim mit 8000 Mann. Pappenheim an Christian von Brandenburg 6. 12. 1626, in: Documenta Bohemica bellum Tricennale illustrantia IV (1974) S. 163.

[230] Stieve, Bauernaufstand 1, S. 105.

[231] Die Polemik Stieves, Bauernaufstand 2, S. 104, gegen Gindely ist also ganz unberechtigt. Herberstorff an Maximilian 22. 5. 1626, ASTA, Dreißigjähriger Krieg, Tom. 119, fol. 252 ff. und Tom. 132, fol. 20 ff.

[232] Herberstorff an Maximilian 15. 5. 1626; Stieve, Bauernaufstand 2, S. 104.

[233] Herberstorff an die Verordneten 31. 5. 1626, OÖLA, Sammlung Petter 9, Fasz. 1; vgl. auch Stieve, Bauernaufstand 1, S. 109.

[234] Stieve, Bauernaufstand 1, S. 124 und 214 und 2, S. 104; Questenberg an Khevenhiller 3. 6. 1626, Br. u. A. 2/3, S. 208, Nr. 152; Leuker an Maximilian 10. 6. 1626, ebenda S. 218.

[235] Questenberg an Khevenhiller 3. 6. 1626, wie Anm. 234; Stieve, Bauernaufstand 1, S. 203, 223 und 238 ff.; Leuker an Maximilian 27. 7. 1626, Br. u. A. 2/3, S. 278.

[236] Br. u. A. 2/3, S. 278, 291 und 307.

[237] Stieve, Bauernaufstand 1, S. 127 ff.

[238] Herberstorff hat die Versammlung der Stände in Steyr und Wels, die ohne seine und des Kurfürsten Zustimmung zusammentrat, als illegal betrachtet; vgl. sein Patent an die Stände in Steyr 9. 7. 1626, OÖLA, Starhemberg. Archiv, HS 16, fol. 455.

[239] Herberstorff an Maximilian 30. 5. 1626; Stieve, Bauernaufstand 2, S. 102 und 104.

[240] Notiz eines ständischen Beamten 8. 8. 1626, OÖLA, HS 16, fol. 576. Kurz hielt diese und andere Eintragungen in dieser Handschrift für Notizen Heinrich Wilhelms von Starhemberg; das stimmt jedoch keinesfalls, vielmehr handelt es sich um die Schrift jenes ständischen Beamten, der alle wichtigen ständischen Schriftstücke konzipierte, also sicherlich um die Handschrift des ständischen Sekretärs Georg Ernst.

[241] Stieve, Bauernaufstand 1, S. 127.

[242] OÖLA, Starhemberg. Archiv, HS 16, fol. 594 (2. 9. 1626).

[243] Czerny, Blätter S. 185.

[244] Ferdinand II. an Stände 24. 7. 1626; Herberstorff an Ferdinand II. 3. 8. 1626; Herberstorff an kaiserliche Kommissäre 3. 8. 1626; Stände an Herberstorff 15. 8. 1626, alles OÖLA, Museal-Archiv, Schuber 45, fol. 69, 91, 92, 119.

[245] Zum Beispiel OÖLA, Starhemberg. Archiv, HS 16, fol. 584, 586.

[246] Stieve, Bauernaufstand 1, S. 184 ff.

[247] Ständisches Protokoll 1. 8. 1626, OÖLA, Starhemberg. Archiv, HS 16, fol. 357 (fol. 33 des Protokolls); vgl. auch Stieve, Bauernaufstand 1, S. 197.

[248] Bericht des Hans Andrä von Grünthal 5. 8. 1626, OÖLA, Starhemberg. Archiv, HS 16, fol. 573 ff.

[249] Ebenda fol. 589: „daß ers erlüftigen und an die Päum".

[250] Stieve, Bauernaufstand 1, S. 242, 312 und 2, S. 188.

[251] Czerny, Bilder S. 126.

[252] Stieve, Bauernaufstand 1, S. 88 und Anm. 9.

[253] Herberstorff an Eisenreich 20. 7. 1626, Geh. STA, Kasten schwarz Nr. 674, fol. 161; vgl. auch O. Mutzbauer, Die Urkunden des Archivs der Grafen von Tattenbach (1967) S. 135.

[254] F. Krackowitzer, Geschichte der Stadt Gmunden 3, S. 150, 152 und 187; Czerny, Bilder S. 126 ff.

[255] Stieve, Bauernaufstand 2, S. 187.

[256] Herberstorff an Maximilian 15. 12. 1626, Geh. STA, Kasten schwarz Nr. 674, fol. 346 ff.; Gindely, Gegenreformation S. 50; Stieve, Bauernaufstand S. 313.

[257] Patent Herberstorffs 10. 3. 1627, OÖLA, Weinberger Archivalien 30, Nr. 8.

[258] Kurz, Beiträge 1, S. 440.

[259] Stieve, Bauernaufstand 1, S. 314, 318 und 2, S. 313; Herberstorff an Eisenreich 21. 3. 1627, ASTA, Dreißigjähriger Krieg, Tom. 51, fol. 369.

[260] Maximilian an Herberstorff 25. 3. 1627, ASTA, Dreißigjähriger Krieg, Tom. 119, fol. 346 ff.; vgl. auch Kriegsräte an Maximilian 24. 3. 1627, ebenda Tom. 24 post, fol. 591; Stieve, Bauernaufstand 2, S. 233 (Anm. 2 zu S. 317).

3. Die Zeit nachher

[261] Herberstorff an Ferdinand II. 14. 12. 1626 u. o. D. (August 1627), Geh. STA, Kasten schwarz Nr. 674, fol. 356 ff. und 675, fol. 213.

[262] Maximilian an Preysing 20. 2. 1627, Geh. STA, Kasten schwarz Nr. 676, fol. 15.

[263] C. M. von Aretin, Bayerns auswärtige Verhältnisse seit dem Anfang des 16. Jahrhunderts 1 (1839) S. 272 und Urkundenteil S. 261 ff. und 266.

[264] Protokoll des Informations- und Erfahrungsprozesses wider den Herrn Statthalter und die Räte zu Linz 27. 2. 1627, Geh. STA, Kasten schwarz Nr. 677, fol. 112.

[265] Patent 5. 3. 1627, OÖLA, Archiv Greinburg, Schuber 1, I/10, und Geh. STA, Kasten schwarz Nr. 677; Herberstorff an Eisenreich 21. 3. 1627, ASTA, Dreißigjähriger Krieg, Tom. 51, fol. 369; Kurz und Peringer an Maximilian 21. 3. 1627, Geh. STA 677, fol. 189; Maximilians Schreiben vom 26. 3. 1627, ebenda fol. 215.

[266] Randvermerke im Protokoll über die Kommissionshandlung im Land ob der Enns 1627/28, Geh. STA, Kasten schwarz Nr. 678, fol. 112.

[267] Maximilian an Zollern 12. 10. 1627 und dessen Antwort 22. 10. 1627, ebenda 425/9, fol. 122 und 151; Br. u. A. 2/3, S. 624, Anm. 1, Herberstorff an Maximilian 16. 10. 1627, Geh. STA, Kasten schwarz Nr. 677, fol. 593; Maximilian an Herberstorff 16. 11. 1627, ebenda fol. 597 ff.

[268] Maximilian an Kurköln 9. 3. 1627, Br. u. A. 2/3, S. 478; Herberstorff an Eisenreich 15. 9. 1626, ASTA, Dreißigjähriger Krieg, Tom. 35, fol. 171.

[269] Stieve, Bauernaufstand 1, S. 331; Gindely, Gegenreformation S. 48.

[270] OÖLA, Ständ. Archiv, Schuber 36 (A IX 3/5) vom 8. 2. 1627.

[271] Tagebuch Preysing 23. 1. 1627 ff., in: Aretin, Auswärtige Verhältnisse, Urkundenteil.

[272] Stieve, Bauernaufstand 1, S. 325; Kurz, Beiträge 1, S. 438.

[273] Herberstorff an Stände 17. 10. 1626, OÖLA, Annalen 79, fol. 647 ff.; Ferdinand II. an die kaiserlichen Kommissäre 23. 1. 1627, ebenda, Ständ. Archiv, Schuber 36 (A IX 3/4), und Annalen 79, fol. 656; vgl. auch Kurz, Beiträge 1, S. 439.

[274] Disarmierungspatent 1. 3. 1627, OÖLA, Annalen 79, fol. 408; Bericht des Gottlieb Engl über die Entwaffnungsaktion in Seisenburg, ebenda fol. 407; vgl. auch OÖLA, Annalen 79, fol. 412.

[275] Herberstorff an Verordnete 11. 2. 1628, ebenda fol. 816.

[276] Stieve, Bauernaufstand 1, S. 326; Instruktion für Schallenberg 18. 12. 1626, OÖLA, Starhemberg. Archiv, HS 16, fol. 168, und Annalen 79, fol. 679.

[277] Stieve, Bauernaufstand 1, S. 331; Herberstorff an Maximilian 15. 12. 1626, Geh. STA, Kasten schwarz Nr. 674, fol. 350; Relation Schallenbergs vom 18. 1. 1627, OÖLA, Ständ. Archiv, Schuber 36 (A IX 3/3), und Annalen 79, fol. 682. Die Aktion in München war offenbar zwischen Herberstorff und den Ständen abgestimmt, da Schallenberg die Instruktion hatte, sich Herberstorffs Gutachten anzuschließen, ebenda, Annalen 79, fol. 679.

[278] Stieve, Bauernaufstand 1, S. 335.

[279] Herberstorff an Stände 13. 11. 1627, OÖLA, Annalen 79, fol. 760; über die Besatzungsfrage auch Kurz, Beiträge 2, S. 300.

[280] Die Aktenstücke über die Gesandtschaft des Abtes von Garsten nach München, OÖLA, Annalen 79, fol. 780 ff.

[281] OÖLA, Annalen 79, fol. 715, 744 ff. und 812; vgl. auch Kurz, Beiträge 2, S. 301.

[282] Herberstorff an Maximilian 15. 12. 1626, Geh. STA, Kasten schwarz Nr. 674, fol. 349; Aretin, Auswärtige Verhältnisse S. 260.

[283] Herberstorff an Maximilian 2. 4. 1627, Geh. STA, Kasten schwarz Nr. 678, fol. 350. Nach Herberstorffs Nachricht vom 22. 4. 1627 war der „Kayserl. Ingenieur“ bereits dabei, Modelle der Befestigungen von Linz und Enns anzufertigen, ASTA, Dreißigjähriger Krieg, Tom. 119, fol. 373.

[284] Herberstorff an Verordnete 16. 7. 1627, OÖLA, Annalen 79, fol. 718; das Original Ständ. Archiv, Schuber 36; vgl. auch Linzer Regesten B II A 11 Nr. 12.409; Herberstorff an Verordnete 22. 8. 1627, OÖLA, Annalen 79, fol. 719. Die Instruktion für die Gesandtschaft nach

Wien 30. 8. 1627 in Annalen 79, fol. 739 ff.; für die Gesandtschaft nach München 24. 9. 1627, ebenda 79, fol. 720 ff.

285 Kaiserliche Resolution 16. 11. 1627, ebenda fol. 766; vgl. Linzer Regesten B II A 11 Nr. 12.413.

286 Eigenhändige Randnotiz Maximilians zu Herberstorffs Brief vom 2. 4. 1627, Geh. STA, Kasten schwarz Nr. 678, fol. 350.

287 Instruktion für Stände-Gesellschaft nach Wien 17. 12. 1626, OÖLA, Annalen 79, fol. 638; Polheim an Verordnete 17. 2. 1627, ebenda fol. 667; Kaiserliches Dekret 29. 3. 1627, ebenda fol. 704.

288 Intimation Ferdinands II. an Herberstorff 6. 4. 1627, ebenda fol. 705.

289 Kaiserliche Resolution 28. 1. 1627, ebenda, Annalen 79, fol. 980; vgl. H. Sturmberger, Kaiser Ferdinand II. und das Problem des Absolutismus (1957) S. 28.

290 Ferdinand II. an Maximilian 16. 11. 1627, OÖLA, Annalen 79, fol. 770; vgl. auch Kurz, Beiträge 2, S. 299.

291 Gravamina der Stände, OÖLA, Starhemberg. Archiv, HS 16, fol. 638 ff.

292 Gegeninformation zu den Landesgravamina 16. 3. 1627, Geh. STA, Kasten schwarz Nr. 677, fol. 135 ff.; daß in der bayerischen Aera zahlreiche Prozesse beim Statthalteramt liefen, sieht man unter anderem aus dem Ständ. Archiv („Prozesse und Verträge").

293 Urkunde 29. 3. 1627 im Stiftsarchiv Kremsmünster. Die Prälaten erhielten auch die Praezedenz in Sessione et voto.

294 Stülz, Wilhering S. 308; Putschögl, Landeshauptmann, Mitteilungen des Oö. Landesarchivs 9, S. 272; eingehender jetzt bei W. Hujber, Der Prälatenstand des Landes ob der Enns 1600—1620, ungedr. Diss. Wien 1972, S. 464 ff.

295 Aretin, Auswärtige Verhältnisse S. 262.

296 Ferdinand II. an Maximilian 16. 11. 1627, OÖLA, Annalen 79, fol. 770.

297 Sturmberger, Ferdinand II. S. 15.

298 Ferdinand an Maximilian 20. 8. 1627; zu den vier letzten Worten im Brief des Kaisers bemerkte der Kurfürst: „utinam quia Caesares etiam homines", Br. u. A. 2/3, S. 599.

299 Herberstorff meinte, der Herrenstand habe durch die Emigration Tschernembls, Ungnads und Landaus den „Schein am rechten Auge verloren". Herberstorff an Maximilian 15. 12. 1626, Geh. STA, Kasten schwarz Nr. 674, fol. 348.

300 Vgl. Instruktion für die Kommissäre in Linz 6. 1. 1627 bei Aretin, Auswärtige Verhältnisse S. 256 und Protokoll S. 268; auch Stieve, Bauernaufstand 1, S. 333.

301 Herberstorff an Maximilian 22. 2. 1627, Geh. STA, Kasten schwarz Nr. 678, fol. 146.

302 Herberstorff an Abt Falb o. D., Stiftsarchiv Göttweig, im Wortlaut wiedergegeben bei Appelt, Falb S. 147. Die zeitliche Einordnung ergibt sich aus dem Inhalt. Herberstorff spricht von dem großen Schaden, den er erlitten hat (Ort!); der Brief muß also nach dem Ende des

Bauernkrieges geschrieben sein. Da der Statthalter die genauen Bestimmungen des neuen Reformationsauftrages (22. 4. 1627) noch nicht kennt, ergibt sich hier ein Terminus ad quem.

[303] Ferdinand II. an Herberstorff 20. 12. 1627 (sic!). Bei dem im ASTA, Tom. 131, fol. 375 vorhandenen Schreiben des Kaisers handelt es sich um eine Abschrift. Das Stück gehört zweifellos in die Zeit unmittelbar nach dem Ende des Bauernkrieges. Es heißt eingangs: „demnach Wür auf die beraith in Unserem Erzherzogthumb Österreich ob der Ennß völlig gedämpfte Paurn Unruhe, in dißem gedankhen stehen, wie das hiervor im landt angefangene hailsame Reformationswerkh in Religione ... widerumb zu reassümieren und fortgesetzt werden möge und dannenhero zu effectuierung desselben gnädigst gerne einen guten und glimpflichen modum für und an die handt nemen woln ...“ Der Brief stammt also sicherlich vom 20. 12. 1626.

[304] Aretin, Auswärtige Verhältnisse, Protokoll S. 268.

[305] Stieve, Bauernaufstand 1, S. 334.

[306] Kaiserliches Dekret 26. 3. 1627, OÖLA, Starhemberg. Archiv, HS 107, fol. 141; vgl. Hurter, Ferdinand II. 10, S. 114.

[307] Kredenzschreiben Ferdinand II. 29. 3. 1627, OÖLA, Annalen 79, fol. 414, und Starhemberg. Archiv, HS 107, fol. 142.

[308] Mündlicher Fürtrag 22. 4. 1627, ebenda, Annalen 79, fol. 415 ff. und Starhemberg. Archiv, HS 107, fol. 143.

[309] Herberstorff an Maximilian 15. 12. 1626, Geh. STA, Kasten schwarz Nr. 674, fol. 348; Aretin, Auswärtige Verhältnisse S. 268.

[310] Herberstorff an Falb 30. 4. 1627, Archiv Göttweig R XIII/459 a; Stülz, Wilhering S. 311.

[311] Instruktion 22. 5. 1627, OÖLA, Annalen 79, fol. 428; Korrespondenz der Wiener Abgesandten mit den Ständen, ebenda, Ständ. Archiv, Schuber 36 (A IV 3/28) und Annalen, fol. 438, 460 und 464; vgl. auch Herberstorffs Schreiben an Ferdinand II. bei Stieve, Bauernaufstand 1, S. 341 ff. (18. 7. 1627).

[312] Ferdinand II. an Abgesandte 5. 8. 1627, OÖLA, Ständ. Archiv, Schuber 36 (A IX 3/34) und Annalen 79, fol. 466; Herberstorff an Verordnete 28. 8. 1627, ebenda, Annalen 79, fol. 469; Verordnete an Herberstorff 6. 9. 1627, ebenda fol. 471.

[313] Ferdinand II. an Herberstorff 27. 8. 1627, ebenda fol. 468.

[314] Verordnete an Kepler 20. 10. 1627, Gesammelte Werke 18, S. 312; Kepler an Stände 11. 2. 1628, ebenda S. 325; Kepler an Guldin 24. 2. 1628, ebenda S. 330.

[315] OÖLA, Ständ. Archiv, Schuber 36 (A IX 3/28 und 48) und Annalen 79, fol. 894 ff.

[316] Engl an die Stände 28. 9. und 5. 10. 1627, ebenda, Ständ. Archiv, Schuber 36 (A IX 3/45); Resolution 16. 11. 1627, ebenda (A IX 3/49); Emigrationsschrift vom Dezember 1927, ebenda (A IX 3/55).

[317] Instruktion 21. 12. 1627, ebenda (A IX 3/56), Annalen 79, fol. 495.

[318] Über Schallenberg vgl. H. Hebenstreit, Die Grafen von Schallenberg, MS. OÖLA; Die Resolution Ferdinand II. 17. 1. 1628, OÖLA, Ständ. Archiv, Schuber 36 (A IX 3/64).

[319] Schallenberg an Stände 21. 1. 1628, ebenda (A IX 3/65). Der schriftliche Nachlaß Schallenbergs über seine Prager Mission mit zahlreichen Originalen liegt im OÖLA, Weinberger Archivalien, Schuber 31, Nr. 10. Kaiserliche Resolution 12. 2. 1628, ebenda, Annalen 79, fol. 547.

[320] Schallenberg und Aspan an Verordnete 17. 2. und 16. 3. 1628 und Kaiserliche Resolution 18. 3. 1628, ebenda, Ständ. Archiv, Schuber 36 (A IX 3/88 und 89).

[321] Akten über den Wechsel im Verordnetenamt, OÖLA, Ständ. Archiv, Schuber 462 (E III, 97); vgl. hiezu auch Stauber, Ephemeriden S. 93. Über die Festhaltung emigrierender Stände siehe Herberstorff an Maximilian 14. 3. 1628 und die Antwort des Kurfürsten vom 22. 3. 1628, Geh. STA, Kasten schwarz Nr. 678, fol. 682 und 688.

[322] Stülz, Wilhering S. 311.

[323] B. Czerwenka, Die Khevenhüller (1867) S. 629. Die dort angeführte Liste der adeligen Emigranten aus den österreichischen Erbländern gibt für Oberösterreich auch nicht annähernd ein richtiges Bild der Emigration. Aufschlußreich ist der Torso: „Verzeichnis aller Emigranten von Herren- und Ritterschaft des Erzherzogthumb Österreich ob der Enns von Herren, Frauen, Wittiben und Freylein bis zu Endt deß 1628 Jahres." Wiener Nationalbibliothek Cod. 10.098. Bei diesem alphabetischem Verzeichnis handelt es sich nur um ein Fragment, enthaltend alle Namen mit Anfangsbuchstaben A—Ho; hier werden nun etwa 250 Personen angeführt, wobei allerdings gelegentlich ungenaue Angaben gemacht werden, wie „mit vill Söhn und Töchtern". Von den angeführten Emigranten gehören allein der Familie der Freiherren von Polheim 32 Personen an. Das gibt einen Begriff vom Umfang der damaligen Emigration des Adels; man kann die Gesamtzahl auf etwa 400—500 Personen schätzen.

[324] G. Mecenseffy, Geschichte des Protestantismus in Österreich (1956) S. 171; M. F. Kühne, Die Häuser Schaunberg und Starhemberg im Zeitalter der Reformation und Gegenreformation (1880) bes. S. 81 ff.; Heilingsetzer, Heinrich Wilhelm Starhemberg S. 44.

[325] Verzaichnus etlicher verkaufften Emigranten Güetter, deren thails Abkäuffer im Land ihnen in Erkauffung derselben wegen der diktierten kaysl. Straff der 100.000 fl. eine gewisse Summam expresse reserviert und vorbehalten, thails aber solcher zu reservieren vergessen, gleichwohl noch an dem Kaufschilling etwas restieren. Hofkammerarchiv Wien, Niederösterreichische Herrschaftsakten R-71 (1633; fälschlich mit 1623 beschriftet).

[326] OÖLA, Annalen 79, fol. 856.

[327] Der Paß Herberstorffs für David Engl von Wagrain 6. 4. 1628 z. B. im OÖLA, Archiv Wagrain, Schachtel 9.

[328] Herberstorff an Juliane Starhemberg 13. 12. 1628, OÖLA, Starhemberg. Archiv, Reform Nr. 60.

[329] Stülz, Wilhering S. 312.

[330] Appelt, Georg Falb S. 155.

[331] Patent 10. 2. 1628; bei Stieve, Bauernaufstand S. 248 (Anm. 2 zu S. 343).

[332] Orig. Mandat 19. 3. 1631, OÖLA, Ständ. Archiv, Schuber 650; Stieve, Bauernaufstand 1, S. 343, kannte das Patent nicht. Stülz, Wilhering S. 331, hat bezüglich der von Stieve bezweifelten „Genehmigung" der Auswanderung recht.

[333] Die Bestätigung der Donation durch den Kaiser erfolgte erst am 3. 12. 1627, OÖLA, Annalen 79, fol. 623.

[334] Die kaiserliche Confirmation 16. 11. 1627, welcher der ständ. Vergleich vom 1. 12. 1626 inseriert ist, in OÖLA, Ständ. Archiv, Urkunde Nr. 136, auch Annalen 79, fol. 975; ASTA, Dreißigjähriger Krieg, Tom. 131, fol. 433; OÖLA, Annalen 79, fol. 802 v.

[335] Herberstorff an Maximilian 16. 2. 1628, ASTA, Dreißigjähriger Krieg, Tom. 131, fol. 432.

[336] Ferdinand II. an Stände 30. 6. 1629, OÖLA, Annalen 80, fol. 271; die drei oberen Stände an Herberstorff 5. 11. 1629, ebenda fol. 337; vgl. auch Stauber, Historische Ephemeriden S. 47, und J. Lenzenweger, Das Jesuitenkollegium in Linz als Ausgangspunkt einer oberösterreichischen Hochschule, Jahrbuch der Stadt Linz 1951, S. 41 ff.

[337] Stieve, Bauernaufstand 1, S. 342.

[338] Es waren alle vier Kinder minderjährig und durften daher dem kaiserlichen Befehl zufolge nicht außer Landes verbracht werden.

[339] E. Otto, Reformation und Gegenreformation in der Oststeiermark, Zeitschrift des Historischen Vereins für Steiermark 11 (1913) S. 206 ff.; vgl. auch (Hammer-Purgstall), Die Gallerin auf der Riegersburg (1845), wo im Urkundenteil S. 198 ff. das Mandat an Herberstorff und der Revers der Katharina Globitzer vom 17. 8. 1629 abgedruckt sind. Der „Catalogus Exulum Styriae Carinthiae et Carniolae ... 1629, OÖLA, Schlüsselberger Archiv, HS 56, fol. 38 nennt 305 Emigrierte vom Herrenstand, 485 Personen vom Ritterstand, unter diesen auch K. Globitzer mit einem Sohn und zwei Töchtern.

[340] Appelt, Falb S. 156.

[341] Herberstorff an Maximilian 10. 9. 1627, Geh. STA, Kasten schwarz Nr. 677, fol. 574 und Maximilian an Herberstorff 21. 9. 1627, ebenda fol. 576.

[342] Herberstorff an Maximilian 6. 11. 1627, ebenda fol. 595.

[343] Die Festlichkeiten sind eingehend beschrieben bei Khevenhiller, Annales Ferdinandei 10 (1724) S. 1410 ff.

[344] Herberstorff an Maximilian 27. 11. 1627, ASTA, Dreißigjähriger Krieg, Tom. 119, fol. 411.

IV. Kapitel: *Landmann und Landeshauptmann*

1. *„Des Grafen von Herberstorff Land"*

[1] Kurz, Beiträge 1, S. 423.

[2] Strnadt, Bauernkrieg S. 37. Nach Schätzung der Krida-Kommission war Aschach 98.000 Gulden wert; Wurm, Jörger S. 175, Anm. 2.

[3] Ferdinand II. an Abt Wolfradt und Joh. Bapt. Spindler 21. 12.

1621, Hofkammer-Archiv Wien, Niederösterreichische Herrschaftsakten, Stauf S. 102; vgl. Wurm, Jörger S. 176.

[4] Herberstorff an Gundaker von Polheim 16. 2. 1622, Hofkammer-Archiv Wien, Niederösterreichische Herrschaftsakten O-6 (Ort) fol. 780.

[5] Die HS 102 des Herrschaftsarchivs Seisenburg (OÖLA) enthält Dokumente zur Geschichte von Ort, z. B. Verkauf durch Weikhart von Polheim an Gmunden 1595 und die Erwerbung durch Rudolph II. 1603/1604 sowie auch Assekurationen über Geld, das Spindler auf Ort liegen hatte. Vgl. auch A. Mosser, Beiträge zur Geschichte der Grundherrschaft in Oberösterreich unter besonderer Berücksichtigung der Herrschaft Ort im Traunsee, ungedr. Diss. Wien 1964, S. 40.

[6] Herberstorff an Ferdinand II. 7. und 16. 3. 1622, Hofkammer-Archiv Wien, Niederösterreichische Herrschaftsakten L 7 (Landau); vgl. auch F. Wilflingseder, Neydharting, Jahrbuch Musealverein Wels 6 (1959/60) S. 45 ff.

[7] Im Jahre 1653 hatte die Burgvogtei Wels 928 Feuerstätten, OÖLA, Herrschaftsarchiv Seisenburg HS 89.

[8] H. Hageneder, Obderennsische Lebensbilder des 16. und 17. Jahrhunderts, „Oberösterreich" 18 (1968/69).

[9] H. Eberstaller, Mitteilungen zur Geschichte der Burgvogtei Wels in der ersten Hälfte des 17. Jahrhunderts, Jahrbuch Musealverein Wels 9 (1962/63) S. 152. Herberstorffs Fähnrich Bartholomäus Tonazoll an Vincentino Muschinger, Geh. Rat, o. D. (Ende 1623), Hofkammer-Archiv Wien, Niederösterreichische Herrschaftsakten O-14, fol. 148 ff., wo es heißt: „weillen nun mit der Burgvogtei es ainichen Fortgang bis dato erreicht . . .".

[10] Verzeichnis der Feuerstätten in HS 85, Herrschaftsarchiv Seisenburg (OÖLA); vgl. auch G. Grüll, Die Herrschaft Ottensheim im Jahre 1602, Oberösterreichische Heimatblätter 6 (1952) S. 588, wo allerdings nur 179 Untertanenhäuser (Feuerstätten) angeführt sind.

[11] Hofkammer „gehn Hof" 18. 10. 1623 und Hofkammer an Herberstorff 23. 10. 1623, Hofkammer-Archiv Wien, Niederösterreichische Herrschaftsakten O-14, fol. 147 ff.

[12] Herberstorff an Erzherzog Leopold 27. 11. 1623 und 14. 1. 1624 sowie Schreiben der Räte in Passau an Herberstorff 12. 1. 1624, Tiroler Landesarchiv, Alphab. Leopoldinum Reihe I (Herberstorff); vgl. auch Strnadt, Bauernkrieg S. 37, und Wurm, Jörger S. 176.

[13] Wurm, Jörger S. 176.

[14] Hofkammer-Archiv Wien, Niederösterreichische Herrschaftsakten S-9 (Scharnstein) fol. 858 ff. und B-9 (Pernstein) fol. 1093.

[15] Die Originalurkunde Regensburg 21. 1. 1623 im Stiftsarchiv Kremsmünster, Archiv Pernstein.

[16] Zessionsurkunde 27. 10. 1623, ebenda.

[17] Herberstorff an Ferdinand II. o. D. (Präs. 1. 11. 1623) und Ferdinand II. an Herberstorff 5. 12. 1623, Hofkammer-Archiv Wien, Niederösterreichische Herrschaftsakten S-9, fol. 867 ff. und 873.

[18] Ferdinand II. an Herberstorff 10. 1. 1624 und Herberstorff an den Kaiser 24. 1. 1624, ebenda fol. 885 und 897.

[19] Abt Anton Wolfradt an Ferdinand II. o. D. (Präs. 20. 2. 1623), ebenda fol. 862 ff.

[20] Abt Wolfradt an Ferdinand II. o. D. (etwa November 1623) und o. D. (vor dem 30. 3. 1624) sowie Wolfradt an Trauttmansdorff o. D. (vor dem 29. 3. 1624), ebenda fol. 865, 889 und 891.

[21] Ferdinand II. an Herberstorff 30. 3. und 13. 8. 1624 und 8. 1. 1625, ebenda fol. 887 ff., 916, 922; die Verkaufsurkunde 30. 3. 1625, Stiftsarchiv Kremsmünster; vgl. auch Hofkammer-Archiv Wien, Niederösterreichische Herrschaftsakten fol. 926; E. Baumgartinger, Die Herrschaft Scharnstein bis zum Jahre 1625, Heimatgaue 9 (1924) S. 60 ff.

[22] Sitzungsprotokolle 27. 4. 1624, Hofkammer-Archiv Wien, Niederösterreichische Herrschaftsakten S-9, fol. 896; Ferdinand II. an Herberstorff 29. 4. 1624, ebenda B-9 (Pernstein), fol. 1095.

[23] Der Kaiser behielt sich z. B. die geistliche Lehenschaft, Schätze, Bergwerke und den hohen Wildbann vor, Hofkammer-Archiv Wien, ebenda fol. 1102 ff.; die Originalkauf-Urkunde vom 7. 11. 1625 im Stiftsarchiv Kremsmünster, Archiv Pernstein (Urkunden). Vgl. auch K. Holter, Altpernstein (1951) S. 40; K. Holter, Baugeschichte von Alt- und Neupernstein, Mitteilungen des OÖLA 7 (1960) S. 55 ff.; über die Herrschaft Pernstein K. Holter, Burg und Herrschaft Pernstein, Anzeiger der Österreichischen Akademie der Wissenschaften 90 (1954) S. 317 ff.

[24] Holter, Altpernstein S. 40; nach einer zeitgenössischen Zusammenstellung waren nur 130 Untertanen zur Herrschaft gehörig, OÖLA, Archiv Seisenburg, HS 77. In der Zahl 459 dürften auch Forst-Untertanen enthalten sein.

[25] Holter, Burg und Herrschaft a. a. O. S. 325, und Holter, Altpernstein S. 44.

[26] Kaiserliche Resolution an Nö. Kammer 30. 7. 1624, OÖLA, Archiv Seisenburg, HS 102, fol. 141. Ein ähnliches Schreiben erging an Spindler am 3. 8. 1624, ebenda fol. 145; Ferdinand II. an Herberstorff 3. 8. 1624, ebenda fol. 142; Ferdinand II. an Maximilian 30. 7. 1624 sowie Ferdinand II. an Hegenmüller 30. 7. 1624, ebenda fol. 143. Vgl. auch Herberstorff an Maximilian 1. 9. 1624, ASTA, Dreißigjähriger Krieg, Tom. 22, fol. 636.

[27] Schmitzberger an Maximilian o. D., OÖLA, Stadtarchiv Gmunden, HS 62 (Ort 1607—1659) fol. 36.

[28] Ferdinand II. an Herberstorff 3. 10. 1624, OÖLA, Archiv Ort, Schuber 37 (I/3).

[29] Ferdinand II. an die Kommissäre (Propst von St. Florian, Wolf von Gera, Georg Pfliegl, Erasmus Starhemberg d. J., Georg Dietmar Graf Losenstein, Hans Paul Geymann) 14. 11. 1624, OÖLA, Archiv Seisenburg, HS 102, fol. 147 ff.

[30] Accord vom 16. 1. 1625, Originalurk., OÖLA, Geschlechter-Urkunden Herberstorff Nr. 2; Abschriften Seisenburger Archiv, HS 102, fol. 148.

[31] Herberstorffs Schuldbrief 9. 4. 1625, ebenda fol. 153 v.

[32] Herberstorff an den Kaiser o. D. (Vermerk 19. 2. 1625), Hofkammer-Archiv, Niederösterreichische Herrschaftsakten O-6 A (Ort) fol. 976.

[33] Gutachten der Nö. Kammer 15. 3. 1625, ebenda fol. 984. Befehl an Wolfradt und Spindler 23. 3. 1625, ebenda fol. 995.

[34] Nuntius Caraffa über Eggenberg, Relazione dello Stato (1625) S. 295; vgl. Sturmberger, Ferdinand II. S. 13, Anm. 35; Krackowizer, Gmunden 1, S. 120.

[35] Herberstorff und Räte an Maximilian 9. 3. 1625, ASTA, Dreißigjähriger Krieg, Tom. 48, fol. 408.

[36] Original-Urkunde 16. 12. 1625, OÖLA, Geschlechter-Urkunden Herberstorff Nr. 3; Herberstorff an die Stände, ebenda Ständ. Archiv, Schuber 266 (B IV/15-10). Das Manko des fehlenden Wildbannes konnte Herberstorff dadurch ausgleichen, daß ihm 1628 Wildbann und Reisgejaid der landesfürstlichen Herrschaft Wildenstein (bei Ischl) überlassen wurde. Verzeichnis des oberösterreichischen Bestandes des ehemaligen Archivs des Ministerium des Inneren von E. Trinks, OÖLA, Verzeichnisse.

[37] Herberstorff an Ferdinand II. o. D. (Vermerk 19. 2. 1625), Hofkammer-Archiv Wien, Niederösterreichische Herrschaftsakten O-6 A, fol. 976; Herberstorff an Abt Falb 10. 3. 1625, Stiftsarchiv Göttweig R XIII/358; „Alte Testimonia" o. D., Allgemeines Verwaltungsarchiv Wien, Abt. Adelsarchive IV D 1 (Herberstorff und Ort).

[38] G. Grüll, Die Herrschaftsstruktur in Österreich ob der Enns 1750, Mitteilungen des OÖLA 5 (1957) S. 320 ff.

[39] Vgl. zu der Frage von Titelgrafschaften die Rezension E. Klebls zu I. Zibermayr, Noricum, Baiern und Österreich (1944), in: Mitt. des Instituts für österreichische Geschichtsforschung 55 (1944) S. 478.

[40] Diplom über die Erhebung Orts (Abschrift) 2. 5. 1625, Allgemeines Verwaltungsarchiv Wien, Abt. Adelsarchive IV D 1; Ferdinand II. an Verordnete 14. 6. 1627, OÖLA, Ständ. Archiv, Schuber 232 (B IV/6 3—9). Daß die Erhebung nicht erst 1627 erfolgte, wie Grüll, a. a. O. S. 321 aus Ferdinands Notifizierungsschreiben von 1627 schließt, kann man auch daraus ersehen, daß Herberstorff in seinen Patenten während des Bauernkrieges sich immer als „Herr der Grafschaft Orth" tituliert.

[41] Anschlag von Ort o. D. (17. Jahrhundert), OÖLA, Weinberger Archiv, Schuber 1303, D V. Eine genaue Beschreibung der Herrschaft im Urbar von 1699, OÖLA, Archiv Ort, HS 6; unter „Viechzügl aufrichten" ist gemeint, Viehzucht in größerem Ausmaß betreiben. Guten Aufschluß über die Verwaltung von Ort — allerdings vor der Zeit Herberstorffs — gibt die Instruktion für den Oberpfleger Veit Spindler von 1605, OÖLA, Archiv Seisenburg, HS 102, fol. 41 ff.

[42] Über die Erwerbung des Traundorfes vgl. Krackowizer, Gmunden 1, S. 229 ff.; Akten darüber im OÖLA, Stadtarchiv Gmunden, bes. Schuber 31.

[43] F. Ahamer, Das alte Münster am Traunsee (1939) S. 101; Krackowizer, Gmunden 1, S. 230.

[44] Ahamer, Münster S. 144; Krackowizer, Gmunden 1, S. 134; Grüll, Burgen 3, S. 127; Herberstorff erwarb Weyer am 23. 4. 1627 vom Forstmeister Rottner um 6000 Gulden.

[45] Schuldbrief Herberstorffs 24. 6. 1627, OÖLA, Weinberger Archivalien, HS 18, fol. 232. Der Kaufkontrakt wurde erst am 1. 6. 1629 vom

Kaiser bestätigt, OÖLA, Archiv Wagrain, Schuber 15 (K I/e). Der Kaufbrief selbst im Schloßarchiv Puchheim Cista A, Lade 1, Nr. 11; vgl. hiezu F. Steffe, Geschichte der Herrschaft Puchheim in Österreich ob der Enns, ungedr. Diss. (Innsbruck 1950) S. 27.

[46] A. Zauner, Vöcklabruck und der Attergau (Forschungen zur Geschichte Oberösterreichs 12) (1971) S. 223.

[47] Urbar der Herrschaft Puchheim 1627, OÖLA, Musealarchiv, HS 102; das Urbar ist in Schweinsleder gebunden und mit Herberstorffs Wappen versehen.

[48] Tagebuch des Stefan Engl zu Wagrain 1612—1628, OÖLA, Archiv Seisenburg, HS 80.

[49] Schwanenstadt einst und jetzt (1927) S. 7. Hier ist auch die Stadterhebungsurkunde im Faksimile wiedergegeben; Zauner, Vöcklabruck S. 472 ff.

[50] Herberstorff an Maximilian 24. 4. 1627 und Maximilian an Herberstorff 7. 5. 1627, Geh. STA, Kasten schwarz Nr. 677, fol. 478; Wurm, Die Jörger S. 185.

[51] Maximilian an Herberstorff 8. 2. 1628, OÖLA, Archiv Tollet, Schachtel 4 (Herberstorff) fol. 6. Im Anschlag von 1620/22 wird Tollet mit 108.561 Gulden bewertet, OÖLA, Musealarchiv, HS 72, fol. 346 ff.

[52] Tagebuch Stefan Engl 1612—1628, OÖLA, Archiv Seisenburg, HS 80.

[53] Wagrain hatte lediglich 45 Untertanen; vgl. Zauner, Vöcklabruck S. 293 und 344.

[54] Tagebuch Stefan Engl; der Original-Kaufbrief vom 11. 2. 1628 im OÖLA, Wagrainer Archiv, Schachtel 9 (202/I-60); dabei auch die Kaufabrede vom gleichen Tage.

[55] Tagebuch Stefan Engl (vgl. Anm. 52): „23. dis" — vermutlich 23. 3. 1628, da auch das Kaufurbar von diesem Tag datiert ist; Urbar 23. 3. 1628, OÖLA, Wagrainer Archiv, HS 6. Die „Überlassung" an Walkun Herberstorff bedeutet sicher nur eine Benützungserlaubnis.

[56] Kaufvertrag 23. 4. 1628, Original bisher German. Nationalmuseum Nürnberg, jetzt OÖLA, Wartenburger Archiv, Urkunde Nr. 13 a.

[57] Kaufvertrag 16. 5. 1628, OÖLA, Wagrainer Archiv, HS 15, Nr. 17, fol. 211; auch Stiftsarchiv Kremsmünster L (Landständisches); über Ranftl vgl. Stieve, Bauernaufstand 2, S. 18 (Anm. 1 zu S. 22). Ein Urbar von Inzersdorf im OÖLA, Archiv Seisenburg, Schuber 13.

[58] Die Erwerbung Eggenbergs erfolgte vermutlich 1628. Vorher hatte Hans Spindl von Vattersdorf die Feste Eggenberg verwaltet; vgl. Stiftsarchiv Kremsmünster (Archiv Scharnstein 22. 10. 1631). Ein Kaufvertrag ist nicht bekannt. 1631 heißt es, Herberstorff habe Eggenberg „etliche Jahr lang durch gerichtliche Schätzung unndt Einantwortung possidirt und innengehabt". Das Eigentumsrecht scheint erst Maria Salome 1631 erworben zu haben, Stiftsarchiv Kremsmünster G C V (22. 10. 1631). Die Erwerbung Eggenbergs aus der Hand Gregor Händl ist aus Prozeßakten ersichtlich. Die Witwe des letzten Besitzers aus dem Geschlecht der Fernberger (Seraphia Fernberger) focht nämlich später das Eigentumsrecht der Gräfin Maria Salome Herberstorff an; Akten darüber

im OÖLA, Archiv Tollet, Schachtel 4 (Herberstorff). Auch aus Briefen Maria Salome Herberstorffs an Hans Ludwig Kuefstein geht der Besitz an Eggenberg durch Herberstorff hervor, z. B. Februar 1640, OÖLA, Weinberger Archivalien, HS 11, fol. 84. Über Eggenberg vgl. auch R. Schwarzelmüller, Vorchdorf (1959) S. 35 ff.

[59] Herberstorff an Hatzfeld 24. 11. 1628 und Extrakt aus Schreiben des Bischofs Johann Georg von Bamberg 20. 2. 1629, Kärntner Landesarchiv, Bamberg Fasz. LXXVII/232, fol. 343—347.

[60] G. Grüll, Weinberg, Mitt. des OÖLA 4 (1955) S. 15 ff.; Mit Meggaus Tod zerfiel der Machländer Komplex wieder.

[61] G. Grüll, Die Freihäuser in Linz (1955) S. 42 und 87; der Kauf erfolgte am 11. 11. 1621, OÖLA, Geschlechter Urkunden (Geumann).

[62] Grüll, Freihäuser S. 179; der Kauf erfolgte erst am 16. 3. 1628.

[63] Th. Dorn, Abriß der Baugeschichte Kremsmünsters (1931) S. 40. Es war das Haus des Welser Bürgers Ludwig Schorer, der im Bauernkrieg stark kompromittiert war. Vgl. F. Wiesinger, Die Stadt Wels zur Zeit des Bauernkrieges 1626. (In: Das heldenmütige Martyrium von Anno 1626.) S. 81. Stieve, Bauernaufstand 2, S. 233, gegen die Auffassung, daß Schorer Herberstorff sein Haus „verehrt" habe.

[64] Krackowizer, Gmunden 1, S. 228 und 3, S. 149; auch Lehenbriefe für Herberstorff für einzelne Höfe sind vorhanden, z. B. 7. 11. 1628 betr. den Senftenegger Hof in Pfarre Kirchham, OÖLA, Urkunden Reihe UR 115; weiters betr. das Gut am Traunwang (Lambach) 12. 3. 1629, Stiftsarchiv Lambach, Schuber 11, Urk. Nr. 4.

[65] Schon im Herbst 1621 lieh er sich von seinem Schwager Otto Heinrich Freiherr von Franking und dessen Gemahlin Gertraud — einer Schwester Maria Salomes von Herberstorff — 2000 Gulden und setzte sein Gut Teublitz in der Oberpfalz als Sicherheit; vgl. O. Mutzbauer, Die Urkunden des Archivs der Grafen von Tattenbach (1967) S. 135.

[66] Maximilian an die Räte zu Linz 12. 10. 1623 und Herberstorffs Quittung 21. 10. 1623 auf 9000 Gulden mit der Verpflichtung, diese 9000 Gulden wieder an die Kriegskasse zurückzuzahlen, ASTA, Dreißigjähriger Krieg, Tom. 49, fol. 435 und 439.

[67] Akkord vom 16. 1. 1625, OÖLA, Archiv Seisenburg, HS 102, fol. 154.

[68] Schuldbrief Herberstorffs 24. 6. 1627, OÖLA, Weinberger Archivalien, HS 18, fol. 232.

[69] Abrechnung zwischen Maria Salome von Herberstorff und dem bayerischen Salzkommissär Peßwürth 10. 4. 1630, OÖLA, Archiv Tollet, Schachtel 4 (Herberstorff).

[70] 10. 9. 1646, ebenda (fol. 182).

[71] 3. 4. 1624, ebenda (Sprinzenstein).

[72] Ostern 1625 und 30. 3. 1625, ebenda (Herberstorff) und OÖLA, Geschlechter Urkunden, Schifer Nr. 4.

[73] 6. 9. 1627 für Maria Haim 2000 Gulden; 24. 4. 1628 für Johann Konrad Varnbühler 1100 Gulden; 24. 4. 1628 auf 3000 Gulden, alles OÖLA, Archiv Tollet, Schachtel 4 (Herberstorff).

[74] Stände an Herberstorff 19. und 25. 8. 1628, OÖLA, Ständ. Archiv, Schuber 1435 (L II, 260).

[75] Kuefstein an Wallenstein 4. 5. 1633, OÖLA, Weinberger Archivalien, HS 18.

[76] Mitteilung Staatsarchiv Amberg 21. 3. 1968; dort wird zitiert Bd. 5 der „Kunstdenkmäler von Oberpfalz und Regensburg" (1906) S. 137, wonach Teublitz von 1614—1627 im Besitz Herberstorffs gewesen sei.

[77] Herberstorff an Ferdinand II. 16. 3. 1622, Hofkammer-Archiv Wien, Niederösterreichische Herrschaftsakten, L 7 (Landau).

[78] Verzeichnis der Landleute, OÖLA, Ständ. Archiv, Schuber 15 (A VI 14, fol. 3); über Walkuns Sitz Aichet vgl. OÖLA, Archiv Seisenburg, HS 85, sowie Grüll, Burgen 3, S. 140. Bei A. Rolleder, Heimatkunde von Steyr (1894) S. 190, wird Walkun Herberstorff nicht als Besitzer des Schlössels Aichet erwähnt.

[79] Eine Liste ausständiger Landmanntaxen seit 1615 führt den Statthalter und seinen Vetter Walkun an, OÖLA, Ständ. Archiv, Schuber 15 (A VI 21, Nr. 10 und Nr. 11), ebenda (A VI 21, Nr. 13). Maria Salome Herberstorff an die Verordneten 6. 4. 1637, ebenda, Schuber 232 (B IV 6, 3/11).

[80] Zum Beispiel 10. 2. 1628, OÖLA, Annalen 79, fol. 537.

[81] Der Adel Böhmens, Mährens und Schlesiens, hg. von A. Ritter von Dobra Voda (1904) S. 85. In R. von Prochazka, Genealogisches Handbuch erloschener böhmischer Herrenstandsfamilien (1973) wird Herberstorff nicht erwähnt.

[82] Hofkammer-Archiv Wien, Böhmische Gedenkbücher Bd. 333, fol. 122 und 202 ff.; Semankowitz erhielt dann jedoch Adam von Waldstein, ebenda fol. 203. Herberstorff war bereit, über die 34.000 Gulden hinaus, die er bereits für ein versprochenes Rebellengut gezahlt hatte, je nach dem Ergebnis der Schätzung zu zahlen.

[83] Zum Beispiel OÖLA, Ständ. Archiv, Schuber 232 (Herberstorff).

[84] Herrn Dr. Jaroslav Svoboda (Archivni Sprava, Prag) bin ich für diese Auskünfte zu Dank verpflichtet.

[85] Br. u. A. 2/1, S. 230; Herberstorff an Maximilian 12. 8. 1623, ASTA, Dreißigjähriger Krieg, Tom. 49, fol. 401, Tom. 119, fol. 346.

[86] Joh. Christoph Haan J. U. Lic. contra Graf Adam von Herberstorff ... eingebrachte Beschwerde 1626 (mit mehreren Beilagen), Geh. STA, Kasten schwarz Nr. 8944.

[87] Herberstorff an Eisenreich 21. 3. 1627, ASTA, Dreißigjähriger Krieg, Tom. 51, fol. 369; auch bei Krackowizer, Gmunden 3, S. 444.

[88] Gindely, Gegenreformation a. a. O. S. 52.

[89] Herberstorff an Maximilian 13. 7. 1627, Geh. STA, Kasten schwarz Nr. 677, fol. 525; vgl. auch Stieve, Bauernaufstand 1, S. 313. Czerny, Bilder, S. 115.

[90] Stieve, Bauernaufstand 1, S. 319; auch Krackowizer, Gmunden 3, S. 187; die bei Stieve, Bauernaufstand 2, S. 235 zitierten Schätzungslisten (Hofamt Ebenzweier) sind im OÖLA, Musealarchiv, Schuber 92 (blau).

[91] Herberstorff an Pfleger Haas 18. 10. 1628 und 15. 3. 1628, Stiftsarchiv Kremsmünster E und Archiv Pernstein; vgl. auch B. Piringer,

Geschichtliche Notizen über die Ritterburg Altpernstein in Oberösterreich, 2. A. (1871) S. 9.

[92] Urbar Ort 1699, OÖLA, Archiv Ort, HS 6, fol. 7.

[93] Stiftsarchiv Kremsmünster, Verzeichnis Archiv Pernstein; Holter, Altpernstein S. 40.

[94] Vermerk in der Kirchenrechnung von Altmünster 1625, Ahamer, Münster S. 117.

[95] Instruktion für den Oberpfleger 1605, OÖLA, Archiv Seisenburg, HS 102, bes. fol. 44; Krackowizer, Gmunden 1, S. 323.

[96] Schon im März 1626 war Herberstorff an „Catharr" erkrankt in Ort; Herberstorff an Abt Falb 25. 3. 1626, Archiv Göttweig R XIII/414; Urbar Ort 1699, OÖLA, Archiv Ort, HS 6, fol. 7. Auf ausgedehnte Gästeräume läßt auch das Kondukt-Ladschreiben nach Herberstorffs Tod schließen, OÖLA, Musealarchiv Fam. (rot 55), Schachtel 187.

[97] Khevenhiller an Kurfürst von Köln 1. 3. 1625, OÖLA, Briefbände Khevenhiller Bd. 13, fol. 74. Den Hinweis verdanke ich Graf G. Khevenhüller Launsdorf, Kärnten.

[98] Czerny, Bilder S. 139.

[99] Holter, Alt-Pernstein S. 42.

[100] Am 30. 7. 1624 etwa wurde von den Räten zu Linz ein Bote zu dem auf Pernstein weilenden Statthalter geschickt, ASTA, Dreißigjähriger Krieg, Akten (Reichmaier) 172 1/2 I, fol. 54.

2. *Im Dienste des Kaisers*

[101] Maximilian an Ferdinand II. 17. 8. 1624, HHSTA Wien, Bavarica 10/2, fol. 178; abgedruckt in Br. u. A. 1/2 (1970) S. 323.

[102] Ferdinand an Maximilian o. D., Konzept, HHSTA Wien, ebenda fol. 191. Schon im April 1622, als Herberstorff schon auf dem Weg zum Liga-Heer war, hatte eine ständische Gesandtschaft in Wien auch die „Abledigung" des Landes beim Kaiser angeregt, OÖLA, Annalen 77, bes. fol. 361 ff. Die „Ordentl. Postzeitungen" wissen dazu aus Wien (30. 4. 1622) zu berichten, die Obderennser wären bereit, 3,000.000 Gulden für die Ablösung des Landes aufzubringen. Eine spätere Folge dieses Blattes (7. 5. 1622) meldet dann, die oberösterreichischen Stände hätten bezüglich der Ablösung des Landes nichts ausgerichtet, sie seien zur Geduld gewiesen worden. Die Hinweise aus der Postzeitung der Nationalbibliothek Wien, Sign. 242.636-D, verdanke ich Dozent Dr. Georg Wagner, Wien.

[103] Wie sehr Ferdinand II. durch die Verpfändung Oberösterreichs und die Koppelung mit der Frage der Kur gleichsam in eine Zwangslage versetzt war, bei F. Dickmann, Der Westfälische Frieden (1959) S. 27

[104] Ritter, Deutsche Geschichte 3, S. 176; D. Albrecht, Die auswärtige Politik Maximilians von Bayern (1962) S. 69.

[105] Eine Übersicht über die Entwicklung der Kurfrage im Handbuch der bayerischen Geschichte 2 (1969) S. 386 ff.

[106] Khevenhiller, Annales Ferdinandei 11, S. 298.

[107] Infantin Isabella an Ferdinand II. 31. 7. 1621, Br. u. A. 1/2, S. 311.

[108] Oñate an Gregor XV. Mitte August 1621, ebenda fol. 330 und 331, Anm. 1.

[109] Vgl. besonders „Protocollum und Journal der Ambergischen Kay. und Churf. Commission und Tractat über die Abtretung des Lands ob der Enns und Einräumbung der obern Pfalz und was von allem anhängig" (11. 9.—3. 12. 1623), ASTA, Auswärtige Staaten, Lit. Österreich Fasz. 131.

[110] Instruktion für die Absendung nach Wien 3. 5. 1624, OÖLA, Annalen 71, fol. 888.

[111] Ferdinand II. an die Stände 19. 5. 1625, ebenda, Annalen 79, fol. 1 ff.

[112] Vgl. darüber ebenda fol. 7 ff.; den Ständen wurde wegen der eigenmächtigen Einberufung der Versammlung eine Rüge erteilt, ebenda fol. 20.

[113] Die Abordnung bestand aus vier Vertretern des Prälatenstandes (Anton von Garsten, Georg von Wilhering, Maximilian von Waldhausen und Wilhelm von Schlägl), vier Angehörigen des Herrenstandes (Sigmund Adam von Traun, Gundakar von Polheim, Wolf von Gera und Benedikt Schifer), vier Rittern (Ludwig Hohenfelder, Simon Engl, Georg Christoph Schallenberg und Wolf Dietmar von Grünthal) sowie vier Vertretern der landesfürstlichen Städte (Wolf Madlseder, Stadtrichter von Steyr, Anton Eckhardt, Ratsbürger von Linz, Thoman Reiß, Ratsbürger von Wels und Benedikt Landshueter, Ratsbürger von Freistadt).

[114] Instruktion 30. 6. 1625, OÖLA, Annalen 79, fol. 30 und 48 v.

[115] Bericht der Abgesandten an den Hofkammerpräsidenten, ebenda fol. 64.

[116] Erklärung der Abgesandten an den Hofkammerpräsidenten, ebenda.

[117] Gutachten 25. 10. 1625, HHSTA Wien, Österreichische Akten, Oberösterreich Fasz. 9 b, fol. 474.

[118] Kaiserliche Resolution 6. 8. 1625, OÖLA, Annalen 79, fol. 71.

[119] Herberstorff an Maximilian 8. 8. 1625, ASTA, Dreißigjähriger Krieg, Tom. 48, fol. 678.

[120] Über den geplanten Ulmer Tag vgl. Ritter, Deutsche Geschichte 3, S. 256; Kaiserliche Resolution 25. 10. 1625, HHSTA Wien, Österreichische Akten, Oberösterreich 9 b, fol. 487.

[121] Ferdinand II. an Maximilian 31. 10. 1625 und Maximilian an Ferdinand 23. 11. 1625, ebenda fol. 488 ff. und 500; vgl. auch Ritter, Deutsche Geschichte 3, S. 342.

[122] Khevenhiller an Eggenberg 27. 10. 1625, OÖLA, Khevenhiller-Briefbücher Bd. 13, fol. 275.

[123] ASTA, Auswärtige Staaten Lit. Österreich Fasz. 132 und 134; auch im Wiener Hofkammer-Archiv, Reichsakten Fasz. 143 zahlreiche Verhandlungsakten.

[124] Aretin, Bayerns auswärtige Verhältnisse 1, S. 273 ff. und Tagebuch Preysings, ebenda S. 266.

[125] Ritter, Deutsche Geschichte 3, S. 372 und 374; Riezler, Geschichte

Baierns 5, S. 314. Über die Verhandlungen in Mühlhausen siehe Br. u. A. 2/3, Nr. 470.

[126] Die Vollmacht Trauttmansdorffs ist vom 26. 1. 1628 datiert. Die Original-Vollmacht ASTA, Auswärtige Staaten Lit. Österreich Fasz. 134 (Nr. 52). Die bayerischen Bevollmächtigten waren Joh. Christoph von Preysing, Dr. Peringer und Dr. Mändel; ihre Vollmacht vom 20. 2. 1628, ebenda.

[127] Trauttmansdorff an Kaiser 10. und 27. 2. 1628; Ferdinand an Maximilian 4. 3. 1628, Br. u. A. 2/4 (1948) S. 28 ff. und 35. Das Datum 4. 3. 1628 trägt dann auch der eigentliche Kaufbrief; Riezler, Baiern 5, S. 318.

[128] Original des Vertrages 22. 2. 1628, ASTA, Dreißigjähriger Krieg, Akten Nr. 225 1/2; Regest in Br. u. A. 2/4, S. 28; vgl. auch Riezler, Baiern 5, S. 315.

[129] Br. u. A. 2/4, S. 29.

[130] Riezler, Baiern 5, S. 316; vgl. auch Handbuch der bayerischen Geschichte 2, S. 387.

[131] Br. u. A. 2/4, S. 28, Anm. 1.

[132] Bayerische Kanzlei an Oö. Stände Augsb. Konfession 2. 3. 1628, OÖLA, Stänđ. Archiv, Schuber 36.

[133] Gehorsamsbrief Ferdinands II. an Oö. Stände 10. 3. 1628, OÖLA, Annalen 79, fol. 833. Druck bei Kurz, Beiträge 2, S. 316.

[134] Ferdinand an die Stände 10. 3. 1628, OÖLA, Ständ. Archiv, Schuber 36. Druck bei Kurz, Beiträge 2, S. 309.

[135] Ratssitzungsprotokoll 6. 4. 1628, ASTA, Ausw. Staaten Lit. Österreich Fasz. 134 (Nr. 99).

[136] Kurfürstlicher Generalbrief zur Übergabe des Landes 24. 4. 1628, OÖLA, Annalen 79, fol. 313. Druck bei Kurz, Beiträge 2, S. 313.

[137] Schallenberg an Verordnete 21. 1. 1628, OÖLA, Ständ. Archiv, Schuber 36.

[138] Maximilian an Herberstorff 24. 3. 1628, ASTA, Ausw. Staaten Lit. Österreich Fasz. 134 (Nr. 94). Instruktion für Herberstorff und Dr. Mändel 24. 4. 1628, ebenda, Dreißigjähriger Krieg, Akten Nr. 223. Aus ihrer Textierung könnte man auf Herberstorffs Anwesenheit in München schließen.

[139] Originalrezeß aufgerichtet bey der Landtsabtretung den 7. April ao. 1628; Libell 8 fol. im OÖLA, Ständ. Archiv, Schuber 37. Druck bei Kurz, Beiträge 2, S. 302 ff.

[140] Über Sicherstellungen gab es noch starke Differenzen; vgl. Schreiben der Stände an die Kaiserlichen Kommissäre 3. 5. 1628, OÖLA, Annalen 79, fol. 825.

[141] OÖLA, Annalen 79, fol. 820.

[142] Kaiserliche Kommissäre an Ferdinand II. 30. 4. 1628, HHSTA Wien, Österreichische Akten, Oberösterreich 9 c, fol. 193.

[143] Herberstorff an die Verordneten 4. 5. 1628, OÖLA, Ständ. Archiv, Schuber 37. Druck bei Kurz, Beiträge 2, S. 322.

[144] Bericht über den Festakt im OÖLA, Ständ. Archiv, Schuber 37 (A IX/3-102) und Annalen 74, 829. Druck bei Kurz, Beiträge 2, S. 323.

[145] Annales Ferdinandei 11, 304.

[146] Stände an Ferdinand II. 12. 7. 1628, OÖLA, Ständ. Archiv, Schuber 37 und Annalen 79, fol. 891 und 965.

[147] Grundemann an Abt Falb 7. 3. 1628; Appelt, Falb S. 156.

[148] Kaiserliche Kommissäre an Ständ. Verordnete 28. 8. 1628, OÖLA, Ständ. Archiv, Schuber 232 (B IV/6-3/5).

[149] Beschreibung der Installation Herberstorffs als Landeshauptmann 30. 8. 1628, ebenda B IV/6-3/6 und Annalen 79, fol. 941, sowie Starhemberg. Archiv, HS 16, fol. 663. Druck bei Kurz, Beiträge 2, S. 330.

[150] Beiträge 2, S. XXII ff.

[151] Pfliegl erhielt vom Kaiser 6000 Gulden, vom Kurfürst Maximilian 10.000 Gulden als Ersatz für im Bauernkrieg erlittene Schäden, OÖLA, Musealarchiv, HS 184, fol. 112; vgl. über Pfliegl auch Nationalbibliothek Wien, HSS-Sammlung Cod. 10.098, fol. 248.

[152] Hurter, Ferdinand II. 10, S. 116; Herberstorff an Ferdinand II. 14. 12. 1626, Geh. STA, Kasten schwarz Nr. 674, fol. 356 ff.

[153] Gutachten betr. Abtrennung Oberösterreichs von Bayern an den Kaiser 6. 3. 1628, HHSTA Wien, Österreich-Akten, Oberösterreich 9 c, fol. 19.

[154] Ursenbeck war Erbstabelmeister in Steiermark und Herrenstandsverordneter in Niederösterreich (geb. 1577, gest. 11. 11. 1629); Siebmachers Wappenbuch, Niederösterreich, bearbeitet von I. B. Witting 2/2 (1918) S. 447.

[155] Vgl. hiezu auch J. Heilmann, Kriegsgeschichte von Bayern II/2 (1868), wo es S. 1126 heißt, durch die Übernahme der Landeshauptmannstelle sei Herberstorff mit Maximilian in „Collision" geraten. Siehe auch Enzyklopädie der Wissenschaften und Künste, 2. Sekt., 5. Teil (Leipzig 1829) S. 102.

[156] Ratsprotokoll 6. 4. 1628 („praesente Duci"), ASTA, Ausw. Staaten Lit. Österreich Fasz. 134, Nr. 99.

[157] Maximilian an Herberstorff 9. 11. 1628 und Herberstorff an Maximilian 17. 11. 1628, ASTA, Dreißigjähriger Krieg, Tom. 119, fol. 458 ff.

[158] Khevenhiller, Conterfet 2, S. 362; daß es sich um Besoldungsrückstände handelte, ersieht man aus einem Brief Joh. Warmund Preysings an den Herberstorffschen Rentmeister Staindl in Ort 1. 6. 1630, OÖLA, Archiv Tollet, Schuber 4 (Herberstorff) fol. 33.

[159] Herberstorff an Maximilian 15. 1. 1629 und 24. 2. 1629 sowie Maximilian an Herberstorff 3. 3. 1629, ASTA, Dreißigjähriger Krieg, Tom. 119, fol. 462, 465 und 467. Über die Abdankung mehrerer Regimenter der Liga-Armee vgl. K. Bayer. Kriegsarchiv (Hg.), Geschichte des Bayerischen Heeres 1 (1901) S. 89.

[160] Verordnete an Abt Georg von Wilhering 15. 9. 1628 und Kaiserlicher Befehl an Herberstorff 26. 8. 1628, OÖLA, Annalen 79, fol. 954 und 958.

[161] Ferdinand II. an Herberstorff 31. 10. 1629, ebenda fol. 973 ff.

[162] OÖLA, Annalen 80, fol. 1 und 3.

[163] Herberstorff an die Verordneten 6. 1. 1629, ebenda fol. 9 v.

[164] Landtagsproposition, OÖLA, Annalen 80, fol. 4.

[165] Herberstorff an die Verordneten 14. 1. 1629 und Antwort der Verordneten 15. 1. 1629, ebenda 80, fol. 65 ff.

[166] Antwort der Stände auf die Proposition 20. 1. 1629, ebenda fol. 74.

[167] Zweite Landtagsantwort 26. 1. 1629, ebenda fol. 77.

[168] Kaiserliche Resolution 9. 2. 1629 und Herberstorff an Verordnete 20. 2. 1629, ebenda fol. 78 ff.; auch Hofkammer-Archiv Wien, Gedenkbücher Vol. 169, fol. 364.

[169] OÖLA, Annalen 80, fol. 81 und 82 v.

[170] Ebenda fol. 100; dort die Schadloshaltung durch Kaiser Maximilian II. 17. 12. 1568. Vgl. auch Stauber, Ephemeriden S. 467 ff.

[171] Resolution Ferdinand II. 18. 9. 1628; Stauber, a. a. O. S. 468. Das Patent Herberstorffs, in dem der Aufschlag auf die einzelnen Waren angeführt ist, vom 6. 11. 1628, OÖLA, Archiv Greinburg, Schuber 1 (I 1 e).

[172] Kaiser an Herberstorff und Vizedom 22. 12. 1628 und 30. 6. 1629, OÖLA, Annalen 80, fol. 67 ff. und 270 v.

[173] Kaiser an Herberstorff und Vizedom 16. 12. 1628 und 8. 3. 1629, ebenda 79, fol. 1149 und 80, fol. 150 ff.

[174] Protestation 3. 3. 1629, ebenda 80, fol. 147.

[175] Vgl. jetzt besonders W. Brauneder, Zur Gesetzgebungsgeschichte der niederösterreichischen Lande; Festschrift für Heinrich Demelius (1973) S. 13 und 22. An älterer Literatur: K. Chorinsky, Die Erforschung der österreichischen Rechtsquellen des 16. und 17. Jahrhunderts mit besonderer Rücksicht auf die oberösterreichische Landesordnung (1895) S. 21 ff.

[176] OÖLA, Annalen 79, fol. 1095 und 1126. Die Namen sind nicht bekannt; auch V. Preuenhuber, Historischer Catalogus, hat keine Liste der Landräte, OÖLA, Archiv Schlüsselberg, HS 154.

[177] Verordnete an Herberstorff 24. 8. 1629, OÖLA, Annalen 80, fol. 306.

[178] Herberstorff an die Verordneten 25. 8. 1629, ebenda fol. 307.

[179] Herberstorffs Memorial, was Herr Riemhofer den Churf. Commissaren zu Riedt gedenkhen sollen (September 1626), ASTA, Dreißigjähriger Krieg, Tom. 35, fol. 171.

[180] Khevenhiller, Annales Ferdinandei 11, 304.

3. Das Ende

[181] ASTA, Dreißigjähriger Krieg, Tom. 22, fol. 487 (30. 9. 1622).

[182] 23. 2. 1624, ebenda fol. 563.

[183] 10. 3. 1625, Stiftsarchiv Göttweig R XIII/358.

[184] Archiv Schloß Starhemberg in Haag, Abt. I BKG Fasz. „Frankenburger Würfelspiel".

[185] 25. 3. 1626 und 20. 5. 1626, Stiftsarchiv Göttweig R XIII, 414 und 417.

[186] Schreiben aus Freistadt 25. 5. 1626, Linzer Regesten A 3, Anhang V, S. 189.

[187] OÖLA, Starhemberg. Archiv, HS 16, z. B. fol. 584, 586 und 589.

[188] Wie Anm. 158.

[189] Joh. Warmund von Preysing an Hans Martin Staindl 9. 3. 1630, OÖLA, Archiv Tollet, Schuber 4 (Herberstorff) fol. 20.

[190] Conterfet 2, S. 362.

[191] Manuskript Khevenhiller, dzt. Osterwitz (Archivalien aus Kammer).

[192] OÖLA, Annalen 80, fol. 307.

[193] Conterfet 2, S. 362, vor allem aber Manuskript Khevenhiller, Osterwitz (Archivalien aus Kammer).

[194] „Aus Linz, den 24. September 1629“, ASTA, Dreißigjähriger Krieg, Akten Nr. 237.

[195] Maria Salome Herberstorff an die Stände 14. 9. 1629, OÖLA, Ständ. Archiv, Schuber 232 (B IV/6-3).

[196] Britisches Museum Egerton MS. 1229, fol. 45; freundliche Mitteilung Prof. Erich Zöllner, Wien.

[197] Wie oben Anm. 195.

[198] Verordnete an Maria Salome Herberstorff 22. 9. 1629, OÖLA, Ständ. Archiv, Schuber 232 (B IV/6-3/10).

[199] Verordnete an Abt Wolfradt und Graf Meggau 13. 9. 1629, ebenda B/V/6-3/8.

[200] Konduktladschreiben Maria Salomes an Frau Johanna von Haim 28. 9. 1629, OÖLA, Musealarchiv, Familien Selecte, Schuber 187 (rot 55). Ein dem Grafen Herberstorff wohlgesinnter Zeitgenosse versuchte sich in einem allerdings niemals verwendeten Text für das Grab des Statthalters (Stadtarchiv Wels):

1. Graff.
Hie gefiel mir wol die Grafschaft Ort
Der Himel gefelt mir ietzt bößer dort.

2. Ritter.
Ein Edler Ritter bin Ich worden
Durch das Heyligen Creuzes Orden.

3. Obrister.
Zu Roß und fueß Ich Obrister war
Weiche dem Feindt nit Umb ein Haar,
Jetzt lige Ich in der Todten par.

4. Stathalter
Zu Linz bin Ich Stathalter gewest
Die Stat erhalten und erlöst.

5. Landts Haubtman.
Landts Haubtman füehret das Regiment
Got lob mein Arbeit hat ein endt.

6. Todtenleich.
Entlich bin Ich ein Todtenleich
Wierst mir O Mensch balt werden gleich.

201 Wie oben Anm. 194.

202 Stiftbrief 11. 9. 1629, OÖLA, Ständ. Archiv, Schuber 232 (B IV/ 6-3/7).

203 Über das Grabmal des Adam Freiherr von Herberstorff zu Altmünster, Mitt. der Centralkommission N. F. XIV, S. 262; vgl. auch Ahamer, Münster am Traunsee S. 183 und 191.

204 Litterae annuae 1629, Nationalbibliothek Wien Cod. 13.564/2 p-50—53; in Linzer Regesten C III C 1.

205 Mitteilung Manfred Pertlwieser, Oö. Landesmuseum Linz.

206 Gutachten Prof. Dr. L. Breitenecker Wien vom 24. 2. 1975 für das Oö. Landesmuseum. Das Gutachten wird im Oö. Landesarchiv verwahrt.

207 Aktenvermerk über die Öffnung des Sarkophages Herberstorffs vom 9. 7. 1973 von Dr. B. Ulm, Oö. Landesmuseum.

208 Jacob Christoph Iselin, Neu-vermehrtes Historisch- und Geographisches allgemeines Lexikon ... 2. Teil (Basel 1726), S. 760. Hinweis durch Dr. G. Ludwig, Lauingen. Hg. von S. J. Ersch und J. G. Gruber, 2. Sekt. H—N 5. Teil (1829), Artikel Herberstorff.

209 Auch der Abt des Benediktinerklosters Lambach — in Nachbarschaft von Ort — weiß nichts von einer Ermordung des Statthalters. Am 11. 9. 1629 vermerkt Abt Johann Bimel in seinem Schreibkalender „den 11. ist Ihre Gräfl. Gnaden zwischen 6 und 7 Uhr abends in Gott seliglich und sanfft entschlafen dero Seel Gott gnädig seyn wolle“, Stiftsarchiv Lambach, HS 259.

210 Der bekannte Wiener Gerichtsmediziner Univ.-Prof. Dr. L. Breitenecker hat am 13. 7. 1973 in Altmünster Herberstorffs Kopf untersucht. Vgl. Protokoll im Oö. Landesmuseum. Breitenecker vertrat schon damals die oben angeführte Auffassung; die Untersuchung des Schädels Herberstorffs am Gerichtsmedizinischen Institut der Universität Wien hat diese Auffassung bestätigt. Vgl. Gutachten Breiteneckers vom 24. 2. 1975. Als unmittelbare Todesursache scheint Breitenecker das Platzen einer Hirngrundschlagader (Aneurysma) am wahrscheinlichsten, womit die Schilderung bei Tattenbach übereinstimmt und der Nachweis von Blutresten im Bereich der Felsbeinpyramide einen Hinweis gibt. Tuberkelbazillen oder sonstige Erreger konnten in Herberstorffs Leiche nicht mehr nachgewiesen werden, was aber das Vorliegen einer infektiösen Krankheit keineswegs ausschließen muß. Ebensowenig kann nach dem Gutachten Breiteneckers ein Herztod nicht direkt ausgeschlossen werden.

211 Vgl. zum ganzen meinen Aufsatz Der Tod des Statthalters Herberstorff, Oberösterreichischer Kulturbericht 17 (1973), Folge 20, sowie das zitierte Gutachten Prof. Breiteneckers vom 24. 2. 1975.

212 Konfirmations-Urkunde Kaiser Ferdinands II. vom 11. 6. 1630. In diese Urkunde sind die beiden Verzichtsurkunden Franz von Herberstorffs und der Katharina Globitzer (27. 10. 1629) inseriert, OÖLA, Geschlechter-Urkunden, Herberstorff Nr. 4.

213 Schuldschein 25. 11. 1629, OÖLA, Archiv Tollet, Schuber 4 (Herberstorff) fol. 18.

[214] H. M. Staindl an Maria Salome Herberstorff 21. 2. 1630, OÖLA, Archiv Ort, Schuber 37, I/3, fol. 246.

[215] Amtliche Mitteilung Kuefsteins 29. 5. 1630, Stiftsarchiv Kremsmünster, Urkunden.

[216] Preysing an Staindl 9. 3. 1630, OÖLA, Archiv Tollet, Schuber 4 (Herberstorff) fol. 20.

[217] Preysing an Staindl 6. 7. 1630, ebenda fol. 37.

[218] Oswald Schuß an Maria Salome Herberstorff 28. 5. 1630 und Preysing an Staindl 1. 6. 1630, ebenda fol. 26 und 33.

[219] Preysing an Staindl, ebenda fol. 33.

[220] Mitteilung Archivni Sprava Prag 18. 4. 1968.

[221] Stiftsarchiv Kremsmünster, Archiv Pernstein 9. 6. 1630.

[222] 21. 3. 1630, OÖLA, Archiv Wagrain, Schuber 36, Urkunde 209/I-63, Hülle 36.

[223] Grüll, Burgen 3, S. 136.

[224] Über Pappenheim ADB 25 (1887) S. 144 ff.; vgl. auch Beilage 7 des Vilshofener Wochenblattes vom 16. 8. 1881, wo es heißt, daß die Ehe Joh. Warmund von Preysing mit Maria Magdalena von Pappenheim 13 Jahre dauerte. Sie muß also um 1634/35 gestorben sein.

[225] Kuefstein an Wallenstein 4. 5. 1633, OÖLA, Weinberger Archivalien, HS 18, fol. 260.

[226] Mann, Wallenstein 3. A. (1971) S. 905.

[227] Maria Salome Herberstorff an Kuefstein 28. 3. 1634, OÖLA, Weinberger Archivalien, HS 18, fol. 338.

[228] Urkunde vom 11. 5. 1634, OÖLA, UR.

[229] Nach heftigen Auseinandersetzungen um das Erbe nach dem Tode Johann Warmunds von Preysing (gest. 1648) erhielt dessen ältester Sohn aus der Ehe mit Maria Magdalena von Pappenheim den Besitz Ort. Manuskript im Besitze Gräfin Arco, Schloß Moos in Bayern. Vgl. auch Krackowizer, Gmunden 1, S. 120.

[230] Designation Preysing — Herberstorff 10. 8. 1637, OÖLA, Archiv Ort, Schuber 37 (I, 3) fol. 259 ff.

[231] K. Globitzer an Kuefstein 22. 10. 1635, OÖLA, Weinberger Archivalien, HS 18, fol. 515.

[232] Kaufvertrag vom 26. 2. 1636, Schloßarchiv in Puchheim, Abschrift Cista F, fol. 27.

[233] K. Globitzer an Kuefstein 28. 2. 1636, OÖLA, Weinberger Archivalien, HS 9, fol. 97 und HS 15, fol. 35 und 108.

[234] Orig. Kaufbrief 17. 3. 1637, OÖLA, Archiv Tollet, Schuber 4 (Herberstorff) fol. 76.

[235] Grüll, Burgen 3, S. 33.

[236] Schenkungsurkunde 24. 4. 1633, OÖLA, Urkunde UR 124; Krackowizer, Gmunden 1, S. 134. Schmitzberger starb 1637 und wurde in Altmünster beigesetzt; vgl. Ahamer, Münster S. 192.

[237] Urkunde vom 1. 5. 1634, OÖLA, Urk. UR 127.

[238] OÖLA, Weinberger Archivalien, HS 26 a, fol. 15.

[239] Grüll, Freihäuser in Linz S. 179.

[240] Dorn, Abriß der Baugeschichte Kremsmünsters (1931) S. 40.

[241] Um 5000 Gulden; Orig. Kaufvertrag 29. 9. 1637, OÖLA, Schlüsselberger Archiv (Sammlung) Bd. HS 3, fol. 36; vgl. auch Krackowizer, Gmunden 1, S. 380.

[242] Prioritätserkenntnis 7. 4. 1639, OÖLA, Archiv Tollet 4 (Sprinzenstein) fol. 133 ff.

[243] M. S. Herberstorff an Kuefstein, Gmunden Februar 1640, OÖLA, Weinberger Archivalien, HS 11, fol. 84.

[244] M. S. Herberstorff an Kuefstein, Gmunden 11. 10. 1642, ebenda HS 13, fol. 273.

[245] Gera an Kuefstein 24. 12. 1642, ebenda fol. 34.

[246] Prozeßakten im OÖLA, Archiv Tollet, Schuber 4 (Sprinzenstein), z. B. fol. 195 (1642). Vertrag vom 4. 8. 1650, ebenda (Herberstorff) fol. 211; Stiftsarchiv Kremsmünster, Archiv Scharnstein 23. 6. 1638; Seraphia Fernbergerin wird vom Landeshauptmann „ewiges Schweigen" auferlegt; vgl. auch Schwarzelmüller, Vorchdorf S. 40.

[247] Khevenhiller, Conterfet S. 253.

[248] Im September 1646 wird sie in den Quellen als noch am Leben befindlich erwähnt, 1650 wird sie bereits als tot bezeichnet, OÖLA, Archiv Tollet, Schuber 4 (Sprinzenstein) fol. 211 und 240. Das Todesjahr teilte mir M. Gräfin Preysing, Archiv Dillingen, in freundlicher Weise mit. Auf dem Epithaph ihrer Schwester Rosina von Preysing 1582 ist Maria Salome als kleines Kind abgebildet. Vgl. Voll Karl — Braune Heinz und Buchheit Hans, Katalog der Gemälde des Bayerischen Nationalmuseums (= Kataloge des Bayerischen Nationalmuseums in München 8) (1908) S. 267/68, Nr. 987 (Depot). Freundliche Mitteilung von Dr. G. Ludwig, Lauingen.

[249] Protokoll Dr. Ulm 28. 6. 1973, Oö. Landesmuseum.

[250] Evangel. luth. Pfarrarchiv Regensburg, HS K 36, fol. 604; den Hinweis verdanke ich Dr. Hugo Hebenstreit, Linz.

[251] Am 18. 9. 1629 richtete ein Friedrich Freiherr von Herberstorff ein Gesuch an die Oö. Stände wegen eines dem Joh. Ernst von Schärfenberg schuldigen Kapitals, OÖLA, Ständ. Archiv L II, Nr. 292. 1639 taucht im Zusammenhang mit dem Verkauf von Puchheim ein Wolf Sigmund Freiherr von Herberstorff zu Pettau auf, Schloßarchiv Puchheim, Lade „Diverses".

[252] 20. 5. 1651, OÖLA, Bescheidprotokolle 1651, fol. 180. Zahlreiche Hinweise zu Anton Maximilian Herberstorff verdanke ich Dr. H. Hebenstreit, Linz.

[253] A. M. Herberstorff an Joh. M. Lamberg („Herrn Götthen"), OÖLA, Familienarchiv Lamberg Fasz. 22, Nr. 358.

[254] OÖLA, Bescheidprotokolle 1649, fol. 233 und 250; Herberstorff erhielt 200 Gulden jährlich; vgl. auch ebenda 1651, fol. 180 und 1652, fol. 32.

[255] Ebenda, 1647, fol. 329 und 1649, fol. 279.

[256] Ebenda 1654, fol. 33.

[257] A. M. Herberstorff an Lamberg 10. 7. 1658, OÖLA, Familienarchiv Lamberg Fasz. 22, fol. 358.

[258] A. M. Herberstorff an Erzherzog Leopold Wilhelm; 2 Schreiben

o. D. (Praes. 10. 5. 1659), Hofkammer-Archiv Wien, Familienakten Sig. H. 107.

[259] Ferdinand Graf von Schärfenberg an Gundakar von Starhemberg 5. 1. und 25. 2. 1695, OÖLA, Starhemberg. Archiv, Korresp. der Fremden Nr. 375.

[260] OÖLA, Sammlung Petter, Schuber 1.

Schluß

[1] G. Lukacs, Theorie des Romans, Sammlung Luchterhand (1971) S. 111.

[2] J. Polišensky, Zur Problematik des Dreißigjährigen Krieges und der Wallensteinfrage, in: Aus 500 Jahren deutsch-tschechoslowakischer Geschichte, hg. von K. Obermann und J. Polišensky (1958) S. 124.

[3] ADB 25 (1887) S. 144.

[4] Herberstorff an Tattenbach 22. 5. 1626, ASTA, Dreißigjähriger Krieg, Tom. 133, fol. 17.

[5] Bibliographia Kepleriana, hg. von M. Caspar (1936) S. 89.

[6] I. Zibermayr, Noricum, Bayern und Österreich 2. A. (1956) S. 508. Über den Rangstreit ebenda S. 492.

[7] G. Barraclough, Geschichte in einer sich wandelnden Welt (1957) S. 37.

[8] H. U. Wehler, Geschichtswissenschaft und Psychoanalyse, Historische Zeitschrift 208 (1659) S. 539.

PERSONEN- UND ORTSNAMENREGISTER